D1064972

L'ÉTÉ ASSASSIN

Liz Rigbey

L'ÉTÉ ASSASSIN

FRANCE LOISIRS

Titre original : *Summertime*
publié par Michael Joseph, Londres

Traduit de l'anglais par Dorothée Zumstein

Édition du Club France Loisirs,
avec l'autorisation des Éditions Belfond

France Loisirs,
123, boulevard de Grenelle, Paris
www.franceloisirs.com

© Liz Rigbey, 2003. Tous droits réservés.
© Belfond, 2003, pour la traduction française.
ISBN : version reliée : 2-7441-6114-4
        version brochée : 2-7441-6184-5

À Mark

J'aimerais remercier tout particulièrement mon éditeur, Louise Moore, pour son soutien et sa patience sans faille pendant la longue gestation de ce roman. Un grand merci également à mes agents, les inestimables Mark Lucas et Nicki Kennedy.

Je tiens également à remercier pour leur générosité tous ceux qui m'ont donné des conseils et qui m'ont aidée : Tom Lourie, Cheryl Everett, Lucinda Pilbrow, Annie Lee, Felicity Cave, Hugh Miller, Juozas A Kazlas, Carl Swanson, Annick Deslandes, Sally Osmond, David Miller, Helen Meeson, Philip Meeson, Caroline Simpson, Alison Wheatcroft et Stephen Wheatcroft.

1

Ma mère nous a souvent raconté cette histoire, à ma sœur et à moi. Comment il a fallu des jours au train pour traverser la Russie et comment, une fois la frontière atteinte, la mort du bébé n'a plus fait aucun doute.

Le père s'en était rendu compte depuis un petit moment. Une à une, ses trois filles avaient compris. L'air horrifié des autres voyageurs s'était chargé de faire passer le message en silence. Seule la mère semblait incapable de prendre conscience de ce qui était arrivé à l'enfant serré dans ses bras.

À peine étaient-ils montés dans le train qu'il s'était mis à pleurer. Pas le gazouillis intermittent des nouveau-nés, mais les hurlements insistants d'un bébé de six mois. Lorsque la famille Andreyev était arrivée avec sa montagne de bagages, son père de famille revêche et leur braillard de bébé, tous les passagers présents dans le wagon avaient consulté leurs billets, espérant constater qu'ils s'étaient trompés de place. Quand il leur avait fallu admettre qu'ils étaient effectivement destinés à voyager vers l'ouest avec les Andreyev, ils s'étaient dit que le bébé n'allait pas tarder à cesser de pleurer et que, pour compenser, les trois fillettes ne prenaient pas beaucoup de place. Toutes les voitures étaient surchargées, et chaque personne portait un épais manteau, un chapeau, une écharpe et des gants. Et les bagages! Des sacs, des boîtes, des paniers, des valises entassés au-dessus des têtes, sur le sol, sur les genoux des gens...

Lorsque, bien après l'heure prévue, le train quitta enfin la gare au terme d'une inquiétante série de secousses, les autres voyageurs attendirent, confiants, le silence signalant que l'enfant s'apaisait, bercé par le vrombissement cadencé des grandes roues métalliques sur les rails.

Mais le silence ne vint pas.

Le train fila dans la ville, la traversant de part en part. Il dépassa des usines, des immeubles résidentiels, des places enneigées et boueuses où jouaient des enfants. Les passagers contrariés étaient forcés de subir les pleurs incessants. Les maigres plages de silence durant lesquelles le bébé reprenait son souffle étaient trop brèves, et suivies par des hurlements déchirants : on aurait cru que l'enfant exprimait la tristesse et les regrets de toutes les personnes présentes. Dans les autres voitures, l'on s'efforçait de se remonter le moral en faisant connaissance, en partageant le pain — voire le saindoux —, en sortant des bouteilles des sacs, en se racontant des histoires. Mais dans le wagon des Andreyev, toute tentative de créer des liens était rendue impossible par les cris du bébé.

Comme le train laissait Moscou derrière lui, les voyageurs éprouvèrent tout d'abord une certaine joie à la vue du paysage. Ça faisait du bien de contempler la campagne enneigée à travers la masse humaine, les bagages et la poussière qui obscurcissait les vitres. Puis la lassitude s'installa. Des kilomètres et des kilomètres de sombres forêts de pins ; des heures et des heures de morne plaine que rien ne venait interrompre, les arbres, les routes, les haies, la moindre couleur ou élévation de terrain étant dissimulés sous un manteau de neige. Les forêts étaient décevantes : de vastes parcelles de conifères uniformes. On aurait dit la traversée d'un puzzle géant, en noir et blanc. Et, tandis que la nuit tombait au-dehors et venait envelopper l'interminable étendue neigeuse, le bébé pleurait toujours.

— Vous ne pouvez pas le faire taire, nom de Dieu! finit par hurler quelqu'un.

La remarque venait d'un jeune homme aux yeux bleus et aux joues rouges. Mais son exaspération fut vite noyée sous les cris du bébé, et la mère se contenta de hausser les épaules et de secouer la tête.

Ignorant la mère et l'enfant, le père restait immobile. Il avait le visage émacié, la bouche sévère, et quelque chose de professionnel dans sa manière de scruter le visage des autres personnes. Quatre, oui, quatre enfants, et toute la famille bien vêtue. Chacune des fillettes portait sur ses genoux une petite valise de cuir... Il était clair qu'Andreyev avait une bonne situation. Cet air dangereusement officiel ôtait presque toute envie de protester aux voyageurs.

Au bout de quelques heures, le train s'arrêta. Nulle gare en vue, nulle lumière, aucune raison apparente. Des membres du personnel du train, conducteur compris, furent aperçus en train de fumer une cigarette le long des rails. Quelques passagers courageux descendirent, suivis par d'autres. Bientôt la famille Andreyev — la mère, les trois filles et le bébé braillard — se retrouva seule dans le wagon.

Ce n'est que lorsque les premiers rayons de l'aube blafarde tombèrent sur les visages gris des voyageurs que le train se remit en mouvement. Et le bébé pleurait toujours.

Et puis, alors que tous avaient cessé, depuis des heures, de croire à un peu de calme, les intervalles s'allongèrent progressivement entre les pleurs, de moins en moins rageurs, du petit. Les passagers échangèrent des regards d'espoir. Plusieurs prièrent. Ils fixaient le ballot à face cramoisie dans les bras de sa mère. Il gémissait à peine. Le monstre semblait rapetisser sous leurs yeux. L'enfant s'endormait.

Lorsque le silence se fit enfin, la satisfaction s'empara de tous les voyageurs, comme si un gaz euphorisant s'était insinué sous la portière. Tous s'assoupirent, à l'exception de la mère, qui pressait toujours son bébé contre elle. Certains dormirent long-temps. D'autres, à cause de l'inconfort, ne purent jouir que d'un sommeil entrecoupé. Ceux qui étaient réveillés jetaient parfois un coup d'œil au bébé, et ce qui n'était au départ qu'un soupçon devint vite une certitude. Il était blanc. Livide. Et ils avaient beau le scruter encore et encore, ils ne détectaient pas le moindre signe de vie. L'enfant était mort. Les trois fillettes voyaient l'horreur se refléter sur le visage des voyageurs. Nul n'en parlait, nul n'osait ouvrir la bouche. La femme continuait à bercer dans ses bras la masse inerte, la serrant contre son sein comme pour la réchauffer.

En ouvrant la portière du wagon des Andreyev, le garde-frontière réalisa aussitôt que quelque chose ne tournait pas rond. Les gens étaient trop silencieux. Et les regards qu'ils lui jetèrent étaient, eux aussi, inhabituels. Ils avaient l'air d'attendre qu'il remarque quelque chose. Une seule personne ne le regardait pas : une femme à l'air fatigué, avec un bébé endormi.

Il examina la femme, et le petit ballot sur les genoux. Tendit la main vers le visage blanc de l'enfant. Froid. Plus froid que le métal, plus froid que la pierre, plus froid que la tombe. Il prit sa main et s'efforça de lui plier les doigts, en vain. Le bébé était mort depuis plusieurs heures.

Le garde-frontière s'adressa à la mère :

— Il va falloir que vous me donniez le bébé. Il est mort, et vous ne pouvez pas continuer à voyager avec lui.

— Non ! cria la femme. Non, non, il dort !

Elle sanglotait à présent.

— Non ! Non !

Le père se leva d'un bond.

— Donne-le-moi, ordonna-t-il, et la femme, desserrant son étreinte, le laissa s'emparer de la masse inerte. Tandis que ses trois filles fixaient sur lui leurs grands yeux écarquillés, il tendit le bébé au garde-frontière, qui le prit avec précaution.

La femme s'accrocha au misérable uniforme du garde.

— Je vous en prie, je vous en supplie... Promettez-moi que mon enfant sera enterré convenablement !

L'homme la regarda. Il était loin de pouvoir lui assurer ça, lui qui était déjà en train de chercher le moyen de se débarrasser le plus vite et le plus commodément possible de cet importun bébé mort. Creuser à la pioche la terre glacée pendant des heures ne faisait pas partie des solutions envisageables.

Il quitta le wagon en emportant le bébé, et on l'entendit descendre du train. Pendant tout le reste du voyage, la mère pleura en silence, sans s'arrêter.

Ma mère connaissait bien cette histoire parce qu'elle était la plus jeune des filles du train, et que la femme pleurant son enfant était ma grand-mère. Je l'ai souvent entendue quand j'étais enfant mais lorsque, à mon adolescence, ma mère a été internée dans une clinique psychiatrique, elle m'est sortie de la tête ainsi que toutes ses autres histoires, tel un banc de poissons glissant dans la fente d'un rocher. Ce n'est que le jour où j'ai moi-même donné naissance à un fils que le poisson a de nouveau montré le bout de son nez, m'envoyant un éclair argenté au moment où, éperdue d'amour, je serrai mon bébé dans mes bras. Puis le bébé mourut et il fut emporté par une femme trapue vêtue d'habits sombres semblables à un uniforme, et j'eus alors le sentiment que moi, assise dans ma maison de Californie, et la femme du train qui soixante ans plus tôt avait pleuré son enfant dans la campagne enneigée d'Europe de l'Est ne faisions plus qu'une.

2

C'est le printemps, l'air est frais. Mais chaque fois que je traverse une rue, le soleil me saute aux yeux comme un slogan scintillant sur un panneau publicitaire. Je coupe par le parc. Je regarde les bébés dans leurs poussettes, leur corps flasque et leur visage aussi inexpressif que celui des passagers du métro. Cela fait trois ans que je n'ai pas tenu un bébé dans mes bras. Trois ans quasiment jour pour jour, à vrai dire.

Clic clac, clic clac. Le claquement de mes nouveaux souliers, qui me serrent un peu au talon, sur le trottoir. De temps à autre, dans une de ces étranges plages de silence où les sirènes cessent de mugir dans Manhattan et où la circulation se fait soudain silencieuse, il me semble que mon pied gauche frappe plus fortement le trottoir que le droit. Je m'efforce de mieux répartir mon poids, mais la démarche, c'est comme une mère ou un autre membre de la famille : vous ne l'avez pas choisie, et il n'y a pas moyen d'en changer. Clic clac. Le hall d'entrée de l'immeuble est accueillant. C'est un imposant atrium vitré où des arbustes se développent telles des plantes tropicales. Certains ressemblent aux arbres que mon père fait pousser dans son jardin, en Californie, mais leur forme est plus régulière, leurs fleurs plus grosses, plus colorées et plus parfumées. L'ascenseur referme ses portes, sa montée provoque en moi une sensation familière de vertige. L'unique fois où papa est venu me rendre visite à New York, je l'ai emmené au bureau un samedi matin. C'était avant l'atrium, du temps où le hall sombre était tapissé d'une moquette bordeaux, il doit y avoir plus de deux ans de cela. À peine l'ascenseur avait-il commencé à nous propulser vers le sommet du bâtiment que papa, choqué par sa soudaineté et sa puissance, avait vacillé vers l'arrière. J'avais tendu les bras pour le retenir, mais il avait alors grimacé et, dos plaqué au mur de la cabine, avait adopté la posture comique d'un homme en proie à la frayeur de sa vie. J'avais souri, à vrai dire un peu soulagée. Nous nous refusons à admettre l'âge de papa et, s'il montre des signes de faiblesse, nous préférons les ignorer. Il n'a pas le droit de vieillir ni de tomber malade.

Je traverse le hall en vitesse, attentive au claquement de mes talons, mais la moquette étouffe les sons.

Bonjour bonjour bonjour.

J'arrive en général la première, pourtant aujourd'hui deux autres têtes remuent déjà devant les écrans d'ordinateurs. Elles enregistrent ma présence avec une déférence indiquant qu'une grosse affaire est sur le point de se conclure et que c'est moi qui mène le jeu. Il y a à peine trois mois de cela, Gregory Hifeld s'est présenté à mon bureau en tapotant les revers de son costume coupé dans un tissu si résistant — écossais, probablement — qu'il doit le porter depuis quarante ans sans l'avoir ni froissé ni usé. Il m'a parlé de son fils, George, qui traîne derrière lui trois divorces, un sérieux problème d'alcoolisme et une absence totale de sens des affaires. Un profil qui ne lui permet guère de succéder à son père à la tête de Thinking Toys, ni maintenant ni jamais.

— Vous avez soixante-huit ans, ce n'est pas si vieux. Et vous avez l'air encore robuste et plein d'énergie.

Pas aussi robuste ni énergique que papa, c'est sûr. Mais qui peut prétendre l'être ?

— Pourquoi vous inquiéter dès à présent de l'avenir de la société ?

Il baissa la tête et, l'espace d'un instant, me parut sur le point de se mettre à pleurer. Je détournai les yeux.

— Je suis fatigué et ma femme est malade. Nous voudrions profiter du peu de temps qu'il nous reste ensemble.

Peu après, George Hifeld vint prendre la place de son père en face de mon bureau. Il avait les doigts jaunes et tremblotants du type qui meurt d'envie d'en griller une, mais craint de déclencher l'alarme antifeu et la panique du siècle dans un immeuble de quatre-vingt-trois étages. Puis ce fut le tour de Mittex. Désireux de racheter Thinking Toys tout en s'efforçant de ne pas dévoiler leurs cartes. Des hommes en costumes sombres, hochant des têtes de vautour. Jay Kent, leur P-DG, détaillant les chiffres en faisant des projections à long terme, avec la précision et le professionnalisme d'un chef cuisinier hachant des oignons. Aujourd'hui, et pour la première fois, tous vont s'asseoir à la table des négociations et peut-être — seulement peut-être — saurons-nous, à la fin de la journée, si Mittex va oui ou non racheter Thinking Toys.

Quand arrive le boss, j'ai les doigts crispés autour de ma seconde tasse de café. Ces tasses en papier sont agréables au toucher. Douces. On a l'impression de serrer dans ses mains un petit chien.

Jim Finnigan est chauve. Obèse. Lorsque j'ai commencé à travailler ici, il était juste un peu gras. Mais voilà : il vient tous les jours en train et, à la gare, il y a un gars qui vend des beignets à la cannelle tout chauds et dégoulinants de beurre. Jim s'en envoie trois chaque matin. À sa femme, June, il raconte qu'il n'en prend qu'un. Il s'en veut de lui mentir alors qu'il m'avoue la vérité, à moi, mais dans notre boulot, à force de rester de longues heures dans une pièce perchée en plein ciel, on finit par oublier la réalité de sa vie de famille, là-bas, tout en bas. Résultat : si on doit mentir, c'est à eux qu'on ment. Entre nous, on a plutôt tendance à se dire la vérité.

— Nom de Dieu ! s'exclame Jim en prenant une chaise et en posant les pieds sur mon bureau. Ça va être coton, pour toi, cet après-midi, dans la salle du conseil d'administration. J'y pensais à la gare, et il a fallu que je prenne un beignet de plus.

Le compte augmente au fil des ans. Je m'informe :

— C'est la première fois que tu en manges quatre ?

Il agite les pieds sur mon bureau.

— À vrai dire... j'en ai mangé cinq.

— Jim, ne me dis pas que tu étais déjà passé à quatre ?

Il hoche piteusement la tête.

— Seulement depuis un mois ou deux. Ou trois.

Il est tout penaud. En fait, c'est à June qu'il est en train de présenter ses excuses.

— Ça a commencé ce fichu matin, je me caillais, le train avait du retard... Le gars les prépare quand il me voit rappliquer. Et le voilà qui me dit : « Le train a du retard aujourd'hui, m'sieur. Prenez donc un autre beignet, ça va vous réchauffer. » Je l'ai laissé m'en emballer un dans une serviette en papier. Pour me réchauffer, quoi, nom de Dieu... Mais bon, je suis resté planté là à le laisser faire, et puis je l'ai payé, et puis je l'ai emporté. Et puis je l'ai mangé.

— Oh, Jim...

— Ne me laisse rien avaler d'autre aujourd'hui. Rien, d'accord ?

— Promis.

— Et pas un mot à June.

— D'accord.

Le regard de Jim se fait soudain malicieux.

— Alors, dit-il, comment tu comptes t'en tirer, avec Kent, dans la salle du conseil d'administration ?

— Ce n'est pas lui mon client. Je représente les Hifeld.

Jay Kent. Pas très grand, mais mince et vif comme une lame de couteau.

— Il te veut, Lucy.

Les mots de Jim me font sursauter : ce sont précisément ceux qu'a utilisés Jay Kent, assis bien droit sur sa chaise, dans ce restaurant du Michigan.

Jim retire du bureau ses énormes jambes aux épaisses chevilles, opération qui exige l'intervention de ses deux mains, et fait en sorte de les poser à son endroit favori, sur la corbeille.

— Il s'est passé quelque chose entre vous ? demande-t-il, la voix déformée par l'effort physique. Et ne t'avise pas de mentir à l'oncle Jim.

— Non, bien sûr que non.

— Rien du tout ? insiste-t-il, scrutant l'expression de mon visage.

— Rien de physique, si c'est ce que tu veux dire.

Jim fait une grimace très réussie : l'impression de voir son visage dans un miroir déformant.

— Lucy, tu sais très bien ce que je veux dire.

— On discute beaucoup. Au téléphone.

— Genre confidences sur l'oreiller sans l'oreiller ?

— Genre conversation amicale.

Le plus souvent, Kent parle et moi, j'écoute. Il ne sait pas grand-chose sur moi, et je préfère.

Jim m'examine, guettant un signe d'hypocrisie, puis poursuit :

— D'après June, tu...

June. Une masse sombre, déformée par ses enfants, toujours collés à ses basques. Laisse traîner ses romans à l'eau de rose sur le rebord de la baignoire et ne manque jamais de fondre en larmes devant les téléfilms les plus sirupeux.

— D'après June, les seules liaisons que tu te permets d'avoir sont celles qui sont vouées à l'échec. Comme avec Kent, par exemple, marié et père d'un enfant.

J'imagine l'enfant en question, gigotant parmi les meuglements de ses jouets en plastique de marque Mittex.

— Jay et moi avons une relation limitée du fait de notre rapport professionnel.

Mon ton est brusque, parce que j'aimerais bien que June cesse ses commentaires dignes du pire des talk-shows.

Jim fait mine de n'avoir rien entendu. En se levant, il me demande :

— Tu as fait quoi, ce week-end ?

— Oh, j'ai rendu visite à des amis.

— Mmm mmm. Pourquoi tu ne portes pas de chaussures ?

— Elles sont là, sous mon bureau, Jim. Je viens de les acheter et elles me font un peu mal.

— Mmm mmm...

Il s'éloigne en traînant les pieds. À sa manière de courber le dos, je vois qu'il est mécontent. Lorsqu'il se retourne, il a l'expression de quelqu'un qui va lâcher une méchanceté. Mais il se contente de :

— J'ai faim, Lucy. Je tiens à ce que tu saches que j'ai faim. Mais je vais tenir bon.

Ma sœur m'appelle. Il n'est pas encore sept heures en Californie. D'une minute à l'autre, elle va devoir se rendre à l'hôpital. Elle parle sur un ton clinique, rapide.

— On a passé le week-end à essayer de te joindre, Luce.

— J'étais partie...

— Tant mieux ! J'espère que tu as pu t'amuser là où tu étais, au lieu de broyer du noir.

— J'ai pas mal broyé du noir.

Sa voix se fait soudain plus douce.

— Oh, Luce, tu vas bien, au moins ?

— Ouais.

— J'ai emmené papa sur la tombe de Stevie. On y a laissé des fleurs qu'on avait cueillies dans son jardin.

— Merci, Jane.

C'est moi qui aurais dû conduire papa dans la partie du cimetière réservée aux enfants. Le soutenir lorsque nous nous serions dirigés vers le lieu consacrant le bref séjour de Stevie sur cette terre. C'est ainsi qu'il me plaît de penser à mon fils : comme à quelqu'un qui est resté un peu ici, avant de partir voir ailleurs.

— Je n'ai pas l'impression que ça fait trois ans, ajoute-t-elle. Quelquefois, je jurerais que c'est arrivé hier.

Si je m'autorise à y penser, j'ai le sentiment de revivre la mort de Stevie là, en ce moment même. Je revois cet instant où j'ai découvert le corps inerte et livide de mon fils flottant dans son berceau bleu comme à la surface d'un océan, cet instant où certitude et incrédulité se mêlèrent ; ce point de rencontre entre l'insoutenable et nouvelle réalité, et tout ce qui existait auparavant ; cette épouvantable combinaison d'impressions que l'on ne peut intégrer que par étapes, la première étant le choc. Je donnerais tout pour pouvoir effacer ce moment de ma mémoire. Mais la seule chose que je puisse faire, c'est m'en détourner.

— J'ai appelé papa plusieurs fois ce week-end, dis-je. Mais il était sans doute sorti. Il va bien ?

Elle hésite. Puis répond enfin, d'une voix douce :

— Bien sûr, il était un peu déprimé samedi. Mais quel homme sauterait de joie sur la tombe de son petit-fils ? Ensuite, on a roulé jusqu'à la plage, et on a déjeuné avec Scott au bungalow. Papa et moi avons trouvé que Scott allait un peu mieux que l'année passée, et ça a fait vraiment plaisir à papa. D'après Larry, les anniversaires doivent servir à ça : à permettre aux gens de reconnaître que leur chagrin s'atténue, et non à s'en vouloir à cause de ça. Papa est d'accord avec lui et il est bien placé pour le savoir.

Papa n'en parle jamais de but en blanc, mais lui aussi a perdu un fils. Mon frère. Je ne me souviens même pas de lui. Il est mort dans une espèce d'accident, alors qu'il n'était qu'un bébé. Lorsque Stevie est mort, papa n'en a pas davantage parlé, mais il a compris. Il savait, mieux que n'importe qui.

— J'espère..., avance Jane d'un ton prudent qui donne à sa phrase l'allure d'une question, que ton chagrin s'est atténué...

Je refuse d'en parler. Alors je demande :

— Comment va la hanche de papa ?

Ces derniers temps, nous avons beaucoup mentionné les hanches de papa, en particulier la droite. Ces allusions sont lâchées comme par inadvertance et nous les abandonnons aussi sec, tels des détritus qu'on n'avait pas l'intention de laisser tomber, mais qu'on ne veut pas non plus ramasser.

Nouveau moment d'hésitation. Puis la voix rassurante de ma sœur :

— Je crois que parfois elle lui fait mal, mais il n'en paraît pas diminué pour autant. Bon sang, Lucy, il a soixante-douze ans et se porte mieux que beaucoup de gens deux fois moins vieux. Quant à sa mémoire, eh bien, on a parlé d'une expédition qu'on a faite il y a de ça des années et il a dit qu'il se souvenait pour ainsi dire de la moindre caillasse sur laquelle on était tombés.

— Quelle expédition ?

Chacune est bien distincte dans mon souvenir. Il se passait toujours quelque chose de spécial : une découverte, une rencontre... Seules les pierres semblaient toujours identiques.

— L'Arizona, répond Jane d'une voix calme.

Je me rappelle le voyage, la chaleur. Ma voix lui fait écho :

— L'Arizona.

J'entends encore Jane, tout contre mon oreille, tâtonnant, chuchotant, attentive à ne pas réveiller les scorpions, à ne pas déranger un serpent.

— Papa n'a jamais rien dit à ce sujet, mais pour moi il n'y a aucun doute. Ce qu'il voudrait vraiment...

J'attends.

— ... eh bien voilà, Luce, il voudrait vraiment te voir. Je sais que d'une certaine manière il était impatient que le week-end arrive, même si c'est un triste anniversaire. Parce qu'il espérait que tu reviendrais à la maison. Il a même dit qu'il pensait que ça pourrait faire du bien à maman, de te voir. Je doute qu'elle soit seulement en mesure de te reconnaître, c'était donc une façon de laisser entendre que lui serait content de te voir.

— J'ai de grosses négociations en vue, Jane. Ce n'est pas le moment, pour moi, de quitter la ville. Mais quand tout sera réglé, je viendrai peut-être.

Prenant ma concession pour une confirmation, Jane me répond qu'elle est ravie. Je remets les pendules à l'heure :

— J'ai juste dit peut-être.

3

En début d'après-midi, après avoir fini de me préparer pour la réunion au sommet, j'attrape mon manteau et je descends. Dans les cafés qui longent la rue, les gens mangent debout, comme des chevaux. J'entre dans un snack tout vitré et je commande un petit pain au fromage frais, qui déborde de tous les côtés.

Soudain, j'aperçois papa. Il me regarde, de l'autre côté de la vitre. Je réalise aussitôt que le visage est celui d'une jeune femme ressemblant à papa. Puis, l'instant d'après, le ciel s'est assombri et je comprends que c'est mon propre reflet que je contemple. Des cheveux sombres. Des yeux sombres — verts, à vrai dire, mais cet étrange instantané ne le laisse pas voir. Des traits saillants. Je n'avais jamais compris, auparavant, pourquoi les gens trouvaient que je ressemblais à mon père.

— Les plus belles femmes, m'avait affirmé Jay Kent, ont des visages sans intérêt. Ta beauté à toi est intrigante.

C'était dit sur un ton objectif, totalement dénué de passion.

Le café servi dans le snack est si fort et si amer qu'il me fait grimacer, tout comme Kent avait grimacé par cette froide matinée, dans le Michigan. La Mittex était venue y voir l'usine de Thinking Toys et, au bout de deux jours, il neigeait encore. Jay Kent se tenait sur le parking, à la lisière de la forêt de pins, et il reniflait. Il faisait froid, mais ce n'est pas cela qui le faisait renifler. Les ouvriers arrivaient en voiture. Des travailleurs enjoués, dont la voix résonnait joyeusement dans l'air glacé tandis qu'ils se saluaient d'une voix forte d'un bout à l'autre du parking. Beaucoup étaient trop gros, certains obèses, mais ils n'en dégageaient pas moins cette incontestable joie de vivre propre aux gens de la campagne, tandis qu'ils rejoignaient leur poste d'un pas lourd, jetant des regards discrets au groupe compact et immobile que nous formions, dans un coin du parking. Si notre présence leur causait quelque inquiétude, ils ne la laissaient pas paraître.

— On croirait les nains de Blanche-Neige, sur le chemin du boulot.

Kent avait les joues et les orbites creusées par le froid. Ses yeux étaient d'un bleu glacial. Il n'y avait rien de tendre dans le ton sur lequel il avait prononcé ces mots.

23

— Tu ne pourrais pas imaginer, juste une seconde, de vivre ici, comme eux?

Je pensais qu'en chaque être sommeillait le rêve d'habiter à la campagne. Kent pinça les lèvres. Était-ce le froid qui les rendait plus fines ou avaient-elles toujours été aussi minces?

Plus tard, dans la tiédeur boisée du restaurant, Kent, dont les lèvres étaient redevenues charnues, dit :

— Toi non plus, tu ne pourrais pas vivre comme eux. Ne te raconte pas d'histoires, Lucy.

— J'ai vécu comme eux, pour ainsi dire, Kent.

Personne ne l'appelle Jay. Sauf sa femme, peut-être.

Il haussa les sourcils. Il a appris à imposer à son expression et à son corps une telle impassibilité que le plus petit geste se remarque et lui donne un air menaçant.

— Du temps où je travaillais dans une banque en Californie, continuai-je, je traversais moi aussi le parking pour aller au boulot, comme eux.

— Dans une banque? En Californie?

À nouveau, ces lèvres pincées...

— J'avais de très gros clients, rétorquai-je, sur la défensive. Sur tout le pourtour du Pacifique.

— Quel gâchis! J'imagine que c'était au début de ta carrière?

Non, ça a continué jusqu'à ce que je parte m'installer à New York, laissant derrière moi un mari désespéré, une famille déçue, un père furieux. C'était il y a à peine trois ans. Mais je n'allais pas raconter ça à Kent. Il m'observait, attendant ma réponse. J'examinai le menu.

— Une liste de tous les animaux écrasés sur la route, à ce qu'on dirait...

Soudain il se redressa sur son siège et lança :

— Je te veux, Lucy. Je ne sais plus quoi faire.

Je savais que j'étais censée le regarder. Ça me prit un bout de temps et lorsque je le fis enfin, ses yeux, à présent d'un bleu métallique, étaient fixés sur moi. Impénétrables, en dépit de ses paroles.

J'espérais qu'il entendait par là que lorsque le vieux P-DG de Mittex prendrait sa retraite et que lui, Kent, se retrouverait à la tête de la société, il me voudrait comme responsable des investissements. Jim espère cela depuis le début. La fusion Thinking Toys-Mittex est une bonne affaire, mais si on parvient à impressionner les gens de Mittex au point de leur faire remplacer leurs banquiers par les nôtres, ça devient vraiment une très très bonne affaire. Donc, lorsque Kent déclara « me vouloir », j'en conclus qu'il se plaçait peut-être sur le plan professionnel, et c'est ainsi que je choisis de voir la chose. Tout d'abord en pesant mes mots, puis sur un ton de plus en plus véhément, je lui exposai mon analyse du marché du jouet et de la manière dont Mittex pourrait en devenir le leader. Il m'écouta sans broncher, à l'exception d'un léger mouvement des sourcils.

Son corps demeura parfaitement immobile tandis qu'il m'expliquait que son intérêt pour moi ne se limitait pas au possible rachat de mes clients par sa compagnie, ni même à mon analyse du marché du jouet.

Avant de répondre quoi que ce soit, je m'efforçai moi aussi de rester immobile. Mais je dus bouger la tête, car je sentis mes cheveux frôler ma joue. Je baissai les yeux sur mes doigts, tâtant le grain de la table de bois.

— Nous devons respecter le caractère professionnel de notre relation, dis-je. Nous sommes face à face à la table des négociations, et il s'agit de tractations délicates.

Vite, trop vite pour me laisser le temps d'y penser, il répliqua :

— On peut très bien respecter les limites d'un rapport professionnel et avoir en même temps une relation d'ordre privé. Si tous les deux le désirent.

Je jetai un coup d'œil à son alliance et, par réflexe, à la mienne. De temps en temps, je songe à la retirer mais quelque chose m'en empêche. Sans doute de savoir que Scott porte toujours la sienne.

— Peut-être, lâchai-je.

En quittant le snack, je lance un regard de conspiratrice à mon reflet dans la vitre. Je me demande quel effet ça va me faire, aujourd'hui, de négocier avec un homme qui me connaît aussi intimement que Kent.

Sur le chemin du bureau, je passe devant le fleuriste. Je m'arrête, reviens sur mes pas et fait envoyer un bouquet à June Finnigan — des fleurs de printemps, des tulipes surtout, mais également quelques iris pointus. Je signe « Jim » sur la carte.

Une fois dans mon bureau du quatre-vingt-troisième étage, je palpe mon talon et sens le renflement d'une ampoule. Par la fenêtre, à cause du verre teinté, je devine plus que je ne vois le soleil au-dehors. Là-haut, perchés dans le ciel de Manhattan à une hauteur impossible, baignant dans une température contrôlée et dans une atmosphère conditionnée, nous remarquons à peine le temps qu'il fait. Nous vivons comme des reptiles. Notre peau est épaisse, notre système nerveux primitif.

Gregory et George Hifeld arrivent avec des porte-documents et des jouets. Ils patientent dans notre bureau, père et fils, côte à côte. Des gens viennent leur serrer la main et touchent les jouets. George les présente sur un ton laborieux. Je cherche à savoir si son haleine sent l'alcool tandis que nous parlons d'avions, sa passion. Il possède deux modèles anciens et une piste de décollage dans la propriété de son père.

— Ces fichus divorces ! s'exclame-t-il en mâchouillant

l'extrémité d'un de ses doigts. Ils vont finir par me coûter mon Stearman. Le Mustang aussi, si ça se trouve!

— Vous pouvez fumer dans les escaliers, dis-je. Enfin, en principe on n'a pas le droit. Mais il n'y a pas beaucoup de détecteurs de fumée, et les gens le font.

Il me jette un regard reconnaissant, puis consulte son père des yeux, comme pour lui demander la permission. Il a quarante-deux ans.

Lorsque Fatima nous annonce que les gens de Mittex nous attendent en salle de réunion, nous nous engouffrons dans l'ascenseur. Les regards évitent de se croiser. Je me demande si j'ai bien fait de ne pas organiser de rencontre entre Jay Kent et les Hifeld avant aujourd'hui, et de laisser tant de mou dans les négociations. Qui sait si tous ces efforts ne vont pas se révéler vains à la seconde où ils se trouveront en présence les uns des autres? Je repense à la conversation de ce matin avec ma sœur, à la demi-promesse que je lui ai faite de passer un bout de temps en famille à peine les négociations finies. Je me persuade que le marché va bien se conclure, que les susceptibilités personnelles ne feront pas capoter l'affaire. Et puis, j'ai seulement dit à Jane « peut-être ».

En entrant dans la salle du conseil d'administration, je sens tout de suite que Kent m'attendait. Il est en train de parler à quelqu'un et reste à sa place, mais son dos se redresse imperceptiblement au son de ma voix. Lorsqu'il se retourne pour me saluer, ses yeux ont un éclat presque déplacé dans une telle réunion. Son regard reste un peu trop longtemps sur moi, puis il se tourne vers les Hifeld. Il te veut, m'a dit Jim.

Je salue le conseiller de Kent, qui représente cette importante banque d'investissement dont je voudrais tant que nous prenions la place. Certains de ses collègues sont également présents, futurs membres de l'équipe que Kent mettra en place le jour où il succédera au vieux patron de Mittex. Je sais, par les coups de fil tardifs, intimes et décontractés qu'un Kent légèrement éméché me passe quand il est en voyage d'affaires, qu'il a hâte de voir arriver ce jour.

Je présente notre analyste financier et les Hifeld. J'essaie de voir Gregory par les yeux de Kent. Allure respectable. Grand. Il se tient droit, mais son visage est las, ses yeux marron pleins de tristesse. Il n'a pas envie d'être là, à discuter avec des jeunes hommes aussi rapides et incompréhensibles que la technologie, à parler de la vente de sa société. Il a passé sa vie à la bâtir et à subvenir aux besoins de la petite communauté qui en dépendait. Avec l'aide de George, il était censé y vieillir. Assis près de lui, empestant le tabac, trop souriant, George a l'air débraillé, en dépit de son costume tout neuf.

Lorsque les participants semblent prêts à ouvrir la réunion, je suis irritée de voir les Hifeld courber docilement la tête comme s'ils invitaient Mittex à ne faire qu'une bouchée de Thinking Toys.

— Alors, George..., lance soudain Kent.

J'ai un léger sursaut. George, dont la tête penchait un peu trop vers la dame de la Mittex à sa droite, tressaille également.

— Dites-moi, George. Quelles sont vos compétences ? Quelle tâche allons-nous pouvoir vous confier dans la nouvelle Thinking Toys ?

George sourit. Il balaie sur son front la mèche de cheveux qui lui tombe dans les yeux, une habitude datant sans doute de sa jeunesse. Seul problème : il n'a plus de cheveux.

— Mmm, eh bien, je n'ai pas l'intention d'en être le patron, précise-t-il inutilement.

Kent a beau lui rendre son sourire, ses yeux brillent, et je sais qu'il va se montrer impitoyable.

Gregory tousse :

— J'aurais dû confier davantage de responsabilités à George. Qui sait de quoi il aurait été capable ?

Nous, nous le savons. Nous tous.

George a les yeux perdus dans le vague.

— Mon Dieu..., dit lentement Kent.

Il se caresse le menton.

— Mon Dieu, répète-t-il. Je me demande, George, comment vous allez prendre les changements que nous comptons apporter à Thinking Toys...

— Eh bien, propose le banquier, je suggère que nous jetions un coup d'œil à certains de ces changements.

Kent déclare que Mittex trouve la productivité de Hifeld trop basse et les salaires trop élevés. Que mille employés, c'est trop. Que c'est mille de trop. Le visage de George se fige.

Je serre les poings, sentant les négociations m'échapper sans recours possible.

Gregory fixe Kent.

— Votre univers, dit-il d'une voix légèrement tremblante, c'est le plastique. Peut-être ne saisissez-vous pas que la grande qualité de nos produits en bois nécessite une main-d'œuvre nombreuse ? Nos employés sont incomparables, par leur dévouement et par la qualité de leur travail.

Kent sourit, mais ce sourire passe comme une flèche fatale qu'éclaire, l'espace d'une seconde, un rayon de soleil.

— Monsieur Hifeld, Gregory, je sais que les intérêts de vos employés passent avant tout, et j'admire l'habileté avec laquelle vous avez su maintenir jusqu'à présent hauts salaires et faibles rendements sur le marché des jeux éducatifs à forte valeur ajoutée. Soyez-en sûr, j'admire tout ce que vous avez fait. Mais, chez Mittex, nous n'avons pas les mêmes obligations morales. Nous croyons être en mesure de faire fabriquer vos produits en Extrême-Orient, avec une qualité égale, voire supérieure. Nous ne voyons pas la nécessité de les fabriquer à Fullton, Michigan, pour deux fois plus cher.

— En Extrême-Orient? répète Gregory.

— C'est là que se trouvent la majeure partie de nos usines. Une lame qui siffle : Kent est un yatagan.

— Nous concentrons actuellement nos ressources sur la Malaisie.

— L'Extrême-Orient, répète inlassablement Gregory. Ça ferait peut-être remonter le chiffre d'affaires, mais humainement parlant, le prix que Fullton aurait à payer serait considérable.

Je sais à quel point il doit détester Kent. Moi aussi, à ce moment précis, je le déteste.

On frappe à la porte de la salle. Une interruption. Il ne devait y en avoir sous aucun prétexte, et tout le monde est au courant. La porte s'ouvre, Fatima passe un pied dans la salle. Elle paraît plus mince qu'à l'ordinaire. Comment aurait-elle pu perdre du poids en l'espace d'une heure? Je réalise que c'est sa façon de se déplacer qui donne cette impression. Son visage, lorsqu'elle se tourne après avoir refermé la porte avec une précaution exagérée, a l'air d'une caricature. Je la fusille du regard et tous les participants la fixent en silence, bien qu'elle s'efforce de s'avancer vers moi comme si nul n'avait remarqué sa présence. Elle arrive à mon niveau, rouge comme une pivoine, et me tend un morceau de papier. J'y reconnais la grosse écriture maladroite de Jim.

« Cas de force majeure. Viens tout de suite. Désolé. J. »

Mes yeux restent rivés sur la feuille. Aucun cas de force majeure ne peut être suffisamment urgent pour m'arracher à cette réunion. Tout peut arriver une fois que j'aurai quitté la salle.

— Tout de suite, Lucy, je t'en prie..., murmure Fatima.

Tout le monde l'entend. Elle pourrait hurler, ce serait pareil.

Je jette un coup d'œil alentour. Malgré moi, je regarde Kent.

— Veuillez m'excuser, dis-je en me tournant vers Gregory, puis à nouveau vers Kent, sans me donner la peine de cacher mon irritation. Vous permettez qu'on fasse cinq minutes de pause? Je n'ai aucune idée de ce qui peut justifier...

À l'expression de Fatima, je comprends que toute discussion est vaine. Kent acquiesce.

— Bien sûr. Faisons une pause.

Les Hifeld hochent la tête, George un peu trop énergiquement. Je hausse les épaules en signe d'excuse en quittant la salle.

Dans le couloir, je scrute Fatima, quêtant une explication, mais elle se contente de lâcher :

— Vous pouvez passer au bureau de Jim? Tout de suite?

— Que se passe-t-il?

Elle détourne les yeux.

— Je l'ignore. Jim vous attend. Oh, Lucy, je crois que c'est une mauvaise nouvelle. Je suis désolée, vraiment désolée.

Nous nous dirigeons vers l'ascenseur, descendons neuf étages et sortons ensemble, sans nous adresser un mot. Je n'ose imaginer de quoi il peut s'agir. Je ne ressens que torpeur, alors que je devrais être en proie à la panique ou à la peur. Je ne pense à rien. J'attends. Je suis un reptile.

4

Jim est assis à son bureau, les pieds calés sur le couvercle de la poubelle, le visage dénué d'expression. À mon entrée, il se lève avec effort, fait le tour du bureau et me serre dans ses bras. Son énormité spongieuse me donne envie de rire, à moins que ce ne soit la gêne. Jim et moi n'avons jamais eu de contact aussi intime. Quand il lève les yeux, je constate, stupéfaite, qu'il est en larmes.

— Jim?

— Je suis désolé, fait-il d'une voix étranglée. Je pleure parce qu'une chose pareille ne devrait pas t'arriver à toi, Lucy.

Je ne pose toujours pas de questions. J'aime ça, ne pas savoir.

— Tu veux t'asseoir?

— Non, je veux retourner à la réunion.

— Lucy, c'est ton père. Il est mort.

Je reste silencieuse. J'attends que le chagrin ou l'émotion me submergent, en vain. Je ne ressens rien.

— Ce n'est pas possible. Jane l'a vu ce week-end.

— Il est mort, Lucy.

Le petit corps de Stevie, inerte dans son berceau bleu. Nous cinq, rassemblés autour de lui, bouche bée, incrédules. Papa, moi, Scott, Larry et Jane. Je suis la première à tendre les mains vers lui. Je le prends dans mes bras et il me paraît plus lourd qu'à l'accoutumée, un poids mort. Son visage, à l'exception du mince filet de sang, est blanc et inchangé. Il a les yeux fermés. Une main est légèrement levée, comme pour tenir la mort à distance mais, quand je le soulève, elle retombe mollement. Jane dit : « Il est mort, Lucy. »

— Les détails..., reprend Jim. Je ne connais pas les détails. Mais ce n'est pas clair. Ta sœur veut que tu sautes dans le premier avion. Lucy... à ce que j'ai compris... Il semblerait que ton père se soit noyé. Dans l'océan.

Je regarde Jim et rétorque d'un ton brusque :

— Tu es sûr de ça?

— La police a besoin de t'interroger. Tu veux appeler ta sœur pour qu'elle t'explique la situation?

— Non, Jim. Pas tout de suite.

— Fatima t'a déjà réservé une place sur un vol. L'avion décolle à dix-neuf heures. Il faut que tu rentres faire tes bagages. Tu ne peux pas y aller seule...

J'entends une voix, au loin. Celle d'une femme habillée comme moi :

— Tu es sûr qu'il est mort? Papa n'est pas juste blessé, il est vraiment mort?

La tête de Jim retombe sur sa poitrine tel un gros ballon.

— Oui, Lucy, il est mort. Je suis vraiment désolé.

— Alors pourquoi une telle hâte, Jim? Si papa est mort, plus la peine de se presser.

Jim émet un petit gémissement. Son visage se plisse.

— Tu n'as pas encore percuté. Quand tu réaliseras, ça va faire très mal.

— O.K. Je prendrai l'avion ce soir, dit la femme. Mais trouve-moi une place dans un avion qui part beaucoup plus tard. Ou tôt demain matin. Je veux conclure cette affaire avant.

Elle se retourne pour quitter le bureau. Elle est consciente que tous les regards sont fixés sur elle, les visages déformés. Allongés ou creusés. En reprenant l'ascenseur, elle est surprise par un fantôme, le fantôme d'un homme robuste mais vieillissant, si surpris par la vitesse de l'ascenseur qu'il vacille en arrière et se retrouve plaqué contre le fond de la cabine.

— Papa est mort, articule la femme en longeant le couloir.

Ces mots n'ont aucune signification, elle ne ralentit même pas son allure.

Dans la salle du conseil d'administration, l'ambiance lui paraît chaleureuse. La plupart des participants sont debout. Il flotte encore dans l'air les bribes d'une conversation anodine. L'analyste est au fond de la salle, près de la fenêtre, une tasse de café dans une main et une soucoupe dans l'autre. Derrière lui, le jour a pâli et, fantomatiques dans ce ciel de fin d'après-midi, apparaissent les lumières d'autres bureaux.

Un silence, lorsqu'ils enregistrent le retour de la femme. Ils se rassoient promptement et la fixent : il est clair qu'ils ont lu le mot de Jim.

— Tout va bien, Lucy ? demande Gregory.

Kent est pétrifié sur sa chaise.

— Eh bien...

Pour la première fois, la femme paraît hésiter. Mais se reprend aussitôt :

— Mon père vient de mourir dans des circonstances assez particulières. Je prends ce soir même un avion pour la Californie. Je voudrais donc vraiment que tout le monde se montre concentré et coopératif au cours de cette réunion.

— Ne me dis pas ce qui a été décidé, déclare Jim lorsque nous nous retrouvons dehors, dans l'obscurité, à chercher un taxi. Je ne veux pas savoir. Tu n'aurais jamais dû y retourner, tu aurais dû parler avec ta sœur. Elle était complètement affolée. Elle a téléphoné trois fois et aurait continué si elle n'avait pas dû aller annoncer la nouvelle à ta mère.

— Ma sœur est médecin. Elle ne s'affole jamais.

— Eh bien, en tout cas, elle s'inquiète beaucoup pour toi. Et ton beau-frère Lenny a appelé.

— Larry.

— Larry. Il est inquiet lui aussi.

— Il est psy, il ne s'affole jamais lui non plus. Et Scott ? Je parie qu'ils ont tous les trois cherché à me joindre ?

— Oui, Scott a appelé, et il m'a tout l'air d'être un chouette mari. Il se fait beaucoup de souci pour toi. Lucy, cesse de le

34

nier... Tu veux savoir ce qui est arrivé à ton père, là-bas, dans le Pacifique. Tu ne penses qu'à ça!

À la lueur des lampadaires, je vois tomber quelques flocons de neige.

— Je le saurai bientôt. Une fois que je le saurai, il n'y aura plus moyen de l'ignorer.

Jim est impatient. Il agite ses bras potelés en direction de taxis déjà occupés. Trépigne lorsque la circulation s'interrompt. Puis le feu passe au vert et une file de voitures s'élance, telle une meute hurlante. Une dépanneuse me frôle de si près que je sens un courant d'air.

— Hé! s'écrie Jim en me saisissant le bras dans un geste protecteur.

Il scrute mon visage.

— Tu n'es pas obligé de me raccompagner chez moi, Jim.

La mort de papa me semble si irréelle. À ce moment précis, cette nouvelle me fait l'effet d'un stratagème destiné à m'attirer en Californie, vers mon passé.

— Cause toujours... Ton avion part de Newark et je t'y conduis.

C'est la première fois qu'il vient dans mon appartement. Lorsque j'ouvre la porte, il reste figé sur le seuil, plissant les yeux.

— J'arrive pas à croire que tu puisses être aussi ordonnée. Ça n'existe pas. Je parie que tu attendais de la visite, ce soir : Jay Kent?

— Oh, Jim. On ne me rend jamais visite, et Kent n'a jamais mis les pieds ici.

— Tu peux appeler Jane et lui communiquer ton heure d'arrivée, afin qu'elle puisse venir te chercher?

— Je ne veux pas qu'elle vienne me chercher.

— Appelle Scott, dans ce cas.

— Je me débrouillerai seule.

— Je ne te laisse pas monter dans cet avion si quelqu'un ne vient pas te prendre à l'aéroport. Inutile de protester. Je suis ton patron.

Je soupire.

— Laisse-les s'occuper de toi. Jane en a envie, c'est clair.

Jane s'est toujours occupée de moi. Elle a été mon médecin bien avant d'être celui des autres. Lorsque j'étais gosse, je souffrais du genre de maladie qui nécessite une surveillance constante, et ma grande sœur assurait cette surveillance. Moins d'exercice physique. Plus d'exercice physique. Moins de nourriture. Plus de nourriture. Cela fait trois ans que plus personne ne veille sur moi comme Jane a pu le faire, et ma gorge se noue quand je repense à la manière dont ses longs doigts habiles me nouaient le bras en écharpe, examinaient mes coupures, lavaient mes plaies. Mais je ne dis rien de cela à Jim. Je me contente de rétorquer :

— J'ai échappé à tout cela désormais, Jim.

Ça a l'air de le chagriner. Jim adore sa famille. Il ne lui échappe que pendant les heures de bureau.

— Quand est-ce que tu as parlé à ta sœur pour la dernière fois ? demande-t-il.

— Ce matin et, avant ça, le jour de son anniversaire. Non, plus récemment. Il y a quelques semaines, je crois. On se téléphone de temps en temps et la conversation reste polie, mais elle ne me pardonne pas d'être partie, et Larry et Scott non plus.

Jim déglutit.

— Ils te pardonneront quand tu leur annonceras ta venue.

— J'appelle Sasha.

— C'est qui, celle-là ?

— Celui-là. Alexander.

36

Je cherche son numéro de bureau. Il a dû changer depuis la dernière fois que je lui ai parlé, mais je commence tout de même à le composer. Jim m'arrache le combiné des mains.

— Attends une minute. C'est qui, ce type?

— Ma mère a quatre sœurs, tante Zina est la plus gentille, et Sasha est son fils. Nous avons presque le même âge. J'ai des tas de cousins, mais c'est mon préféré. Ils vivent dans le quartier russe de la ville. On se croirait à Moscou, sauf qu'il y fait plus chaud.

— Il fait quoi dans la vie, ce Sasha?

— Il travaille pour une importante organisation humanitaire chargée, je crois, de promouvoir la culture indigène. Sa zone d'influence s'étend sur presque toute l'Europe de l'Est et couvre onze fuseaux horaires.

— Comme Staline, c'est ça?

— Tu t'entendrais bien avec Sasha. Il est du genre à aimer les beignets à la cannelle.

Jim me jette un regard sceptique.

— Il serait capable d'en manger cinq?

— Je suis sûre que oui.

— Quelle horreur! Ce type m'a tout l'air d'un goinfre.

Cette fois, il me laisse composer le numéro. Une voix répond aussitôt, avec un fort accent russe.

— Est-ce qu'Alexandre est là?

— Non, répond la femme.

Son ton révèle que la conversation a déjà assez duré.

— Quand sera-t-il de retour?

— Je n'en sais rien.

— Il est à son bureau, aujourd'hui?

— Il était là tout à l'heure.

— Il compte revenir?

— Sans doute.

C'est une voix jeune et sa propriétaire, pour s'autoriser un tel degré de grossièreté et d'indifférence, est forcément belle.

Je m'enquiers :

— Vous êtes la secrétaire de Sasha?

— Je suis l'assistante personnelle d'Alexander Pavlevitch.

Je songe à ma mère, jeune, belle, russe, qui avait elle aussi été l'assistante, non, la secrétaire de mon père à l'université. Répondait-elle ainsi aux coups de téléphone de papa, d'un ton suggérant les rapports intimes la liant à l'homme pour qui elle faisait barrage? Je suggère :

— Je pourrais peut-être réessayer dans dix minutes?

— Si vous voulez, dit-elle avant de raccrocher.

Jim erre dans la pièce, étudiant tableaux et tapis.

— Qu'est-ce que c'est que tous ces cailloux, bon sang?

— Ils me viennent de papa. Il est géologue et passe son temps à offrir des pierres aux gens.

— Je croyais qu'il était prof.

— Professeur de géologie.

Jim caresse les pierres.

— Elles sont plutôt belles. Enfin, si on aime les pierres.

— Celles qui ont des rayures, c'est moi qui les ai ramassées. Je le suivais souvent dans ses expéditions.

— Tu les a trouvées où?

Jim serre dans sa paume l'une des pierres rayées et en roule une autre entre ses doigts. Le contact, à la fois doux et ferme, lui plaît. Il m'en tend une, tiède et dure. J'effleure les rayures.

— Dans l'Arizona.

— Et ce motif? Ton père te l'a expliqué?

Papa nous expliquait tout, se servant de ses mains pour nous dépeindre des formations géologiques, haussant les sourcils jusqu'à ce qu'ils rejoignent sa tignasse noire, faisant vivre les pierres entre ses doigts. J'étais si éblouie par son petit numéro

38

que je n'écoutais pas un mot de ce qu'il racontait. Son visage donnait envie de le voir s'animer. Les os saillants, le menton puissant, le nez large : l'air d'un type qui a quelque chose à vous apprendre. Je glisse la pierre dans ma poche.

— S'il l'a fait, j'ai oublié. Je n'ai pas le souvenir que ces trouvailles lui aient fait une grande impression.

— Pourquoi tu ne raccroches pas, Lucy ? demande Jim.

Je tiens encore le combiné pressé contre mon épaule.

— Je viens d'entendre que j'avais des messages.

Je savais qu'il y en aurait. Ils se sont accumulés au cours du week-end. Cinq en tout. Je m'attendais bien à ce que la famille appelle, le jour anniversaire de la mort de Stevie, pour me faire part de son inquiétude et me parler. Je ne les ai pas écoutés. Maintenant, je réalise que l'un des messages vient peut-être de papa, et je sens mon estomac se contracter comme une anémone de mer.

Jim a la même idée. Il souffle d'une voix douce :

— Vaut mieux que tu les écoutes, mon petit.

Il y en a deux de Jane. Un de Scott. Deux de papa. Dans le premier, qui remonte à samedi matin, il me signale simplement qu'il cherche à me joindre. Le second est d'une autre nature.

— Lucy, c'est encore moi. On est maintenant samedi soir, et tu as passé une journée difficile. Je le sais. Si tu es chez toi, que tu es triste et que tu ne veux pas répondre au téléphone, décroche tout de suite.

Sa voix est si puissante, si impérieuse que j'ai du mal à ne pas y répondre. Après un moment de silence, papa reprend, plus insistant :

— Allez, Lucy. Fais ça pour moi.

Je me dis : « Lucy, nom de Dieu, décroche ce téléphone ! »

Comme le silence se prolonge à l'autre bout de la ligne, mon cœur se serre à la pensée de mon absence, de mon silence.

— Très bien, alors laisse-moi te dire un truc...

Il serre le combiné entre ses larges mains aux veines saillantes. Il a une grosse voix. Mon grand fanfaron de père.

— Je sais à quel point tu souffres. Je sais à quel point tu as souffert. Mais ne garde pas ta souffrance emprisonnée comme une effrayante bête sauvage. Il est temps pour toi d'ouvrir la porte de la cage et de la laisser s'échapper. Qui sait, tu vas peut-être la voir se transformer en un petit chien, que tu pourras choyer. Elle ne te quittera jamais, mais elle aura définitivement cessé d'être une bête féroce. Profitons de cet anniversaire pour faire le point. Il y a trois ans que tu es partie, Lucy. Je ne te l'ai jamais reproché. Et je ne te reprocherai pas non plus de rester là-bas. Tu peux même épouser, à New York, un pauvre idiot qui ne se doute de rien. Mais libère Scott. C'est un type bien et il ne cesse d'attendre ton retour. Voilà le conseil que je te donne. Et, au fait...

Une hésitation. Une marque, infime, de vulnérabilité.

— Ne te fais pas de souci pour moi. Tout ira bien.

Sa hanche. Son âge. Sa santé, qui risque de décliner. Sa mort, inévitable. Toutes ces choses que nous refusons de regarder en face et dont nous ne parlons jamais... C'est comme s'il avait profité d'un moment de silence pour les hurler. Je sens ma gorge se nouer.

Papa laisse retomber sa voix ; peut-être éloigne-t-il le combiné de son visage.

— Je ne veux pas que tu sois triste, Lucy. Je t'en prie, ne sois pas triste.

Le message a l'air d'être fini. Long silence. Puis sa voix s'élève à nouveau, à présent tremblante d'émotion :

— Prends soin de toi, ma petite Lucy. S'il te plaît, prends bien soin de toi.

Je sauvegarde le message et le repasse. L'entendre me donne

des picotements sur tout le corps, comme si une nuée d'insectes venait de s'abattre sur moi.

— Ça va? s'inquiète Jim.

Il m'observe. Ne fait même pas semblant d'examiner les cailloux ou de regarder par la fenêtre.

— Lucy?

— Tout va bien.

— Alors, il y a un message de ton père, dit-il d'un ton assuré.

— Oui.

— Gentil?

Je réfléchis un moment, puis :

— En intention, oui.

J'écoute une troisième fois le message. C'est vrai, papa ne m'a jamais reproché d'être partie. Il est le seul membre de ma famille à ne m'avoir jamais dit qu'il m'en voulait, qu'il se sentait blessé ou trahi par mon départ pour New York. Le seul qui n'espérait pas me voir revenir la semaine suivante. Et c'est vrai, aussi, que Scott m'attend toujours. Il habite encore la petite maison sur la plage, là où la pinède cède la place au sable. Lorsque je pense à lui, je vois son long corps étendu les pieds sur une chaise, sur la véranda, ses mains serrées autour d'une tasse de café, ses yeux gris bleu comme un ciel brouillé scrutant l'océan comme si j'allais arriver en bateau.

— Il l'a laissé quand? demande soudain Jim.

— Samedi. Je n'avais pas eu le temps de l'écouter.

Je sauvegarde une dernière fois le message, puis je sors un sac, que j'ouvre sur le lit. Nous restons un moment en silence, pendant que je prépare mes bagages. Puis Jim va s'asseoir dans la pièce d'à côté. Il se met à me parler de la mort de son père à lui, qui a eu la délicatesse de partir lentement. Il a perdu du poids, serré des mains, demandé pardon, fait ses derniers adieux. Parfois la voix de Jim s'étrangle, et je devine qu'il pleure.

Tandis qu'il sanglote doucement, je compose à nouveau le numéro de Sasha. Je m'attends à entendre la voix de la belle jeune femme, semblable à celle de maman, il y a une éternité. Mais c'est un homme qui répond.

— Planification et développement, section Europe de l'Est.

À son ton, on jurerait qu'il n'y a rien de plus mortel que la planification, le développement et l'Europe de l'Est tout entière.

— Sashinka, c'est toi?

Sa voix change aussitôt.

— Mon Dieu, qui peut bien m'appeler Sashinka en s'adressant à moi en anglais?

Comme je ne réponds pas immédiatement, il s'efforce de deviner mon identité.

— Mmm... Voyons. Quelqu'un que je n'ai pas vu depuis très longtemps, de toute évidence.

Sasha a toujours aimé jouer. Et gagner. Au cours des rares occasions où se trouvaient réunis les membres de la famille de ma mère, papa embarquait tous les gamins et tentait d'imposer à l'esprit russe les règles du base-ball. Le résultat était invariablement chaotique, mais Sasha se débrouillait toujours pour émerger de la mêlée afin de signaler que son équipe était gagnante sans aucun doute possible.

— C'est juste, dis-je. Depuis très très longtemps.

— Mais quelqu'un qui parle avec un accent américain impeccable. Bizarre. Les Américains m'ont toujours appelé Alex.

— Pas celle-ci, Sashinka.

— Oooh. *Nu tak*..., marmonne Sasha, en russe.

Bien qu'il parle un anglais parfait, ses inflexions ne sont pas totalement américaines, et lorsqu'il passe au russe, c'est avec l'aisance et la grâce d'un phoque se laissant glisser dans l'eau.

— Ah... ça y est. Je sais. Tu fais partie de la famille, mais tu es américaine. Mes cousines américaines... Jane et Lucy. Tu dois donc être Jane ou... plutôt Lucy, certainement. J'ai deviné juste, Lucia ?

— Oui, Sashinka, tu as deviné juste.

— Quelle surprise ! Quel plaisir de t'entendre !

— Mais j'appelle à cause de... J'ai de mauvaises nouvelles, Sasha.

Je suis consciente de la présence de Jim tout près, figé sur sa chaise.

— Oh, souffle Sasha. Oh, oh.

Ce « Oh oh » exprime largement la conscience que nos existences reposent sur les fondations de notre propre mortalité, et de celle des êtres que nous chérissons. Oh, oh. Sasha se prépare à glisser un œil dans la brèche du rocher, pour voir le précipice béant juste au-dessous.

— Une mort. Une mort dans la famille, j'en ai peur.

— Oui, Sasha, une mort. Dans la famille.

— Oh, Lucia. Est-ce ta pauvre mère ?

Fugitivement, amèrement, je regrette que ce ne soit pas la bonne réponse.

— C'est papa. Il s'est noyé. Il a eu une sorte d'accident en mer. Je n'en sais pas davantage.

— Mon Dieu. Mon Dieu. Toutes mes condoléances. Du fond du cœur. Mais où es-tu en ce moment ?

— À New York, je prends ce soir un avion pour l'Ouest. Je sais que je te préviens au dernier moment. Je sais que je ne t'ai pas vu depuis des années. Je sais que je profite sans vergogne de mon cousin préféré. Mais tu peux venir me chercher à l'aéroport ?

La surprise le laisse un moment sans voix. J'ajoute :

— Je t'en prie.

— Évidemment. Tu peux compter sur moi. Tu veux que je te conduise chez ta sœur ? Ou chez Scott ?

C'est à mon tour de marquer un temps de silence.

— À vrai dire, je peux habiter chez papa. Il vaut mieux ne pas laisser la maison vide.

La réaction de Sasha ne se fait pas attendre :

— Non, Lucia, ce serait trop déprimant. Par ailleurs, ça me ferait un plaisir immense de t'avoir parmi nous. Et ma mère serait bien sûr enchantée.

— Tu es retourné vivre avec tante Zina ?

— Oui.

— Tu n'es plus marié avec Marina ?

— Elle m'a informé que non. Mais ce n'est pas le moment de parler de ces choses-là. Viens chez nous, je t'en prie, ça nous fera tellement plaisir à tous.

Je m'efforce de protester, mais il poursuit :

— Ma chère Lucia, bien que je n'aie pas vu ton père depuis des années, je garde de lui un souvenir merveilleux. C'était un homme bon, le meilleur des hommes, et je suis bouleversé pour toi. Je suppose que ta mère a été informée ?

— Il semblerait, oui. Mais j'ignore si elle est en état de comprendre.

Je le sens au bord des larmes.

— C'est une si grande perte pour tous ceux qui l'aimaient.

Tout le monde semble ressentir la mort de papa de manière plus aiguë que moi.

— Merci, Sashinka.

Je lui donne les détails du vol.

— Sashinka sera là, m'assure-t-il. En dépit de sa manie quasi pathologique d'être toujours en retard, en cette occasion tu peux compter sur sa ponctualité.

— C'est réglé? demande Jim lorsque je raccroche.

— Oui.

Je retourne dans la chambre.

— Je peux te raconter maintenant, comment ça s'est passé avec Thinking Toys?

J'ouvre le placard, en sors des chaussures usagées mais confortables. Je suis soulagée par la façon dont elles m'entourent le pied en douceur. Je jette la nouvelle paire dans le sac et me mets à plier une chemise de nuit. Jim est curieux. Il aimerait bien regarder franchement dans la chambre et voir quels vêtements j'emporte mais, soucieux de ne pas être indiscret, il reste assis dans le fauteuil de la pièce d'à côté, le dos tourné, la porte grande ouverte.

— Tu leur as dit, pour ton père, à la réunion? questionne-t-il. Ou tu t'es contentée de faire comme si tout allait bien?

— Je leur ai dit. Ça a renforcé ma position.

Jim grimace.

— Ils sont devenus doux comme des agneaux, y compris Kent. Et ont accepté presque toutes mes suggestions.

— Qui étaient?

Je fais à Jim un résumé des problèmes évoqués et des solutions que j'ai proposées. Jim a l'air impressionné.

— C'est bien. Du bon boulot.

— Ça fait bizarre d'être félicitée par quelqu'un qui vous tourne le dos.

Jim fait volte-face. Me fixe droit dans les yeux.

— Tu as fait un super-boulot.

Il pivote à nouveau sur son siège.

— Et tu sais la meilleure ? George va piloter l'un des avions de la société.

— Hein ?

— Enfin, peut-être. Il était là, à raconter qu'il était incapable de diriger une société fabriquant des jouets, de participer à la conception, au développement, au management, à la recherche ou au marketing. Kent se montrait de plus en plus cinglant. Et quelqu'un — O.K., c'était moi — s'est enquis des jets Mittex. Eh bien, figure-toi qu'ils en ont trois. Trois jets et George a fait sa formation de pilote dans l'armée de l'air. C'est tout vu, du moment qu'il reste au régime sec.

Jim se retourne. Il s'assure que je ne suis pas en train d'emballer des effets trop personnels.

— Tu oublies un détail, ça risque de coûter cher.

— Pourquoi ?

— Parce que personne n'acceptera jamais de monter dans un avion piloté par George Hifeld. En tout cas pas sans parachute.

Je glousse.

— C'est bon, je suis prête.

Il se lève et me regarde bien en face :

— Lucy, murmure-t-il. Ton père est mort.

Cette fois, j'accuse le coup. Un rouleau compresseur me broie le cœur, je suffoque. La douleur m'étouffe. Je sens la tiédeur de mes larmes. Mon corps est pris d'assaut par des sanglots incontrôlables. Il est mort et personne ne m'aimera jamais autant que lui. Il est mort et la sagesse et le savoir de toute une vie ont disparu avec lui. Il est mort et l'espace que son corps robuste et sa voix forte occupaient est désormais vide. Il est mort et la maison où il vivait, tout ce qu'il possédait, les gens qu'il connaissait et les endroits qu'il fréquentait sont toujours là, mais pas lui. Et lorsque le mouvement des marées aura ballotté et emporté toutes ces choses, il ne restera plus aucune preuve de son existence. Chacun de mes sanglots tombe dans un puits sans fond. Il est mort, et il ne peut plus y répondre.

5

Chez Jim, June nous attend. Elle me fait entrer, m'arrachant à l'obscurité glaciale. Elle m'entoure de ses bras et me guide jusqu'au salon, où nous slalomons entre les jouets, les petits enfants et un gros bouquet de fleurs.

— Ma pauvre chérie. N'essaie surtout pas de sécher tes larmes. Quand mon papa est mort, j'ai pleuré tous les jours pendant un an. C'est la seule manière de se sentir mieux. Il faut pleurer, pleurer, pleurer.

June se sent isolée. Elle est l'unique femme du pâté de maisons, voire des dix pâtés de maisons alentour, à passer ses journées chez elle, à se reproduire. Chaque année un nouveau bébé. Jim est un peu gêné lorsqu'il nous annonce une prochaine naissance :

— Ma femme, dit-il. Je ne peux pas l'empêcher de faire de bébés. Elle veut monter une équipe de football, on dirait.

À présent, chez lui, il oscille entre la fierté et la gêne. Ma présence lui rappelle que toute la journée il a été un gros bonnet de la finance et qu'ici il est seulement papa, emporté dans un tourbillon de demandes, de petits enfants et de détails domestiques qu'il laisse à June le soin de gérer. Il reste planté là, soumis, chaplinesque, les pieds en canard et les épaules voûtées tandis que les gamins s'agrippent à ses jambes.

June m'entoure toujours de ses bras et poursuit ses incantations.

— Oh, ma petite Lucy. J'aimerais que tu viennes ici plus souvent. Tu n'as pas fini de pleurer, et sache bien que tes larmes seront toujours les bienvenues chez June. Tu m'entends, hein, c'est bien compris?

Et, dans la chaleur de leur salon, tandis qu'un autre bébé hurle quelque part dans la maison et que les fleurs prétendument envoyées par Jim embuent leur emballage de cellophane, je pleure encore et encore, et mes sanglots se succèdent, ininterrompus et saccadés. Quand vient le moment d'y aller, Jim m'emmène à sa voiture. Le pare-brise et les vitres sont couverts de givre.

— Merde! s'exclame-t-il. Qui aurait cru qu'il pouvait encore geler à cette période de l'année? On aurait dû la mettre au garage.

Il rentre dans la maison et en ressort bientôt, suivi par June, qui tient une casserole fumante, et par plusieurs petits enfants. Il s'engouffre dans la voiture, met le contact. June verse de l'eau chaude sur le pare-brise et la couche de givre se craquelle et fond. Derrière apparaissent les visages ronds et aimables de June et des enfants, souriant à la voiture plongée dans l'obscurité. Comme Jim démarre, leur image semble rester imprimée sur le pare-brise, en dépit des lampadaires et des couleurs criardes des restaurants et des boutiques que nous dépassons.

Après un long silence, Jim tousse.

— Ton père avait beaucoup de parents?

— Personne. Toute la famille est du côté de ma mère.

— Vraiment personne?

— Sa famille vivait dans une communauté religieuse et, lorsqu'il a perdu la foi, il a dû se résoudre à les abandonner eux aussi. Il a rompu tout contact avec eux depuis l'âge de seize ans.

— C'est radical. Quitter toute sa famille à seize ans. Nom de Dieu, ça n'a pas dû être facile. Dur sur le coup, et dur plus tard, quand il s'est retrouvé seul. Il avait quel âge quand il a rencontré ta mère?

— C'était beaucoup plus tard. Il enseignait déjà à l'université. Elle y travaillait comme secrétaire. Ils se sont rencontrés et, trois semaines plus tard, ils étaient mariés.

— C'est ce qui s'appelle un mariage éclair.

Elle était belle, mystérieuse, étrangère, excitante. Je crois que c'est ainsi qu'elle apparaissait, alors. Je ne sais plus trop si je l'imagine ou si elle était vraiment comme ça.

— Il a rencontré quelqu'un d'autre? Après qu'elle...

Jim hésite.

— Après ses premiers troubles psychotiques graves? Non, il lui est resté dévoué pendant toutes ces années.

Jim tousse à nouveau.

— La faculté qu'on a d'accepter la mort des autres... ça dépend pas mal de la manière dont on se situe par rapport à sa propre mort.

Ma voix me paraît provenir de très loin :

— Après le décès de Stevie, je me fichais pas mal de vivre ou de mourir. Depuis, ça n'a pas vraiment changé.

— À ce point-là? Ça t'est vraiment égal de mourir?

— Oui. C'est une bonne chose. Ça signifie embarquer dans un avion ou dans un taxi conduit par un chauffeur fou sans éprouver la moindre peur. Ça signifie pouvoir rentrer à pied chez soi une fois la nuit tombée. Ouvrir la porte de son appartement sans craindre qu'il y ait quelqu'un à l'intérieur.

— Je ne te crois pas, Lucy.

— Jim, je suis prête à mourir et je l'ai toujours été. Je suis la première étonnée quand mon avion n'explose pas en plein vol. À certains moments de ma vie, je me suis presque vue mourir...

49

Je suis tombée dans un canyon, j'ai failli me noyer dans une piscine, j'ai eu un accident de voiture... Et le seul choc que j'ai ressenti a été de me rendre compte que j'étais toujours en vie.

— Non, non. Je ne veux pas croire ça. Tu penses que tu as touché le fond du puits du malheur quand ton bébé est mort, mais ce n'est pas vrai. Tu n'es pas encore prête à mourir. À mon avis. Parce que c'est sur soi-même qu'on pleure, pas sur les morts.

— Les morts nous manquent, Jim. C'est ça, le chagrin.

— Non, c'est juste le manque.

Nous continuons à rouler en silence vers l'aéroport. Jim insiste pour garer la voiture. Tout en me dirigeant vers la porte d'embarquement, après avoir refusé qu'il m'accompagne, je jette un coup d'œil par-dessus mon épaule et constate qu'il est toujours planté là, au milieu de la foule grouillante. Ses pieds en canard, ses bras pendant mollement le long de son corps, sa silhouette volumineuse lui confèrent une allure de clown. Il ne me fait aucun signe mais ne me lâche pas des yeux. Je ne peux réfréner mon envie de pleurer, mes jambes me portent difficilement jusqu'à l'avion. Je rentre à la maison.

Au cours du vol, j'ai l'impression que la mort de papa, la mort de Stevie et celle de mon frère — dont j'ignore le prénom et dont j'ai oublié les traits — ne forment qu'une seule énorme boule de tristesse et de chagrin, qui voyage dans le siège voisin du mien, tel un passager obèse. Je pense à toi et je ne veux pas que tu aies de la peine. Ne sois pas triste, je t'en prie, ma petite Lucy.

Je tourne entre mes doigts la pierre de l'Arizona que j'ai dans la poche, jusqu'à la sentir tiédir. Papa disait que les pierres rayées ne valaient rien, qu'on en trouvait partout et que, géologiquement parlant, elles ne présentaient aucun intérêt. Mais je les aimais tant que je les ramassais quand même. Elles sont mon seul souvenir de cet horrible voyage.

Il avait débuté juste après la mort de mon frère. Papa se figurait sans doute que ce serait bon pour maman de l'éloigner de la maison. Bien sûr, ce n'étaient pas des vacances normales. Maman ne parlait presque pas mais, au bout de quelque temps, le paysage primitif nous toucha, et nous nous abandonnâmes à son intemporalité.

Papa aimait gravir les canyons rouges de l'Arizona jusqu'à ce que la poussière des rochers ait roussi sa chevelure sombre. Jane avait sept ans et le suivait. Je n'avais que quatre ans et je suivais Jane. Un jour que je n'oublierai jamais, nous marchions dans son sillage, sous un ciel blanc et écrasant. Notre mère avait refusé de nous accompagner, préférant attendre dans la voiture. Par la vitre arrière, on apercevait son étrange silhouette dressée, bouillonnante en dépit des portières ouvertes et des vitres baissées, sur l'asphalte désert.

Papa avait une manière bien à lui de se déplacer rapidement dans le désert. Il se faufilait entre les obstacles comme un fantôme, gravissait le lit desséché des rivières d'un pas trop décidé pour laisser aux cailloux le temps de glisser sous ses pieds, franchissait parfois d'un bond — sans l'ombre d'une hésitation — les fissures ou les creux entre deux gros rochers. Jane et moi lui emboîtions le pas. J'étais équipée de mon propre petit marteau. Je cassais rarement des cailloux mais, ainsi que je l'avais expliqué à Jane, j'avais l'intention de m'en servir pour nous protéger des serpents à sonnette et des scorpions. Et puis, lorsqu'il faisait trop chaud pour le mensonge, lorsque le soleil se faisait si implacable qu'il paraissait nous clouer au sol, Jane et moi finissions par reconnaître que le marteau ne serait probablement d'aucune utilité contre les serpents venimeux. C'était tout au plus un porte-bonheur. Nous progressions prudemment dans le désert, les yeux rivés au sol. Loin devant, nous entendions les coups de marteau de papa ou l'écho de sa voix, provenant d'un immense amas rocheux.

— Allez, dépêchez-vous, les filles.

À peine l'avions-nous atteint qu'il était déjà loin. Il nous paraissait impossible de jamais pouvoir le rattraper.

Après la chute, alors que mon bras n'était plus qu'un bloc palpitant de douleur dans lequel s'était engouffré tout mon corps, toutes mes pensées et toutes mes sensations, Jane vida le sac de toile dans lequel nous avions amassé tous nos cailloux d'une façon qui révélait leur peu d'importance. Avec une expression concentrée réduisant sa bouche à une simple ligne, elle fit du sac une écharpe. Puis elle alla chercher papa, me laissant là, en proie à une douleur lancinante, le bras pressé contre le cœur comme si je jurais fidélité au précipice. Je la vis s'éloigner le long d'une rivière asséchée, devenir toute petite sous un énorme amas rocheux et disparaître derrière un pilier.

Seule dans le canyon avec mon ridicule petit marteau, je comprenais pourquoi maman avait préféré rester dans l'auto. Depuis la voiture, en regardant devant, on voyait l'asphalte s'étendre à perdre de vue, jusqu'à paraître fondre sous les rayons du soleil. Ici, dans le canyon, les roches et les gouffres vous oppressaient telle une foule. Une foule silencieuse. Je jetai un coup d'œil autour de moi. Souverain, le silence imposait sa présence. Il semblait me submerger comme deux grands rochers dévalant les parois du gouffre pour m'écraser impitoyablement. C'était insupportable. Ma jambe refusait de répondre à mes injonctions, car une cruelle griffe de rocher avait mis la chair à nu. Et pourtant, je savais qu'il me fallait bouger.

En émergeant de l'obscurité du canyon, je trébuchai. La chaleur et la lumière du soleil, visqueuses, ralentissaient mon pas, retenaient ma jambe affaiblie et enflée, pinçaient la toile entourant mon bras en écharpe. Je claudiquais, m'arrêtant souvent, prenant garde à ne pas m'appuyer sur des rocs trop brûlants. Lorsque le silence se rompit, je crus reconnaître le cri perçant d'un oiseau furieux et levai machinalement les yeux. Je scrutai attentivement le ciel, bloquant ma respiration. Lorsque le son se fit à nouveau entendre, je le reconnus. C'était une voix de femme. Une voix si puissante et si haut perchée qu'elle finit par s'éteindre, pour reprendre avec plus de force encore quelques secondes après. Elle était trop aiguë, trop puissante pour évoquer quoi que ce soit de naturel. Et dans cette chaleur, qui amplifiait même les pensées, je reconnus l'hystérie et la folie, et je frémis. J'avais pensé que nous étions seuls dans ce paysage sauvage, mais il semblait qu'une autre personne, démente, nous avait rejoints.

Les mots de la femme, que j'ai depuis longtemps oubliés, résonnaient dans le canyon. Je vis un petit lézard escalader la paroi d'un rocher, s'arrêter, puis s'engouffrer dans une fente. Alors, les jambes affaiblies par la peur, je me dirigeai en titubant en direction du bruit.

Émergeant de la gueule menaçante du canyon, je me suis retrouvée sur la route. Le canyon formait un demi-cercle et, à quelques centaines de mètres, sur l'asphalte terni par le soleil et fendillé par les nuits glaciales, la voiture tremblait dans la chaleur. À côté d'elle, également vacillants, comme si on n'était pas dans le désert aride mais dans quelque lieu sous-marin, se tenaient papa, maman et Jane. Pas d'inconnue folle à lier. Juste ma famille, qui me regardait en silence.

C'est plus tard que j'ai retrouvé les cailloux rayés dans ma poche, alors que j'attendais de passer les radios, à l'hôpital. Je les aimais parce que les rayures semblaient avoir été peintes par quelqu'un d'aussi maladroit que moi. Je les plaçai sur le sol de la voiture et lorsque nous prîmes le chemin du retour, aussitôt après l'épisode du canyon, les cailloux glissaient d'un côté à l'autre chaque fois que papa tournait à droite ou à gauche. Et, bien qu'il eût été remis en place et plâtré à l'hôpital, mon bras me faisait souffrir à chaque virage. Nous étions en train de fuir l'Arizona et papa, livide, crispait les doigts sur le volant. Peut-être devinait-il que la femme qu'il avait retrouvée en sortant du canyon n'était plus la même femme, ne serait plus jamais la même femme que celle que nous avions laissée sur la route, dans la voiture chauffée par le soleil.

Nous ne parlâmes pas beaucoup sur la route du retour. Sauf maman, bien sûr. Lorsqu'elle se laissait aller à de longs silences, nous nous y engouffrions avec elle, soulagés, désireux de les voir durer toujours, jusqu'à l'arrivée en Californie. Papa accélérait, comme si la vitesse pouvait mettre de la distance entre la dernière station-service et la prochaine, entre la dernière crise de maman et la prochaine. Jane et moi lui assurions que nous ne voulions pas déjeuner, que nous n'avions pas besoin d'aller aux toilettes, ni aucune envie de nous arrêter. Car, plus que tout, nous redoutions que maman sorte de la voiture. Peut-être espérions-nous que lorsque nous serions enfin de retour chez nous, elle redeviendrait la maman que nous connaissions, comme si elle n'avait jamais quitté la maison.

Il y a des années que je n'ai pas vu Sasha, et je crains assez absurdement d'être incapable de le reconnaître. Mais son visage massif éclairé par un sourire radieux est le premier, parmi ceux des gens rassemblés devant la porte. Il est plus petit et plus robuste que dans mon souvenir. Plus petit que moi, peut-être, et plus large, ça va sans dire. Il est devenu joufflu, sa chevelure s'est clairsemée.

Je pose mon sac et il me serre aussitôt dans ses bras, frottant sa joue piquante contre la mienne. Il sent la cigarette, le cuir et le chocolat.

— Lucia chérie. J'hésite entre la joie de te voir et la tristesse que me cause ton deuil. Je crois que je vais me permettre d'éprouver les deux choses à la fois.

Il prend mon sac.

— Tu n'as rien d'autre?

— Non.

— Quelle différence avec ma femme, qui ne saurait voyager sans payer de supplément pour excédent de bagages.

— Vous avez divorcé, Marina et toi?

— Disons que, dans le voyage de la vie, je la vois comme le supplément pour excédent de bagages dont il faut que je m'acquitte.

Je suis contente de suivre le dos rond de Sasha sous sa veste de cuir, dans les ascenseurs et dans le parking, jusqu'à sa voiture. Notre dernière rencontre remonte à quatre ans, voire cinq. C'était à la clinique. Nous avions organisé une petite fête pour l'anniversaire de maman, au cours de laquelle elle s'était mal comportée. Je me souviens que j'étais furieuse qu'il trouve la situation comique, même ma colère l'amusait.

Lorsqu'il s'arrête devant l'ascenseur, il me demande :

— Ça fait combien de temps que tu n'as plus mis les pieds en Californie, Lucia?

— Trois ans.

— Tu n'es pas revenue depuis ton départ. Eh bien, c'est ce qui s'appelle s'exiler.

Nous atteignons sa voiture et Sasha se tourne vers moi. Je peux pour la première fois l'étudier à loisir. Ses traits se perdent dans des plis de chair, ses dents sont mal plantées, sa chevelure est clairsemée sur le dessus du crâne et ébouriffée sur les tempes. Mais ses yeux sont d'une beauté saisissante, presque effrayante. Ce sont les yeux de Jane, ceux de ma mère, ceux de ma grand-mère.

Lui aussi me regarde, prêt à parler, redoutant de le faire. Enfin, il se lance :

— Lucia, qu'est-ce qu'on t'a dit, sur la mort de ton cher papa ?

— Rien. Enfin, juste qu'il s'est noyé dans le Pacifique. Je ne sais même pas où.

— À la plage de Big Brim, à ce que j'ai compris.

— Big Brim ?

Des dunes inhospitalières, dissimulant la plage, près de la route qui longe la côte.

Sacha insiste d'un ton hésitant :

— Tu ne sais rien de plus ? Tu ignores, par exemple, que la police va faire une enquête ?

— Oh, la police. Quelqu'un y a fait allusion, je crois.

Son visage prend une expression soucieuse.

— Lucia, tu as l'air si épuisée que ça me fait mal de te dire ça...

Je ne ressens nulle curiosité, nulle impatience.

— Au lieu de te conduire directement à notre appartement, où maman et tante Zoya cuisinent, préparent ta chambre et s'apprêtent à te chouchouter, il faut que je t'emmène tout de suite à la maison de ton père, comme tu l'avais tout d'abord demandé.

Je pense à la vieille maison, tapie sur la colline tel un énorme oiseau noir sur le point d'ouvrir les ailes pour prendre son envol et traverser la vallée qui s'étend au-dessous. Elle n'attendait que moi. Et voilà, j'ai fini par revenir.

Sasha reprend :

— Ta sœur nous a appelés...

— Mais je ne lui ai pas dit que j'allais chez vous.

— Elle était au courant de toute façon. C'est comme ça entre sœurs, nos mères pourront l'attester. Jane a appelé pour dire que tu devais aller directement chez oncle Éric. Maman a tenté de protester, mais Jane a expliqué que la police l'exigeait.

Secouant la tête d'incompréhension, je monte dans la voiture. Tandis que nous quittons le parking, dont l'éclairage modifie étrangement la couleur des véhicules, je me souviens des paroles de Jim, précisant que la mort de papa « n'était pas claire ».

— Je t'avoue ne pas très bien comprendre pourquoi la police s'intéresse tellement à la mort de ton père. Mais on nous expliquera sans doute tout à notre arrivée. Je crois pouvoir retrouver le chemin. Ça va nous prendre... dans les trois quarts d'heure?

— Plutôt une heure.

Nous roulons en direction de l'est. Jusqu'à ce que Sasha remonte sa vitre, j'aspire profondément l'air du dehors. J'y reconnais l'odeur suave et salée de San Francisco.

Sasha dit :

— Lucia, tu vas avoir besoin d'une voiture ; demain, nous irons en louer une. Il y a une agence de location bon marché à quelques blocs de chez nous.

— À vrai dire, Sasha, mon collègue m'en a commandé une. Elle sera là demain dans la matinée.

— Grands dieux! Une voiture de location, livrée juste devant notre porte! Ne t'étonne pas que tes modestes parents russes trouvent ça — tout comme tes vêtements chics — légèrement intimidant.

Je rougis et, vu que nous franchissons le pont bien éclairé, il est possible que Sasha le remarque, car il s'empresse d'ajouter :

— Pardonne-moi. Je dois me souvenir que tu n'es plus la petite fille qui se débrouillait toujours pour se perdre sur les plages rocheuses, ou pour laisser tomber — Dieu sait comment! — sa chaussure dans la cage d'ascenseur de l'immeuble de grand-mère.

Face à mon silence, il ajoute malicieusement :

— Ou peut-être bien que cette petite fille est encore cachée quelque part.

— Et toi, Sasha, comment vas-tu? Cela m'a étonnée, de te trouver au même numéro.

— J'en suis le premier étonné. Mais chaque fois que je songe à quitter la fondation, ma zone d'influence ou mon salaire augmente suffisamment pour m'en dissuader. Tu es peut-être horrifiée de constater que Sasha habite à nouveau chez sa maman, et qu'il se rend tous les jours au même bureau depuis quinze ans. Mais la facilité avec laquelle on reprend ses vieilles habitudes est étonnante, tu vas sans doute t'en rendre compte maintenant que tu es de retour.

— Je ne vais rien reprendre du tout.

— Méfie-toi, Lucia. Il arrive que le passé nous rattrape.

L'espace d'un instant, j'ai l'impression que le mouvement de la voiture ne doit rien à son moteur. Nous sommes entraînés vers le passé, impitoyablement remorqués par une dépanneuse puissante et invisible.

Au moment où l'autoroute se fait plus étroite et où les arbres, se découpant en ombres chinoises, forment de petits groupes semblables à des cortèges funèbres, je revois le jour lointain où nous avions effectué le même chemin. J'ai beau avoir emprunté cette route un nombre incalculable de fois, ce dont je me souviens à présent, c'est de notre retour précipité d'Arizona, des années plus tôt. Les odeurs et les couleurs sont, dans mon souvenir, aussi vives qu'une couche de peinture fraîche. Nous aurions pu prendre notre temps et couper par la vallée, mais papa avait préféré les autoroutes, où il pouvait rouler plus vite et où la densité du trafic nous permettait de passer inaperçus. Sur les autoroutes, les autres automobilistes étaient perdus dans leurs pensées, et nous espérions qu'ils ne remarqueraient pas la démente s'agitant et hurlant à l'avant de notre véhicule. Lorsque nous traversâmes le pont, maman parut comprendre que nous approchions de la maison, mais cela ne la calma pas pour autant.

— Criminel! hurla-t-elle, faisant sursauter l'employé du péage.

Jane et moi nous fîmes toutes petites sur la banquette arrière, jusqu'à ce que nos têtes ne soient plus visibles depuis la cabine.

— Oh, mon Dieu, grogna-t-elle. Je le vois dans tes yeux, je vois que tu as tué, toi aussi! Oh, je te connais à fond!

Papa s'excusa et nous démarrâmes en vitesse, comme un bateau poussé par un vent irrésistible, ce même vent qui nous avait si vite chassés des stations-service, des épiceries et — épisode particulièrement éprouvant — d'un motel au bord de la route. Il nous poussait depuis que nous avions quitté l'Arizona.

Quand nous atteignîmes notre allée cahoteuse, maman s'apaisa soudain. Elle regardait la maison avec une expression de douceur, et Jane et moi échangeâmes des regards pleins d'espoir. Nous étions chez nous et maman allait mieux. Papa gara la voiture et nous prîmes tout notre temps pour sortir. Nous nous étions déjà accoutumés à faire les choses avec lenteur car nous avions compris que les gestes brusques ou inattendus suscitaient chez maman une réaction similaire, mais infiniment plus violente. Nous nous étirâmes. Nous clignions des yeux, tels des gens qui n'ont songé à rien d'autre qu'à leur destination et y sont enfin parvenus. Nous titubions un peu, pourtant conscients d'être sur la terre ferme. Nous regardions autour de nous et remarquions que l'herbe et les arbres paraissaient s'être allongés au cours de nos quelques semaines d'absence. Nous jetions à maman des coups d'œil discrets. Assise sur le siège avant, elle demeurait immobile. Elle portait toujours ce masque blanc et grimaçant qui avait mystérieusement recouvert son vrai visage depuis que je m'étais cassé le bras dans le canyon. Papa ouvrit délicatement la portière. Maman ne fit pas un geste. Papa dit, d'une voix si douce que j'aurais voulu le serrer dans mes bras :

— Tanya, allons dans la maison. Tu te sentiras mieux maintenant.

Nous nous rassemblâmes autour de la portière, sans toutefois nous approcher trop près par crainte d'un nouveau torrent d'imprécations et de gesticulations délirantes. Ma mère, visage figé et regard fixe, parla lentement :

— Je ne sortirai pas de cette voiture. Tu me traites comme une marchandise qu'on trimballe aux quatre coins du monde. Une boîte, un sac, une vieille valise cabossée qu'on abandonne sur le quai. Eh bien, maintenant, tu ne vas plus pouvoir m'abandonner nulle part, vu que je n'ai pas l'intention de sortir de cette voiture.

Nous la regardions avec des yeux effarés. Depuis l'incident du canyon, nous avions tout fait pour limiter et calmer ses mouvements. Et voilà qu'elle décidait d'elle-même de le faire, au plus mauvais moment.

— Tu m'entends ? hurla-t-elle si fort que je sursautai et me retrouvai dans le buisson de sumac.

Jane et moi jetâmes un coup d'œil à papa et nous vîmes son visage, fermé pendant cet interminable voyage de retour, se froisser comme une vieille chemise.

— Non, Tanya, tu ne peux pas rester assise ici éternellement..., commença-t-il, mais sa voix douce fut vite recouverte par les hurlements de ma mère.

— Je ne...

Son visage était dévoré par l'immense trou noir et humide de sa bouche, sa langue et ses dents.

— Je ne sortirai pas, je ne sortirai pas de la voiture!

Nous l'attendîmes. Longtemps. Sans faire un geste. Et puis, à contrecœur, nous dûmes rentrer dans la maison, la laisser seule. La nuit tomba. Papa lui apportait de la nourriture, qu'elle ignorait. Il lui parlait avec douceur. Elle lui claqua la portière au nez. Depuis la fenêtre de la cuisine, je vis l'impuissance de papa lorsqu'elle s'enferma. Il était assez robuste pour forcer la portière, l'extirper de la voiture et la traîner dans la maison. Mais il ne tenta pas de le faire. Il n'éleva même pas la voix.

Elle passa toute la nuit là, et presque toute la journée du lendemain. Jane et moi restâmes à l'intérieur.

Nous l'observions de temps à autre par la fenêtre de la cuisine. Elle paraissait parfaitement immobile. De temps en temps, tourmentées par cet étrange silence et par l'impasse où s'étaient engouffrées nos existences, nous allions nous asseoir sur la véranda, qui dominait la vallée. Sentir que la maison entière nous séparait de maman nous soulageait. Enfin, papa, triste et désolé, nous annonça qu'il allait devoir demander de l'aide. Ses épaules étaient voûtées, on aurait dit qu'il avait rapetissé. Deux hommes et une femme se présentèrent chez nous. L'un d'eux, vêtu d'un costume, eut avec papa une longue conversation à voix basse, dans la cuisine. Pendant ce temps, ses collègues s'efforçaient de parler à maman par la vitre de la voiture. Elle ne la baissa pas, ne leur répondit pas, ne laissa absolument pas voir qu'elle les avait entendus. Le soir était tombé lorsqu'ils l'emportèrent. Quand je ne fus plus en mesure de supporter ses hurlements, je me précipitai dans le jardin. La chaleur de la journée était en train de retomber et l'obscurité semblait me poursuivre tandis que je courais entre les arbres. Rien ne pouvait m'arrêter : ni les branches qui accrochaient mes vêtements, ni les buissons qui m'éraflaient les jambes. Tapie tout au fond du jardin, je plaquai ma main valide sur une oreille, m'efforçant de ne plus entendre ses cris (« C'est donc ça! C'est vous les assassins! Il vous a envoyés pour me tuer, tout est clair maintenant! »).

Le silence se fit enfin et lorsque je contournai la grange, sur la pointe des pieds, je ne trouvai plus rien : maman et la voiture avaient disparu.

Nous roulons en silence, Sasha et moi. La route décrit de longues courbes aux contours flous. Derrière nous, les lumières de la ville se sont dissoutes dans les ténèbres. Même le ronronnement du moteur appartient au silence. Lorsque nous atteignons les collines ondulantes, je me sens bercée par leur mouvement répétitif, et par le souvenir de ce mouvement. Mes yeux se ferment et la fatigue me submerge.

6

— Tu t'endors? demande soudain Sasha.

— Je ne sais pas bien si je suis endormie ou éveillée, si je dors ou si je me souviens.

— À quel niveau doit-on tourner?

— Une fois en haut de la colline, il faut redescendre un peu.

Sasha ralentit. Le moteur gémit. Il prend à droite.

Nous gravissons le versant escarpé de la vallée, sur un chemin de terre plein de nids-de-poule, secoués par les cahots du véhicule. Je sais que tout de suite à gauche, là où la végétation disparaît, la vallée peut vous sauter au visage, tel un œil immense et grand ouvert. Mais à cette heure-ci, tout est plongé dans l'obscurité.

Nous approchons de la maison de papa. Mon cœur bat à tout rompre, j'ai le souffle court.

— Ce ne serait pas celle-ci, par hasard? s'enquiert Sasha, s'arrêtant devant une trouée dans le feuillage.

Nos phares se posent sur une allée serpentant mystérieusement dans le creux de la colline.

— Non, ça, c'est la maison des Holler.

— Des amis à toi?

— Jim Bob Holler était un camarade de jeu. Je croyais être amoureuse de lui quand il avait onze ans et que j'en avais neuf.

Je tressaille lorsque, soudaine et précise, l'image de Jim Bob s'impose à moi : les cheveux blonds coupés en brosse, le corps hâlé, il court au bord de la piscine, son élan brisé net lorsque retentit la voix de son père lui ordonnant de marcher, pas de courir.

— Ah, ah, commente Sasha, redémarrant lentement. Neuf et onze ans. Une prise de conscience précoce des choses du sexe, peut-être?

— Je ne connaissais rien à tout ça quand j'avais neuf ans.

— Et plus tard?

— Jim Bob n'était plus dans les parages.

Il guette le bord du chemin de terre, cherchant une autre trouée dans le feuillage. Cela faisait des années que je n'avais pas pensé à Jim Bob Holler, ni à ce voyage dans l'Arizona. Le choc, la fatigue et la soudaineté de mon retour m'ont brusquement renvoyé le passé en pleine figure.

— Cette fois-ci, je sais. C'est juste au virage, dit Sasha en se penchant vers le pare-brise comme pour mieux y voir dans le noir.

Au loin, une boîte aux lettres brille dans la lueur des phares.

— Non, c'est avant. Au virage, c'est la maison des Zacarro.

— C'étaient de bons voisins, les Zacarro ? demande Sasha en tendant le cou.

— Pas mauvais. M. Zacarro avait eu la polio étant gosse et il boitait un peu.

Plus qu'un peu. Lorsqu'il avançait d'un pas, la moitié de son corps avait l'air de vouloir rester en arrière. Il était contraint de traîner toute la partie gauche de son corps, de l'animer à l'instar d'un ventriloque animant sa marionnette. Il m'arrivait de m'imaginer que cette partie de son corps restait étendue, sans vie, sur la véranda, les jours où M. Zacarro décidait de ne pas l'emmener au boulot.

Soudain, l'allée de papa, surgissant du feuillage, me saute aux yeux. Je frémis.

— C'est bon ? On y est ?

Papa avait créé l'allée tout seul, enfonçant lui-même les galets ronds dans la terre. Ça lui avait sûrement pris des mois. Mais il aimait le travail physique. Les voisins engageaient des ouvriers équipés de machines pour creuser, construire ou bitumer leurs allées, mais papa, lui, faisait tout et réparait tout lui-même. Il avait toujours eu l'intention de retaper l'allée. Elle n'était pas mal, mais s'affaissait par endroits, si bien qu'on était forcé de slalomer pour éviter les plus gros nids-de-poule. Je les ai si souvent contournés... en réalité mais aussi en songe. À pied, pour aller prendre le car de ramassage scolaire. Au fond d'une voiture pleine de membres de ma famille, de valises ou de sacs avec les courses. Sur le siège avant d'autos conduites par des jeunes hommes, mais appartenant à leur père ; d'autos sentant la cigarette paternelle et où traînait encore, sur la banquette arrière, un journal jeté négligemment. Et lorsque j'ai appris à conduire et à faire un créneau, maniant le volant de manière à éviter les creux et les bosses de l'allée cahoteuse de papa.

— C'est ici, dis-je.

Mais lorsque Sasha tourne vers moi un visage interrogateur, je réalise que j'ai pensé les mots sans les formuler à voix haute.

— Oui, nous y sommes. C'est ici.

À peine Sasha a-t-il amorcé son virage qu'il lui faut arrêter le véhicule. Un ruban de police rouge et jaune, accroché aux buissons, barre l'allée. Dessus, les mots « Réservé à la police. Ne pas franchir » sont rabâchés comme la formule d'une incantation. Ce sont ces mots, plus que le ruban en lui-même, qui nous dissuadent de continuer.

Soudain, de l'extérieur, un rai de lumière ricoche sur mon visage et se glisse dans toutes les zones d'ombre du véhicule. Nos regards se dirigent vers sa source. Le faisceau d'une lampe torche, en déviant légèrement, nous révèle un uniforme. Sasha baisse sa vitre. Un policier se penche vers nous.

— Vous n'avez pas le droit d'aller plus loin.

Je le fixe.

— J'habite ici, dit ma voix, lointaine. Enfin, j'habitais.

Ignorant Sasha, le policier me regarde.

— Il se peut bien..., hasarde-t-il en baissant les yeux, que j'aie votre nom sur cette liste.

Je lui donne mon nom. Il hoche la tête.

— Oh, je vois. Vous êtes la deuxième fille ? Celle qui vit dans l'Est ?

Ses yeux se posent sur Sasha. J'explique :

— C'est mon cousin. Il est venu me chercher à l'aéroport.

L'homme oriente à nouveau le faisceau de la lampe torche sur son écritoire portative.

— Très bien. Mais je vais devoir vous demander de laisser la voiture : c'est déjà pas mal encombré, là-haut.

Sasha fait marche arrière sur le chemin de terre.

— Vous avez une lampe de poche? questionne l'homme lorsque nous nous glissons sous le ruban de police.

— Non. Juste un briquet, répond Sasha sur un ton d'excuse.

— Faites attention. Ces cailloux sont dangereux dans l'obscurité. Nous éclairons le haut au gyrophare mais il y a un bout de chemin à faire avant d'y arriver.

Sasha me prend le bras et brandit inutilement son briquet tandis que nous avançons avec difficulté et que nous nous prenons les pieds partout, mes talons s'engouffrant dans les brèches entre les pierres. Le policier nous éclaire la route de sa lampe torche, mais au-delà de son faisceau c'est la nuit noire, à peine éclairée par les étoiles. L'air frais du soir, l'odeur humide et boisée nous enveloppent comme un linceul.

Je ferme les yeux. En dépit de notre délicate progression sur l'allée bosselée et escarpée, en dépit des halètements et des jurons de Sasha, je savoure mes derniers instants d'ignorance, de tranquillité d'esprit. Bientôt, je saurai tout.

— Je crois, souffle Sasha, que Jane et Larry sont là, à t'attendre.

Parvenue en haut de la côte, je bifurque vers la droite et ouvre les yeux. Je m'immobilise à la vue de la maison. Quand je la revois — cela m'arrive si fréquemment dans mes rêves —, elle m'apparaît telle qu'elle était lorsque j'étais enfant : bleu pastel et entourée d'arbres encore chétifs et des rares buissons plantés par papa. Pendant le temps où j'y ai vécu, c'est devenu la maison que j'ai à présent sous les yeux, mais j'avais oublié à quel point elle était envahie par la végétation, les arbres se pressant contre les fenêtres, les plantes grimpantes asphyxiant la véranda.

— Lucia? Ça va?

Je hoche la tête. Les portes de la maison et de la grange sont grandes ouvertes et cela me fait l'effet d'une profanation, comme si à quelqu'un de pudique on venait d'arracher tous les vêtements. Le décor — éclairé par une voiture de police — me paraît complètement irréel à la lueur rouge, puis bleue, puis blanche du gyrophare. À côté, d'autres véhicules sont garés, dont deux sont des voitures de police. Du temps où je vivais ici, les visiteurs étaient rares et, à part le jour où quelqu'un qui voulait tuer les coyotes avait empoisonné le chien de maman par erreur, aucune voiture de police ne s'était jamais présentée chez nous. Et maintenant, il y a trois voitures de police garées n'importe comment, abandonnées avec un gyrophare qui clignote, les vitres baissées, une radio allumée.

Alors que je contourne la grange en tirant Sasha par le bras, j'ai le sentiment d'arriver à la fin d'un voyage épique et non d'avoir parcouru quelques centaines de mètres sur un chemin accidenté. Mon cœur bat à tout rompre et je n'ai plus assez de souffle pour poursuivre. Je m'appuie sur une voiture, d'abord de côté, puis effectue un quart de tour et m'appuie contre la carrosserie avec les coudes.

— Lucia ?

Ma voix est à peine audible :

— Ça ira mieux dans une minute, Sasha. Laisse-moi souffler une minute.

Je regarde la grande maison baignant dans le clignotement du gyrophare. Ses pignons sont en bois ouvragé, et les colonnes torsadées de la véranda font penser à des bâtons de sucre d'orge. Elle devrait ressembler à une maison en pain d'épices, mais ce n'est pas le cas. Sa masse imposante, surgissant au-dessous de vous, menace de vous écraser. Elle se moque de moi, se moque du battement de mon cœur. Je me souviens que, habitant là, je n'étais pas celle que je suis à présent. Il y a eu le bébé, la petite fille qui cassait des cailloux avant d'avoir appris à jouer à la marelle, la fille contrainte de se déplacer sur la pointe des pieds pour ne pas déranger sa folle de mère, l'adolescente amoureuse. C'étaient d'autres personnes. De tous, la maison se moque.

Sasha m'attend près de la voiture. Il balance maladroitement son poids d'un pied sur l'autre, trépignant un peu. Puis il me saisit le bras et m'entraîne en direction de la maison.

— Je comprends qu'ils aient besoin d'un peu plus de lumière, grogne-t-il d'un ton irrité tandis que nous slalomons entre les arbres clignotants pour atteindre la véranda. Mais là, ils se croient à Las Vegas!

Pendant que je gravis les marches, un autre policier émerge de la maison. Son visage, entre l'éclairage et l'uniforme, paraît interchangeable. Il porte une radio fixée à sa ceinture d'où s'élève une voix féminine grésillante. On dirait qu'elle ne parle pas anglais.

— Oui? fait l'homme.

Le feuillage me frôle la nuque, comme si des araignées couraient sur mon cou. J'entends Sasha haleter derrière moi.

— Nom ou papiers d'identité, je vous prie! lance l'homme.

À l'autre bout de la maison se trouve la terrasse. Lorsqu'on s'accoude au parapet, on domine toute la vallée. Mais la personne qui a construit la maison a dû comprendre que regarder la vallée onduler à perte de vue tel un océan immobile pouvait rendre fou. Alors il a ajouté cette véranda, blottie dans le jardin, près de la grange, éclipsée par la colline et à présent envahie par le feuillage. Le côté mystérieux de la maison. Gamine, j'y passais des heures. Ma balançoire est toujours au même endroit, à côté de la porte. L'espace d'un instant, je crois apercevoir une petite fille, assise tout au bout de la balançoire, une sorte de poupée que quelqu'un aurait laissé traîner là. Sa solitude m'arrache le cœur. Je cligne les yeux, l'image disparaît.

L'homme met les poings sur ses hanches et m'étudie attentivement.

— Je n'ai pas le droit de vous laisser entrer.

Je tends la main vers la balançoire. Mes doigts rencontrent une couche de rouille. Le siège ne bouge pas. Des écailles de rouille tombent par terre et il flotte une légère odeur métallique. Au début, maman s'asseyait à côté de moi. Elle me racontait des histoires, me lissait les cheveux, exhalait une odeur sucrée pendant que nous nous balancions. Et puis, une fois qu'elle eut cessé d'être ce genre de mère, il y avait eu Lindy, ma copine blonde qui gloussait tout le temps. Peu à peu, j'avais fini par devenir cette poupée qu'on laisse traîner dans un coin, comme si l'énormité de l'absence prenait toute la place sur la balançoire.

— Madame, vous voulez bien me donner votre nom?

La voix du policier s'est adoucie, au point que les larmes me viennent aux yeux. Aussitôt, elles se mettent à couler, chaudes et salées. Je me sens vaciller sur mes jambes, m'assieds en haut des marches de la véranda et regarde les larmes ruisseler sur mes genoux.

Sasha marmonne quelque chose et l'homme se penche vers moi :

— Vous êtes de la famille du défunt?

— Sa fille.

Ça me fait bizarre de le dire, à croire que je parle une autre langue. Il disparaît et un bruit retentit, semblable à un coup de feu. Le claquement de la porte grillagée.

Sasha est assis à côté de moi, un bras potelé passé sur mon épaule, une jambe collée à la mienne. Nous sommes là, sur la dernière marche de la véranda, dans un éclairage criard tour à tour rouge, bleu, blanc, pendant que des policiers en uniforme ou en civil nous frôlent en montant ou descendant l'escalier.

— Luce?

Je sursaute. Jane.

Nous nous tenons l'une en face de l'autre. La structure en bois de la véranda encadre son visage à la manière d'un tableau : elle ressemble à un portrait que quelqu'un aurait peint il y a trois ans. Elle est moins grande que dans mon souvenir, son corps moins élancé, sa mâchoire moins carrée, ses yeux moins bleus. Nous nous fixons, puis elle me tend la main et je m'avance vers elle. Elle m'entoure de ses bras, comme si j'étais encore une petite fille.

— Tu es trop maigre, me gronde-t-elle.

Je suis censée me dégager de son étreinte à présent, mais je n'y parviens pas. Je pleure. Tout allait bien jusqu'à ce qu'elle me parle sur ce ton de grande sœur. Elle me serre plus fort. Je respire son parfum, discret, à l'arôme de fleurs écrasées. Ça sent bon. Enfin, je réussis à me détacher d'elle, reniflant et me frottant les yeux.

— Oh, Luce, dit-elle d'une voix douce. Elle me prend la main et la caresse comme pour la sécher.

— Luce, tu ne peux pas savoir à quel point tu m'as manqué.

Il n'y a pas, à New York, une seule personne qui pourrait me parler aussi tendrement. C'est moi qui l'ai voulu. Moi qui ai décidé de partir. Je repense au bleu glacial des yeux de Kent me disant : « Je te veux, Lucy. »

J'éprouve à nouveau la douceur d'être aimée tandis que Jane m'entoure de son bras et me tient tout près d'elle. Elle ne m'a jamais permis de douter de son amour. À l'école, lorsque nous étions enfants, elle était toujours là pour compenser les absences et les insuffisances de maman. Elle me conseillait au sujet des amis, des professeurs et des mathématiques. En une occasion mémorable, elle m'avait sauvée de la noyade, à la piscine municipale. Elle m'avait veillée à l'hôpital, le visage tordu par

70

l'inquiétude, quand Robert Joseph et moi avions eu cet accident de voiture, dans la vallée. Et, après son admission à la faculté de médecine, elle avait compris que nous ne pouvions plus garder maman à la maison et avait convaincu papa de la faire à nouveau interner. Plus tard, des années plus tard, lorsque Stevie était mort, c'était encore Jane qui s'était tenue à mes côtés pendant des heures, peut-être même des jours, à parler ou à se taire. À savoir exactement quoi faire quand tous les autres — Scott compris — étaient effrayés, intimidés ou contrariés par ma souffrance.

Elle recule d'un pas pour mieux me regarder.

— Si seulement tu nous avais appelés... On serait venus te chercher à l'aéroport...

Un reproche bien léger en regard de la colère qu'elle est en droit d'éprouver. Mon départ de San Francisco avait été, pour Jane, aussi douloureux qu'incompréhensible. Et voilà que je l'ai à nouveau blessée.

Je m'enlise :

— Ça fait tellement longtemps... Je ne savais pas comment vous réagiriez si je débarquais comme ça...

— On aurait été contents, c'est tout. Ça fait trois ans qu'on attend que tu débarques comme ça.

Sa générosité n'a rien de forcé. Des torrents de larmes ruissellent sur mon visage, mes joues, ma bouche...

Sasha s'avance vers nous. Il n'embrasse pas Jane, se contentant de lui serrer la main. Il y a quelque chose de formel dans sa manière de lui présenter ses condoléances, qu'elle accepte elle aussi avec une certaine raideur.

— Le moment doit être venu, dit-il, de se renseigner sur les circonstances précises de la mort d'oncle Éric.

Soudain, Jane paraît plus vieille, plus fatiguée.

— La police pense que... les circonstances... Je voudrais trouver les mots pour atténuer l'horreur de la chose...

Elle me prend la main.

— La police..., poursuit-elle, étudie l'hypothèse que la mort de papa n'ait pas été accidentelle.

Je hoche la tête. Je fais semblant de comprendre.

— Ils pensent..., demande Sasha avec prudence, qu'il avait décidé de mourir ?

Le suicide. Pour la première fois, je m'autorise cette pensée, mais je réalise aussitôt que, depuis le moment où Jim m'a annoncé la mort de papa, précisant qu'elle « n'était pas claire », j'ai tout fait pour l'éviter. Le suicide. Un vieux chien, traînant autour de la maison, qu'il est encore possible d'ignorer. Jusqu'au moment où ce chien demande à être nourri.

Sasha tend la main vers moi, pour me soutenir.

— C'est grotesque, dis-je.

Ma voix me paraît si faible. Mon corps semble avoir été vidé de tout son souffle. Un suicide... C'est grotesque.

— Lucy, réplique Jane. Certains éléments laissent à penser que papa aurait pu...

Sa voix se brise. Je l'écoute à peine. Une seule chose retient mon attention : c'est bien la première fois que j'entends sa voix vaciller sous le coup de l'émotion. J'ai toujours admiré le fait que, lorsqu'elle commence une phrase, elle sait de toute évidence comment la finir. Je la regarde, attendant la suite. Elle reprend, d'une voix forte :

— Mais la police privilégie la thèse de l'homicide.

— De l'homicide..., répète Sasha.

Lui jetant un coup d'œil, je vois que ses yeux paraissent enfoncés dans leurs orbites, et il mâchouille une cigarette non allumée.

— Non, c'est pas possible. Pas oncle Éric.

Je me reprends et lance, d'un ton plus ferme :

— Tu veux dire, la police pense que quelqu'un l'a tué?

— Ils attendent le rapport d'autopsie définitif, mais les premiers examens semblent indiquer que...

— Qu'on l'a tué! Quelqu'un aurait tué papa?

— Chut, Lucy.

— C'est la raison de tout ce cirque? Le ruban en travers de l'allée, les gars en uniforme, les blocs-notes et les lampes torches? Ils sont là parce qu'ils pensent que quelqu'un a tué papa!

— Luce, coupe Jane d'une voix calme. Je sais, c'est un choc, mais tu dois considérer que ça n'a pas nécessairement été violent ou douloureux.

— Mais qui voudrait tuer papa, nom de Dieu? Qui pourrait avoir une raison de...

— Chut... Ne crie pas, Luce.

— Papa était prof de fac, pas truand. Les gens bons et respectables comme papa, qui viennent de familles aussi équilibrées que la nôtre, ne se font pas assassiner!

Je hurle dans les ténèbres. J'entends ma propre voix parcourir la véranda. Mais, en une fraction de seconde, l'air nocturne engloutit mes paroles comme si je n'avais rien dit.

7

Jane se faufile dans la maison, vive et précise comme une aiguille. Sasha la suit, me tenant la porte grillagée. Mais sur le seuil, la gorge serrée, je m'arrête pour respirer l'odeur, si particulière, de la vieille maison. Une odeur d'huile, de tapis, de bois et de café. Un instant, j'ai l'impression qu'il manque quelque chose, avant de constater que, par cette nuit étrange, le temps vient à nouveau de me jouer un tour. L'odeur dont je me suis souvenue, c'est celle du temps où j'étais petite, du temps où maman allait bien. Alors flottait dans la maison des effluves de son parfum, de la cire à bois senteur citron et des biscuits moelleux qu'elle confectionnait.

— Ils nous ont demandé de nous cantonner à l'entrée et à la cuisine, dit Jane depuis le vestibule.

Elle passe la tête dans le bureau et je l'entends annoncer :

— Ma sœur est là.

Je ne parviens pas à distinguer la réponse.

Toutes les lampes de la maison ont beau être allumées, il subsiste des zones d'ombre dans le couloir. Je commence à marcher entre l'ombre et la lumière. Un homme se faufile devant moi, s'excusant tandis que je me plaque dos au mur.

— Ne touchez à rien, je vous prie, murmure-t-il.

Une fois qu'il est parti, je vais au salon. Jette un regard alentour. Les fauteuils de papa, son préféré reconnaissable au dossier et aux accoudoirs usés. Les photos. Les livres. Et les cailloux, parfois utilisés comme presse-papiers. Des cailloux ronds et lisses empilés près de la cheminée telle une présentation dans une galerie d'art contemporain. Des spécimens de roches sur les étagères. Des pierres aux formes extravagantes, aux couleurs atroces, ainsi que la nature en vomit parfois. Des cailloux maintenant la porte ouverte ou affectueusement placés sur le bureau. Des cailloux-sculptures. Des cailloux-tableaux.

— Ça a beaucoup changé ? interroge Sasha depuis le seuil.

Sans me retourner, je réponds :

— Non, rien n'a vraiment changé.

Je me dirige vers les grandes portes coulissantes et les ouvre lentement. Leur grincement me surprend. Puis je sors sur la terrasse, me penche au-dessus de la vallée. Une plaque noire, s'étendant à l'infini. De minuscules paires de phares, deux ou trois tout au plus, brillent çà et là. Elles se déplacent avec lenteur. Par endroits, un bouquet de lumières indique une maison ou une ferme. J'essaie de distinguer les contours des champs et des vergers, mais le silence figé ne me révèle rien. Par habitude, je cherche à apercevoir la longue bande d'asphalte où la voiture dans laquelle nous roulions, Robert Joseph et moi, s'est retournée. Je tente de retrouver la ferme où j'étais allée un jour, en compagnie de Lindy. Nous avions sept ans. Après avoir descendu la colline, nous avions marché au fond de la vallée, sous un soleil écrasant, jusqu'à atteindre la fameuse ferme. Là, on nous avait donné de l'eau et du melon, avant de nous raccompagner chez nous à l'arrière du pick-up. J'avais toujours rêvé de faire un tour à l'arrière d'une camionnette, comme les gosses des fermiers. Nous étions secouées sur le chemin de terre qui longeait le verger, occupées à regarder les gros nuages de poussière soulevés derrière nous, en nous racontant que nous étions une tempête irrésistible. Je m'efforce de repérer la ferme et le chemin de terre, en vain. À croire qu'il n'y a vraiment rien là en bas, ou alors juste un immense océan sombre et infranchissable.

Sasha est toujours planté sur le seuil, mais l'homme que j'ai croisé dans le corridor est désormais dans la pièce, avec une femme portant des gants en latex.

— Madame, on n'a pas encore fini notre travail ici.

Je le regarde.

— De quel travail parlez-vous ?

— Je dois vous demander de quitter cette pièce jusqu'à ce que nous vous donnions l'autorisation d'y pénétrer.

Je suis sur le point de sortir lorsque je remarque que l'homme tient, dans une de ses mains, plusieurs sachets en plastique. Ils me rappellent les sachets dont se servait papa pour recueillir les cailloux de petite taille et la poussière de roche. Lorsque la NASA avait envoyé au département de géologie des fragments de roches lunaires, papa les avait conservés dans des sachets exactement semblables à ceux-ci. Je demande à l'homme :

— Vous y avez mis des cailloux ?

— Ce sont des échantillons destinés à l'expertise médico-légale.

Son visage est impassible, mais il trépigne, pressé de me voir partir. La femme me regarde fixement.

Suivie par Sasha, je passe devant le bureau de papa. C'est une pièce exiguë, dépourvue de fenêtres, pleine de papiers et de cailloux. Une femme en uniforme et deux hommes en civil ont les yeux rivés sur l'écran clignotant de l'ordinateur de papa. Ils ne lèvent pas les yeux.

Larry est en train de nous préparer du café dans la cuisine. Quand j'entre dans la pièce, il écarquille les yeux, me sourit et me prend dans ses bras. Je sens qu'il a épaissi, et cela m'apparaît encore plus clairement lorsqu'il recule un peu. Même ses traits se sont alourdis, à tel point que son nez paraît moins grand et que sa barbe soignée semble désormais trop petite pour son menton.

— Lucy, ça me fait plaisir de te voir. En dépit des circonstances.

Ses mots viennent visiblement du fond du cœur. Je reconnais son regard : un regard qui comprend, non un regard qui cherche à comprendre.

— Ça m'énerve, cette façon qu'il a de me fixer comme s'il me connaissait mieux que moi-même, ai-je un jour dit à Scott.

Mais Scott, qui admire Larry, avait secoué la tête.

— Il est psy, Luce, pas sorcier. Les seules choses qu'il sache de toi sont celles que tu sais toi-même, mais que tu refuses d'admettre.

Scott ne plaisantait qu'à moitié.

Larry salue Sasha et Jane nous passe les tasses à café. Je jette un coup d'œil autour de moi. La cuisine n'a pas changé depuis le temps où nous vivions ici, et je n'ai jamais réalisé à quel point elle est miteuse. Je n'ai jamais remarqué que la cuisinière est trop étroite pour l'enfoncement prévu, que l'évier est taché et cabossé et que les portes de certains placards sont mal ajustées ou ne ferment pas. Cela ne m'a jamais dérangé, que le plan de travail soit à moitié recouvert de linoléum.

— Jane, dis-je, tu as mis du sucre dans mon café ?

— Un peu.

— Ça fait des années que je ne prends plus de sucre.

— Je sais, réplique-t-elle en souriant. Mais tu m'as tout l'air d'avoir besoin de réconfort.

Et, bien que contrariée, je n'en bois pas moins le café avec plaisir, la douceur du sucre me ramenant à l'enfance.

Le policier du salon fait une entrée silencieuse.

— Kirsty sera avec vous dans une minute. Il faut que je prenne vos empreintes.

Je me rends compte qu'il s'adresse à moi.

— Mes empreintes ?

— Je suis obligé. Vous avez ouvert la porte donnant sur la terrasse et vous vous êtes appuyée au parapet... Avez-vous touché autre chose ?

— Non.

L'homme pose une petite mallette sur la table, devant moi.

— Je vous prie de retirer votre montre et vos bijoux, ordonne-t-il sur un ton mécanique.

Larry, Jane et Sasha m'observent tandis que je confie à l'homme ma main droite. Il la soulève par le poignet. Mes doigts pendouillent tels ceux d'une morte. Il en saisit un, le presse bien fort sur le papier. Il répète l'opération avec chaque doigt, puis lorsqu'il en a fini avec la main droite, il passe à la gauche. Une fois qu'il a obtenu l'empreinte des dix doigts, il roule chaque main dans l'encre, puis la presse sur le papier, d'abord les doigts puis les paumes... Au moment où il finit, une sorte de rythme s'est établi entre nous, comme si nous faisions un tableau ensemble.

— À vous, maintenant, dit-il à Sasha.

— Mais je n'ai rien touché du tout.

— Je dois tout de même prendre vos empreintes, au cas où.

— J'aimerais mieux pas.

L'homme soupire, agacé.

— Peut-être, suggère-t-il sournoisement, les avons-nous déjà quelque part?

— Certainement pas. Mais je n'aime pas l'idée que mes empreintes restent à jamais prisonnières d'un énorme système informatique.

— C'est une vérification de routine, ces empreintes seront détruites sitôt l'enquête terminée, affirme l'homme.

— Sauf si on découvre que tu as commis un crime, précise Larry avec un grand sourire.

Le regard méprisant de Sasha passe de Larry au policier.

— Vous n'avez pas besoin de mes empreintes.

— Nom de Dieu, Alexander! s'exclame Jane.

Je la regarde, surprise. Son usage du prénom complet, son irritation, sa froideur... Pour la première fois, elle révèle crûment ce qu'elle ressent à l'égard des Russes de la famille. Maman éprouvait pour eux à la fois une grande affection et du mépris. Elle était agacée par leur nature si typiquement russe, bien qu'elle la partageât — ou peut-être à cause de cela. Jane a hérité le mépris de maman sans son étrange corollaire, l'amour.

— Ils ont aussi pris mes empreintes, Alexander. Et celles de Larry. Et celles de Scott. Ils ont pris les empreintes de tous les gens qui ont pénétré dans la maison aujourd'hui.

Sasha la fixe, l'air têtu.

— Permets-moi, Jane, de m'abandonner à ma paranoïa russe.

— À t'entendre, on n'imaginerait pas que tu es né ici et que tu y as vécu toute ta vie. Tu n'as pas eu à subir le régime soviétique. La paranoïa, c'est pour ceux dont c'est le cas.

Elle juge que Sasha en rajoute, côté « âme slave ». Jane taxe tout comportement spectaculaire de « russe ». Lorsqu'il m'arrivait de m'énerver, de fondre inutilement en larmes, de crier ou de me livrer à d'autres démonstrations hautes en couleur, Jane avait coutume de me lancer :

— Arrête de faire ta Russe, Lucy!

Notre mère, bien sûr, faisait si bien sa Russe qu'elle aurait mérité un oscar.

Sasha est blessé. Jane et lui se fixent sans un mot, mais il y a une enfance commune derrière ce regard. Larry s'apprête à intervenir lorsque des voix se font entendre. La femme que j'ai aperçue dans le bureau de papa se tient sur le seuil de la cuisine. De l'homme à qui elle s'adresse je ne vois que l'ombre, absurdement allongée par la lumière. Puis il disparaît et elle se tourne vers nous, nous dévisageant tour à tour.

— Quel est le problème?

Elle a environ mon âge et doit faire ma taille. Elle ne porte pas d'uniforme, comme je l'avais cru, mais des vêtements foncés, dont la coupe sobre évoque l'uniforme.

— J'ai besoin de prendre des empreintes, rétorque l'officier, mais ce gars refuse.

Sasha hausse les épaules. Il a l'air d'un clown, à présent, avec ses lèvres serrées et ses joues écarlates.

— C'est une procédure inutile. Je n'ai rien touché et je ne toucherai rien en dehors de cette pièce.

— Qui êtes-vous? s'enquiert la femme.

Larry et Jane me présentent et expliquent qui est Sasha. La femme hoche la tête. Elle a dû être mince, jadis, mais pour Dieu sait quelle raison — travail, enfants ou problèmes de santé —, son corps a forci. Elle a les cheveux courts et noirs, mais lorsqu'elle porte une main à son cou, je devine qu'elle replace une mèche de cheveux désormais absente. C'est une femme qui — récemment, sans doute — a changé. Comme moi.

— Ça doit faire quatre ans que je n'ai pas vu mon oncle, l'informe Sasha, d'un ton glacial.

— Bien, dit-elle. Du moment qu'on peut vous contacter si on en a besoin... On se passera de vos empreintes pour ce soir.

Le type referme sa mallette et s'esquive. Je me lave les mains. Pendant ce temps, la femme explique qu'elle voudrait me poser des questions et elle demande à Sasha, Larry et Jane de bien vouloir sortir sur la véranda. Je me sèche les mains avec la serviette de papa et constate que, même si je les ai bien frottées, j'ai laissé sur le linge des empreintes.

Avant de quitter la pièce, Jane se ravise.

— Kirsty, dit-elle. Cet interrogatoire ne pourrait pas attendre demain matin? Lucy n'est pas seulement fatiguée, elle est également sous le choc. Sa santé n'a jamais été bonne, et mieux vaut lui éviter tout stress inutile.

Ces mots me touchent et me gênent tout à la fois. Ils me touchent parce que je n'ai plus l'habitude, ces derniers temps, qu'on se fasse du souci pour moi. Ils me gênent car j'ai beau avoir été souvent malade quand j'étais gamine, le stress est désormais mon moteur.

La femme se tourne vers moi. Scrute mon visage.

— Qu'est-ce que vous en pensez, Lucy? me demande-t-elle.

Je réponds à ma sœur :

— Oh, c'est gentil, Jane. C'est vraiment gentil, mais ne t'inquiète pas pour moi. Tout va bien se passer.

Sasha suit Larry et Jane hors de la pièce. Il me jette un regard appuyé, dont la signification m'échappe.

Lorsque nous sommes seules, la femme me fait signe de m'asseoir à la table avec elle.

— Détendez-vous, Lucy.

Il est vrai que je suis tendue, mais en quoi l'ai-je laissé paraître ? Je croyais être parvenue à conserver une sorte d'impassibilité qui pouvait passer pour du calme.

— À ce stade de l'enquête, je dois juste vous poser quelques questions de routine, commence-t-elle en posant son bloc-notes devant elle. J'ai besoin de détails d'ordre général : vos nom, date de naissance, adresse...

— Vous pouvez m'expliquer ce qui se passe ?

La femme baisse les yeux sur son bloc-notes.

— Après avoir pratiqué un premier examen du corps de votre père, le médecin légiste nous a fait part de ses soupçons. L'autopsie proprement dite aura lieu demain, mais c'est notre devoir, même à ce stade de l'enquête, de réagir aux premières conclusions du médecin légiste.

— Et quelles sont ces conclusions ?

Ses yeux marron croisent les miens.

— Le corps du défunt a été retrouvé par un pêcheur, au large de Retribution. On a tout d'abord cru qu'il s'était noyé, mais de l'avis du médecin légiste, il était déjà mort quand on l'a mis à l'eau.

Sa voix résonne dans ma tête. *Il était déjà mort quand on l'a mis à l'eau.*

— Comment est-il mort ?

— Eh bien...

Elle détourne le regard en direction de la cuisinière mal ajustée et de l'évier cabossé.

— Ce n'est pas encore bien clair. Ses vêtements ont été retrouvés, pliés, sur la plage de Big Brim. Sa voiture a disparu et nous ne savons pas comment il est parvenu jusqu'à la côte. Ce que nous savons en revanche, c'est que l'assassin a tenté de donner l'impression que votre père était parti se baigner et s'était noyé. Nous pensons qu'il s'agit d'un crime prémédité, minutieusement élaboré : seule son ignorance des techniques médico-légales a trahi le tueur.

— Mais... Qui pourrait vouloir tuer papa ?

Elle demeure silencieuse, le visage impassible. Je poursuis :

— Sûrement un dingue, sur la plage. Le genre de maniaque qui tue les joggers à coups de couteau pour leur piquer leur walkman et les deux dollars cinquante cachés dans leur ceinture.

La femme me regarde. Elle n'a pas l'air hostile, mais elle rétorque :

— Non, Lucy. Je ne vois pas les choses ainsi. D'après les statistiques, rares sont les crimes commis par des parfaits inconnus et, sincèrement, on n'a visiblement pas affaire à ce genre de mort.

— Et à quel genre de mort on a affaire ?

Je parle trop fort. Je m'en rends compte en entendant son ton calme et posé.

— Le genre où la victime connaissait son assassin. À vrai dire, on a des raisons de croire qu'ils se connaissaient bien.

J'attends qu'elle me précise quelles sont ces raisons, mais elle n'en fait rien.

— Vous pensez que c'était un de ses proches ? Un ami ? Quelqu'un...

J'ai la gorge nouée, la bouche pâteuse.

— ... quelqu'un que je connais?

— Quelqu'un que vous connaissez probablement, vous ou votre sœur. Mais ce n'est pas certain. Votre père vous cachait peut-être certains aspects de sa vie.

Je secoue la tête.

— Non, pas lui.

Elle attend, sans cesser de m'observer. Je demande :

— Il ne pourrait pas y avoir une autre explication à tout ça? Enfin... il peut avoir eu une crise cardiaque sur la plage, avant d'être emporté par la marée. Ou bien il s'est heurté la tête sur un rocher et est tombé à l'eau...

Calme mais catégorique, elle ne me quitte toujours pas des yeux :

— Je comprends que vous trouviez ces hypothèses rassurantes. Mais rien, dans les premiers examens du corps, ne permet de confirmer l'une ou l'autre.

Je cligne des yeux. La fatigue m'empêche d'assimiler les paroles de Kirsty. Je remarque des taches sur ses vêtements sombres, juste au-dessous de l'épaule. C'est là que les bébés laissent des traces, quand ils blottissent leur visage. Je sais à présent pourquoi elle a changé de silhouette et coupé ses cheveux.

— Il est mort quand?

— Nous attendons des informations plus précises à ce sujet. Le décès remonte sans doute à lundi. Lucy, il faut que je vous demande où vous étiez dimanche soir.

— Chez moi.

— Et lundi matin?

— Je suis arrivée au travail avant huit heures. J'avais une réunion importante, pour laquelle j'avais besoin de me préparer.

— Il va falloir que je vérifie. Donnez-moi, je vous prie, le nom, l'adresse et le numéro de téléphone de votre employeur.

Elle note ces renseignements.

— Voyons... votre sœur nous a expliqué que vous aviez passé le week-end chez des amis. Où, précisément?

Je sens mes joues s'empourprer.

— C'est ce que j'ai dit à Jane...

Elle écarquille les yeux.

— Vous n'étiez pas chez des amis?

— Eh bien, non.

— Vous étiez où, alors?

— Chez moi. Dans mon appartement. J'ai à peine mis le nez dehors après être rentrée vendredi soir.

Elle marque une pause, avant de reprendre :

— Vous avez parlé avec quelqu'un? Rendu visite à quelqu'un? Appelé quelqu'un?

— Non.

— De tout le week-end?

— Je travaillais. Il fallait que je sois bien préparée pour lundi...

— Vous ne pouvez pas nous indiquer une seule personne pouvant confirmer que vous étiez bien chez vous?

— Non.

Elle insiste, mais son ton reste calme.

— Aucune? Il n'y a pas un seul individu qui vous ait vue? Pas même un portier, un représentant de commerce ou un voisin?

Je secoue la tête.

— Si vous viviez à New York, ça ne vous étonnerait pas.

— Donc, personne ne vous a vue de tout le week-end, conclut-elle sur un ton posé.

Elle détourne les yeux, parcourt du regard la cuvette bosselée de l'évier, la cuisinière mal ajustée, le linoléum.

— Ça ne veut pas dire que je n'y étais pas.

Son regard vif se pose à nouveau sur moi.

— Pourquoi avoir menti à votre sœur, Lucy?

— Je ne voulais pas répondre au téléphone. Et je ne voulais pas qu'elle sache que je ne prenais pas ses coups de fil. Pour ne pas la blesser.

— Je vois. Depuis combien de temps n'étiez-vous pas revenue en Californie?

— Presque trois ans.

— Est-ce alors que vous avez vu le professeur Schaffer pour la dernière fois?

— Non, il m'a rendu visite six, non, neuf mois plus tard à New York.

— Vous ne l'aviez donc pas vu depuis plus de deux ans.

— C'est ça.

— Et vous n'êtes pas revenue une seule fois en Californie pendant tout ce temps?

— Non.

— À quand remonte votre dernière conversation téléphonique?

Je lui parle des messages que papa a laissés sur mon répondeur samedi.

— Et votre sœur vous a aussi appelée?

— Oui.

Ses yeux sont profonds comme des puits.

— Mais pourquoi n'avez-vous pas pris ces appels? Puisque vous étiez chez vous tout le week-end.

— Quand je travaille chez moi, je laisse le répondeur branché. C'est la seule manière de parvenir à quelque chose. Mais j'aurais sans doute décroché si j'avais su que c'était papa ou Jane.

Son regard erre dans la pièce, elle paraît suivre une mouche des yeux.

— Vous avez conservé les messages ? demande-t-elle enfin.

— Oui.

— J'aimerais les écouter.

J'hésite.

— Il faut que je trouve l'indicatif pour appeler d'ici.

— Prévenez-moi dès que vous l'aurez trouvé. Le plus tôt sera le mieux.

Elle se lève. Je bondis moi aussi hors de mon siège, comme si elle venait de me retirer une paire de menottes.

— Vous avez l'air épuisé. Il est à présent extrêmement tard à New York. J'aurais bien sûr d'autres questions à vous poser, mais ça peut attendre demain matin. Vous allez sans doute dormir chez votre sœur ?

Alors que je commençais tout juste à prendre une couleur normale, je me sens redevenir écarlate.

— J'ai pensé que je pourrais peut-être rester...

— Dans cette maison ?

Elle n'a pas haussé le ton, mais je dénote dans sa voix une nuance d'inquiétude.

— Les experts sont loin d'en avoir fini. Et même si c'était le cas, il ne serait pas prudent que vous restiez seule ici.

— Mais tout ira bien...

— Lucy, tant que nous ne savons pas ce qui est arrivé à votre père, et pourquoi, rien ne nous assure que vous êtes en sécurité. Ses clés n'ont pas été retrouvées sur la plage. Nous ignorons qui en a pris possession.

En m'accompagnant dans le corridor, elle s'arrête :

— Nous avons du mal à accéder à certains fichiers, sur l'ordinateur de votre père. Vous ne connaissez pas son mot de passe, par hasard ?

Je secoue la tête.

— Vous n'avez aucune idée de ce que ça pourrait être ?

— Hmm... probablement un nom de pierre... obsidienne, jade, quartz, pyrite...

Elle sourit.

— Je regarderai dans un livre de géologie. Lucy, j'aimerais vous revoir ici demain matin. Neuf heures et demie, ça vous va?

— Bien sûr.

— Prenez ça, au cas où vous auriez besoin de me contacter.

Elle me tend sa carte. Elle s'appelle Kirsty MacFarlane, inspecteur à la brigade criminelle.

— Vous voyez le crime partout, dis-je, parce que c'est votre boulot. C'est votre vie. Mais il y a des milieux où ces choses ne peuvent pas arriver. Dans une famille ordinaire comme la nôtre, par exemple.

Elle ne répond pas. Ouvre la porte grillagée. Depuis l'entrée, j'entends les voix de Larry, de Jane et de Sasha, qui discutent sur le ton cordial qu'ont les gens après une certaine heure. J'aperçois Larry sur une des chaises de la véranda et Jane sur la balançoire, emmitouflée dans son manteau. Dans l'ombre, Sasha, assis sur les marches, me regarde en exhalant un nuage de fumée.

Jane se tourne vers moi. Elle paraît transie et fatiguée.

— Ça va?

Je hoche la tête.

— Viens, Lucy, fait Sasha en se levant. Je t'amène tout de suite à la maison. Maman doit être en train de t'attendre.

Jane et Larry échangent un regard soucieux, puis Larry lance :

— Il y a un lit pour toi, chez nous.

Je pense à l'appartement de Larry et Jane, en ville, à ses fauteuils blancs, à ses surfaces blanches, à ses tapis blancs...

— Maman a déjà préparé la chambre, insiste Sasha. Et elle sera vraiment déçue si tu n'y dors pas ce soir.

Je jette un coup d'œil à Jane, qui m'accorde sa permission d'un hochement de tête. Mais lorsqu'elle me serre dans ses bras pour me dire au revoir, elle ajoute, d'un ton hésitant :

— Tu veux venir avec nous, demain, au bungalow ? Larry et moi, nous y allons pour le déjeuner et je suis sûre que Scott a très envie de te voir. Ou bien...

Elle détourne les yeux, prête à encaisser un refus.

— ... ou bien tu n'as pas envie d'aller à Needle Bay ? Ni de voir Scott ? Ni de nous voir, nous ? Je ne comprends pas ce qui t'arrive, Lucy. Si tu ne veux vraiment pas nous voir, on essayera de comprendre.

Tant de gentillesse me donne mauvaise conscience.

— Jane, il n'y a personne que j'aie plus envie de voir que vous.

En prononçant ces mots, je sais que c'est la vérité. Son corps se détend et elle me sourit :

— Scott compris ?

Bêtement, secrètement, je n'ai cessé, dans la ville sombre, de m'imaginer mes retrouvailles avec Scott — qui toujours avaient lieu dans une atmosphère de fête, au bungalow, par une journée suffisamment chaude pour que l'air embaume du parfum des pins et de l'océan. Dans mes rêves, nous nous sourions. Nous remarquons les traces infimes du temps qui passe — un cheveu blanc, une ride qui s'accentue. Nous les acceptons, comme nous acceptons la sagesse qui les accompagne, car cette sagesse permet le pardon.

— Je suis impatiente de voir Scott, dis-je.

Sasha nous reconduit en ville. Il me tend un chocolat puis, comme je refuse, le mange lui-même. Il me propose d'essayer de dormir et se tait. Mais mes yeux refusent de se fermer et je fixe la route se déroulant inlassablement sous les phares, jusqu'à avoir l'impression que nous sommes immobiles et que c'est la route qui avance.

Alors que nous approchons de l'immeuble miteux de tante Zina, je suis assaillie par un flot d'émotions inattendues. Depuis la mort de grand-mère, c'est tante Zina qui occupe son appartement. Pendant des années, avec ma mère, je lui ai régulièrement rendu visite. Et soudain cette partie de mon enfance, tel un chien qui serait resté bien sagement couché pendant tout ce temps, bondit pour m'accueillir, me renversant de son poids. L'immeuble massif et minable, son hall nu et mal éclairé, son ascenseur barbouillé de graffitis en russe, son odeur de chou, l'escalier inexplicablement impraticable alors que l'immeuble n'a que quatre étages... Le quotidien inchangé des membres de ma famille se mêle à mon chagrin et me submerge. Tandis que nous attendons l'ascenseur bringuebalant, je plonge les yeux dans la cage et, l'espace d'un instant, juste avant que la cabine ne descende, je crois distinguer une petite chaussure d'enfant toute sale, noyée sous un tas de détritus.

Lorsque les portes de l'ascenseur s'ouvrent sur le troisième étage, laissant apparaître mes tantes, je suis trop émue pour parler. Tante Zoya, grande silhouette maigre, et tante Zina, plus petite et nerveuse, m'engloutissent aussitôt sous un flot d'amour. Elles m'entraînent dans l'entrée de l'appartement, où flotte une forte odeur de cuisine russe.

— Ton pauvre papa..., s'exclament-elles à peine la porte refermée... Pourquoi est-ce qu'il s'est noyé? Qu'en dit la police?

Je leur raconte tout ce que je sais et les tantes piaillent et secouent la tête, échangeant des regards troublés.

— Ce n'est pas possible! gémissent-elles d'une voix affligée. Qui aurait pu vouloir faire du mal à ton cher papa?

— C'était un homme bon, fait remarquer tante Zina. Un homme généreux, plus que généreux... Il fallait qu'il donne. Son temps, son attention, son argent... La plupart des maris auraient abandonné Tanya, mais Éric a continué à donner. Lucia, ton papa avait la notion du bien et du mal, et s'efforçait toujours de faire ce qu'il jugeait juste.

Ça me fait plaisir d'entendre ces paroles. C'est vrai, papa s'efforçait toujours de bien agir.

— Et j'admirais autant son esprit que son cœur, ajoute tante Zoya.

Je la revois, des années plus tôt, en grande discussion avec papa, sur la plage. Ils écartent leurs cheveux de leurs visages, mais le vent les y rabat sans cesse. Que pensait papa de la sœur aînée de sa femme, aussi laide qu'intelligente? J'avais remarqué la manière dont les gens, après avoir pris acte de sa présence, l'ignoraient aussi sec. Je regrette à présent de ne pas avoir écouté leurs brillantes conversations, au lieu de faire des trous dans le sable.

— Son esprit..., poursuit-elle, était toujours en mouvement. Il n'arrêtait pas de rassembler des informations et de les organiser dans sa tête. Et, bien sûr, il était toujours disposé à partager ses pensées.

Ces mots me réchauffent le cœur. Les mots avec lesquels l'inspectrice m'a parlé de papa l'ont déshumanisé, réduit à un statut de victime. Il est devenu « le défunt », s'est sans doute vu accoler un numéro. À présent, mes tantes me restituent l'humain.

— Impossible que quelqu'un ait voulu tuer un homme comme ton père, répètent-elles. La police va finir par se rendre compte de cette erreur.

Je jette un coup d'œil à Sasha, dans l'espoir de le voir acquiescer, mais, occupé qu'il est à verser un liquide translucide dans de petits verres en l'honneur de mon arrivée, il ne remarque pas mon regard.

— Et ton mari? me demandent-elles. Il enseigne toujours à l'université?

— Oui. Et son livre a été publié. Ce n'est pas par Scott que je l'ai appris. J'ai allumé la télé, un soir tard, et mon tranquille petit appartement new-yorkais a soudain été envahi par la voix de Scott. Les hommes clés du chemin de fer transcontinental : des héros de l'industrie ou un tas de spéculateurs corrompus? Je me suis blottie devant la télé, à regarder Scott se caresser le menton comme Larry le fait quelquefois avec sa barbe, à le regarder penser, à écouter sa voix sans prêter attention aux mots. Une fois l'émission finie, j'ai éteint, mais je suis restée devant la télé, dans un silence de mort.

— Vous êtes encore mariés?

— Il y a quelques années qu'on ne vit plus ensemble. Mais nous n'avons pas évoqué la possibilité de divorcer.

Elles ignorent ma remarque, trop formelle, pour aller droit au but :

— Est-ce qu'il t'aime? Est-ce que tu l'aimes?

— Je crois. Mais...

Je bafouille, et Sasha vient à la rescousse.

— Maman, tante Zoya, si vous vous montriez aussi cruelles envers un chien, on vous arrêterait. Nom de Dieu, portons un toast à Lucia au lieu de la passer sur le gril! dit-il en trinquant avec moi.

Je me laisse choyer, nourrir, laver. On n'exige pas trop de moi. J'écoute des histoires de famille, jusqu'à ne plus pouvoir m'y reconnaître parmi les prénoms des épouses des cousins au deuxième degré. Enfin, de manière inévitable, ils en viennent à parler de ma mère.

— Nous lui rendons visite une fois par semaine, m'assure tante Zina. Il arrive même que Sasha nous accompagne.

Sasha, qui se détend à présent dans un fauteuil, son verre en équilibre sur les genoux, le lève en signe de confirmation.

Personne ne me reproche d'avoir manqué à mes devoirs de fille, mais je n'en suis pas moins piquée au vif. Peu de temps après avoir quitté la Californie, j'ai passé quelques coups de téléphone à ma mère. Mais les conversations étaient, dans le meilleur des cas, difficiles. Peu à peu, j'ai fini par y renoncer. Pour Noël, pour son anniversaire et parfois entre les deux, je lui envoie des petites cartes très colorées. Je passe beaucoup de temps à les choisir. La photo d'un chien marron qui ressemble à celui qu'elle avait autrefois. Un tableau abstrait où domine le bleu, sa couleur préférée. Des cartes achetées à une exposition de peinture russe, pleines de bouleaux et de paysans en bottes de feutre tirant leurs traîneaux dans la neige. Ces simples morceaux de papier suffisent à contenir l'essentiel de notre relation passée.

Comme si elle avait deviné mes pensées, tante Zoya tend ses longs bras vers moi.

— Tu lui envoies de si jolies cartes !

— Oui, oui, ajoute tante Zina. Elle les conserve toutes et parle souvent de toi. Elle sera tellement heureuse de te savoir de retour.

Je sens mes joues en feu. Je voudrais qu'elles cessent de parler de ma mère comme si elle était saine d'esprit.

Sasha se tourne vers tante Zina.

— Bon sang, maman. Tu sais quelle heure il est à New York ? Il est cinq heures du matin, et Lucia a appris la mort de son père il y a quelques heures à peine. Tu crois que c'est bien, d'être encore là, à lui parler, alors qu'elle devrait dormir depuis longtemps ?

Puis il ajoute quelque chose en russe.

Tante Zoya et tante Zina approuvent aussitôt et me conduisent à ma chambre, autrefois celle de ma grand-mère. Elle a si peu changé que je crois encore distinguer l'odeur des bonbons et des médicaments de grand-maman. La chambre s'éclaire d'une lueur furtive chaque fois qu'une voiture longe la rue. Blottie dans son lit, je passe en revue telle une série de photos, à la lumière intermittente des phares, l'accumulation de souvenirs, de bibelots et de dessins qui, à la fin de chaque journée, meublait l'existence de grand-maman. Depuis le salon, les voix de ma famille me parviennent, portées par la musique de la langue russe, et je ne sais plus si j'entends parler ou chanter. Je me surprends à penser que c'est la mort de papa qui, en l'espace d'un jour, m'a transportée de mon bureau new-yorkais du quatre-vingt-troisième étage au cœur du passé de ma famille.

8

Dans mes rêves, cette nuit-là, je suis terrorisée par le vrombissement d'un énorme camion. Je me cache jusqu'à ce que retentisse la sonnerie d'un téléphone, aussitôt suivie par celle d'une porte d'entrée. Je suis finalement éveillée par une étrange lumière jaune. Elle me colle aux paupières, m'enveloppe comme si j'étais prisonnière d'un œuf. Ou peut-être suis-je chez moi et ai-je oublié d'éteindre la lampe? Puis je me souviens que papa est mort et que je suis revenue en Californie. Une fois de plus, le choc, la tristesse, le manque me percutent de plein fouet, aussi violents que les onomatopées des bandes dessinées que je lisais enfant. Bing! Paf! Vlan! Boum! D'abord à l'estomac, puis sur le torse, avant une nouvelle avalanche de coups sur les tempes. J'ai le soleil dans les yeux lorsque je les ouvre.

Je déambule dans le salon. Les murs sont tapissés d'étagères et chaque étagère ploie sous son contenu. Des livres, des boîtes, des sacs, des piles de lettres et de documents, des babioles auxquelles il manque parfois des morceaux, placés juste à côté. Je suis sûre que l'une d'elles au moins, un cygne à long cou, attend la réparation depuis mon enfance. Il y a aussi quelques jolis cailloux, probablement offerts par papa.

Tante Zina s'affaire dans la cuisine. Je la regarde passer du réfrigérateur au four et vice versa, sautillante comme l'oiseau-mouche. Puis elle se plante devant les plaques chauffantes, une poêle à la main. Tandis qu'elle agite le poignet de gauche à droite, la poêle penche et la pâte se répand sur sa surface brûlante. Elle fronce les sourcils, l'air concentré. Je suis frappée par sa ressemblance avec ma mère. C'est ce qu'aurait pu devenir ma mère, un jour, si elle avait été saine d'esprit. Les mouvements vifs et précis, les yeux pétillants, les cheveux coupés avec style, à peine grisonnants...

— Ah! s'exclame-t-elle en me voyant, avec une joie manifeste.

Elle m'apporte du café, des toasts, de la kacha, de la confiture, des blinis, du jus de fruits. À peine ai-je avalé quelque chose qu'elle me supplie d'essayer autre chose.

— Sasha est parti travailler tôt ce matin, beaucoup trop tôt. Il a eu une réunion tellement tard hier soir qu'il n'a même pas eu le temps de repasser par ici avant d'aller chercher sa cousine chérie à l'aéroport. Ils le font travailler comme un esclave. C'est une honte, déclare-t-elle sur un ton véhément, en secouant la tête avec énergie.

— Tu n'as pas changé d'un poil, dis-je en souriant.

Elle me tend une grande photographie, dans un cadre neuf, et glousse :

— Depuis quand ? Depuis ce temps-là ?

Je reconnais les trois sœurs, Zina, Zoya et ma mère, sagement assises aux côtés de leurs parents. Le père aux pommettes saillantes et à la bouche charnue. Ma grand-mère, étrangement jeune — plus jeune que moi à ce jour —, a des yeux pénétrants et une expression sérieuse qui n'altère pas sa beauté.

— Sasha trouvera bien un endroit où l'accrocher, reprend tante Zina scrutant les murs de la pièce en vain, pour y trouver un espace libre. C'est Zoya qui a retrouvé cette vieille photo et l'a fait agrandir pour mon anniversaire, sans doute parce qu'elle y est particulièrement à son avantage.

J'examine tante Zoya, la moins séduisante des trois sœurs, et constate que la jeunesse conférait effectivement à son visage étrangement rond un relief plus intéressant.

— Elle a été prise peu de temps après notre arrivée en Amérique, quand papa a trouvé son premier emploi dans le bâtiment. Avant la naissance de Katya et d'Olya. Mais maman a quand même l'air un peu enceinte, tu ne trouves pas ?

— Si, peut-être. Alors elle doit dater de... 1941 ?

— Ou de 1942. Zoya a dans les quatorze ans, moi douze. Ta mère a neuf... non, dix ans. Déjà, à cet âge-là, elle était belle.

Je regarde la plus petite des trois filles. Elle ne sourit pas, mais paraît consciente de la présence de l'objectif : les cheveux blonds rebiquant au niveau des joues, les os saillants comme ceux de son père, les yeux éblouissants bien qu'ils apparaissent gris sur la photographie... La fillette qui allait devenir ma mère.

— On était pauvres, mais papa a trouvé l'argent pour la photo. Il savait à quel point les choses les plus ordinaires peuvent être fascinantes une fois que le temps les a emportées.

— Vous n'aviez rien d'ordinaire, aucune de vous trois, dis-je sans cesser de fixer ma mère.

Lorsque ma mère et papa ont décidé de se marier, seule tante Zina n'a pas fait d'objection à leur union passionnée et précipitée. Tante Zoya les avait suppliés de ne pas précipiter les choses. Katya et Olya, encore adolescentes, avaient, entre deux gloussements, imploré maman de trouver quelqu'un de plus jeune. Papa avait presque dix ans de plus que maman et il enseignait déjà la géologie à l'université. Ma mère travaillait à la section russe. Elle était secrétaire. Comme tant d'autres femmes de sa génération, elle n'aurait pas eu l'idée d'en profiter pour suivre des études. Un été, son patron prit des vacances et, comme elle n'avait rien à faire et que la section géologie embauchait des gens du campus pour les aider à transférer leurs locaux, elle se porta volontaire. Elle travailla trois semaines pour papa. Au terme de ces trois semaines, la section géologie avait emménagé dans de nouveaux locaux et mes parents étaient mariés.

Cette histoire me plaît. Elle me plaît depuis que je suis toute petite. Maman la racontait si bien. Elle expliquait comment elle avait aidé papa à dresser l'inventaire de toutes ses pierres. Elles n'occupaient pas une pièce, ni même deux, mais... — et là, elle faisait de grands gestes avec les bras — ... trois pièces, oui, trois pièces pleines de cailloux ! Elle se penchait légèrement et fermait un peu les yeux en nous racontant comment elle regardait papa caresser les bulles des malachites ou les anneaux des hématites. Comment il étiquetait chacune des pierres avec soin, les manipulant délicatement tandis qu'elle en écrivait la liste.

Elle disait :

— J'ai compris alors que, pour papa, les cailloux n'étaient pas les objets sans vie qu'ils sont pour la plupart des gens. Et j'ai su qu'un homme ayant suffisamment d'amour en lui pour en donner aux pierres devait bien en avoir un peu à m'accorder !

Elle rayonnait et son visage, souvent triste lorsqu'elle ne souriait pas, devenait tout autre. C'était le visage de la belle femme qui avait réorganisé le système de classement, catalogué les cailloux, épousé le professeur. Elle lissait ses cheveux, se redressait :

— Et la section de géologie a donné une fête en notre honneur. Ils ont fait un gâteau...

Elle riait comme une petite fille.

— Un gâteau en forme de montagne, avec toutes les couches géologiques! Ils m'ont demandé, pour rire, de les identifier. Or j'avais déjà appris tout un tas de choses et, à leur grand étonnement, j'ai été capable de le faire!

Encore son rire. Joyeux. Sonore. Le rire d'une femme intelligente et pleine d'entrain.

— Précambrien, paléozoïque, cambrien, ordovicien, silurien...! Elle lançait joyeusement chaque mot, tel un phare projetant ses rayons à la surface de l'eau.

Je m'exclame soudain :

— Mon Dieu, où est donc passée cette femme?

La femme qui a épousé papa. La femme dont l'épaisse chevelure blonde semblait jaillir de la tête. La femme aux yeux bleus qui riait de ce délicieux rire sonore, et dont le visage paraissait s'éclairer de l'intérieur. Un jour, j'ai pénétré dans un canyon et, lorsque j'en ai émergé, elle était devenue une tout autre femme.

— Parfois..., fait remarquer tante Zina comme si elle avait lu dans mes pensées, il arrive qu'on retrouve en elle un peu de la Tanya d'autrefois. Même encore maintenant.

Mais il y a des années que j'ai cessé de chercher ma mère parmi les épaves humaines de la clinique Redbush. Sans un mot, je rends la photo à Zina. En échange, elle me donne une clé.

— C'est celle de ta voiture de location flambant neuve. Un jeune homme en uniforme l'a apportée ce matin. Ces vieux appartements ne sont pas très bien lotis en matière de parking. Bien sûr, le jeune homme n'était pas censé le savoir. Il s'est garé sur l'emplacement que Dimitri Sergueïevitch, qui habite en bas, considère comme le sien. Ce désagréable personnage et épouvantable voisin a déjà appelé deux fois pour nous signaler le problème. Sasha lui a expliqué la situation et il a accepté que la voiture reste là, mais juste pour aujourd'hui.

— En revenant, ce soir, je me garerai dans le parking où maman laissait sa voiture.

— Non, Lucia, c'est à deux blocs d'ici. Sasha a le droit de stationner ici. Tu peux utiliser sa place.

Je n'ai aucunement l'intention de prendre la place de Sasha, mais il est huit heures et quart, et il n'est plus temps de protester. J'explique pourquoi je dois partir tout de suite, et tante Zina réagit vertement :

— Pourquoi la police est-elle si pressée de t'interroger ? Je ne vois vraiment pas en quoi tu pourrais les aider ! Ils perdent leur temps et te font perdre le tien par la même occasion !

Il n'est pas difficile de repérer la voiture dans le parking. Elle brille comme un sou neuf. Tandis que je m'y engouffre, je surprends le regard d'un homme aux cheveux gris, presque courbé en deux. Il a les mains sur les hanches, mais j'ignore si c'est parce qu'il est scandalisé ou s'il a besoin de ça pour tenir debout. Il grommelle Dieu sait quoi en russe à mon adresse.

À mon arrivée à la maison de papa, je découvre que les agents en uniforme et le ruban de police bouclant l'allée ont disparu. Comme je m'apprête à gravir la côte, je distingue quelque chose entre les arbres, vif comme une lame de couteau, brillant comme le chrome, si bien que lorsque je prends le virage, mon cœur bat à tout rompre. Je m'attends à voir une dépanneuse, mais il n'y a que des détritus, parmi lesquels une canette que les policiers ont dû laisser derrière eux. On n'aurait jamais vu traîner de déchets du vivant de papa.

La chaleur matinale m'enveloppe. Je me tiens à l'ombre de la maison et, à l'exception du cliquetis provenant de la voiture chauffée par le soleil, je baigne dans un silence absolu. Rien ne bouge. Même les feuilles sont immobiles, à croire que la vieille maison m'attend. Je me souviens d'un détail de l'histoire que nous racontait maman au sujet de la mort du bébé de grand-maman, dans le train qui emmenait ma famille hors de Russie : lorsque le garde-frontière a ouvert la portière du wagon, il a immédiatement compris, au silence des voyageurs, que quelque chose clochait et qu'ils attendaient qu'il le remarque. C'était leur immobilité qui avait attiré son attention sur la femme tenant sur ses genoux son enfant mort.

Je pivote sur mes talons, convaincue que quelque chose cloche là aussi, certaine que, dans cette absence de mouvement, un point devrait attirer mon attention. Mais les feuilles pendent, inertes comme des mouchoirs. Pas un souffle n'agite les branches. La maison et la grange sont écrasées sous le poids de leur propre silence. Les pierres de l'allée brillent là où le soleil les caresse de ses rayons. Le seul détail qui détonne, c'est la canette. Je la ramasse.

Je possède toujours une clé de la maison de papa. Depuis trois ans, je ne l'ai jamais retirée de mon trousseau. Je la serre dans ma main en marchant sous les branches, jusqu'à la véranda. J'aime entendre le bruit de mes pas. L'écorce et les feuilles mortes — ces feuilles d'eucalyptus pointues comme des couteaux — sont si sèches qu'elles crépitent et bruissent sous mes pas tandis qu'au-dessus de ma tête le feuillage libère un arôme de plantes médicinales.

Parvenue au seuil, je m'arrête, pour me réhabituer à son odeur, à sa fraîcheur, à son obscurité. À ses absences. Comment croire que papa ait totalement quitté cet endroit, qui a été sien pendant de si longues années? Comment croire que je ne vais pas l'y trouver?

— Ohé! crie une voix.

L'inspectrice. Elle s'avance vers moi, une serviette à la main, sombre silhouette sous les arbres sombres. Mes doigts se crispent autour de la canette.

— Quelle belle journée! On est en mars, et on jurerait que c'est déjà l'été, lance-t-elle d'une voix joyeuse.

Nous entrons ensemble dans la maison. À la porte du bureau de papa, elle m'informe qu'elle a fait saisir l'ordinateur.

— Nous avons encore des difficultés à accéder à certains documents. Vous ne vous souvenez toujours pas de son mot de passe?

— Je ne l'ai jamais su.

Elle a besoin de mon accord signé, pour ça et pour d'autres documents qu'elle a pris dans le bureau.

— Quel genre de documents?

— Oh, des trucs financiers.

— Relevés bancaires?

— Exactement. Nous avons besoin de nous faire une idée très précise de la situation financière de votre père.

Je me demande bien pourquoi, pourtant je signe les formulaires qu'elle me tend sans poser la question.

— Ce sont des copies, mais vous devez quand même les signer, dit-elle en posant des piles de documents sur le bureau de papa. Scott va avoir besoin des originaux.

— Scott?

— Le représentant personnel de votre père.

— Son quoi?

— Son exécuteur testamentaire. C'est ainsi qu'on les appelle maintenant.

Je répète, incrédule :

— Scott. Papa a désigné Scott comme exécuteur testamentaire ?

Elle me regarde.

— Ça vous étonne ?

— Oui, Scott est un homme brillant, mais les maths ne sont pas son point fort. Ça a failli le couler, au lycée, et même avec une calculette, il n'obtient jamais deux fois le même résultat...

Rien ne lui échappe :

— Vous pensez que le professeur Schaffer aurait dû vous demander ça à vous ?

— Eh bien...

Évidemment, c'est à moi qu'il aurait dû demander ça.

— Après tout, c'est vous, la banquière de la famille, ajoute-t-elle en m'observant attentivement.

Elle se demande pourquoi papa ne m'a pas fait confiance pour exécuter ses volontés. Moi aussi, je me le demande, mais je me contente de hausser les épaules. Je ne veux pas qu'elle sache que papa m'a blessée.

— Il devait avoir ses raisons, souffle-t-elle enfin.

J'aimerais qu'elle cesse de me fixer ainsi. Je respire lorsqu'elle suggère de poursuivre l'interrogatoire sur la terrasse : cela me donne l'occasion de lui tourner le dos pour traverser le salon.

— Vous n'en êtes pas moins les bénéficiaires, reprend-elle. Jane et vous. Vous le saviez ?

— Je m'en doutais.

J'ouvre les portes coulissantes. Je me prépare au choc de revoir la vallée. Mais il me faut tout de même un bon moment pour me laisser pénétrer de son immensité plate, de son opulence parfaitement organisée. Elle se déploie devant nous telle une immense table croulant sous les victuailles.

Nous nous asseyons. Aucun souffle ne semblait animer l'air,

et pourtant à peine l'inspectrice a-t-elle sorti son calepin que les pages se mettent à voleter.

— J'espère, dit-elle en serrant les documents contre elle comme un bébé, que vous avez trouvé quelqu'un capable de confirmer que vous avez passé le week-end chez vous.

Je secoue la tête.

— Non, personne.

— Vous avez travaillé tout le temps?

— Je n'ai vu personne qui puisse confirmer ma présence à New York.

— Vous n'avez pas quitté votre appartement?

— Non, je me suis juste arrêtée de temps en temps pour manger.

— C'est à ça que vous passez généralement vos week-ends? À travailler?

J'hésite un moment.

— C'est à ça que je passe tout mon temps.

L'inspectrice écarquille les yeux. Je plonge mon regard dans la vallée. Elle s'étend à perte de vue. Il arrive, par les frais matins d'hiver ensoleillés, qu'on aperçoive vaguement les contours des montagnes au loin. De même que l'on croit parfois, lorsqu'on est en mer, apercevoir la terre.

— Avez-vous une idée de ce à quoi votre père a occupé son week-end? s'enquiert-elle. Avait-il des projets?

J'omets de mentionner la visite de papa sur la tombe de Stevie et lui dis juste qu'à ma connaissance il comptait passer la journée de samedi avec Jane, Larry et Scott.

— Et dimanche?

Je hausse les épaules.

— J'ai de bonnes raisons de m'intéresser à la manière dont votre père a passé l'après-midi de dimanche. Concentrez-vous :

vous souvenez-vous que votre père ait parlé d'une visite? Y avait-il quelqu'un qui venait souvent le voir le dimanche?

Je me concentre et secoue si fort la tête que la vallée bondit de droite à gauche. Puis elle se fige, et ses lignes redeviennent bien nettes. Elle est divisée en grands rectangles par les routes, et en plus petits rectangles par les vergers.

— Sa voiture n'a toujours pas été retrouvée, poursuit l'inspectrice. Vous n'avez pas idée de l'endroit où il aurait pu se rendre lundi? Il aimait aller en ville, le lundi? Ou bien avait-il coutume de prendre le petit déjeuner avec un de ses amis?

— Eh bien, il avait peut-être l'intention de faire un peu d'exercice avec son ami Seymour. Parfois, ils faisaient de la gym ensemble.

Devant l'absence de réaction de la femme, j'en conclus que Jane a déjà fait cette suggestion et que Seymour a été contacté. Elle me pose encore d'autres questions sur papa, sur ses habitudes, ses amis, sur le type d'homme qu'il était. Bafouillant, j'ai recours aux paroles d'hommage que mes tantes ont eues la veille et les sers telles quelles d'un ton piteux à Kirsty Mac-Farlane.

— Il s'efforçait toujours de faire ce qu'il estimait juste.

Elle a l'air de se rendre compte que ces mots ne m'appartiennent pas.

— Lorsque vous étiez petite et que vous alliez chez les autres enfants..., s'obstine-t-elle.

Je me crispe. Nous n'allions pas beaucoup chez les autres enfants car il était inévitable que, tôt ou tard, les gamins auraient demandé à être invités chez nous à leur tour, ce qui n'était pas possible, du moins avant que notre mère soit internée.

— Vous connaissiez leurs pères? Vous vous rappelez avoir trouvé votre père semblable ou différent?

Je hoche la tête.

— Oh, il était différent. Les pères des autres nous faisaient un peu peur. Ils avaient de grosses voix et prenaient trop de place.

Elle sourit.

— Trop de place?

— Enfin, ils s'imposaient toujours. Parfois, ils voulaient jouer avec leurs gamins, mais la plupart des pères, à l'époque, ne savaient pas trop comment s'y prendre. Par exemple, ils organisaient une partie de ballon et se mettaient dans tous leurs états quand nous ne respections pas les règles. Ils étaient tout le temps à crier... Quand on allait dans un magasin avec eux, on pouvait être sûr que l'un de nous se ferait hurler dessus pour quelque chose de complètement idiot comme... je sais pas... s'amuser avec le distributeur de chewing-gums.

— Votre père ne criait pas?

Je secoue la tête. Papa se montrait toujours gentil. Il n'essayait pas d'organiser des jeux, sauf si nous lui demandions, et ne faisait pas d'effort déplacé et ringard pour participer. Il voulait juste qu'on s'amuse. Les autres pères, avec leur voix cassée tant ils s'étaient énervés lorsque la partie de ballon devenait chaotique ou que l'on cassait des jouets, rendaient avec soulagement les gosses à leurs mamans à peine le seuil franchi. Papa n'avait personne sur qui se débarrasser de nous et ne paraissait jamais tenté de le faire. Il n'avait jamais l'air triste lorsque nous revenions de colonie, ni soulagé à la rentrée des classes. Je me demande comment il faisait pour être d'une humeur aussi égale. Lui arrivait-il d'être excédé et de ne pas le montrer? Fouillant dans mes souvenirs, je cherche un moment où j'aurais vu papa contrarié, nerveux ou excessif, comme un Russe. En vain. Je ne me souviens même pas de lui riant comme les autres adultes, la tête renversée en arrière, le corps pris de secousses, le visage cramoisi.

— Jane m'a parlé des problèmes de votre mère, avance l'inspectrice avec circonspection. Je suppose que le professeur Schaffer a dû vous tenir lieu à la fois de mère et de père. Ça n'a sans doute pas été facile, vu qu'il lui fallait aussi travailler. Vous laissait-il souvent seules ?

J'ai le sentiment que, une fois maman emportée dans la spirale infernale de la folie, j'ai toujours été seule. Entre les parois du canyon où résonnaient ses hurlements, j'avais ressenti une immense solitude qui, depuis, ne m'a plus jamais quittée.

— Eh bien, il y avait ma grande sœur. Elle faisait beaucoup de choses que maman aurait dû faire.

— Jane et vous étiez proches lorsque vous étiez enfants ?

Je plonge le regard dans la vallée.

— Je ne sais pas comment j'aurais pu m'en sortir sans Jane. J'ai été sa première patiente. J'étais constamment malade, et elle s'occupait de moi.

— C'est peut-être ce qui l'a poussée vers les études de médecine ?

— Le fait que je sois malade ? Qui sait... Et il y a eu cet accident, alors que je sortais à peine du lycée ; là aussi, elle m'a beaucoup aidée.

Mes yeux se portent sur les Vergers du Soleil et sur cette longue ligne droite, la route où s'est retournée la voiture dans laquelle je me trouvais avec Robert Joseph. Des images défilent dans mon esprit : la route, verticale et non plus horizontale ; un arbre fruitier trop proche, un autre à l'envers, la poussière du chemin du verger vue de tout près. Le premier visage dont je me souviens, ensuite, c'est celui de Mme Joseph. Elle était accompagnée d'une amie qui était à ce moment-là en visite chez eux. L'amie en question m'avait ordonné de ne pas bouger et m'avait tenu la main, en me parlant d'une voix douce. Quelqu'un avait dû appeler la maison car Jane, qui venait juste de rentrer pour l'été, ne tarda pas à arriver. Elle demeura à mes côtés; l'amie de Mme Joseph semblait s'être évaporée. Puis les ambulances déboulèrent. Robert était grièvement blessé. Jane me demanda de ne pas faire un geste pendant qu'ils dégageaient très lentement son corps, sur une civière moulant ses formes, par les portières ouvertes de la voiture.

— Non, Lucy, m'assura-t-elle. Il n'est pas mort, il faut me croire.

À l'hôpital, j'appris qu'il allait peut-être falloir l'amputer d'une jambe. Je ne souffrais que de deux fractures au pied, sans gravité; on me laissa donc sortir le jour même. En rentrant chez moi, je vis la voiture du père de Robert, toujours là-bas, dans la vallée. Elle était au bord de la route, toute cabossée. Retournée sur le dos, tel un gros insecte mort. Les Joseph laissèrent passer une autre journée avant de la faire emporter. À présent, tant d'années plus tard, je fouille la vallée des yeux, à la recherche de la voiture, comme si je venais à peine de passer mon bac et que j'étais amoureuse de Robert Joseph. Dans mon pied gauche, une douleur sourde, persistante.

— Lucy?

Je me tourne à nouveau vers l'inspectrice. Elle m'a demandé quelque chose, mais sa voix s'est perdue dans les images du passé. Elle repose sa question, un peu plus fort. Y avait-il des conflits dans la famille, comment papa s'entendait-il avec Scott et Larry, avait-il des ennemis...? Je hausse les épaules :

— Nous sommes des gens tout à fait ordinaires. On s'entend bien les uns avec les autres. Personne ne déteste personne. Papa n'avait pas d'ennemis, ce n'était pas son genre.

— Lucy, pourquoi avez-vous quitté la Californie? demande-t-elle sur un ton brusque.

— Pour des raisons professionnelles.

— Il n'y aurait pas eu un genre de désaccord dans la famille? Une dispute?

— Oh non. Je travaillais dans une banque privée, mais je voulais vraiment trouver un emploi dans une société d'investissements. Dans la région, les seules opportunités sont à Silicon Valley. Sinon, il faut aller à New York.

Elle me fixe, dans l'attente d'en entendre plus, comme si elle savait déjà que je n'avais pas tout révélé; si patiente que les mots finissent par m'échapper.

— On a eu un bébé mais il est mort.

Une affirmation. Énoncée froidement. D'un ton aussi plat que la vallée.

Kirsty ne réagit pas.

J'ajoute :

— Mort subite du nourrisson.

— La mort de votre bébé a-t-elle beaucoup pesé dans votre décision de partir?

— Oui. Je suis partie peu de temps après. Cela s'est passé il y a exactement trois ans. C'est la raison pour laquelle je suis restée chez moi tout le week-end, sans répondre au téléphone.

Elle hoche la tête et referme son bloc-notes.

— Ça suffira pour le moment. Merci de votre collaboration.

Elle s'efforce de ranger son bloc-notes dans sa serviette, en vain. Mon malheur l'a visiblement engraissé.

— Mon collègue Michael Rougemont était censé se joindre à nous ce matin, mais je suppose qu'il a été retenu ailleurs. Il ne va pas tarder à vouloir vous rencontrer.

Je me lève; elle est encore en train de réorganiser le contenu de son sac. Au bout d'un moment, je me rends compte que ses gestes sont pour la plupart superflus. Elle sort un petit carnet, puis le remet au même endroit. Elle gagne du temps en pensant à autre chose, à quelque chose qu'elle voudrait dire, sans savoir quels mots, quel ton utiliser. Elle est si troublée que je suis libre de l'observer ouvertement. L'inspectrice aux habits sombres a une beauté à elle, une beauté discrète. Je le remarque pour la première fois, tout comme je remarque pour la première fois les fines ridules entourant ses yeux. Ses cernes. Quand elle rentre chez elle, elle est déjà fatiguée. Lorsqu'elle dort, ses enfants l'appellent dans la nuit. Elle se lève telle une somnambule pour aller les voir. Puis elle reste étendue dans son lit, pensive. À réfléchir aux crimes sur lesquels elle enquête. À penser à ces gens qui en tuent d'autres.

Elle se lève d'un bond et ses yeux se retrouvent exactement au niveau des miens. Nous avons la même taille. Nous devons également avoir à peu près le même âge.

— À la mort d'un parent, le passé peut soudain paraître très proche. Vous avez déjà ressenti ça.

Je hoche la tête, consciente de la netteté nouvelle de mes souvenirs.

— Peut-être, en partant à New York, avez-vous imaginé pouvoir tout laisser derrière vous, poursuit-elle. Mais à présent vous êtes de retour, vous pourriez décider qu'il est temps de cesser de fuir. J'ai le sentiment que vous allez prendre le temps de vous retourner et oser affronter cette chose qui vous poursuit. La regarder droit dans les yeux.

Elle attend une réponse.

— Où est le corps de papa ?

Ce n'était pas ce qu'elle espérait entendre. Elle marque un temps de silence.

— À la morgue.

— Je voudrais le voir.

— Ce n'est vraiment pas nécessaire. Votre beau-frère a déjà identifié le corps.

— Je voudrais tout de même le voir.

— Je ne vous le conseille pas.

— Il le faut!

Elle rejette en arrière une mèche fantôme et sourit tristement.

— Je suis censée encourager les identifications, je ne vais donc pas chercher à vous dissuader.

Elle passe un coup de téléphone dans le bureau de papa et, après une brève discussion, nous décidons que je me rendrai cet après-midi même à la morgue de Bellamy, une ville côtière un peu plus au nord. Ce doit être la morgue la plus proche de Big Brim et de Retribution.

Je regarde sa voiture cahoter en descendant le chemin puis, au lieu de retourner dans la maison, je la contourne, gagnant le côté abrupt de la colline, et longe la base de la terrasse. Les troncs d'arbres sont désormais assez robustes pour qu'on puisse s'y cramponner, leurs branches assez fortes pour supporter une cabane. Je me souviens que je rêvais d'avoir ma cabane dans les arbres et que j'avais été cruellement déçue lorsque papa, après les avoir tous passé en revue, avait déclaré qu'aucun n'était assez vigoureux. La maison ne va sans doute pas tarder à être vendue. La famille qui s'y installera pourra se construire une cabane ici. À cette idée, je suis dévorée de jalousie. Je m'accroche à un arbre, devant la vallée qui m'éblouit à travers le feuillage. Fermant les yeux, je tente d'imaginer les prochains occupants. Mais l'histoire de ma famille me semble déjà occuper le moindre recoin de la maison, de la grange et du terrain environnant.

Je contourne le jardin encastré redevenu sauvage et, une fois arrivée au verger des Holler, coupe à travers les arbres afin de remonter vers la grange. Des branches épineuses accrochent mes vêtements, les buissons libèrent des odeurs aromatiques. Je garde les yeux rivés au sol. Non loin du verger des Holler, je trouve un caillou. Sa forme me rappelle quelque chose. Je le ramasse : ce n'est pas un caillou, mais un talon de chaussure. Je l'examine puis le fourre dans ma poche mais, au moment de me lancer à l'assaut de la colline, j'entends un bruit. Un craquement. Bref mais net, qui me fait prendre conscience que je ne suis pas seule. Une branche sèche craquant sous un pied. Ce son m'est aussi familier que la voix de ma sœur, que le claquement de la porte grillagée, que le grincement de la balançoire.

Je fais aussitôt volte-face. Les branches, les feuilles et l'herbe paraissent me fixer, surprises dans leur immobilité. Je jette de rapides coups d'œil à droite et à gauche puis, prenant mon temps, j'effectue un demi-tour complet, en ayant soin d'examiner les arbres, branches et troncs. Certains sont assez massifs pour dissimuler une silhouette. Je me tiens immobile, retenant mon souffle. La colline semble elle aussi retenir son souffle. Le silence est total, rien ne bouge, mais, plus loin, dans le verger des Holler, quelque chose capte furtivement mon regard : un homme détalant à toute vitesse, un arbre qui tremble au vent ?

Je me dirige à contrecœur vers la maison, non sans regarder deux fois par-dessus mon épaule. Après avoir claqué la porte derrière moi, je glisse le talon dans une des pochettes intérieures de mon sac à main, que je referme soigneusement. Le « clic » du bouton-pression résonne dans le silence telle la branche craquant dans le jardin. Sous les pas de cette personne dont le visage et l'intention m'échappent.

Sur la terrasse, le silence persiste. Appuyée à la balustrade, je continue à scruter le jardin. Je guette le plus petit mouvement mais, à l'exception d'un oiseau sautant de temps à autre de branche en branche, pas le moindre frémissement en vue. Peu à peu, la vallée attire mon attention. Mon regard scrute les points de repère habituels : l'endroit où la voiture s'est retournée, le croisement, la ferme où nous étions parvenues avec Lindy après avoir si longtemps marché sous le soleil, les routes non goudronnées sur lesquelles on nous avait reconduites chez nous, à l'arrière de la camionnette secouée par les cahots, la chevelure blonde de Lindy plaquée par la chaleur, nos grands sourires tandis que le véhicule slalomait et que nous étions ballottées de gauche à droite. Lindy Zacarro. Lorsque je pense à elle, c'est avec une espèce de douleur au ventre. Lindy Zacarro : riantes, nous nous balancions toutes deux sur la véranda. Ma meilleure amie, pendant un temps.

Je sens se hérisser le duvet de mes bras et de ma nuque. Au début, je ne sais pas pourquoi. Puis je distingue, au loin, traversant lentement la vallée, étincelant comme un poisson argenté à la nageoire dressée, une dépanneuse. Vue d'ici, elle semble être de la taille d'un jouet et progresse en silence. Au carrefour, elle se dirige vers le nord. Je la suis des yeux jusqu'à ce qu'elle s'enfonce dans la brume, qu'on ne perçoit pas quand on est en bas, dans la vallée. Qu'on ne distingue que depuis la colline.

9

Dans la voiture, tandis que je m'éloigne de la maison afin de rejoindre la côte, et ma famille, le visage de Lindy Zacarro s'impose à moi. Il y a des années que je n'ai pas pensé à elle. Et hier, soudain, je me suis souvenue de sa présence sur la balançoire grinçante, et, depuis lors, les souvenirs d'elle remontent à la surface, comme si un fonctionnaire zélé s'employait à mettre sur mon bureau toutes les informations disponibles à son sujet. Je revois son visage. Rond, ravissant, encadré de mèches blondes. Beaucoup de rose. Langue rose, bouche rose, toujours vêtue de rose. La plus jolie fille de la classe. La plus rose, aussi.

Lorsque le fermier à la nuque tannée et ridée comme du cuir épais nous avait reconduites chez nous, Lindy et moi, elle lui avait indiqué le chemin de sa maison. Elle n'avait même pas eu besoin de me consulter pour savoir que c'était la bonne chose à faire. Depuis que maman était sortie de la clinique, nous n'allions plus jouer chez moi. J'avais espéré que, une fois revenue à la maison, maman redeviendrait celle qu'elle était avant que la folie ne s'abatte sur elle, dans le canyon. Et puis, après que papa nous eut emmenées plusieurs fois lui rendre visite à la clinique, j'avais compris que c'était impossible. Assise dans sa petite chambre, maman nous regardait tous les trois en silence, avec une expression hostile, comme si nous étions trois auto-stoppeurs décidés à détourner sa voiture après l'avoir contrainte à s'arrêter. J'attendais qu'elle me reconnaisse, qu'elle me serre dans ses bras. Je voulais sentir tout autour de moi l'odeur de son parfum et des biscuits à peine sortis du four. Je me disais qu'il suffirait peut-être de la toucher pour briser cette étrange et nouvelle carapace : sans doute, alors, maman s'en libérerait-elle et se remettrait-elle à faire des biscuits et à nous raconter des histoires. Mais lorsque je traversais la pièce pour m'avancer vers elle, elle paraissait horrifiée et Jane me retenait aussitôt. Nous sortions lentement de la chambre, et maman se mettait à pleurer. Papa nous faisait signe de l'attendre dans le couloir, mais je restais plusieurs minutes plantée sur le seuil à le regarder s'accroupir devant elle, aussi près qu'elle le lui permettait, et lui murmurer tout bas des paroles rassurantes. J'espérais que ses mots pourraient, par-delà l'étrangère qu'elle était devenue, faire revenir la mère si familière.

Quand elle était enfin revenue à la maison, j'avais vu qu'elle s'appliquait à redevenir comme avant, à reprendre son ancienne vie. Mais, en dépit de tous ses efforts, on eût dit qu'elle portait un masque. Si elle riait, c'était trop fort, et les histoires qu'elle racontait, étranges et décousues, se désagrégeaient avant d'avoir atteint une conclusion satisfaisante. Lorsqu'elle voulait manifester de la tendresse, elle me serrait contre elle à m'étouffer ou alors se montrait si distante qu'au contact de ses doigts, plus légers que des pattes d'insectes, je filais, blessée, à l'autre bout de la pièce. Elle était désormais incapable d'accomplir les tâches les plus simples, cuisiner, par exemple. Les biscuits à peine sortis du four avaient la même odeur que d'habitude, mais ils étaient durs comme des cailloux. Nous faisions semblant de les manger et, discrètement, les glissions dans nos poches. Nous nous comportions, entre nous et avec elle, comme si elle allait bien.

— Luce, ce n'est peut-être pas une bonne idée que tu ramènes des amies à la maison, pour le moment, m'avait prudemment recommandé Jane.

Elle portait alors ses longs cheveux en une tresse qui lui tombait dans le dos. Je l'admirais d'être capable de se coiffer seule. Quand j'essayais de natter mes cheveux, j'abandonnais au bout de dix minutes et finissais par demander à Jane de le faire.

— Mais maman va mieux, protestais-je.

Je m'escrimais à faire comme si tout était normal.

— Bien sûr. Nous, on le sait, mais les autres ne vont peut-être pas s'en rendre compte, m'expliquait-elle d'une voix douce.

— Mais si, ils s'en rendront compte, insistais-je.

Évidemment, on ne pouvait pas s'attendre que les autres participent à la comédie que nous nous jouions. Mais je n'étais pas en mesure de comprendre cela.

— Et Lindy ? Juste Lindy..., ajoutais-je, tentant de l'amadouer sans vraiment supplier.

Jane grimaçait.

— Non, même pas Lindy, répliquait-elle calmement. C'est pour ton bien. Je sais ce qui pourrait se passer.

Je lui en voulais à mort. J'éprouvais souvent de la colère à son endroit — le genre de colère que les enfants éprouvent à l'égard de leurs parents quand ceux-ci leur interdisent de faire des choses susceptibles de compromettre leur sécurité. Les parents semblent injustes à l'enfant qui n'est pas encore en âge de comprendre. Les parents ont l'air d'exercer arbitrairement leur autorité, d'énoncer des interdictions dans leur seul intérêt. Alors, je passais mon temps à bouder. C'est en grinchant que je me rendais chez les Zacarro. Il me fallut un bon bout de temps pour me décider à confier à Lindy que Jane avait dit qu'elle ne pourrait plus venir chez nous et, lorsque je l'eus fait, Lindy bouda elle aussi.

À environ vingt minutes de route de chez Scott, je m'arrête au bord de la falaise, séparée de la mer par un simple garde-fou. L'endroit s'appelle le golfe des Phoques, mais il n'y a aujourd'hui pas le moindre phoque en vue. Je coupe le moteur et distingue le bruit des vagues martelant les rochers au-dessous, comme si elles voulaient fracasser la falaise et l'emporter, et moi avec.

Je sors le talon de mon sac à main, puis je m'approche suffisamment du bord du précipice pour apercevoir l'impressionnante masse d'eau lancée à l'assaut de la roche. Voir l'eau frapper les rochers et tourbillonner bruyamment me donne le vertige. Je lève les yeux vers la route, qui suit le contour de la côte. Après m'être assurée de l'absence de tout véhicule, je lance le talon aussi loin que possible dans la mer. Mon geste a dû manquer de force, ou le vent dévier le talon, car il revient percuter la roche au-dessous de moi, avant de disparaître dans l'eau.

Après le golfe des Phoques, il y a encore deux petites plages, puis c'est Big Brim. Mon cœur bat la chamade et j'essaie de ralentir, mais les autres voitures, à l'approche d'une étendue de route rectiligne, se mettent à accélérer. Il y a un parking le long de la route à droite et, à gauche, la mer est dissimulée par de hautes dunes. Je file tout droit. En un instant, je retrouve la côte rocheuse et la route en zigzag.

Lorsque j'atteins Needle Bay et aperçois la petite baie où nous vivions, Scott et moi, je suis submergée par un flot d'émotions. Au lieu de tourner pour prendre la piste qui coupe par la pinède et mène droit au bungalow, je me gare sur le parking au sommet de la colline. Sans bruit, je revisite ce paysage intérieur perdu, devenu si calme et si vide à la mort de Stevie.

La petite maison est cachée derrière les arbres, mais on distingue l'éblouissante blancheur du sable et, au-delà, la mer s'étendant à l'infini, son bleu de plus en plus intense à mesure qu'elle gagne en profondeur. Je suis souvent revenue ici en rêve. À présent, de retour pour de bon, j'éprouve une sorte de soulagement — et même une certaine nostalgie à l'égard de la brève période ayant suivi notre installation ici, juste après la mort de Stevie, quand ma douleur était aussi fraîche que le pain juste sorti du four. La vie était simple, alors. Elle n'était que chagrin. Il n'y avait rien d'autre à ressentir et rien d'autre à faire que revivre inlassablement, implacablement, la nuit de la mort de Stevie. Depuis, j'ai si souvent revécu cette nuit-là que, de même qu'un jouet ayant fait son temps, elle a perdu toutes ses couleurs. Elle a été blanchie, repassée et, pour finir, remisée au fond d'un placard. Et maintenant, ici, à Needle Bay, les portes du placard s'ouvrent soudain toutes grandes.

J'ai passé le dernier jour de la vie de Stevie à travailler. C'était un samedi, mais un gros client de la région Pacifique était en ville et, avant d'aller le rencontrer à son hôtel, j'avais jugé préférable de passer au bureau pour étudier son portefeuille. J'avais essayé de faire ce genre de travail chez moi mais, d'une certaine manière, Stevie, si petit fût-il, prenait toute la place dans la maison.

Il dormait encore pendant que je prenais ma douche et m'habillais, sans doute parce qu'il s'était réveillé de nombreuses fois dans la nuit. Et puis, au moment où je devais partir, il s'était réveillé. Je l'avais nourri, changé, puis Scott l'avait serré dans ses bras, mais ça n'avait servi à rien. Il s'était mis à pleurer avec cette ténacité, cette énergie farouche signifiant qu'il n'était pas près de s'arrêter.

— Vas-y, m'avait dit Scott. Vas-y. Il va se calmer.

Une fois dans la voiture, comme je longeais la jolie rue où nous vivions alors, les hurlements de Stevie résonnaient encore dans ma tête et la première chose que j'avais éprouvée était du soulagement. J'allais accomplir un travail où j'excellais, laissant derrière moi une situation sur laquelle je n'avais aucun contrôle.

Je passai la journée avec le client. Il était exigeant, mais, à la fin, avait loué ma compétence professionnelle. Je n'avais pas pensé à Stevie de toute la matinée. En revanche, pendant l'après-midi, de soudaines bouffées de nostalgie m'avaient envahie et, en arrivant chez moi, je n'avais qu'une seule envie : le respirer et presser tout contre moi son tendre petit corps. La voiture de Larry était là, ainsi que la vieille Oldsmobile de papa. Je m'étais rangée dans l'allée et, sitôt le contact coupé, le bruit m'était parvenu aux oreilles : Stevie s'était remis à pleurer. J'étais restée dans la voiture à l'écouter, tandis que mon corps réagissait involontairement à ses pleurs : chacun de ses cris pénétrait un peu plus profondément en moi, jusqu'à ce que tous mes muscles soient raidis.

L'intérieur de la maison résonnait des hurlements de Stevie.

Scott avait émergé de la cuisine, un avocat à la main, et m'avait désigné l'escalier.

— On l'a nourri, on l'a changé, on a tout fait pour le distraire, mais il ne veut pas s'arrêter. Jane est là-haut avec lui.

— Il a pleuré toute la journée?

— Non. Il t'attendait.

Difficile ne pas me sentir personnellement concernée.

Je n'étais pas montée tout de suite. J'avais d'abord jeté un coup d'œil au salon, où Larry et papa jouaient aux échecs avant le dîner, visiblement indifférents au bruit provenant de l'étage.

— Salut Lucy! avait dit papa. Échec, avait-il lancé à Larry.

Celui-ci s'était retourné et m'avait adressé un signe de tête complice, comme pour suggérer qu'il avait laissé le vieux gagner. Mais, je le savais, le haussement d'épaules de Larry signalait plus vraisemblablement sa défaite. Je n'ai jamais battu papa aux échecs. Mais c'est peut-être que je n'en avais nulle envie.

Je grimpai l'escalier; les cris devenaient plus forts à chaque marche. Assise devant la fenêtre, Jane tenait le bébé contre son épaule. La faible lumière de fin d'après-midi tombait sur le livre qu'elle était en train de lire, tandis que les gémissements de Stevie se perdaient derrière elle. Tout en lisant, Jane caressait le dos du bébé.

— J'ai tout essayé, fit-elle en me voyant. Pour finir, je me suis décidée à le laisser pleurer.

Je lui pris Stevie des bras, aussi délicatement que possible. Il tourna vers moi son visage baigné de larmes et, l'espace d'un instant, ses traits se décrispèrent. Sa peau retrouva sa blancheur, ses yeux s'écarquillèrent et il parut sur le point de se taire. Mais ce silence était fragile; à peine eus-je placé son corps contre le mien qu'il cambra le dos, leva la tête et se remit à hurler de plus belle.

— Pendant une seconde, j'ai cru que tu y étais arrivée, dit Jane.

Je secouai la tête. Stevie semblait tirer sa détresse d'un puits de souffrance humaine. D'un puits affreusement profond.

— Il pleurait quand je suis partie. Il pleure quand je reviens. Et à la crèche, il est sage comme un ange, paraît-il. Qu'est-ce que je fais de travers?

— Rien. Il a besoin de pleurer, c'est tout, il y a des bébés comme ça, répliqua Jane, sur un ton professionnel.

— Pourquoi je n'arrive pas à être une bonne mère?

— Tu es une bonne mère, rétorqua Jane d'un ton encore plus ferme.

Les cris redoublaient d'intensité. Le dîner était prêt. Jane et Scott tentèrent de me convaincre de laisser Stevie dans son berceau.

— Ça ne change rien, de le garder dans les bras, et il faut que tu manges, insista Jane.

— Il ne va pas tarder à s'endormir, ajouta Scott.

Mais lui non plus n'aimait pas laisser notre bébé seul quand il poussait ces hurlements d'angoisse.

Une fois qu'ils furent redescendus, je m'enfermai dans la pièce avec Stevie. Je chantai, j'ouvris la fenêtre, je la refermai, je lui agitai des hochets au visage. En vain. Pour finir, je m'assis là où Jane s'était assise et attendis comme Jane l'avait fait. Et puis, alors que je me perdais dans le fil de mes pensées, le silence se fit. Je regardai le minuscule visage de Stevie, chiffonné par la violence de ses protestations. Son corps tiède était inerte, mais souple. Il était redevenu le bébé calme qu'il était censé être. Il était redevenu aimable. Je le recouchai dans son berceau bleu, aussi délicatement que s'il était en porcelaine, et le voile qui formait au-dessus de sa tête un baldaquin extravagant, tout en torsades et en volutes, se souleva légèrement. Je remontai la couverture et contemplai sa perfection quelques instants, avant d'aller rejoindre les autres en bas.

Lorsque, après dîner, je remontai pour m'assurer que tout allait bien, je compris, sitôt la porte ouverte, que quelque chose clochait. Un étrange silence flottait dans la pièce. Un silence de mort. Ma peau en reconnut la nature et se hérissa. J'allumai la lumière, courus au berceau et retirai la couverture.

Je retins ma respiration, afin de distinguer la sienne. L'oreille aux aguets, je guettai un souffle de lui, lui pressant même l'épaule pour le lui extirper. Je scrutai son torse, ses mains, son visage dans l'espoir d'y lire un mouvement. Je lui saisis la main pour la voir se crisper. Les doigts étaient raides et froids, et je sus alors que j'avais sous les yeux une effigie sans vie de mon bébé, et qu'il ne respirerait plus jamais.

Le silence de la chambre s'abattit sur moi, écrasant, suffocant. Ma gorge se serra, puis un long cri aigu s'en échappa. Mais l'intensité du silence étouffait tous les sons, je ne m'entendis pas crier.

Quand les autres arrivèrent, à bout de souffle, le visage émacié et les yeux écarquillés, ils ne dirent pas un mot. Ils se rassemblèrent autour du berceau, leurs mouvements faisant voleter le voile du berceau, en une dérisoire parodie de vie.

Autour du berceau, des visages déformés par l'horreur : Scott, les lèvres décolorées, le visage exsangue. Jane, à côté de moi, les yeux révulsés dans un visage semblable à un masque blanc. Papa, la bouche ouverte tel un plongeur qui, resté trop longtemps en apnée, tente désespérément de reprendre son souffle ; ses yeux, reflétant la violence du choc, allant du corps de Stevie à mon visage, puis se détournant, comme si c'était plus qu'il n'en pouvait supporter.

Lorsque je pris Stevie dans son berceau et le serrai contre moi, sans le sentir blottir son corps contre le mien ni presser sa tête sur mon épaule, le silence de la pièce me parut assourdissant.

— Assieds-toi, Lucy, dit Larry d'une voix ferme.

— Calme-toi. Calme-toi.

La voix de Jane. Mais je ne comprenais pas pourquoi ils me parlaient ainsi. Je me trouvais déjà calme face à l'irrémédiable. Et pourtant, Larry semblait m'empêcher de me débattre : il me plaqua les bras le long du corps et leva une main, comme s'il allait me gifler. Et le silence — je réalisai à présent consciente que je l'avais enseveli sous un linceul de cris — perdit en intensité.

Jane et Larry étendirent le corps de Stevie sur la table à langer et commencèrent à lui retirer ses vêtements. Stevie était soumis mais inerte. Larry lui tâta le pouls. Jane colla son oreille contre sa poitrine. Tous deux échangèrent un regard qui rendait toute parole inutile. Puis Jane prit position devant Stevie et, soulevant les coudes, elle plaqua ses deux mains sur le cœur du bébé, l'une sur l'autre, et commença à exercer des pressions brusques et répétées.

— Ça sert à rien, grommela Larry. Il est trop froid.

— Faut tout de même essayer, insista Jane.

Mais, Larry se contentant de hocher les épaules, elle laissa retomber ses coudes et je m'avançai pour prendre Stevie dans mes bras, afin d'empêcher le peu de chaleur qui restait en lui de s'échapper.

Larry dit :

— Je vais appeler la police.

Son ton était déjà professionnel, c'était le ton qu'il prendrait au téléphone.

Il y eut un rugissement, si puissant que je couvris instinctivement la tête de Stevie afin de le protéger.

— La police ! Qu'est-ce que la police vient faire là-dedans ?

120

— Chut, papa, intervint Jane.

Papa la regarda et se mit à agiter les bras, avec des gestes saccadés et inhabituels. Sa bouche avait une expression grimaçante que je ne reconnaissais pas. Des larmes lui coulaient le long des joues, endiguées par les plis de sa peau, tandis qu'il cherchait sur le visage de Jane le soutien dont nous avions tous besoin. Je le voyais pleurer pour la première fois et fis volte-face, plaçant mon dos entre le visage baigné de larmes de mon père et mon petit bébé mort.

— Papa, c'est l'usage, expliqua Jane avec son ton de médecin. Quand un bébé meurt, il faut appeler la police.

Je vis Scott tressaillir en entendant ces mots. Il était resté figé près du berceau de Stevie. Il n'avait pas bougé d'un centimètre depuis qu'il était entré.

Lorsque les policiers arrivèrent, Scott tenait Stevie dans ses bras, emmitouflé dans une couverture. Il l'emporta en bas, et les policiers le suivirent. Certains entraient, d'autres sortaient. Je fus interrogée par un homme aux cheveux blancs, à qui je déclarai :

— C'est ma faute.

L'homme, qui estimait l'interrogatoire fini et s'apprêtait à quitter la pièce, se ravisa et me jaugea des pieds à la tête :

— Je vous demande pardon, madame ?

— C'est ma faute. C'est moi qui suis responsable.

Il se rassit, cette fois plus près de moi.

— Eh bien, dites-moi en quoi c'est votre faute ?

Dans ses yeux écarquillés, il y avait à présent autre chose que de la compassion. Du soupçon.

— La couverture devait être trop lourde. Il faisait tellement froid la nuit dernière que je lui ai mis la grosse couverture. Mais ce soir, il faisait plus chaud. J'aurais dû aller chercher une couverture plus légère, peut-être même juste un drap...

121

J'entendais mes paroles fuser, tandis que l'agent ouvrait son calepin pour y griffonner quelque chose. Enfin, il leva les yeux et dit :

— S'il y a une raison à sa mort, nous la trouverons. Mais en général il n'y en a pas dans les cas de mort subite du nourrisson. Les mères se sentent toujours responsables, particulièrement lorsqu'elles ont une activité professionnelle. Elles essaient de retrouver une chose qu'elles ont mal faite et qui pourrait tout expliquer.

— C'est ma faute, répétai-je.

— Je vais vous envoyer mon collègue, il restera un peu avec vous, décida le policier aux cheveux blancs.

Il quitta la pièce. La voix de Larry me parvenait depuis le salon.

— Hystérique, disait-il. Elle a dévalé les escaliers en criant et les a aussitôt remontés, et quand on est arrivés dans la chambre de Stevie, elle courait dans tous les sens en poussant des hurlements.

De qui pouvait-il bien parler ? Sûrement pas de moi. J'avais conservé tout ce temps un calme imperturbable.

Le collègue du policier arriva. Il était jeune et ses cheveux plaqués étaient séparés par une raie bien nette. Il referma la porte, s'assit et me regarda un moment en silence avant de se pencher vers moi.

— Connaissez-vous la parole du Seigneur ? me demanda-t-il. Ouvrez votre cœur au Seigneur et il vous assistera dans votre malheur. Je peux vous donner le numéro de téléphone d'une conseillère de ma congrégation. S'il vous plaît, ne répétez pas à mon collègue ce que je viens de vous dire.

Je le fixai avec incompréhension, mais sans agressivité. Il faisait partie de la folie de cette soirée.

Bientôt, Jane entra et vint s'asseoir près de moi. Elle prit ma main sans dire un mot, et le jeune policier sortit.

Beaucoup plus tard, Scott amena notre bébé mort. Il le tenait dans ses bras, et la couverture repliée vers l'arrière laissait voir le petit visage figé.

— Ils vont l'emporter, fit-il d'une voix brisée.

Des larmes ruisselèrent sur son visage, alors qu'il me tendait la poupée rigide qui avait été Stevie.

Un homme et une femme se tenaient sur le seuil, éclairés par l'arrière. Ils étaient vêtus d'uniformes amples et impeccables, d'un bleu marine presque noir. Tels des vautours, ils attendaient le corps de mon fils. Je leur tournai le dos, hostile.

— Prenez votre temps, ma petite, dit la femme.

Je saisis Stevie pour lui faire mes adieux, pressai son corps contre le mien, le dévorai des yeux. Lorsque je fis volte-face, la femme s'avança et tendit les bras pour le recueillir. Le vide du départ de Stevie me pénétrait le cœur, plongeant jusqu'à mon âme. Comme le couple s'en allait en emportant mon fils, je ressentis une solitude telle que je n'en avais jamais éprouvée auparavant, une solitude abyssale, une solitude de mort. Je me bouchai les oreilles pour ne pas entendre leur véhicule s'éloigner.

Lorsque je levai les yeux, je vis papa. Son visage exsudait la souffrance. L'espace d'un instant, nos regards se croisèrent, chacun se reconnaissant dans la douleur de l'autre. Il ne détourna pas ses yeux pleins de larmes.

— Il n'y a...

Il bredouillait. Sa voix était rauque. Il s'y reprit à plusieurs fois avant de parvenir à finir sa phrase.

— Lucy, il n'y a pas moyen d'échapper à l'immense chagrin qui t'attend.

Je hochai la tête. J'ouvris la bouche pour parler mais ma voix me fit l'effet d'un couteau rouillé, incapable de trancher les mots. J'aurais voulu dire à papa qu'en une zone primitive et enfouie de mon cerveau, en une zone incontrôlable où les pensées ne se formulent pas et où le rationnel et le quotidien n'ont pas leur place, j'avais reconnu ma souffrance et j'avais su l'accueillir non comme une étrangère, mais comme une vieille amie de la famille.

10

À Needle Bay, la marée descend. Pendant que j'étais assise là, en haut de la colline, elle a laissé une bande de sable mouillé le long de la rive. Le soleil recouvre par endroits la mer d'un glacis blanc. Les vagues se dressent, se brisent et disparaissent.

Je démarre et commence à descendre la colline, dans le parfum des pins. Je distingue le crissement des pneus sur la piste toujours humide au sortir de l'hiver. Bientôt, au contact du soleil, la terre sera devenue poussière. Puis je reconnais la clairière, le hangar, la voiture... et au-dessous de moi apparaît le petit bungalow de bois, tapi sur la plage, le sable au pied de la véranda... Elle venait à peine d'être repeinte lorsque nous y avions emménagé, mais sa teinte jaune soleil d'alors est déjà passée.

Je sors et les aiguilles de pin roulent sous mes pas. Je me fige, submergée par l'intensité de leur parfum et par l'immensité brillante de la mer, à quelques mètres de moi.

Vue de derrière, la maison paraît basse, telle une plante dans le sable qui n'aurait jamais poussé. Je descends les marches casse-cou et contourne les portes, les fenêtres et la véranda, à l'avant du bungalow. Sous mes pieds, le sable est sec et épais. Y marcher exige un effort de tout mon corps, si bien qu'une fois parvenue à l'escalier de bois j'ai le sentiment, comme en gagnant la maison de papa la veille, d'arriver au terme d'un épuisant voyage.

Scott est sur la véranda, le regard tourné vers la mer, tel que je l'imaginais en train de m'attendre. Il y a deux livres ouverts devant lui sur la table, et il tripote une tasse de café. Lorsqu'il m'aperçoit, traînant les pieds dans le sable, les souliers à la main, l'expression de son visage change. Ses traits se détendent, puis reprennent presque, mais pas tout à fait, leur position initiale. Je comprends alors qu'il a, comme moi, souvent rêvé de ces retrouvailles. Je parviens à la dernière marche, Scott se lève et pose la main sur la balustrade. Nous nous fixons. Les trois ans écoulés ont glissé entre nous une sorte de timidité. Alors, d'un pas assuré, je franchis ces années et marche droit vers lui. Il m'entoure de ses bras et j'ai le sentiment de me glisser dans des vêtements familiers, qui depuis longtemps ont pris la forme de mon corps. Il me serre contre lui, me serre encore plus fort, et je le sens frémir : il pleure. Je reste blottie dans la tiédeur de son corps, protégée par sa forte carrure et par le confort de ses bras.

Pour finir, après bien des gestes maladroits, nous nous asseyons ensemble à la table, je lui tiens la main et caresse sa grosse tête hirsute pendant qu'il sanglote. C'est comme caresser un lion. J'écarte l'un des livres pour qu'il ne soit pas mouillé. Je murmure « Je suis désolée », et ses larmes redoublent.

— Désolée de quoi? D'être partie? demande-t-il enfin d'une voix brisée. Une voix que je ne lui connais pas.

— Je ne sais pas.

— Alors de quoi es-tu désolée?

— J'ai l'impression que tout est ma faute.

Il se tourne vers moi et me scrute. Son visage est bouffi, ses yeux, rouges.

— Quoi? Stevie? Ton père?

— Tout. Tout ce qui te fait pleurer.

Il se redresse, passe un bras autour de moi et nous plongeons tous deux nos regards vers la mer, comme le couple que nous étions à notre arrivée ici, quatre ans après notre rencontre, trois ans après notre mariage, deux semaines après la mort de Stevie.

— Tu es en colère? dis-je. Tu m'en veux vraiment?

— Je t'en ai voulu pendant trois putains d'années, Luce. Dans ma tête, je n'ai pas arrêté de te hurler dessus. Et maintenant tu es là... Je n'ai pas envie de hurler, j'ai juste envie de pleurer.

Après un moment, il reprend :

— Je n'arrive pas à croire qu'Éric est mort. Il était assis juste là, samedi. J'aimais ce type plus que mon propre père.

Sa voix se brise et, pour le réconforter, je me rapproche encore de lui, jusqu'à poser la tête contre son épaule. J'avais oublié à quel point nos corps s'accordaient bien.

— Comment était papa, samedi?

— Oh, pas très bavard. Parce que c'était l'anniversaire de la mort de Stevie, j'imagine. Calme et triste. Toute la journée, j'ai pensé à quel point sa vie avait été triste.

— Non!

Je proteste, c'est plus fort que moi. Je refuse d'admettre que la vie de papa ait pu être triste, même si, hier seulement, je ne suis pas parvenue à me souvenir de l'avoir vu rire une seule fois.

— Si, elle a été triste. Il épouse une femme sublimement belle et il apparaît que si elle est fascinante, ce n'est pas parce qu'elle est russe, mais parce qu'elle est folle. Ça, c'est triste. Et puis son fils meurt, encore bébé. Et puis vient le tour de son petit-fils. Et puis tu t'en vas. Tout ça est foutrement triste, mais ça nous a permis de nous rapprocher, lui et moi, parce que tu nous manquais tellement à tous les deux, et parce qu'il comprenait, pour Stevie. Je me suis rendu compte d'une chose : je ne peux avoir de véritables contacts qu'avec des gens qui comprennent, pour Stevie.

Je m'aperçois, depuis mon retour ici, parmi les gens qui m'aiment, que pendant tout le temps passé à New York je n'ai eu de véritables contacts avec personne.

— La police m'a interrogé hier, dit Scott. Comme si j'étais un putain de suspect. J'ai essayé de lui expliquer à quel point j'aimais Éric mais elle a fait celle qui n'entendait pas, comme si je racontais quelque chose de gênant.

— Qui t'a interrogé ?

— Une inspectrice. Il y avait aussi un homme, un type plus âgé. Il n'a rien dit, mais il n'a pas cessé de hocher la tête et je crois qu'il comprenait. Elle a posé toutes sortes de questions. J'étais sûr de l'avoir déjà vue quelque part. Et puis ce matin, je me suis souvenu. C'était dans notre vieille maison, à Lalupa. Je crois qu'elle est venue le soir où Stevie est mort.

Je le fixe, les yeux écarquillés.

— Qu'est-ce que tu veux dire, Scott ?

— Ils étaient tellement nombreux, à entrer et à sortir. Toute la police du district semblait s'être donné rendez-vous chez nous. Mais je suis sûr qu'elle se trouvait parmi eux.

— Non. Non, non, je ne l'ai pas du tout reconnue. D'ailleurs, je ne me souviens pas d'avoir vu une femme cette nuit-là.

— Tu es allée sur la tombe de Stevie ? s'enquiert Scott, changeant de sujet.

Je secoue la tête.

— Tu as beau m'avoir envoyé une photo de la pierre tombale, je me rappelle seulement un petit monticule couvert de fleurs.

— Tu veux que je vienne avec toi?

— Oui.

Je n'ai pas entendu de bruit de moteur, aussi suis-je surprise lorsque les deux silhouettes émergent depuis l'arrière de la maison. Jane me serre dans ses bras avec la même tendresse que la veille. Si près d'elle, je sens son parfum fleuri et scrute son visage où se lit l'intelligence. Elle transparaît dans la finesse de son ossature, dans la façon dont ses cheveux blonds tombent sur ses épaules.

— Salut Lucy! s'exclame Larry, qui se tient derrière elle, encore tout essoufflé par sa petite trotte dans le sable.

Scott sert des boissons fraîches et nous nous étalons sur la véranda et discutons, comme nous avions coutume de le faire. Détournant les yeux de ma famille, je regarde la mer. Elle ne cesse de se déplacer dans sa grande cuvette. J'entends les voix sans prêter attention aux paroles et, peu à peu, une distance semble se creuser entre eux et moi : le grondement de la mer me parvient comme si j'étais assise au bord de l'eau et leurs voix, elles, me paraissent très lointaines.

— Enfin... il est vraiment allé sur la plage avec l'intention de nager, ou bien on l'a obligé à y aller?

— Seymour et lui avaient commencé un nouveau programme de remise en forme. Il comprenait pas mal de natation.

— Écoute, Big Brim est connu pour ses contre-courants.

— C'est vrai, mais...

— Mais rien du tout. S'il avait voulu nager, il n'aurait pas choisi cette plage de malheur, il serait allé dans un lieu sûr, ici, par exemple. Éric a été attiré à Big Brim par la ruse, ou bien on l'y a conduit contre sa volonté.

À nouveau, je détourne les yeux pour les porter sur la plage. Je pourrais résumer ma vie entière par des scènes de plage. Une fois adulte, avant Stevie, après Stevie. Avant Scott, après Scott.

Adolescente appartenant à une bande et jouant au volley, amoureuse de Robert Joseph. Petite fille, avec ma mère, Jane et aussi, parfois, tante Zina et Sasha. Faisant des pâtés avec les bols à pique-nique, raclant le sable sur la glacière, retirant les grains restés coincés entre mes orteils, le sentant glisser entre mes doigts, gorgé d'eau de mer, ou brûler sous mes pieds. Les conversations bercées par le clapotis de l'eau, mesurées au mouvement des marées, interrompues par le cri des mouettes et les glapissements des enfants. Il me semble, à présent, n'avoir jamais quitté la plage.

— En fait, il a pu mourir n'importe où.

— Qu'est-ce que tu veux dire?

— Eh bien, rien ne les obligeait à le tuer sur la plage.

— D'après toi, quelqu'un... ça aurait pu carrément se passer chez lui?

— Peut-être bien.

— Dans ce cas, pourquoi ne retrouve-t-on pas sa voiture?

— Je t'explique. Ça ne s'est pas passé chez lui. Il s'est rendu quelque part en voiture et c'est là qu'il est mort. Il a peut-être été témoin d'une chose qu'il n'aurait pas dû voir. Ils l'ont tué sur-le-champ et l'ont traîné sur la plage. Un truc dans ce goût-là. Quand ils retrouveront la voiture...

— S'ils la retrouvent.

— S'ils la retrouvent, ce sera sans doute à l'endroit précis où il est mort.

— Jane, est-ce que la police sait combien de temps s'est écoulé entre la mort et l'immersion du corps?

— Je pense qu'ils ne sauront pas avant d'avoir les résultats complets de l'autopsie. Et même alors, ce n'est pas certain.

— Donc, tu penses vraiment qu'il est mort quelque part à des kilomètres, qu'on a transporté son corps jusqu'à Big Brim et que, là, on l'a fichu à l'eau?

— Bien sûr.

— Voyons, Larry... Tu es déjà allé à Big Brim?

— Eh bien, non.

— Il faut franchir deux, non, trois dunes de sable pour arriver à la mer. Personne n'aurait idée d'aller là en trimballant un cadavre.

— Mais Scott, qui aurait idée de faire tout ça? Enfin, qui aurait idée de tuer Éric?

Un silence, dans lequel vient se briser une vague. Une mouette pousse un cri strident. Un enfant pleure. Un téléphone sonne.

Les pas de Scott émettent un claquement sourd sur le sol de la véranda lorsqu'il se lève pour entrer dans la maison. Nous l'écoutons répondre, d'abord d'un ton prudent. Mais lorsqu'il demande « Où? », c'est d'une voix angoissée. Nous échangeons des regards, puis fixons la porte d'entrée du bungalow, où apparaît bientôt la stature imposante de Scott.

— La police a retrouvé la voiture d'Éric.

Ses mots me font légèrement sursauter; mon coude vient heurter une tasse de café, qui répand aussitôt son contenu dans l'air. Larry manque de peu de la rattraper, et elle tombe sur les planches gauchies, à nos pieds. Jane entre pour prendre l'appel tandis que Scott se baisse pour ramasser les morceaux. Je les regarde, posés dans sa main. Trois morceaux à la brisure bien nette.

Lorsque Jane émerge, elle est pâle comme un linge. Elle s'assied et Larry lui prend la main, la pose sur son genou à lui et la lui caresse tendrement.

— Ils ont retrouvé la voiture de papa à environ huit kilomètres d'ici. Un endroit du nom de Lowis. Un peu plus au sud.

— Je connais, dit Scott. Ce n'est pas très loin de Bellamy,

juste à l'endroit de l'autoroute où il y a cette sortie qui mène à San Strana Valley. Comment se fait-il que...

Jane hausse les épaules.

— La police n'en a aucune idée, pour l'instant. Ils ont fait toutes les analyses nécessaires sur l'Oldsmobile. Ils m'ont demandé où ils devaient la ramener. D'après eux, la solution la moins coûteuse était de la traîner jusque chez papa, alors j'ai accepté... À présent, je me demande si j'aurais pas plutôt dû leur dire de l'envoyer directement à la casse.

Nos regards se croisent. Je prends la parole :

— Je suis contente qu'elle retourne à sa place. Ça me plaît que la maison de papa redevienne comme avant, et qu'il y ait même sa voiture garée dehors.

Larry secoue la tête.

— Les choses changent, Lucy. Rien ne sera plus jamais comme avant. Tu dois comprendre ça.

Mes yeux plongent vers l'éventail de couleurs de la plage : marron clair là où le sable est sec ; un ruban plus sombre au bord de l'eau, une bande de bleu clair, puis de bleu plus foncé. Enfin, une impénétrable noirceur là où la mer sans fond s'étend jusqu'à l'infini.

11

Bellamy est une jolie petite station balnéaire. Derrière les boutiques d'artisanat, les cafés et les bateaux de pêche qui font le bonheur des touristes, se trouve le siège de la police du comté ainsi qu'un petit palais de justice. Jane et Scott ont tenté de me dissuader d'aller voir le corps de papa à la morgue. Pour finir, Scott a tenu à tout prix à m'accompagner. Je l'ai prévenu :

— Ça ne pourra que te faire mal.

Mais il a serré les mâchoires en une expression que je ne lui connaissais pas et m'a rétorqué qu'il viendrait de toute façon.

Nous examinons tour à tour la rue et l'adresse, mais l'immeuble semble ne pas exister. Nous errons, cherchant une pancarte signalant la morgue.

— Allons demander à la bibliothèque, suggère Scott.

Nous entrons dans un bâtiment indéfinissable, de forme rectangulaire. À peine les portes se sont-elles refermées derrière nous que nous identifions la morgue. Nous le comprenons à l'odeur, en laquelle nous reconnaissons, instinctivement, celle de la mort.

Nous appuyons sur une sonnette et un homme en blouse blanche fait coulisser un panneau de verre, dans le mur.

— Vous avez un rendez-vous ? questionne-t-il en nous détaillant des pieds à la tête.

— Lucy Schaffer, trois heures et demie.

Il me vient une soudaine envie de rire, et l'homme semble s'en rendre compte. Il me regarde d'un air irrité.

— Vous êtes en retard.

Il porte des bottes blanches et un badge avec sa photo dans un coin, sur lequel on peut lire : « David Davis. Assistant en médecine légale. »

— Enfin, vous vous attendiez à ce que ça ressemble à quoi, une morgue ? demande-t-il comme si nous lui avions cherché querelle à ce propos. Nous ne daignons pas répondre.

Par une petite porte, il nous fait pénétrer dans une grande pièce illuminée. L'odeur, plus forte à présent, nous assaille. Scott me regarde en plissant le nez. Ça sent le caoutchouc brûlé. Ça sent la tristesse. Une odeur qui arrache à l'être humain tout espoir et toute noblesse. L'odeur de la putréfaction.

— Bon, je vous préviens, c'est pas un bon jour, niveau qualité de l'air, nous assure l'assistant. À vrai dire, on nous a amené pas mal de SDF cette semaine, c'est pourquoi, là, maintenant, ça sent particulièrement fort. En général, j'y fais plus attention tellement je suis habitué mais aujourd'hui, même moi j'y suis sensible. Alors pour vous, ça doit être insupportable, j'imagine.

Nous le suivons dans la pièce sans air et sans fenêtres. Elle est bordée de grands tiroirs de métal. L'assistant s'arrête au milieu, consulte ses notes et vérifie le nom écrit sur un tiroir. On peut lire : Pr Éric Schaffer. Mes yeux restent rivés sur l'étiquette.

Scott se tourne soudain vers moi. À la lumière des néons, son visage paraît bleu, comme contusionné.

— Tu peux encore changer d'avis, Luce. Il n'est pas trop tard.

L'assistant a la main sur la poignée du tiroir. Il hausse les sourcils. C'est un jeune homme aux traits réguliers. Puis il ouvre le tiroir. À l'intérieur il y a un drap et, au-dessous du drap, il y a papa. Cela me rappelle Stevie, couché sous sa couverture.

— Luce, chuchote Scott. Ne fais pas ça, Luce ! Ne regarde pas !

Il est si près de moi que je sens la tiédeur de son souffle dans mes cheveux.

Mais j'adresse un signe de tête à l'assistant et il retire le drap pour me révéler, une fois de plus, l'étrange masque de la mort. Un masque moulé sur le visage de papa. Blanc, fragile, moucheté tel un jouet que quelqu'un aurait oublié sous la pluie.

À la naissance du cou, là où l'on a recousu avec de la ficelle, plus ou moins comme un gant de base-ball, il y a de petits boutons violets.

— Oh, dis-je d'une voix douce.

Scott a détourné le visage et porté la main à sa bouche. Je répète :

— Oh. Il semble avoir si froid !

David Davis rit avec une gaieté inattendue.

— Ils ont tous froid ici, lance-t-il d'un ton joyeux. Pour eux, c'est l'Alaska.

Scott commence à avoir des haut-le-cœur. Son corps entier est secoué de tremblements, et il garde une main plaquée sur la bouche.

— Pourrais-je rester quelques minutes seule avec mon père ?

David Davis paraît mécontent. Il travaille avec les morts et eux, au moins, ne sont pas exigeants. Il n'a pas l'habitude d'obliger qui que ce soit.

— Notre règlement ne l'autorise pas.

Je jette à Scott un regard soucieux, puis me tourne vers l'assistant.

— S'il vous plaît. Juste un petit moment.

L'homme regarde Scott, son visage livide, son corps agité de soubresauts, et pousse un soupir.

— Venez avec moi, dit-il en l'entraînant vers la sortie.

Je les suis un moment des yeux tandis qu'ils longent les tiroirs clinquants de la mort, comme s'ils traversaient une gigantesque cuisine.

Je me retourne vers papa, mais la pièce est soudain plongée dans l'obscurité. Le corps de mon père et le reste du monde disparaissent dans un énorme trou noir où les ténèbres sont d'une épaisseur aberrante, dévorante. Mon cœur bat à tout rompre, son battement m'assourdit, je sens des nerfs se contracter dans mes doigts et mes orteils. Tout ce que je redoute le plus au monde, ce à quoi je n'ose même pas penser mais que j'entends parfois gronder dans mes rêves... tout est là, soudain, autour de moi. J'ouvre la bouche pour crier, mais je n'ai plus de souffle. Mes propres peurs informes, l'odeur et l'obscurité m'étouffent. Puis les lumières clignotent et se rallument.

— Oh, je suis désolé! lance David Davis depuis la porte. J'ai pris l'habitude d'éteindre automatiquement en quittant la morgue. J'espère que vous n'avez pas eu peur.

La porte claque derrière lui.

Papa est étendu sur son lit de métal, insensible aux battements de mon cœur, au tremblement de mes doigts. Insensible à tout. Je me penche vers lui et son immobilité me calme. Je veux lui dire une chose que je n'aurais jamais pu lui dire de son vivant, parce que ce n'était pas le genre de la famille.

— Je t'aime, papa.

Mais papa n'est pas là, derrière ce masque froid. Il ne peut pas m'entendre.

Il est robuste. La mort ne peut pas lui enlever ça. Et son visage dégage encore cette force qui le rendait si attirant aux yeux des gens. Les pommettes saillantes, le menton carré, le front haut. Même lorsqu'il sera décomposé, son squelette laissera deviner qu'il était grand, fort et différent des autres.

— Je ne t'aime pas moins parce que tu es mort.

Sur le côté gauche du visage, je vois des gonflements d'un bleu inquiétant, certains portant une coupure au centre. Je me penche pour les examiner. Ils ne me plaisent pas. J'essaie de regarder le visage de papa comme s'ils n'étaient pas là. Il a vieilli depuis notre dernière rencontre, et ses rides récentes n'ont pas été creusées par le temps, mais par le souci. Son visage en est désormais libéré, il en reste juste la trace. Je touche sa chevelure, plus blanche et moins épaisse qu'il y a trois ans, mais toujours somptueuse. J'étudie le réseau de sillons courant sur ses joues, le grain de beauté, les taches de rousseur, la petite ampoule derrière l'oreille. Des traces accumulées pendant plus de soixante-dix ans. Les hiéroglyphes de la vie racontant l'histoire de papa à quiconque est capable de les déchiffrer. Je murmure :

— Qu'est-ce qui t'inquiétait tant, papa? C'était moi? J'espère que ce n'était pas moi.

Avec soin, je relève un peu le drap, jusqu'à dévoiler une de ses mains. Le bleu pâle des veines paraît retenir quelque chose de l'océan. Les ongles bien coupés, les jointures noueuses. De grosses mains carrées, des mains d'homme pratique. J'aimais voir papa travailler manuellement. Fabriquer des choses. Les réparer. Frapper la pierre avec des gestes vifs et précis, jusqu'à ce qu'elle cède dans un frémissement poudreux.

Je caresse très délicatement l'un des doigts. Ce n'est plus un doigt humain mais une réplique froide et parfaite. J'examine les lignes de la main, le poignet. Son poignet gauche. Je remarque autour un bracelet de chair blanche, aussi fin qu'une aiguille. Je le frôle du bout des doigts, il est à peine perceptible.

Des bruits de pas. Pas le pas de rôdeur de David Davis, mais le claquement déterminé de talons hauts. Je remets la main de papa en place, comme s'il s'agissait d'un bibelot en verre. Quand je lève les yeux, une femme en tailleur de soie bleu se tient devant moi, ornée de bijoux ravissants et coiffée à la perfection. Est-ce qu'elle porte tout ça pour les morts?

— On vous a donné la permission de rester là? s'enquiert-elle.

— Oui. Mon mari...

Ça me fait bizarre de prononcer ces mots, après tout ce temps.

— Mon mari s'est senti mal, et David Davis l'a accompagné dehors.

Ça a l'air de l'amadouer.

— Il va falloir que je reste avec vous, ou bien vous devrez

136

ressortir jusqu'à son retour. Nous ne pouvons pas autoriser les visites non surveillées.

— Vous êtes médecin légiste?

— Oui.

— C'est vous qui avez examiné le corps de mon père?

Elle soupire. Je me demande quel âge elle a. Ses vêtements et son maquillage sont une espèce de déguisement. Ai-je moi aussi porté un déguisement, pendant les trois dernières années?

— À vrai dire, oui. Mais je n'ai pas le droit d'en discuter en détail avec vous.

— Qu'est-ce que c'est?

Je désigne la fine ligne blanche sur le poignet de papa. Elle jette un coup d'œil, sans se rapprocher de moi ni de lui. Elle hésite.

— Je vous en prie, dites-moi ce que c'est.

— Une tentative de suicide.

Je me fige, le souffle coupé.

— Il y a très longtemps. Quand le professeur Schaffer était encore un jeune homme.

Je secoue la tête.

— Impossible. Il n'aurait jamais fait une chose pareille.

— Il était droitier, et il a essayé de tailler l'artère du poignet gauche.

— Mais je n'ai jamais remarqué la cicatrice avant aujourd'hui.

— Elle présente toutes les caractéristiques d'une blessure auto-infligée : beaucoup plus profonde du côté gauche que du côté droit. Il est parvenu à entailler profondément la chair, avant de renoncer. Il a dû plier la main, si bien que les vaisseaux se sont contractés derrière l'os et le cartilage et que la douleur l'a empêché de couper efficacement.

— C'était quand? Quand a-t-il fait ça?

137

— Tout ce que je peux vous dire, c'est que c'est très ancien.

Je fixe le poignet de papa.

— Vous n'avez jamais remarqué la cicatrice car vous ignoriez son existence. Et il devait porter sa montre en bas du poignet.

— Ces traces bleues, sur le côté gauche de son visage... ?

— Des bleus.

— Des bleus ? Il a été battu ?

Je suis bien décidée à ne pas pleurer, sinon, cette femme ne répondra pas à mes questions. Elle appellera quelqu'un et quittera la morgue aussi sec, dans un claquement de talons.

— Je ne peux pas vous assurer qu'il y ait eu lutte, mais en tout cas ce ne sont pas ces contusions qui ont provoqué la mort. Cela s'est produit juste avant la mort ou tout de suite après, mais ce n'était pas aussi vaste que maintenant : les hématomes continuent à s'étendre sur le corps plusieurs jours après la mort. Au moment où vous enterrerez le professeur Schaffer, il sera encore plus marqué.

Je suis trop émue pour parvenir à contrefaire le ton clinique et détaché propre à satisfaire le médecin légiste.

— Et les coupures ?

— Pas non plus susceptibles d'avoir entraîné la mort. Les entailles sont superficielles et n'ont touché aucune veine ou artère importante. Elles ont été causées par un objet dur et tranchant, peut-être un caillou. Difficile à dire. Malheureusement, les hématomes ne révèlent rien quant à la forme de l'objet qui les a causés.

J'oublie mon approche clinique :

— Vous pensez qu'il a frappé papa au visage ? Avec des cailloux ?

Le médecin légiste soupire et, l'air agacé, fait cliqueter ses bijoux.

— Quelques-unes des blessures coïncident avec la théorie de l'attaque par un assaillant droitier. Mais je dirais plutôt que c'est l'océan Pacifique qui, peu après la mort, a causé ces blessures.

— Mais... Big Brim est bien une plage de sable ?

Elle hausse les épaules.

— Cette question n'est plus de mon ressort, mais de celui de l'inspecteur MacFarlane.

— Vous pouvez me dire si... savez-vous si sa mort a été douloureuse ?

Elle reste un moment silencieuse. Je m'attends à me faire rembarrer, mais elle finit par répondre :

— Je ne crois pas qu'il ait souffert. Lorsque le défunt s'est débattu ou a beaucoup souffert, on trouve pas mal d'indices significatifs. Non seulement la souffrance se lit aisément sur le visage, mais les autres muscles sont parfois si contractés que le corps apparaît presque recroquevillé. Il n'est pas rare d'observer que les ongles sont abîmés, voire enfoncés dans les paumes si le défunt luttait pour la vie.

Je détourne la tête. Ce n'est pas à papa que je pense, mais à Stevie. Il paraissait calme, comme endormi, pourtant la position dans laquelle il gisait dans son berceau, un bras légèrement levé, suggérait une lutte instinctive et vaine contre la mort.

Son ton reste aussi sévère mais il y a à présent dans sa voix une nuance de gentillesse, ou quelque chose d'approchant.

— Aucun de ces indices n'a été relevé, dans le cas du professeur Schaffer.

Je la fixe droit dans les yeux.

— Vous êtes sûre que mon père a été assassiné ? Vous en êtes certaine ? Personne, parmi les gens qui le connaissaient vraiment, ne peut se résoudre à croire qu'il a été tué.

Discret cliquetis de bijoux. Le médecin légiste n'aime pas que ses conclusions soient mises en doute.

— Dans ce cas, rétorque-t-elle, peut-être que personne ne le connaissait vraiment.

Silence sur la morgue. Puis elle se laisse un peu fléchir :

— Dans les cas de noyade, explique-t-elle, on trouve des diatomées, une algue microscopique, partout dans le corps. Le cœur les pompe pendant l'immersion. Si la victime est déjà morte au moment de l'immersion, alors les diatomées n'atteignent aucun organe au-delà des poumons. En ce qui concerne votre père, je n'en ai trouvé que dans les poumons.

— Mais il est mort comment ?

Légère contraction des traits, sous le maquillage.

— Je ne le sais pas avec certitude. Il va falloir qu'on l'examine encore. Mais on aura fini vendredi et vous pourrez récupérer le corps pour l'enterrement quand vous le souhaiterez, la semaine prochaine.

Une porte s'ouvre. David Davis, assistant en médecine légale, seul à présent. Le médecin légiste en profite pour se retirer mais après deux pas elle se retourne vers moi.

— Mademoiselle Schaffer ?

Je hoche la tête.

— Toutes mes condoléances pour la mort de votre père.

— Merci.

— J'aurais dû vous prévenir. Dans ce boulot, on oublie facilement que le défunt a été un individu complexe et intéressant.

Elle se remet en route. L'assistant l'appelle.

— Je suis désolé, docteur Ball.

Sa voix résonne dans la pièce silencieuse. Il lui parle avec respect. Je suis sûre qu'il n'éteint jamais les lumières quand elle est dans la pièce.

— J'ai dû m'absenter un petit moment. Son mari allait gerber.

Le docteur Ball l'excuse avec un geste de la main et disparaît.

Je jette un dernier regard au corps dans le tiroir, au corps que mon père a habité.

— Au revoir, dis-je.

David Davis remet sa main sous le drap et lui recouvre le visage. Les roulements à bille du tiroir grondent en renvoyant papa dans sa boîte de métal.

Scott, pâle comme un linge, est assis dans le hall. Là, l'odeur est moins forte. Il se lève en me voyant arriver. Sans un mot, nous nous dirigeons vers la sortie. Une fois les portes franchies, nous serons enfin libérés de cette odeur.

— Merci de votre assistance, lançons-nous à David Davis.

— Oh, tout le plaisir était pour moi, répond-il avec un sourire. C'est toujours agréable de voir passer de la chair fraîche.

Il est radieux. Il s'est délecté de son pouvoir sur nous.

Nous quittons la morgue pour retrouver la chaleur d'un soleil de fin d'après-midi. Nous traversons la rue, l'air semble charrier une énergie nouvelle. Un groupe de policiers en uniforme sort du palais de justice d'un pas lent et vigoureux montrant leur sensation de bien-être. Dans la rue, les gens portent des vêtements colorés. Presque tous se déplacent dans la même direction, tels les participants d'un grand bal. Nous retournons à la voiture, soulagés d'appartenir au monde des vivants.

— Ce taré a fait exprès de te plonger dans le noir, m'apprend Scott tandis que nous roulons vers Needle Bay.

— En tout cas, il a visiblement pris son pied.

— Il n'en est pas à son coup d'essai. Une fois dehors, il a dit que la plupart des femmes hurlaient.

— Quand on a vraiment peur, on ne crie pas.

— Tu as eu vraiment peur?

141

— Oui. Genre week-end aux enfers.

Sur la route de Needle Bay, Scott soupire.

— Nom de Dieu, Luce, j'ai du mal à croire que quelqu'un ait pu tuer Éric, surtout quelqu'un qui le connaissait. J'ai passé la nuit à gamberger...

Scott, assis sur la véranda, emmitouflé dans un pull, voire deux... Le bruit des vagues, dans le noir... Il pense, se souvient de tous les amis auxquels papa a fait allusion, cherche des noms, des explications.

— Enfin, il n'avait pas d'ennemis. Bien sûr, il pouvait être agaçant. Impossible de se disputer avec lui, par exemple. Il contrôlait si bien ses émotions qu'il m'est arrivé de lui en vouloir vraiment. Mais qui aurait pu désirer le tuer? Peut-être quelqu'un de son passé, de son enfance?

— Il a tout abandonné, Scott. Il avait coupé les ponts avec sa famille, et eux n'avaient aucun moyen de le retrouver.

— Plus tard, alors. Quand il était jeune homme.

Lorsque papa était jeune homme, il avait tenté de se taillader le poignet gauche. Je soupire :

— Tu crois vraiment que les gens règlent leurs comptes au bout de cinquante ans?

Nous roulons en silence. Nous nous arrêtons à un feu. Un homme aux cheveux broussailleux, longs jusqu'aux épaules, se tient au carrefour, avec à la main un carton où sont griffonnés les mots : « Je suis un ancien combattant de la guerre du Viêt Nam. Je me suis battu pour mon pays mais je n'ai ni maison ni boulot. Je me sens trahi. Aidez-moi, s'il vous plaît. »

Scott sort son portefeuille et brandit un billet par la vitre baissée. Le gars vient le prendre.

— Merci, monsieur. Et remerciez Dieu d'avoir assez de pognon pour pouvoir m'en balancer un peu comme si j'étais le premier mendigot venu.

Le feu passe au vert et nous redémarrons aussitôt.

— Merde! s'exclame Scott. C'est la dernière fois que je donne du fric à un de ces types.

Je lui jette un coup d'œil. Il paraît bouleversé par l'agressivité de l'homme. Son visage est livide, ses épaules voûtées.

— Papa aurait fait la même chose, dis-je. Il donnait toujours de l'argent aux gens dans la rue. Et s'ils lui parlaient comme ça, il se contentait de hausser les épaules et d'admettre que ça ne devait pas être facile, pour le gars, de prendre son argent.

— Ouais, concède Scott à contrecœur.

Lorsque nous parvenons à Needle Bay, la plage est presque déserte, le soir commence à tomber. Nous nous asseyons; le visage et le corps de Scott retrouvent peu à peu leur harmonie, tandis que ses joues prennent la teinte rosée du soleil couchant.

— Tu as pu voir à quel point Éric avait changé, depuis votre dernière rencontre?

— Eh bien, il avait l'air un peu plus vieux. Mais surtout plus soucieux.

— Oui, approuve Scott.

Je sens ma voix se briser:

— Qu'est-ce qui l'inquiétait?

— Je ne sais pas. Mais quand on le regardait à son insu, on voyait que quelque chose le tourmentait. Une sorte de fardeau, auquel il n'essayait même pas d'échapper. Il était tourmenté: c'est le mot qui le définit le mieux. Oh, mon Dieu, Luce, je ne voulais pas te faire pleurer!

Je sanglote:

— J'aurais dû être là. J'aurais dû être là pour lui.

Il passe un bras autour de moi, mais poursuit:

— Ça paraît logique qu'il soit mort à peu près à la même date que Stevie: Éric a été brisé par la mort de Stevie et, depuis, il n'a plus jamais été le même homme. À croire que le poids devenait trop lourd.

Le petit corps de Stevie, gisant dans son berceau bleu, tel un corps flottant sur la mer qui ne provoquerait pas des vaguelettes mais un tsunami.

Scott m'enlace, et la véranda nous enveloppe tous deux, telle une mère serrant ses enfants en son sein. Sur ses montants, la peinture s'est écaillée, prenant une teinte osseuse.

La plage est déserte, seuls deux nageurs, au loin, s'avancent vers la mer. Ils trempent un pied dans l'eau glacée, hésitent, puis poursuivent. Bientôt, ils ne sont plus que deux petits points à la surface de l'eau. Je regarde l'immense étendue d'eau les soulever et les laisser retomber, comme un gros chat jouant avec sa proie. Je demande :

— Tu ne songes jamais à déménager ? À racheter un truc quelque part ?

— Bientôt, je n'aurai plus le choix.

— Le propriétaire le réclame ?

— L'océan le réclame. On annonce des marées exceptionnellement hautes pour le mois prochain et, pour peu qu'il fasse mauvais... Enfin, je ferais bien d'aller prendre l'air quelques jours.

J'imagine une énorme vague s'abattant sur le bungalow et le réduisant en pièces. La maisonnette, faite d'une plomberie sommaire, de planches jaunes, de chaises et de quelques casseroles rouillées, serait emportée dans un tourbillon, et ses éléments dispersés de toutes parts. On les retrouverait, éparpillés sur des rives lointaines que les insulaires parcourraient en ramassant des bouts de notre toit.

— Pendant les grandes marées, l'année dernière, une fenêtre a volé en éclats.

Je le fixe.

— Tu étais là?

— Oui.

— Oh, Scott. Tu étais seul?

— Non. Ça faisait peur, mais ce n'étaient que des embruns. Ce ne sera peut-être pas pareil la prochaine fois.

— Il faisait nuit?

— Le beau milieu de la nuit. L'océan paraissait pourtant calme quand on est allés se coucher.

C'était au beau milieu de la nuit et quelqu'un dormait, ici, avec Scott. Je sens mon ventre se contracter telle une anémone de mer et demande trop vite, avant de le regretter:

— Qui était ici?

Scott ne me regarde pas. Son visage est plus rose que la mer à présent, aussi rose que le soleil. Puis il se tourne vers moi et je reconnais dans son ton l'ironie agressive du vétéran du Viêt Nam qui a combattu pour son pays mais n'a ni maison ni boulot et se sent trahi.

— Qu'est-ce que ça peut te faire?

— Je suis désolée d'avoir posé la question, ça ne me regarde pas.

Il me fusille du regard. Ses épaules sont soudain si carrées que son corps mince paraît tout en angles.

— J'ai une amie. Elle enseigne le français à la fac. Elle a longtemps vécu en France. Son fils vit là-bas, avec son ex-mari. Elle est allée y passer six mois.

— Tu veux dire, en France?

— En France.

— Dans la maison de son ex-mari?

Son visage s'assombrit.

— On arrête là, si tu veux bien. Je n'ai plus envie d'en parler, Luce.

— Je demandais juste si...

145

— Tais-toi!

Il est en colère. Je l'ai souvent vu s'énerver, mais jamais contre moi.

— Et toi, Luce? Il y a un type qui compte pour toi, à New York?

Je me lève pour partir. Scott se lève aussi. Se plante devant moi. Je le contourne :

— Non, je n'ai personne.

— Alors, c'est ça? Maintenant que tu sais pour Brigitte, tu t'en vas?

— Je m'en vais parce que je veux arriver à Big Brim avant la nuit.

Il semble troublé.

— N'y va pas toute seule, Luce.

— J'y tiens.

— Ça va te mettre le moral à zéro.

— Mon père est mort et j'ai déjà le moral à zéro.

Il soupire; son regard cherche le mien.

— Dans ce cas, dit-il enfin, dépêche-toi de partir avant qu'il fasse nuit. Attends... J'ai quelque chose pour toi.

Nous entrons dans le bungalow et le petit salon semble m'assaillir. Dans mes rêves et dans mes souvenirs, l'humidité salée n'était pas si perceptible, le claquement des chaussures sur le sol si sonore, les meubles d'un rouge passé si vivant.

— Ici! crie Scott depuis la chambre à coucher.

Il me fait signe d'entrer.

— Tu ne peux pas continuer à porter ces vêtements de ville. Tes affaires sont encore ici.

Il est penché sur le placard. À l'intérieur, je distingue quelques habits de femme, pendus avec les chemises de Scott. Ça pourrait être ceux de Brigitte, mais non, je les reconnais : mes vêtements californiens, si différents de ceux que je porte désor-

146

mais. Il n'y en a pas beaucoup. Lorsque nous étions arrivés ici, tout de suite après la mort de Stevie, j'avais jeté les trois quarts de mes objets. C'est ainsi, je le réalise à présent, qu'avait débuté ma longue absence.

— Je ne suis pas sûre de vouloir porter ces vieux machins... Scott les fourre dans un sac, un maillot de bain sur le dessus.

— Prends-les. Il commence à faire trop chaud pour porter des tailleurs et on annonce une vague de chaleur.

— En mars?

— C'est ce que dit la météo.

Il fait le tour du bungalow avec moi et me suit des yeux jusqu'à ce que les pins, entre nous, forment une seule masse compacte. En atteignant la route de la côte, je le vois au loin sur la plage. Les mains dans les poches, il marche vers la mer. Je voudrais qu'il lève les yeux mais son regard est rivé sur l'océan. Brigitte. J'aurais préféré ne pas savoir.

12

Je me gare sur le parking de Big Brim, situé en bordure de l'autoroute, au niveau de la mer. Il n'y a pas d'arbres ni aucun abri. J'ai beau sentir, à l'intensité de la lumière, que la mer est toute proche, elle est dissimulée par la montagne de sable qui longe la route. Les véhicules passent en trombe, faisant vibrer ma voiture. Lorsque j'ouvre la portière, les camions me paraissent trop rapides et trop proches. Je traverse la chaussée quand la voie est libre et commence à gravir la dune.

Une fois au sommet, je contemple le soleil rouge, mais l'océan demeure invisible, caché derrière une seconde dune.

Après avoir accédé en haut de celle-ci, toute ruisselante de sueur, je vois s'étaler la plage sous moi. Je m'assieds, haletante. J'essaie de m'imaginer papa franchissant ces dunes. Il était vigoureux, mais pas au point de les gravir sans devoir fréquemment s'arrêter pour reprendre son souffle. A-t-il choisi d'aller nager sur cette plage ou bien y a-t-il été entraîné contre son gré? Est-il venu jusqu'ici avec quelqu'un qu'il croyait être son ami? Ou y avait-il, derrière lui ou à côté de lui, une personne à laquelle il ne pouvait opposer de résistance?

Le soleil est bas à présent et le rouge de ses rayons, gigantesque projecteur éclairant les flots, est dirigé vers le rivage. Je distingue, au large, deux bateaux de pêche. Ils sont plus hauts sur la côte, non loin de Retribution. Ils paraissent immobiles. La mer paraît immobile. Comment a-t-elle si aisément porté le corps de papa, en à peine trois heures, de cette plage à ces bateaux?

La plage s'étend sur environ un kilomètre et demi, et rien ne vient rompre sa monotonie, hormis du bois flotté et des algues. À chacune de ses extrémités, deux langues de sable, longues et courbes, donnent leur nom à l'endroit[1]. Je ne vois aucun rocher qui aurait pu causer les bleus ou les éraflures sur le corps de papa, mais certains se cachent peut-être sous la surface de l'eau.

Je dévale la seconde dune, jusqu'à sentir sous mes pieds le sable humide et ferme du rivage. Le soleil enfle, répandant sur la mer le sang de ses derniers rayons. Je sens l'eau me lécher les orteils. Relevant ma jupe, je m'enfonce jusqu'aux chevilles. La mer est glacée. Et particulièrement traîtresse à cet endroit précis. Sa surface ondule à peine et le fait qu'il n'y ait ni grosses vagues ni rouleaux venant se briser sur le sable la rend parti-

---

1. En anglais, *brim* signifie « bord » (de chapeau). (*N.d.T.*)

culièrement tentante. Elle semble inviter à se fondre dans ses calmes profondeurs. Mais, selon Scott, les contre-courants en font l'endroit le plus dangereux de toute la côte.

À présent, il ne reste plus que deux personnes sur la plage, et l'une d'elles se dirige vers la route. L'autre, un homme de forte corpulence, marche — c'est tout juste s'il ne court pas — dans ma direction. Quelques mètres plus loin, un petit chien blanc le suit en trottinant. Lorsque je tourne le dos au Pacifique et remonte la plage, je vois l'homme et son chien arrêtés tout près. L'homme ramasse quelque chose, du bois flotté peut-être, ou des palourdes.

J'atteins l'endroit où le sable est sec et m'assieds. Il ne reste plus qu'un demi-soleil, impressionnant : sa couleur se répand dans le ciel et dans l'eau, abolissant tous les contours. Je sens que mon visage, tourné vers lui comme si je lui vouais un culte, reflète sa teinte rouge feu.

Je songe aux marées hautes du mois prochain et au fait qu'elles risquent de démolir le fragile bungalow de Scott et toutes les traces de notre brève vie commune ici. Seulement, même quand il aura disparu, le bungalow sera toujours là. Il sera là aussi longtemps qu'il se trouvera un visiteur pour demander, de temps à autre : « Il n'y avait pas un genre de baraque, ici, autrefois ? Petite et carrée, tapie près des arbres ? » C'est seulement le jour où il ne restera plus personne qui croira distinguer une maison derrière les pins que la maison aura vraiment cessé d'exister.

Le soleil est en train de disparaître. Le ciel rougeoie encore et la mer conserve sa teinte sang. J'observe l'endroit où se trouvait le soleil quelques instants plus tôt et songe à toutes les maisons fantômes et à tous ces lieux emblématiques qui ont existé pour de bon, puis survécu dans la mémoire des gens, puis disparu à jamais lorsque ces gens sont morts.

Peut-être en est-il de même avec les êtres humains. Peut-être continuent-ils à exister tant qu'il reste quelqu'un pour se souvenir d'eux. Le penser me fait du bien. Cela me donne le sentiment que papa n'est pas tout à fait mort. Aussitôt je lève les yeux comme si, pour peu que je sois assez rapide, je risquais de le surprendre en train de marcher là, sur la plage. Or, dans la lumière du soir tombant, une silhouette se dresse. Elle vient d'émerger des dunes et se dirige vers la mer. Il s'agit d'un homme qui s'approche, grand et maigre, en costume-cravate, pas du tout à sa place dans un endroit pareil. Il a dû s'arrêter ici en revenant de son bureau en ville. Le collectionneur de bois flotté se redresse et le regarde fixement. Le petit chien fait des bonds.

L'homme s'avance vers l'océan d'un pas assuré, ses chaussures à la main. Peut-être ne va-t-il pas s'arrêter en arrivant devant la mer, peut-être va-t-il s'y engouffrer jusqu'à disparaître sous les vagues, avec son costume et sa cravate. Je sursaute malgré moi. Le collectionneur de bois mort fait de même. J'entends son souffle haletant, le crissement des pattes du chien sur le sable mouillé. Mais avant qu'ils aient pu le rejoindre, alors que l'eau lui touche presque les pieds, le nouveau venu se retourne brusquement et remonte la plage. Je m'assieds. L'homme au chien reprend ses occupations.

La haute silhouette se détache sur le ciel fougueux. On dirait qu'elle pique vers moi. Bientôt, je distingue le visage de l'homme. Cadavérique : les joues creuses, le nez saillant, une immense bouche retombant vers le bas comme celle d'un clown triste.

— Salut! lance-t-il d'une voix ténue. Pardonnez-moi de vous déranger. Vous êtes bien Lucy? Lucy Schaffer?

Mon regard stupéfait répond à sa question. Sa bouche, aux dents jaunes, coupe son visage en deux : il sourit.

— Je suis l'inspecteur Michael Rougemont, je participe à l'enquête sur la mort de votre père. La maison du professeur Schaffer n'est pas très loin de chez moi, et je le connaissais un peu. Toutes mes condoléances.

Je le remercie d'un hochement de tête. Je me souviens de la mince silhouette étirée qui discutait sur le seuil de la cuisine avec l'inspectrice et que j'avais prise pour une ombre. Ce matin, elle a fait allusion à un de ses collègues qui devait me poser des questions. Il brandit une sorte de carte de police, que je ne daigne même pas regarder car son intrusion soudaine, passé l'effet de surprise, me rend furieuse. Il est parvenu à me coincer, sur cette immense longueur de plage. Et la façon dont il s'est avancé vers moi, tout d'abord sans me regarder, laisse supposer qu'il était sûr de me trouver ici. Sans que je sache pourquoi, il me déplaît viscéralement. Je détourne les yeux, fixant la mer qui s'assombrit.

— Prenez-la, dit-il en agitant un peu la carte. Examinez-la. Il faut faire attention à ces choses-là, Lucy, s'assurer qu'elles sont bien réelles.

— Je ne doute pas que vous soyez réel.

Il sourit à nouveau et tend une main que je serre avec prudence. J'ai l'impression d'avoir fourré les doigts dans un sac d'os. Il s'assied près de moi et je me détourne à nouveau.

— J'espère ne pas trop vous déranger en venant vous parler comme ça. Mais je passais dans le coin et je me suis dit que, vu les circonstances, ce ne serait pas mal que je vienne à nouveau jeter un coup d'œil à cet endroit.

— Vous êtes déjà venu ici ?

— Il y a très longtemps. Plus de trente ans.

151

— Et ça a beaucoup changé, monsieur...? Je prends un ton désinvolte.

— Rougemont. Mais vous pouvez m'appeler Michael.

Il étudie la plage, plongeant le regard à gauche puis à droite. Laisse retomber son énorme tête sur le côté.

— Je ne me souviens pas de ce type-là, lâche-t-il enfin en désignant l'homme replet qui longe tranquillement la plage, son bois flotté sous le bras, son chien trottant derrière lui.

Je me tourne vers M. Rougemont et constate qu'il sourit à nouveau jusqu'aux oreilles. Il apprécie ses propres blagues. Je ne lui rends pas son sourire.

Il prend soudain une expression sérieuse.

— Votre père était un homme rare, le genre d'homme qu'on écoute et à qui on fait confiance. J'ai toujours eu le sentiment qu'il plaçait sa famille au centre de sa vie. Beaucoup d'hommes ne le font pas : soit ils ne peuvent pas, soit ils ne veulent pas. On perd quelque chose. Toute sa famille, parfois. C'est pour ça qu'on admire les hommes comme votre père. J'aimerais vous entendre parler de lui, Lucy. Pas simplement de son passé récent. J'aimerais connaître son histoire depuis le début.

— Votre enquête concerne la fin de sa vie, pas le début, monsieur Rougemont.

Je n'ai pas l'intention de l'appeler Michael.

L'affreux sourire fend à nouveau son visage.

— Oh! s'exclame-t-il d'un ton amusé. Eh bien, il se trouve que les deux sont souvent liés.

J'étudie son sourire avec dégoût. Il aime bien faire des rapprochements :

— Ça me rappelle un jeu auquel je jouais quand j'étais gosse. J'alignais des petits soldats de plomb : il suffisait de pousser le premier pour qu'ils tombent tous l'un après l'autre. Ça avait beau être inévitable, ce n'en était pas moins fascinant. Ou alors, le fait justement que ce soit inévitable rendait tout cela fascinant. Oh, flûte, Lucy, vous n'avez jamais eu de soldats de plomb. Vous aviez des peluches, que vous n'arrêtiez pas de serrer dans vos bras. Un chien, par exemple.

Je lui jette un coup d'œil surpris, mais il ne me voit pas, il regarde la mer. Je ne veux pas lui donner la satisfaction de savoir qu'il a raison. J'aimais les peluches et je me souviens à présent que mon préféré, mon meilleur ami, était un chien marron au regard doux et aux oreilles pendantes. Il s'appelait Hodges, mais je ne me rappelle plus pourquoi.

— Que voulez-vous savoir sur mon père ?

— Tout ce qui vous revient à l'esprit. Des histoires sur lui, sur sa famille, sur sa jeunesse.

— Les histoires, c'était la spécialité de ma mère.

La tête rejetée en arrière, les yeux parfois écarquillés, parfois plissés, la voix s'élevant et retombant, les gestes des mains... Oui, ma mère savait raconter les histoires.

— Il a dû vous parler de son passé. Vous avez dû lui poser des questions.

Je regarde l'inspecteur et reconnais, sur son étrange visage triste, l'expression de la souffrance. Une lointaine douleur y a laissé des traces profondes. Il a fait allusion à la perte, aux hommes qui ont perdu leur famille... Un instant, je ressens une certaine curiosité, voire de la compassion. Mais je dis :

— Il n'y a pas moyen de connaître le passé de papa. Il s'en est séparé depuis trop longtemps.

Rougemont glousse, en un son bizarrement animal.

— Oh, Lucy, ne m'en veuillez pas... Mais on ne peut pas davantage perdre son passé qu'on ne peut perdre son ombre.

Je hausse les épaules.

— Dans ce cas, il s'en est désolidarisé.

153

Un temps de silence. Nous fixons tous deux la mer, il attend que je parle. Et, à mon grand étonnement, je parle. Au début, mon débit trop rapide et mon ton trop bas laissent se fondre les mots dans le doux clapotis de la mer, et Michael Rougemont est contraint de tendre sa grande oreille vers moi. Puis, peu à peu, ma voix devient plus ferme, comme raidie par le sel de l'océan.

Je raconte les étranges débuts de papa dans une petite communauté religieuse perchée dans les montagnes de l'Utah. Les heures et les jours de la semaine s'écoulant au rythme des prières, du culte et du zèle communautaire. La communauté était fermée aux étrangers et dominée par ses doyens, dont faisait partie le propre père de mon père. Papa la détestait. Trop malin pour se révolter ouvertement, il travaillait — alors qu'il n'était encore qu'un adolescent — comme charpentier et mécanicien. Il apprit à réparer n'importe quelle machine. Il semblait prier beaucoup mais, en réalité, il passait le plus clair de son temps à échafauder des plans. D'évasion.

L'été, un homme venait une fois par semaine, en camion, acheter le poisson que les membres de la communauté pêchaient dans les lacs de montagne. Un jour, le camion tomba en panne. Papa passa presque toute la soirée à le réparer. On l'avait dispensé de prières à cet effet : la communauté n'avait pas envie que le camionneur passe la nuit chez eux, de crainte qu'il lui vienne l'idée de faire Dieu sait quoi avec leurs filles. Lorsque le camion repartit, papa était à l'arrière, avec le poisson. Il emportait trois dollars et une miche de pain et, bien que le chauffeur l'eût laissé monter dans la cabine une fois la montagne descendue, il empestait le poisson. Lorsqu'ils parvinrent à Salt Lake City, le chauffeur conduisit papa à un hôtel. Il s'y installa, trouva un travail de jour et s'inscrivit à des cours du soir. Sa communauté d'origine lui avait légué une solide aversion pour toute religion organisée et un amour sans bornes des montagnes et des rochers, dont il fit sa spécialité.

— Hé, dit Michael Rougemont, en grimaçant et en hochant sa grosse tête. C'est très intéressant. Qui vous a raconté tout ça ?

— Papa.

— Vous a-t-il dit s'il y était jamais retourné ?

— Ce n'est pas le genre d'endroit où l'on peut retourner.

Il étend ses longues jambes vêtues de noir vers la mer, les genoux pliés. On croirait d'immenses pattes d'araignée.

— Avait-il des frères et sœurs ?

— Sept. Il était le plus jeune d'une famille de huit enfants.

— Huit enfants ? Dans l'Utah... Des mormons ?

— Je ne suis pas sûre qu'ils appartenaient à l'Église mormone officielle. Il me semble que leur communauté était née d'une scission.

Rougemont hoche toujours la tête, comme si c'était une tête de jouet reliée au corps par un élastique. Un jouet idiot et bon marché, très différent de ceux que fabrique Gregory Hifeld... Un Mittex, à tous les coups.

— Hé hé, fait-il, tordant sa bouche dans tous les sens. Et il n'a jamais, à votre connaissance, tenté de les contacter ?

« Ignorants comme des cruches, pauvres comme Job, aussi pieux que teigneux. » Voilà comment papa m'avait décrit sa famille lorsque, des années plus tôt, j'avais eu la bêtise de le questionner à ce sujet. Ses mots m'avaient effrayée. J'y sentais une rancœur qui m'aurait moins étonnée chez ma mère que chez lui. Je n'avais jamais reposé la question.

— Il n'en avait pas envie. Sa nouvelle vie n'avait plus rien à voir avec eux.

Pour la première fois, je réalise l'ampleur du geste de mon père alors âgé de seize ans : il avait sans doute de l'affection pour certains de ses sept frères et sœurs, ou pour l'un ou l'autre de ses parents, et il a probablement passé plus d'une nuit blanche, dans l'hôtel de Salt Lake City, à se languir de sa famille, à regretter leur affection, voire à vouloir retourner chez eux, dans les montagnes. Lorsque je pense à la solitude de ce jeune homme, mon cœur se serre. Je me souviens de la fine cicatrice blanche sur le poignet de papa et mon cœur bondit soudain dans ma poitrine comme un poisson arraché à la rivière.

— Quand est-il arrivé en Californie ? demande Rougemont.

— Eh bien, je ne sais pas exactement. C'est ici qu'il a étudié, c'est sûr, mais je ne peux pas vous dire quel âge il avait... Je crois qu'il a financé ses études en travaillant un temps dans un garage.

— C'est lui qui vous a raconté ça ?

— Pas exactement. Mais s'il a appris un truc, dans l'Utah, c'est à réparer les choses. Il a continué à réparer jusqu'à la fin de sa vie. Les vieilles voitures, les tracteurs, les jeeps, tout ce qui est possible et imaginable...

— Quand a-t-il rencontré votre mère ?

Les lacunes de ma connaissance me font l'effet de gouffres béants : des années ont disparu sans laisser de traces entre le moment où papa a quitté l'université et celui où il a rencontré maman. Elles ont pourtant dû s'écouler lentement et être marquées par des personnes et des événements qui, à l'époque, paraissaient compter. Mais à présent que papa est mort, ces années sont perdues. De cette période ne subsiste aucune amitié, aucune anecdote. Elle n'a jamais eu sa place dans mon imagination, et pas une seule date marquante ne s'en détache. Dix, non, quinze années se sont évanouies, sans espoir de jamais être retrouvées.

Je lui explique comment papa et maman ont fait connaissance, lui précise qu'elle était parvenue à nommer toutes les couches géologiques du gâteau de mariage et qu'elle adorait raconter cette histoire.

Insidieusement, Michael Rougemont semble s'être rapproché de moi. Il m'observe, dans la faible lumière du soir.

— C'était une bonne mère?

Je l'examine dans la pénombre : il doit connaître la réponse.

— Ma mère est schizophrène.

— Elle l'a toujours été?

— On a fini par diagnostiquer une psychose chronique. Cela signifie qu'il y a des rémissions entre les crises, mais de plus en plus brèves. Quand j'ai atteint mes quatorze ans, elle vivait quasiment toujours à la clinique.

— Lorsqu'elle n'avait pas de crise, elle était à la maison à s'occuper de vous?

— Elle était à la maison, mais je ne dirais pas qu'elle s'occupait de nous. Son comportement était fantasque et ne faisait qu'empirer. Quand j'étais en cinquième ou en quatrième, je détestais qu'elle sorte car elle ne manquait pas de faire une chose qui nous mettait mal à l'aise. Comme piquer un fou rire lors de la cérémonie de rentrée des classes. Ou fixer le principal avec un air horrifié s'il racontait une histoire drôle. Ou encore arrêter la voiture et accuser un malheureux piéton de la suivre.

— Mais, Lucy, votre mère n'a pas toujours été malade. Elle ne l'était pas lorsque votre père l'a épousée et qu'elle a nommé toutes les couches géologiques. Elle ne l'était pas quand vous étiez petite. Qu'est-ce qui a déclenché ça? Je veux dire, la première crise...

Je ne raconte pas à Rougemont le voyage dans l'Arizona, juste après la mort de mon petit frère. Je ne lui raconte pas comment le désespoir de maman a explosé, là, sur l'asphalte brûlant. À croire que le soleil de l'Arizona avait porté son chagrin au point d'ébullition. Je ne lui raconte pas mes efforts pour

157

tenter de retrouver les mots que je l'avais entendue hurler, depuis le canyon. Je me contente de dire :

— J'étais encore toute gosse. Je ne me souviens pas. Ils ont mis des années pour diagnostiquer une schizophrénie, mais ensuite, on a beaucoup mieux compris. C'est un déséquilibre organique, il n'y a pas besoin de choc émotionnel déclencheur.

— Cela a dû être sacrément dur pour vous, Lucy, commente Rougemont.

Le sable, sec lorsque je me suis assise, est à présent presque mouillé d'eau de mer. L'air du soir est humide. Je me lève.

— Heureusement, j'avais Jane. Pourquoi ne parlez-vous pas de tout ça avec elle ?

— C'est déjà fait. Mais personne ne connaissait Éric Schaffer aussi bien que vous. Vraiment personne. Pas même Jane.

Il a raison. Je n'oserais pas le formuler à voix haute, surtout devant Jane, mais j'ai toujours pensé, en secret et avec mauvaise conscience, que j'étais la préférée de papa. Ou alors il avait le chic pour faire croire à chacune de nous deux qu'elle était la favorite.

— Je suis hébergée chez ma tante, dis-je. Il est temps que je rentre à présent.

Rougemont hoche la tête. Il se lève avec des gestes raides et une expression de douleur, puis son visage se détend. Nous ramassons nos chaussures et, sans échanger un mot, cheminons dans le sable récalcitrant, qui, à chacun de nos pas, se déplace autour de nos pieds avec un léger bruit. L'incessant clapotis de l'eau se fait moins audible. Pendant que nous traversons les dunes, balançant bras et jambes comme si nous avancions dans la neige, Rougemont ne cesse de haleter et de pousser des soupirs. Une fois que nous sommes parvenus à nos voitures — la sienne garée trop près de la mienne —, les véhicules passant à vive allure éclairent le visage de Rougemont. Je constate qu'il est luisant de sueur ; son front et les contours de sa bouche sont creusés de longues rides profondes. Alors je réalise qu'il est vieux, peut-être pas autant que papa, mais pas tellement plus jeune non plus.

J'ouvre la portière de ma voiture, puis me retourne vers Rougemont. Ses mains tremblent, il ne parvient pas à insérer sa clé dans la serrure. Il tente de faire de son corps un écran entre moi et sa défaillance, mais je me plante près de lui pour observer ses efforts, les yeux rivés sur ses grosses mains. Je reconnais les mains d'un homme âgé. Celles de papa. Celles de Gregory Hifeld. Les articulations noueuses, les veines saillantes. Je m'avance et lui prends délicatement la clé des mains. Elle est attachée à un anneau qui ne comporte qu'une seule autre clé, celle d'une porte d'entrée. La maison de Rougemont. La voiture de Rougemont. Les deux centres de son existence, reliés par un petit cercle de métal. La plupart des gens, lorsqu'ils atteignent l'âge où leurs mains tremblent, ont accumulé des trousseaux plus pesants. Ils se promènent avec la clé des maisons d'amis ou de parents, la clé de la grille du jardin, la clé de leur résidence secondaire, la clé de leur bureau, la clé de la voiture de leur femme, la clé de leur coffre-fort, la clé de leur tiroir secret... Mais Rougemont n'a pas ces points d'attache. Je me souviens de ces hommes dont il a parlé, du prix à payer par ceux qui n'avaient pas pu, ou pas voulu, faire de leur famille le centre de leur vie. J'insère la clé dans la serrure et la tourne pour lui.

— Merci, Lucy, souffle-t-il. J'apprécie l'aide que vous m'avez apportée. On se reverra très bientôt.

— Au revoir, monsieur Rougemont.

J'effectue une marche arrière et tourne vers le sud. La lumière des phares éclaire une grande pancarte, au bord de la route. On peut y lire : BIG BRIM. AVERTISSEMENT AUX NAGEURS : DANGER ! CONTRE-COURANTS.

13

Dans l'appartement règne une forte odeur de cuisine. Tante Zina m'ordonne de retirer mes souliers et de me détendre dans le salon pendant qu'elle finit de préparer le dîner.

— Oh, dit-elle en remarquant le sable qui s'échappe de mes chaussures. Tu as dû te rendre à Big Brim. Ça t'a donné le sentiment d'être plus proche de ton papa ?

— Non.

Je retire mon autre soulier.

— Quelqu'un a téléphoné pour toi. Un homme. Je crois qu'il appelait de New York, en tout cas il parlait comme une mitrailleuse. Je n'ai pas compris un mot de ses paroles, pas même son nom. Mais il rappellera sûrement.

— Jay Kent ?

Personne ne fait davantage que Kent penser à une mitrailleuse.

— C'est possible, répond-elle en retournant dans la cuisine. Oui, je crois bien que c'était ce nom-là.

Un peu plus tard, Sasha arrive. Il me propose un whisky.

— Tu me fais vraiment plaisir, Lucia, dit-il avec un sourire bienveillant lorsque j'accepte. Il n'y a pas de meilleur anxiolytique que le whisky.

Il me tend un verre et me regarde grimacer en en avalant une gorgée.

— Ta qualité de vie serait améliorée de beaucoup si tu prenais goût au whisky.

— Ça me brûle la bouche.

— Alors, je vais faire en sorte que ça passe mieux.

Il disparaît et revient bientôt avec un verre plein de glaçons cliquetant comme des pièces de monnaie.

Il s'assied dans son fauteuil habituel et, dans un craquement de cuir provenant à la fois du fauteuil et de son blouson, me demande :

— Lucia, quand a lieu l'enterrement ?

— Je ne sais pas. J'ai vu Jane, Larry et Scott sur la plage, aujourd'hui. Mais on a décidé qu'on s'occuperait des formalités demain, chez papa.

— Tu peux compter sur une présence massive de tantes, d'oncles et de cousins. Mais je me pose une question : tante Tanya sera là ?

Toujours ce sentiment de mauvaise conscience dès qu'on mentionne ma mère...

— Pour être sincère, Sasha, j'espère que non. Si elle se mettait à faire des siennes...

— Lucia, il est inconcevable que tante Tanya n'assiste pas aux funérailles de son mari. Je propose, en mon nom et en celui de ma mère, de me charger des soins nécessaires : on ira la chercher, on veillera sur elle, on la ramènera à Redbush.

— Mais imagine qu'elle...

— Elle a été très faible, ces derniers temps. Cela dit, et afin que tu sois tranquille, je lui prendrai le bras. J'ai une poigne de fer, tu sais.

— Il lui est arrivé de se mettre à hurler...

— Je ne crois pas que cela risque de se produire. Mais à la première manifestation de ce genre, je te promets de l'emmener hors de la pièce.

— Eh bien, merci. Je vais demander son avis à Jane.

— Non, non! proteste Sasha. Je veux que ce soit toi qui décides. Tout comme tu prends tes décisions à New York.

J'hésite. Puis j'accepte sa proposition.

— À mon avis, tu as fait le bon choix.

— Merci, Sasha.

— Quelle merveilleuse invention que le cousin! s'exclame-t-il. Peut-être moins proche qu'un frère ou une sœur, mais tellement plus qu'un ami! Alors, comment cela s'est-il passé, aujourd'hui?

Je revois la journée écoulée : la vallée béante, au-dessous de nous, tandis que l'inspectrice et moi-même jouons à reconstituer la vie de papa. Le talon de chaussure serré dans mon poing. La brindille qui craque dans le sous-bois. La dépanneuse traversant la vallée en silence. Les vagues venant heurter la falaise, au golfe des Phoques. Scott sanglotant sur la véranda du bungalow. Le visage tuméfié de papa, à la morgue. La file de soldats de plomb de Rougemont. Je réponds :

— J'ai cassé une tasse à café.

Les yeux de Sasha pétillent.

— *Nu tak*. A-t-elle volé en éclats, de manière très symbolique, comme dans une pièce de... disons, Tchekhov? Ou bien elle s'est juste ébréchée?

— Elle s'est brisée en trois morceaux.

Sasha sirote son whisky et se passe la langue sur les lèvres.

— Ce n'est pas aussi satisfaisant que mille éclats minuscules, mais voyons un peu quelle interprétation nous pouvons donner à ces trois morceaux bien nets... Peut-être symbolisent-ils le cercle parfait que composent Larry, Scott et Jane et qui serait sur le point de se briser de l'intérieur...

Je médite là-dessus.

— C'est avec papa qu'ils formaient un cercle parfait. Ils devaient se voir quasiment toutes les semaines, le plus souvent au bungalow, mais parfois aussi chez papa, ou dans l'appartement de Larry et Jane.

— Ah... J'en conclus donc que, maintenant qu'oncle Éric a disparu, les rapports vont changer et l'équilibre du cercle est menacé. Tu vois, on a peut-être trouvé une interprétation à ta tasse cassée.

Je lui jette un regard admiratif. Il hausse modestement les épaules.

— Il faut croire que deux diplômes universitaires, un doctorat et Dieu sait combien d'années à travailler pour une association culturelle m'ont au moins servi à ça : améliorer mes facultés d'interprétation.

Tante Zina arrive avec un plateau d'amuse-gueules salés.

— Mangez-moi ça, je vous en prie, en attendant que le dîner soit prêt, dit-elle d'un ton impérieux. Ce ne sera pas avant une demi-heure et on ne peut pas réellement apprécier un bon repas si l'on est affamé. Et puis Sasha a été trop pris par une réunion de travail pour avoir le temps de déjeuner. En ce qui te concerne, Lucia, il arrive que la mélancolie stimule l'appétit.

Elle retourne à la cuisine et nous tendons la main vers le plateau. Je demande à Sasha :

— C'était quoi, ta réunion à l'heure du déjeuner ?

Il me jette un regard en coin.

— Lucia, il n'y a jamais eu de réunion. Simplement, maman a appelé mon bureau, et j'avais donné ordre à mon assistante de faire circuler cette information. En fait, je faisais des mots croisés dans un petit café, au coin de la rue.

— Mais pourquoi ne peux-tu pas admettre que tu prends une pause déjeuner ?

Il soupire. Saisit un amuse-gueule sur le plateau. Puis se met à décrire son patron tyrannique et ses autres collègues en des termes peu flatteurs qui semblent le mettre en joie. Il se reverse

163

du whisky. Ses caricatures me font rire. Ses phrases s'achèvent dans un gloussement haut perché que je reconnais bien. C'est tellement bon, d'être assise là, à discuter avec mon cousin. Mon corps me paraît à présent très détendu.

— Qui est la femme qui répond au téléphone?

— Natasha.

Son changement de ton est à peine perceptible.

— Quand j'ai appelé de New York, on a eu un échange plutôt laconique. Elle paraissait avoir hâte que je raccroche.

— Sa conversation, tout comme ses minijupes, est des plus étriquées.

— Oh, oh... j'ai compris, Sashinka.

Son large visage arbore une teinte rosée.

— Compris quoi?

— Pourquoi tu n'es plus marié à Marina. J'ai vu juste?

Du rose, il passe à l'écarlate, puis jette un rapide coup d'œil en direction de la cuisine.

— Lucy, Lucia... J'avais oublié ton incroyable intuition. Comment tu as deviné?

— À ta voix, quand tu as prononcé son nom.

— Mon Dieu, les femmes...

Il se penche vers moi et poursuit, dans un murmure :

— Écoute, Lucia, elle a vingt et un ans et des jambes qui s'étendent jusqu'au deuxième étage. Et on est au huitième, si tu vois ce que je veux dire. Elle sort tout droit d'un institut pédagogique de Moscou, elle a un corps sublime, et je pèse mes mots... Elle se sent seule en Californie et pense — non sans raison, j'aimerais le croire — que je suis un type merveilleux. Je ne suis qu'un homme, après tout...

— Toutes ces réunions auxquelles tu dois assister après le bureau, d'après tante Zina... Ce sont des rendez-vous avec Natasha.

— En effet, tu as conclu à juste titre que Natasha était souvent la seule autre participante à mes réunions. Je te suis tellement reconnaissant de bien vouloir séjourner chez nous et distraire maman pendant que Natasha et moi travaillons d'arrache-pied! Avant ton arrivée, nos réunions ont souvent dû se tenir tôt le matin... à un moment de la journée jugé trop peu romantique pour éveiller les soupçons.

— Tante Zina désapprouve ta relation avec Natasha?

— Pas la peine de l'en informer pour juger de sa réaction. Elle est totalement prévisible.

— Ce n'est pas moi qui risque de l'en informer.

— Merci, Lucia chérie.

Sasha se sert un autre whisky tandis que tante Zina émerge de la cuisine, chargée de plats.

— Merci, ma petite cousine adorée.

Le lendemain matin, je me rends en voiture chez papa, vêtue d'une robe bleue dénichée parmi les vêtements que m'a donnés Scott. Je m'en suis souvenue dès que je l'ai sortie du sac, et je l'ai glissée sur mon corps avec un frisson de reconnaissance. Elle est plus légère que mes habits actuels. Sans manches, un peu ample, elle me donne le sentiment de flotter autour de moi, non de m'entraver. En la voyant, tante Zina a levé les mains en signe d'approbation.

— Quelle beauté... et tu sais, tu ressembles beaucoup à ta mère habillée comme ça. Elle aussi portait des robes bleues.

— Elle est folle, tante Zina. Je n'ai pas envie de lui ressembler.

Tante Zina m'a passé un bras autour de l'épaule.

— Avant d'être folle, Tanya était belle. Il lui arrive encore souvent de l'être, a-t-elle murmuré en m'attirant près d'elle. Tu n'as pas hérité la folie de ta mère, Lucia, mais sa capacité à

165

aimer. C'est une qualité très précieuse, beaucoup de gens ne la possèdent pas.

— À aimer ?

— Ça t'étonne ? Sa maladie l'a en effet arrachée à toi, mais elle t'aimait éperdument quand tu étais petite... plus qu'aucune mère n'a jamais aimé son enfant. Et tu le lui rendais bien. À vrai dire, vous étiez inséparables.

J'ai essayé de me rappeler l'amour de ma mère et le temps où mon amour pour elle n'était pas synonyme de déception.

— Lucia, a dit tante Zina d'une voix douce, il n'y avait qu'à toi qu'elle parlait russe.

J'ai secoué la tête car, hormis avec sa famille russe, maman n'a jamais parlé sa langue maternelle avec personne, surtout pas avec Jane ou moi. Lorsque son état était à peu près stable, il nous arrivait de lui demander comment on disait « Bonjour. Comment ça va ? », mais elle refusait de nous donner satisfaction. Lorsque j'avais annoncé mon intention de suivre les cours de russe premier niveau de M. O'Sullivan, au collège, ma mère s'était mise dans un tel état d'agitation que j'avais opté pour l'allemand.

Mais tante Zina n'a pas lâché prise :

— Elle te parlait souvent en russe et tu lui répondais. Tu as appris des comptines, des chansons. Tu ne te rappelles pas que tu chantais avec elle ?

Tante Zina a fredonné quelques mesures d'une chanson pour enfants, en mimant quelque chose avec les mains, un oiseau, peut-être... J'étais certaine de ne jamais avoir entendu cet air.

— Tu vas aller lui rendre visite aujourd'hui ?

Je lui expliqué en rougissant que j'avais prévu de rejoindre les autres à la maison de papa, pour organiser l'enterrement et régler les autres formalités.

— J'irai peut-être demain, ai-je ajouté.

À présent, tandis que je me dirige vers la maison de papa, montant et descendant des collines de faible altitude, j'essaie de revoir cette autre mère. Pas celle à qui je redoute d'aller rendre visite à Redbush, mais la mère charmante et captivante dont j'étais inséparable. Son souvenir se dérobe à moi. Un pan de robe qui s'éloigne, une bouffée de parfum, une caresse tendre et fugitive, une voix trop basse... Elle est hors de ma portée.

Je gravis l'allée en cahotant. Juste devant la grange où il avait coutume de la laisser est garée la vieille Oldsmobile grise de papa. Elle est rouillée par endroits et l'avant est orné d'une grosse bosse, mais cette vision si familière me réchauffe le cœur. Étant la première arrivée, je me gare juste à côté.

La chaleur paraît enfler l'air et, en sortant de la voiture, j'ai la sensation que la robe bleue danse autour de moi. Je touche du bout des doigts la carrosserie à la peinture fanée. La voiture est toute cabossée. Papa aimait ce côté guimbarde, qui l'obligeait à remettre de l'huile en permanence et à analyser le moindre de ses grincements. Réparer les vieilles machines était une de ses passions. S'il a connu des moments de bonheur, c'est quand il avait la tête dans le moteur. Dans la grange se trouve un tracteur sur lequel il travaillait depuis des années. Avant ça, il y a eu une ancienne presse typographique, une camionnette, une moto et un générateur.

J'essaie d'ouvrir la portière, côté chauffeur. Comme je ne m'attends pas qu'elle s'ouvre, je tombe presque à la renverse. À l'intérieur il n'y a rien. Ni journal, ni autocollant, ni même le chiffon que papa gardait toujours là, pour essuyer les vitres. Je m'enfonce dans le siège et ferme la portière. Son odeur me paraît encore flotter imperceptiblement dans la voiture. Cette odeur sucrée et huileuse qui collait à sa salopette ou à sa chemise à carreaux trouée, quand il travaillait dans le jardin, réparait la voiture ou changeait l'une des pièces métalliques de son vieux tracteur. L'espace d'un instant, papa est dans la voiture, à côté de moi, un stylo derrière l'oreille, les doigts pleins de graisse, en train de se concentrer sur Dieu sait quoi, avec une intensité impliquant tout son être.

Lorsque j'ouvre la porte de la maison, la chaleur prisonnière à l'intérieur bondit sur moi tel un chien excité. Je pose ma main sur le mur comme pour l'apaiser. La surface est chaude. Je m'avance d'un pas sûr. Et puis un détail me frappe : il y a de la lumière là où il devrait faire sombre. L'entrée est éclairée également. Et aussi le bureau de papa. Je me recroqueville dans un coin sombre du vestibule, instinctivement soupçonneuse. Qui est venu ici depuis que j'ai fermé la maison, hier, avant de rouler vers la côte ? J'en conclus que la police a dû entrer pour déposer les clés de voiture de papa. Je les cherche, lorsque soudain j'entends une voix.

— Bonjour Lucy, dit Kirsty MacFarlane. Je suis venue m'assurer que la voiture était bien arrivée.

— Quelqu'un est entré dans la maison. Certaines des lampes sont allumées. Ici, et dans le bureau.

— C'est peut-être Jane ? suggère-t-elle.

Lorsque nous passons devant le salon, je me fige.

— Les portes coulissantes ! Elles sont ouvertes !

Elle me dévisage, puis traverse la pièce d'un pas déterminé. Elle se déplace en silence, tel un gros chat. On voit un espace d'environ soixante centimètres entre les deux portes. D'où nous parvient un très léger vent, depuis la terrasse. Les rideaux frémissent.

— Vous êtes sûre de ne pas les avoir laissées ouvertes, hier ? demande-t-elle en examinant le loquet. Rien n'indique qu'elles ont été forcées.

168

Je regarde les rideaux dériver lentement, comme un pauvre corps à la surface de l'eau.

— Eh bien, je suis quasiment sûre.

Depuis pas mal de temps, j'ai du mal à être sûre de quoi que ce soit. Je me rappelle avoir ouvert les portes-fenêtres et être sortie sur la terrasse à l'arrivée de l'inspectrice. Je m'efforce de me souvenir si je les ai refermées en partant, mais tout ce que je me rappelle, c'est d'avoir senti un picotement dans le cou quand il m'a semblé être observée, dans le jardin. Et lorsque j'étais assise sur la terrasse, plus tard, la dépanneuse a lentement traversé la vallée au-dessous de moi.

L'inspectrice vérifie également la serrure de la porte d'entrée mais, là non plus, nulle trace d'effraction.

— Les clés de papa... Il est possible que la personne qui...

Je scrute le vestibule, à la recherche de mots plus adéquats.

— ... que la personne qui était avec lui à la fin...

Elle hoche la tête.

— Oui, c'est une possibilité. J'ai suggéré à votre sœur de changer les serrures dès que possible. Vous avez fait le tour de la maison pour voir s'il manquait quelque chose ?

— Je viens d'arriver.

— Alors allons-y.

Nous commençons par le bureau. Tout m'a l'air d'être comme hier, mais l'inspectrice marque un temps d'arrêt.

— Je ne crois pas avoir laissé les choses exactement de cette façon, dit-elle en passant en revue les tas de documents sur le bureau de papa. Mais peut-être votre sœur ou vous-même avez-vous jeté un coup d'œil à ces documents ? Ou Scott, vu qu'il est l'exécuteur testamentaire ?

— Je ne les ai pas regardés. Et personne n'a exprimé son intention de venir ici.

Son débit s'accélère, elle fronce les sourcils :

169

— Je suis presque certaine d'avoir laissé le testament et l'assurance-vie sur le dessus de la pile. J'ai pensé que ce serait le premier truc que vous voudriez voir, vous et les autres, quand vous vous sentiriez prêts à prendre les choses en main.

— Ils ont disparu?

— Non, mais ils sont sous les relevés de banque et les lettres adressées à votre père par sa mutuelle.

En bas, tout paraît normal. La cuisine est en ordre. Les tasses dans lesquelles l'inspectrice et moi avons bu le café sont là où je les ai laissées hier, près de l'évier.

Elle monte à l'étage. Comme le reste de la maison, c'est un entrepôt de souvenirs. La plupart des pièces font office de débarras. Partout, des cartons empilés, dans les chambres et les couloirs. Maintenant que papa est mort, il va falloir vider tous les débarras et ouvrir tous les cartons, et ce sera comme libérer des parfums prisonniers de flacons scellés depuis des années.

— Vous allez avoir du boulot, fait remarquer Kirsty.

J'acquiesce. Fouiller dans les boîtes, les placards et les tiroirs. Jeter des choses. En donner d'autres. Prendre des décisions. Vendre la maison. Disperser la vie de papa aux quatre vents. Le passé de notre famille va se retrouver disséminé comme de la poussière de météorite entre dépôts-vente, parcs à ferraille et boutiques de pierres ornementales. Un inconnu conduira la voiture de papa, ses vêtements seront portés par des étrangers et ses livres lus par d'autres, qui en corneront les pages ou en endommageront les reliures.

En haut des marches, Kirsty ouvre la première porte. La salle de bains. Le savon de papa, sur son support en onyx. Son rasoir. Ses brosses à dents, deux. Le dentifrice qui colle aux manches, les poils recourbés vers le dehors ou s'affaissant par-dedans.

Sur le seuil de la chambre à coucher, je m'efforce de dire

quelque chose pour détendre l'atmosphère, mais les mots me manquent. Ils cèdent sous moi comme de la glace. Kirsty m'observe. Ses yeux paraissent noirs, dans le couloir sombre.

— Voulez-vous que j'entre la première ? lance-t-elle enfin.

— Non.

Mais ma main reste immobile. Toute ma vie, on m'a répété qu'on frappait avant d'entrer dans la chambre de ses parents. Les règles ont-elles changé, à présent que papa est mort et que maman passe son temps à la clinique ? Toutes, jusqu'à la dernière ? Ne suis-je plus obligée de m'essuyer les pieds sur le paillasson quand il pleut, de prendre une douche en me levant, de dire « Est-ce que je pourrais avoir le sel, s'il vous plaît ? » au lieu de tendre la main pour le prendre, de demander « Puis-je vous aider ? » si quelqu'un de faible, d'aveugle ou de désorienté désire traverser la rue ? Je ferme les yeux et entre dans la pièce.

14

Je suis consciente, derrière moi, du mouvement de surprise de Kirsty. Involontaire, brusque comme un cheval qui s'ébroue. Elle le surmonte avec une rapidité toute professionnelle. C'est le lit qui fait cet effet-là, même quand on le connaît déjà. Tout droit sorti d'un conte de fées, c'est un impossible mélange de volants, de boucles et de rubans. Il règne sur la pièce entière tel un grand château bleu dominant un paysage.

— C'est ma mère qui a fait ce lit. Comme elle, il est complètement délirant.

Au hochement de tête de Kirsty, je comprends qu'elle a dû essayer d'interroger ma mère et lui demande :

— Vous avez réussi à lui arracher quelques paroles sensées ?

— En tout cas, elle a répondu. En russe.

— En russe ! Ça, c'est la meilleure !

Je parcours la pièce du regard. Elle est inchangée, jusque dans les moindres détails. Sur la coiffeuse, les bibelots et les photos sont toujours là. Aux fenêtres, les mêmes rideaux à volants. Sur les murs, les grands tableaux bleus d'autrefois. C'était la chambre de maman : papa n'avait rien fait pour se l'approprier, comme s'il attendait qu'elle guérisse pour revenir s'y installer. Pourtant il devait savoir, au fond de lui, que ça ne risquait pas d'arriver.

Sur le bureau trônent des photos de famille, où les gens sont si jeunes qu'on ne les reconnaît pas. Sur une photo de mariage, papa et maman paraissent radieux, pas du tout guindés comme la plupart des gens le jour de leurs noces. Un autre cliché nous montre tous les quatre sur la plage. Je dois avoir deux ans et maman, en riant, me brandit vers l'objectif tandis que Jane se penche contre papa. Papa rit lui aussi, comme je ne me souviens pas qu'il ait jamais ri ainsi : il rejette la tête en arrière et on voit toutes ses dents. Je saisis la photo et l'étudie attentivement. Il me semble impossible que nous ayons, un jour, été ces gens.

— Vous savez ce que me rappelle ce lit ? questionne Kirsty.

Je me tourne vers elle. Son ton a beau être décontracté, mon corps se tend comme un élastique.

— Le berceau de votre bébé, lâche-t-elle.

Je reste paralysée. Après un moment de silence, je réalise que ma bouche est ouverte. Je la ferme.

— Oh, reprend-elle, j'avais oublié de vous le dire, mais vous vous en êtes peut-être rendu compte. On s'est déjà rencontrées.

Elle attend que je parle. Puis finit par préciser :

— C'était il y a trois ans. Enfin... ça a fait trois ans samedi.

Un frisson me parcourt la nuque.

— Je venais tout juste d'apprendre que j'étais enceinte, continue-t-elle. C'est peut-être la raison pour laquelle ça m'a tellement marquée.

— Comment va votre bébé?

Ma voix est calme. Elle sourit et son visage s'adoucit.

— Très bien.

Aussitôt son expression se durcit, son visage retrouve sa froideur habituelle.

Je marche sur le petit tapis bleu et m'assieds sur le lit, tout au bord, comme si je rendais visite à un malade. Levant les yeux vers le baldaquin, je vois un ciel bleu foncé, retombant en d'interminables cascades bleues. Je m'interroge sur l'assurance et sur l'ambition de la femme qui a pu concevoir un tel lit et une telle chambre. L'autre mère, celle qui me brandissait, radieuse, vers l'objectif. Celle qui m'aimait aussi intensément qu'une mère peut aimer son enfant. « Et c'était pareil pour toi. À vrai dire, vous étiez inséparables », m'avait affirmé tante Zina.

— Évidemment, reprend l'inspectrice, j'ai rencontré toute votre famille ce soir-là. C'est étrange, n'est-ce pas? Il est rare de rencontrer, de son vivant, la victime d'un crime. Le professeur Schaffer était complètement bouleversé par la mort de votre fils. Bien sûr, vous l'étiez tous, mais je me souviens tout particulièrement de sa douleur. Alors qu'on était là à faire... vous savez... toutes ces choses qu'on est obligés de faire, votre père était assis tout seul, dans un coin du salon, à pleurer en silence.

J'ignorais cela. Le monde, ce soir-là, se limitait pour moi à mon propre choc, à ma propre douleur. Je n'aime pas imaginer papa pleurant tout seul dans le salon comme un animal qui s'est traîné en lieu sûr afin de pouvoir lécher ses plaies. Je

173

regrette de ne pas l'avoir cherché, de ne pas l'avoir serré dans mes bras.

— Dieu sait que j'ai vu des larmes dans ma vie! poursuit Kirsty. De quoi remplir une piscine, un lac. Il y a ceux qui gémissent, ceux qui hurlent, ceux qui sanglotent à n'en plus finir, ceux qui s'étouffent. Mais votre papa assis là à pleurer en silence, c'est une des choses les plus déchirantes que j'aie vues.

Comme brûlée par ses paroles, je me lève d'un bond. Je me sens maladroite. Je ne sais plus que faire de mon corps.

— Vous avez acheté ce beau berceau pour votre bébé parce qu'il vous rappelait ce lit? demande-t-elle en m'observant.

Le son de ma propre voix me surprend. Elle me fait l'effet d'un objet rouillé, qu'on aurait laissé traîner trop longtemps dans la grange.

— Je n'ai jamais fait le rapprochement...

— Peut-être avez-vous décoré le berceau vous-même?

Elle ne me quitte pas une seconde des yeux.

— Non. Jane et moi l'avons acheté.

Elle arpente la pièce, examinant les meubles, considérant les tableaux bleus.

— Vous et votre sœur avez acheté le berceau ensemble? Incroyable... Vous n'avez pas remarqué la ressemblance avec le lit de vos parents?

— Eh bien, non... Je ne crois pas.

— Le berceau du bébé était d'un bleu plus clair, non?

— Oui, il me semble.

Alors que ma grossesse touchait à son terme et que mon impatience rendait le présent terriblement ennuyeux, Jane avait manifesté le désir d'acheter le berceau. D'une voix calme, elle m'avait expliqué qu'elle avait désormais abandonné tout espoir d'être mère un jour et qu'elle voulait être une bonne tante — une tante particulière — pour mon bébé. Nous avions

174

écumé les grands magasins et les boutiques de luxe. Or, plus la quête se prolongeait, plus nous devenions difficiles. Lorsque nous avions vu le berceau bleu avec ses ruches, ses volants et ses rideaux de voile, nous nous étions jetées dessus. Après avoir regardé le prix, j'avais mis les mains devant les yeux, mais Jane avait insisté pour l'acheter.

Le jour où on nous l'avait livré, je m'étais demandé comment on avait pu faire un choix aussi délirant. Tous ces volants, tous ces flonflons... Ce n'était pas du tout le genre de chose que Jane ou moi aurions eu l'idée d'acheter en temps normal. J'avais même songé à le rendre, mais je ne voulais pas blesser Jane, et puis c'était devenu le berceau de Stevie et, vu que tout le monde s'extasiait dessus, j'avais fini par le trouver beau moi aussi. Ensuite Stevie était mort dedans, et je m'étais mise à le détester. J'avais prié les autres de nous en débarrasser quand nous nous étions installés dans le bungalow. Je ne leur ai jamais demandé ce qu'ils en avaient fait.

— Si quelqu'un est entré ici par effraction, hier soir, c'est bizarre qu'il n'ait pas emporté ces coffrets en argent, fait remarquer Kirsty en désignant la coiffeuse. Y avait-il d'autres objets de valeur dans cette pièce ?

Je hausse les épaules.

— Non, je ne crois pas.

Elle me tient la porte. Nous continuons la visite de la maison poussiéreuse. L'inspectrice veut savoir où étaient nos chambres, à Jane et à moi. Toutes deux sont désormais pleines de vieux cartons. Et il y a aussi la pièce où dormait grand-maman quand elle venait nous rendre visite. Ou papa, lorsque maman était malade et qu'il lui fallait la grande chambre à coucher pour elle seule.

— Et ça, c'était chez qui ? s'enquiert l'inspectrice en poussant la porte d'une petite chambre, tout au bout du couloir.

175

Ses murs sont peints d'un bleu ciel très pâle. Elle sent le renfermé.

— Papa l'utilisait comme bureau, avant d'aller s'installer en bas. Il doit y avoir des cailloux dans les cartons.

— Et avant? Est-ce qu'elle a pu être la chambre de votre frère?

Pour la seconde fois de la journée, ses mots me laissent bouche bée.

— Vous avez eu un frère, non? insiste-t-elle.

Je hoche la tête.

— Il est mort alors qu'il était encore bébé.

— C'était sa chambre?

— Je n'en sais rien.

— Vous ne vous souvenez pas de lui?

— Je ne me souviens d'aucun détail le concernant.

— C'est curieux, dit-elle en faisant volte-face et en me guidant hors de la pièce. Vous aviez pourtant l'âge où de tels drames se gravent dans la mémoire.

Je ne lui demande pas d'où elle tient ces informations. Je ne dis rien. La mort de mon petit frère est un événement rarement — pour ne pas dire jamais — mentionné. Lors de la mort de Stevie, il a été fait allusion à la perte qu'avait subie papa, mais il nous a clairement fait comprendre qu'il n'avait pas envie d'en parler. J'espère que mon silence va faire sentir la même chose à l'inspectrice.

En descendant l'escalier, elle remarque :

— En tout cas, la poussière qui s'est accumulée là-haut n'a pas été dérangée depuis un bout de temps. Si quelqu'un s'est introduit dans la maison, il a dû se cantonner au bureau. Mais comme rien n'a disparu, c'est sans doute vous qui avez laissé les lumières allumées et les portes ouvertes hier soir.

Je hoche la tête, découragée. Espérons-le. Elle m'observe. Elle aussi paraît abattue.

— Savez-vous combien de clés votre père gardait sur lui? Je suppose que la clé de sa maison et celle de sa voiture étaient dans le même trousseau?

Je revois les grandes mains de Rougemont, ne parvenant pas à insérer la clé dans la serrure de sa portière. La clé de sa voiture. La clé de sa maison. À quel point j'avais été surprise qu'il n'y en ait pas davantage.

— Oh, papa faisait un bruit de quincaillerie en marchant. Il y avait la clé de sa voiture, la clé de sa maison, la clé de la grange, la clé de son bureau, la clé du vieux tracteur, la clé de l'appartement de Jane, peut-être même les clés de Scott ou de Seymour...

J'avale ma salive.

— ... et la personne qui était avec papa dans la voiture lundi dernier peut entrer dans tous ces endroits.

Nous restons silencieuses. Sans nous regarder.

Puis l'inspectrice demande calmement :

— Vous n'êtes pas soulagée de ne pas être restée dormir là hier soir?

— Il va falloir très vite faire changer les serrures.

Elle acquiesce. Fait volte-face et se dirige vers la véranda. À travers la porte grillagée, au-delà de la véranda et des arbres qui se pressent contre elle, apparaît un fragment de jour resplendissant.

— Avez-vous déjà jeté un coup d'œil à la voiture de votre père? questionne-t-elle lorsque la porte grillagée a claqué derrière nous.

— Eh bien... Je m'y suis assise un petit moment. J'ai... respiré son odeur.

Elle écarquille les yeux.

— L'odeur de qui ?

— De papa. Oh, ce n'est pas une mauvaise odeur. Un peu douceâtre, elle fait penser à l'huile et au savon. Quand les gens meurent, on a du mal à s'imaginer qu'ils ont vraiment disparu, disparu pour toujours. On a le sentiment qu'ils sont toujours là, mais insaisissables. On se retourne vivement pour les apercevoir, et il arrive même qu'on sente leur odeur. J'ai ouvert la voiture et j'ai reconnu l'odeur de papa. Je m'y suis engouffrée et, un instant, j'ai eu l'impression qu'il était là, assis à côté de moi.

La femme me scrute. Je m'attends qu'elle balaie mes propos d'une remarque sèche, mais elle dit :

— Je me demande combien de temps l'odeur reste perceptible. Je veux dire, il y a peut-être un moyen scientifique de déterminer quand votre père s'est trouvé pour la dernière fois dans cette voiture.

— Oh, il a dû s'y trouver il n'y a guère plus de quarante-huit heures, dis-je sans réfléchir.

Elle paraît intriguée.

— Comment pouvez-vous en être si sûre ?

— Je n'en sais rien. Si on commence à faire des théories scientifiques, mes certitudes ne vont pas tarder à se dissiper.

— Attendez !

Elle monte dans l'Oldsmobile, côté passager, et me fait signe de m'asseoir au volant. Nous claquons les portières. Au début, je garde les mains sur mes genoux telle une élève bien élevée, puis je saisis le volant comme si je conduisais. Nous restons assises là, l'inspectrice MacFarlane et moi, sans échanger un mot. Je ferme les yeux et, un instant plus tard, l'odeur est de nouveau là. Mais elle est si discrète que je ne la perçois que par intermittence.

— Alors ? dit-elle enfin. Qu'est-ce que vous sentez ?

— C'est très léger, mais je sens papa.

Je regarde son profil. Aquilin, sévère. Elle semble fixer attentivement la route, bien qu'il n'y ait pas de route.

— Moi, je reconnais l'odeur de la poudre qui sert à relever les empreintes digitales. Une odeur métallique.

J'aspire à nouveau en silence.

— Non, je ne perçois rien de tel.

— Votre odorat semble donc indiquer que le défunt...

Elle s'interrompt et rectifie ses paroles.

— ... que le professeur Schaffer s'est lui-même rendu quelque part lundi matin, au volant de cette voiture.

Je hoche la tête.

— La voiture a été retrouvée dans un endroit du nom de Lowis. Vous connaissez?

— Pas vraiment, je l'ai juste aperçu depuis l'autoroute.

— Souvent?

— On passe devant en se rendant à la vallée de San Strana. Scott et moi avions l'habitude d'aller manger à San Strana quand j'étais enceinte.

J'adorais les œufs pochés servis dans un des restaurants de la vallée, au décor en bois blanc. On allait pour le déjeuner le dimanche et, tout en mangeant, nous contemplions les méandres du fleuve. Le fleuve avait façonné la vallée. San Strana est une terre fertile. Ses rives étroites fourmillent de maisons et de fermes anciennes, de communautés d'artistes, de restaurants et d'établissements de remise en forme.

— Et vous ne vous êtes jamais arrêtés à Lowis?

Je secoue la tête.

— C'est un des seuls endroits du coin où ils ont autorisé de nouvelles constructions. L'Oldsmobile était garée dans un complexe résidentiel. De grandes maisons, agréables, dans un quartier calme. Des tas de gosses. La plupart d'entre eux n'avaient jamais vu autant de voitures de police.

179

J'imagine le spécialiste des empreintes digitales s'efforçant de faire son boulot dans l'Oldsmobile tandis qu'une dizaines de petits visages se pressent contre les vitres.

— Votre père a-t-il jamais fait allusion à Lowis? Peut-être y déjeunait-il ou allait-il rendre visite à quelqu'un?

— Non. On pourrait regarder dans son carnet d'adresses...

— Je l'ai fait recopier et j'ai déjà vérifié. Il semblerait n'avoir eu aucun lien avec Lowis, et personne, là-bas, n'avait le souvenir d'avoir déjà vu la voiture. Elle détonne pourtant au milieu de tous ces monospaces.

Nous sourions toutes deux, sans nous regarder.

— Les habitants du coin ont des versions qui diffèrent un peu les unes des autres, mais la majorité d'entre eux est d'avis que la voiture est là depuis lundi après-midi, et plus probablement depuis lundi matin. Quelques-uns affirment qu'elle était là tout le week-end.

— Personne ne l'a vu en sortir?

— Non, Lucy. Personne n'a rien vu.

Elle dit ça sur un ton résigné. Elle est inspectrice de la police criminelle : personne ne voit jamais rien.

— Mais on a trouvé des empreintes?

Elle soupire.

— Quelqu'un s'est donné beaucoup de mal pour effacer toutes les traces. On est parvenu à récolter quelques vieilles empreintes, quelques fibres, mais elles proviennent presque toutes de votre père. Ou de Jane, ce à quoi il fallait s'attendre, puisqu'il l'a conduite sur la tombe de votre fils samedi.

— Puis-je savoir à quelle adresse elle a été retrouvée?

— O.K. Si vous pensez que ça peut vous aider à vous remémorer quelque chose d'utile..., je regarderai dans mon calepin et vous donnerai l'adresse exacte.

Une fois toutes deux ressorties, elle se baisse pour examiner la grosse bosse sur l'avant de la voiture. Elle s'accroupit et passe les doigts sur la peinture écaillée, avec la dextérité d'une femme caressant son amant.

— Votre père a-t-il jamais mentionné ça?

— Non.

— Ça a l'air tout frais, commente-t-elle. Mais les experts n'ont rien eu d'intéressant à nous apprendre dessus.

Elle se redresse. Aujourd'hui règne un soleil de plomb. La chaleur me cloue littéralement au sol. L'ombre ne me procure qu'un maigre soulagement.

— J'aimerais vraiment disposer de davantage d'informations, Lucy, dit Kirsty. Il y a tellement de questions qui restent sans réponse. Dans les jours prochains, je vais interroger tous les gens qui connaissaient bien votre père. J'espère qu'ils vont se souvenir de choses qu'ils croyaient avoir oubliées. Jane et vous, en particulier.

J'ignore pourquoi, mais je rougis à ces mots. Pour que cela ne se voie pas, je lève la tête, en plissant les yeux, vers le soleil qui m'a surprise à travers une trouée dans les arbres.

— Par exemple, poursuit-elle, prenez mon collègue Michael Rougemont. Il a une mémoire d'éléphant. Il se rappelle dans les moindres détails de certaines affaires qui remontent à plus de trente ans. Alors ça l'énerve vraiment, quand les autres oublient tout.

Je sens mon visage virer à l'écarlate. J'ai l'impression qu'il est en train d'enfler au soleil.

— Vous et Jane... Vous déclarez toutes les deux ne plus vous rappeler la mort de votre frère.

— J'étais très jeune...

— Bien sûr, mais la mort d'un frère ou d'une sœur a un tel impact sur la vie d'une famille! On pourrait s'attendre qu'il vous en reste une image ou deux. Et même bien plus que ça, dans le cas de Jane.

— Larry dirait qu'on a refoulé le traumatisme.

— Je n'en doute pas une seconde. Et ça expliquerait pourquoi vous ne vous souvenez de rien, même pas de votre frère quand il était vivant.

— Je me souviens que je l'aimais, c'est tout, dis-je lentement, d'une voix tremblante.

Sa voix s'adoucit :

— Personne n'en parlait jamais, dans votre famille ?

— Non. Jamais.

— Enfin... même quand votre fils est mort, votre père ne l'a pas évoqué ?

— Pas directement. Il nous arrivait de faire allusion à sa « perte », et Scott et moi savions qu'il nous comprenait mieux que quiconque. Mais papa n'en parlait jamais.

— Et vous ne lui avez jamais posé de questions à ce sujet ?

— Non, je n'aurais jamais osé le faire.

— Avez-vous questionné Jane ?

— Non, jamais.

Elle pousse un soupir.

— Vous savez au moins comment est mort cet enfant ?

— Oh oui, ça, je le sais. C'était un accident.

Elle attend que j'ajoute quelque chose, puis soupire à nouveau.

— Avez-vous la moindre idée de l'endroit où a eu lieu l'accident ?

Je secoue la tête.

— Sur la plage de Big Brim. Il s'est noyé là-bas. Vous ne le saviez pas ?

Je la fixe avec stupéfaction.

— Oh, Lucy..., murmure-t-elle, sur un ton à la fois amical et découragé.

15

Scott arrive avant Larry et Jane. Il est content de voir la voiture de papa à sa place habituelle.

— Tu es là, la vieille voiture est là. Pour un peu, je pourrais croire que les choses sont comme avant, affirme-t-il une fois que nous sommes assis sur la terrasse.

Le paysage cherche à attirer notre attention, mais nous ne le regardons que d'un œil, comme une télé papillotante, au son baissé.

— Larry te dirait qu'il ne faut pas.

— Bien sûr, plus rien n'est pareil depuis ton départ. Et encore moins maintenant qu'Éric est mort. Mais je ne vois pas ce qu'il y a de mal à faire comme si... juste un petit moment.

Je lui souris.

Il me parle de la réédition de son livre, me raconte qu'il a été interviewé à la télé.

— Je t'ai vu, dis-je.

— Tu m'as vu à la télé?

Je hoche la tête, mais il réplique aussitôt :

— Et tu as aussitôt éteint le poste.

J'attends qu'il ait relevé sa grosse tête et que son regard soit à nouveau sur moi :

— Non Scott, je n'ai pas éteint.

Un bruit de moteur nous attire en direction de la grange. Larry et Jane viennent d'arriver. Larry est le premier à sortir de la voiture. Sa chemise est bleu océan, où l'eau est peu profonde. Tendue sur son corps, elle met en évidence son début de brioche. Ses côtes et ses bras, en revanche, sont creusés comme ceux d'un vieil homme. Lorsque papa allait nager, j'évitais de regarder son torse ou ses bras efflanqués, ou le bourrelet de chair pendant au-dessus de son ventre. Et maintenant que je vois Larry émerger de la voiture, je lui en veux de me rappeler papa et la vieillesse. Il a à peu près l'âge d'être mon père, mais en épousant Jane il a épousé notre génération. Or voilà que son corps, creusé et taraudé par l'âge, est en train de le trahir.

— Désolés d'être tellement en retard, s'excuse-t-il. On est allés rendre visite à votre mère.

Je sens une rougeur envahir mon cou et mon visage telle une ombre rapide, tandis que Larry observe ma réaction d'un air amusé.

— Comment va-t-elle? s'enquiert Scott.

En guise de réponse, Larry et Jane grimacent comme s'ils avaient le soleil dans les yeux. Ils entrent dans la cuisine, sortent des victuailles d'un grand sac marron. De nous quatre, seuls Larry et Jane ont songé au déjeuner. Peut-être Scott et moi étions-nous certains qu'ils allaient s'en charger.

— Eh bien, elle était sans entrain, dit enfin Jane.

— Elle comprend ce qui est arrivé à papa?

Ils se consultent du regard et Larry répond :

— Elle semble consciente qu'il s'est passé quelque chose de triste. Même si elle ne saisit pas bien quoi.

— Elle gigote beaucoup, à la façon d'un oiseau qui bat des ailes, ajoute Jane. Tu te rappelles sa façon de gigoter quand elle est troublée?

Jane agite les bras en remuant les doigts en une mimique clownesque que je reconnais aussitôt :

— C'est quand elle se sent impuissante.

— Et en détresse, précise Jane.

— Le pire a été le jour où j'ai failli me noyer dans la piscine. Elle voulait faire quelque chose, mais ne pouvait pas, ou ne savait pas quoi... Elle a dû rester plantée là pendant que tu me sauvais la vie.

Nous étions à la piscine municipale, et j'apprenais à nager avec un masque et un tuba lorsque j'avais aspiré de l'eau au lieu d'air. Mes yeux, mon nez et ma bouche étaient pleins d'eau. Au-dessus de moi, le ciel semblait une autre vaste étendue d'eau. Pour la première fois, j'étais consciente de sa nature infinie. Je compris que le bleu est la couleur des profondeurs, et que la profondeur du ciel est sans fin. Je cessai de lutter. Je cessai de nager. Ma tête s'enfonça dans l'eau, tandis que je m'abandonnais à l'immensité bleue. Et, soudain, un puissant mélange de chair et de muscle me saisit par le menton et je sentis que, par brassées fermes et cadencées, on tirait vers le bord mon corps inerte. Lorsque je rouvris les yeux, j'étais sur le dallage de la piscine, entourée de gamins. Sur moi, Jane me massant, me frappant pour me faire régurgiter le liquide avalé, jusqu'à ce que mon corps redevienne solide. Je me souviens du visage sérieux de Jane, de son expression concentrée. Au-delà, je revois maman, sa robe bleue battant au rythme de ses gestes fous. Au-dessus d'elles, le ciel.

Larry cesse de sortir du sac des nourritures appétissantes pour passer un bras autour de Jane. Il connaît l'histoire, mais ne se lasse pas d'entendre raconter pour la énième fois comment Jane m'a sauvée.

— Et elle continue à sauver des vies ! s'exclame-t-il, sur un ton à la fois fier et stupide.

Je les regarde tous deux, côte à côte, et je me demande, fugitivement, irrespectueusement, quel genre de parents ils auraient été. Puis je vois que Scott a les yeux rivés sur eux, sur leurs bras enlacés. Il se demande pourquoi ils sont toujours ensemble et pas nous. Eux, le couple qui ne pouvait pas avoir d'enfants. Nous, le couple qui n'a pas pu garder un bébé plus de six mois.

Le reste de la journée est consacré à la paperasse. Nous commençons par étudier le testament. Papa a tout divisé équitablement entre Jane et moi. Ce n'est pas une surprise. Seul le fait qu'il ait désigné Scott comme exécuteur testamentaire provoque quelques remous : d'abord incrédule, puis choqué, Scott finit par solliciter mon aide. Je proteste :

— Ça fait des années que je ne m'occupe plus des finances des particuliers...

Mais Scott gémit comme un chien à qui on vient d'écraser la patte.

— Je t'en prie, Luce. Fais ça pour moi.

— Tu restes combien de temps, Lucy ? demande Larry, la barbe pointée vers moi.

— Il faut que je rentre tout de suite après l'enterrement.

Un mouvement de réprobation — une main levée, un bras tendu — parcourt le groupe. J'ajoute :

— En tout cas, je ne peux pas rester après la fin de la semaine prochaine. Je suis sur une grosse affaire, qui risque de capoter si je ne suis pas là.

Pendant un moment, je suis incapable de les regarder. Puis, lorsque je me rends compte qu'eux aussi évitent de le faire, je leur jette des coups d'œil à la dérobée. Larry finit par s'adresser à moi, très sérieux :

— Lucy, il y a beaucoup de choses à régler après un décès. Tout un tas de décisions à prendre, de problèmes à gérer... Tu n'as pas le droit de filer à New York et de tout laisser sur le dos de Jane.

J'espère que Jane va prendre ma défense, mais elle reste silencieuse.

— Tu auras le temps de régler avec moi cette histoire d'exécution testamentaire avant l'enterrement? interroge Scott, désarmé.

— Sans doute. Si je planche un peu dessus.

— Quel jour on décide, pour l'enterrement? demande Jane. Mardi, ça vous va? Est-ce qu'on a prévenu tous les gens concernés? Allez, au boulot...

Jane sort calepin et stylo. Je l'observe avec tendresse. Elle s'abrite derrière une efficacité et une distance toute professionnelle lorsqu'elle a besoin de se protéger. Elle a acquis cette faculté dans l'enfance, quand maman nous rendait la vie impossible, et cette attitude est désormais la marque de son professionnalisme. Chaque jour, elle se voit confrontée à des familles qui viennent de perdre, ou sont sur le point de perdre, un être cher. Pour Jane, l'inconcevable est une chose quotidienne. Chaque jour, il lui faut annoncer à des patients qu'ils vont mourir. Face à un patient, elle ne tergiverse pas, ne reste pas là à griffonner des notes ou à fixer ses pieds, ne craint pas d'annoncer les plus terribles vérités, et n'oublie jamais le nom de personne. Elle communique la nouvelle sans mâcher ses mots, avec sa franchise habituelle. Elle pique droit dans la chambre du malade, lui demande comment il se sent, puis lance:

— Je suis désolée, monsieur Smith. Lors de l'opération, on s'est rendu compte que le cancer était plus étendu que nous ne le pensions. On a fait ce qu'on pouvait. Croyez-moi, je suis désolée, mais il n'y a aucun espoir de gagner le combat. J'espère que vous reconnaîtrez avec moi qu'il est désormais plus digne d'abandonner la lutte, pour nous consacrer entièrement à soulager votre douleur et à améliorer votre confort.

Bien sûr, les gens ne réagissent pas tous de la même manière. Certains s'en prennent au docteur, à la maladie, à eux-mêmes, voire à un parent figé à leur chevet sous l'effet du choc.

187

D'autres ne veulent pas admettre que la partie est perdue et exigent que le traitement soit poursuivi. Ils bataillent avec le docteur, car ils savent que rien ne sert de batailler avec leur maladie. D'autres encore se mettent à trembler et à pleurer tels de petits enfants effrayés. Il y en a qui entendent la chose avec une douceur et une tranquille résignation qui a parfois le don de rendre les proches furieux. Quelques-uns se montrent soulagés. Mais, quelle que soit la réaction, Jane reste ferme et autoritaire, si bien que, lorsqu'elle quitte la pièce, le patient a généralement accepté le traitement proposé. Et il ne manque jamais de la remercier.

— Très bien, dit Larry en adoptant le même ton professionnel. Je propose que nous consultions l'agenda d'Éric et annulions tous ses rendez-vous. Ensuite, on verra qui il reste à informer.

Nous allons chercher l'agenda. Nous nous fixons en silence : personne n'a envie de passer le premier coup de fil. Jane paraît sur le point de se dévouer lorsque Scott nous surprend tous :

— Je vais le faire. Donnez-moi les numéros.

Sa voix nous parvient depuis le bureau, tandis qu'il annonce la nouvelle aux gens. Certains semblent déjà au courant mais posent des tas de questions, au sujet de l'enquête, de papa, des circonstances du drame. Nous entendons Scott s'efforcer de leur répondre, sachant que la plupart des questions sont sans réponse.

Larry fait du café, comme il l'aime, c'est-à-dire très fort. Une puissante odeur règne dans la maison, rappelant celle de la mélasse. Il apporte de gros biscuits ronds.

— Ma dernière passion en date, déclare-t-il timidement. Je les ai découverts dans cette boutique, en allant travailler. Je suis accro.

— Il va falloir que tu changes d'itinéraire, le matin, suggère Jane.

Avec un sourire, je pense à Jim et à ses beignets à la cannelle. Lorsque je croque dans le biscuit sec, son goût se répand dans ma bouche en une explosion de miettes.

— Un mélange de sucre, de sel et de cacahuètes, dit Larry en m'observant. C'est fatal.

Il jette un coup d'œil désolé à sa brioche naissante.

Je désigne une inscription dans l'agenda de papa.

— Papa a rencontré M. Zacarro dimanche soir. Vous ne trouvez pas ça bizarre? M. Zacarro a été l'une des dernières personnes à le voir.

— Oh, il était devenu vraiment copain avec lui et M. Holler, m'explique Jane sans lever les yeux.

Elle est en train de feuilleter le carnet d'adresses de papa et de faire une liste de noms.

— Papa? Et M. Zacarro? Et M. Holler?

Ils étaient voisins, pas amis. Je n'ai vu ni l'un ni l'autre depuis des années, et papa ne parlait jamais d'eux.

— Ça ne me plaisait pas, mais que voulais-tu que j'y fasse?

— Ça ne te plaisait pas?

— Ce n'était pas une bonne compagnie pour papa. Il restait chez les Zacarro jusque tard dans la nuit, à discuter en buvant des bières.

Je voudrais lui poser d'autres questions à ce sujet, mais Scott revient, les yeux rouges.

— Joni Rimbaldi a eu un choc, dit-il.

Joni est depuis des années la secrétaire de papa, à la section de géologie.

— Elle était dans sa maison de Tigertail Bay, en train de se préparer : elle devait déjeuner en ville avec Éric. Et je l'appelle pour lui annoncer : « Eh, Joni, le déjeuner est décommandé,

Éric est mort et ce n'est pas tout : il a été assassiné. » Mon Dieu ! Quel coup de téléphone...

— On devrait peut-être la rappeler d'ici une heure ou deux. Pour s'assurer que ça va, suggère Jane.

Nous hochons tous la tête. C'est sans doute la chose à faire.

Pendant le déjeuner, Larry lance :

— Lucy, je suppose que tu es toi aussi d'avis que la maison doit être vidée et vendue ?

Je le regarde.

Il explique :

— On a le choix entre la louer et la vendre. J'imagine que nul d'entre nous n'a l'intention d'y habiter.

— La vendre, dit Jane.

— Quoi qu'il en soit, souligne Larry, il faut la vider.

Il parle d'un ton ferme, comme s'il craignait la contradiction. Jane l'aurait-elle prévenu que je risquais de « faire ma Russe » ? Je réplique d'un ton calme :

— Je le sais, Larry. Mais ça va être douloureux.

— Il n'y a pas d'autre solution, insiste-t-il.

— Qu'est-ce qu'on va faire de tout ça ?

Jane et Larry échangent un coup d'œil.

— On va prendre ce qui sert, vendre ce qui en vaut la peine, donner des tas de choses... et puis serrer les dents et balancer le reste, répond Larry. Et, Lucy, je vais sans doute te paraître cruel, mais il va falloir s'y mettre très vite.

— Non...

— Lucy, cela va prendre beaucoup de temps et on a besoin de ton aide tant que tu es parmi nous.

— Vous voulez commencer quand ?

— Demain, aujourd'hui, tout de suite...

— Je ne sais pas, Larry... Ça me fait l'effet d'une... d'une trahison.

— Pourquoi?

— Papa a mis toute une vie à accumuler ça... On ne peut pas le balancer en une semaine, dis-je d'une petite voix enfantine.

Scott se penche vers moi et me glisse, tendrement :

— Ça va prendre des mois, Luce, c'est pourquoi on doit s'y mettre très vite.

Je rectifie :

— Ça va prendre des mois, parce qu'on finit toujours par trouver la bonne personne et le bon endroit pour tout... Par exemple, un vieux passionné de tracteurs sera content de récupérer le vieux tracteur. Un géologue voudra les cailloux et adorera les outils. Un jardinier...

— Si on devait se débarrasser de tout de cette façon, ce n'est plus des mois mais des années que ça prendrait, me fait remarquer Jane. Et beaucoup de choses, ici, sont à mettre au rebut.

Larry acquiesce d'un signe de tête. Il n'en poursuit pas moins sa charge.

— Cette maison est un vrai dépotoir. Si on commence à se demander où va aller ceci ou cela, on n'en finira jamais.

Larry et Jane ont un appartement nickel, qu'ils préservent de tout fouillis et de sa sœur siamoise, la poussière. Jane n'aime pas qu'on lui offre de jolies poteries ou autres babioles... Son appartement est ainsi conçu qu'elle n'aurait nulle part où les mettre. Je la regarde discuter, avec un sérieux tout professionnel, de la manière de disposer de notre passé. Le centre de recyclage des déchets. Le centre d'accueil pour les sans-abri, situé à deux blocs de l'hôpital et ayant toujours besoin de meubles. Les anciens combattants du Viêt Nam, à qui il arrive de faire des collectes. La section géologie, qui pourra estimer les pierres.

Plus tard, tandis que je m'efforce de contourner les nids-

191

de-poule de l'allée, ses mots s'agitent encore dans ma tête, comme du gravier coincé dans un soulier.

Lorsque j'ai dit à Larry, à Scott et à Jane où j'allais, Scott a paru inquiet, Jane a secoué la tête, mais Larry s'est contenté de caresser sa barbe.

— Je comprends ta curiosité, a-t-il commenté.

— La police a déjà interrogé tout le voisinage au sujet de la voiture, a fait remarquer Jane.

— Et ils n'ont rien appris du tout, a ajouté Scott.

— Eh bien, peut-être Lucy découvrira-t-elle quelque chose, a conclu Larry. Laissez-la y aller. Elle a besoin de se sentir utile.

Son soutien m'a étonnée. J'avais passé la journée à le dé-tester.

Il y a deux manières d'atteindre Lowis. Soit par la voie la plus rapide : je prends vers l'ouest en direction de la ville puis je tourne au nord et rejoins la route longeant la côte. Soit je plonge dans la vallée et je supporte ses méandres, ses vergers tous identiques et la sensation de rouler au milieu de nulle part, jusqu'à l'intersection. C'est là que la dépanneuse a tourné hier. Cet itinéraire finit par mener à Sacramento mais, bien avant ça, à l'extrémité est de la vallée de San Strana. Je pourrais admirer le paysage et, une fois arrivée de l'autre côté de la vallée, je serais à Lowis.

Je m'arrête au bout du chemin de terre. La vallée m'attire comme un aimant. Je pique vers la ville.

L'après-midi touche à sa fin, la mauvaise heure pour rouler vers l'ouest. Je porte des lunettes de soleil et le pare-soleil est abaissé, mais il me faut tout de même plisser les yeux pour conduire.

Lowis est facile à trouver. C'est la première agglomération de la vallée, et pour aller plus loin dans la vallée, on est contraint de la traverser. La petite ville est moins pittoresque que Cooper et que les autres lieux — plus anciens — de San Strana. Les maisons et les arbres d'autrefois sont toujours là, mais ils ont été étouffés par une longue bande d'habitations modernes et coûteuses. Je tourne en rond, jusqu'à trouver l'adresse que l'inspectrice m'a donnée : une longue rue en courbe où les plantes grimpantes commencent déjà à recouvrir les maisons. Derrière les clôtures, des cris perçants me parviennent, d'enfants jouant avec de l'eau. Peut-être des tuyaux d'arrosage, plus probablement des piscines de jardin.

Kirsty m'a expliqué que la voiture avait été abandonnée dans un virage, près d'un groupe d'arbres, à un endroit où les occupants de deux ou trois maisons pouvaient imaginer qu'elle avait été garée par quelqu'un venu rendre visite à leurs voisins. J'arrête un moment la voiture de location à l'emplacement qu'elle m'a décrit. Je me sens en sécurité ici. Aucune maison en hauteur. Je pourrais sortir et descendre la rue sans que nul ne remarque la voiture. Ni moi, d'ailleurs.

Je parcours la rue à deux reprises, dans un sens puis dans l'autre. Pour finir, je stationne à l'endroit où l'on a retrouvé la voiture de papa. En m'éloignant, j'entends claquer mes talons sur le large trottoir. Clic clac, clic clac. Aussitôt, je suis sur le qui-vive. Je m'oblige à maîtriser mon pas et le léger boitillement disparaît immédiatement, comme toujours lorsque j'en prends conscience.

Au bout de la rue se dressent des arbres. Trois gamins équipés de skateboards sont plantés là et m'observent. Je pique droit sur eux et, en m'approchant, je remarque trois autres gosses, pendus aux branches ou adossés aux troncs. Je leur dis bonjour et respire quand, après un silence, il me retournent mon salut.

— Vous avez vu où je viens de garer ma voiture ?

Ils acquiescent en silence. Ce sont tous des garçons. Ronds comme le sont les gamins à peine pubères.

— Lundi, il y avait une autre voiture au même endroit. Elle y est restée toute la journée, peut-être même plus longtemps. Une très vieille voiture, une Oldsmobile, avec l'avant cabossé. Est-ce que l'un de vous l'a vue ?

Au son de ma propre voix, je me rends compte que je parle d'une façon bizarre. Je crois que je parlais de cette façon quand j'avais leur âge mais peut-être est-ce plutôt les autres gosses que j'entendais s'exprimer ainsi, car jusqu'à l'âge de onze ans j'ai vécu dans un isolement presque total.

— Bien sûr, dit l'un d'eux.

Un autre confirme. Un troisième affirme qu'il est passé deux fois devant et un quatrième ajoute, sur un ton de défi, que non seulement il l'a vue, mais qu'il a failli rentrer dedans avec son skateboard. Deux des garçons s'affrontent, se vantant à tour de rôle de relations de plus en plus intimes avec l'Oldsmobile de papa. Je souris.

— C'est Mme Steadman, au numéro 3315, qui a fini par appeler la police, conclut un autre, désireux de se rendre utile.

— Vous avez une idée de la manière dont elle est arrivée jusqu'ici ?

— Non, répond un garçon, après un temps de silence.

Nouvelle pause. Puis une voix lance :

— Quelqu'un a été assassiné dedans.

J'insiste :

— Mais comment la voiture est-elle arrivée là ? Enfin... est-ce que quelqu'un l'a garée et s'en est allé ? Ou est-ce qu'il l'a garée pour monter dans une autre voiture ? Ou bien, attendez... Une dépanneuse. Peut-être qu'une dépanneuse l'a traînée jusqu'ici.

Les enfants me regardent. L'un d'eux pose le pied sur son

194

skate et le fait rouler d'arrière en avant comme s'il avait l'intention d'aller quelque part.

— J'ai vu une dépanneuse, lance-t-il.

Mais il ne se rappelle pas quel jour, ni même si c'était le soir ou le matin.

— Vous êtes de la police? questionne un garçon assis sur son skateboard. Vous n'avez pas l'air d'être de la police.

— Non. Si je m'intéresse à ça, c'est que la voiture appartenait à mon père.

— Votre papa a été assassiné? s'étonne-t-il d'une voix amusée, haut perchée et mal assurée.

— Eh bien...

J'hésite. J'ai encore moi-même du mal à le croire.

— Oui.

Ils sont avides de détails. Je leur raconte que papa semble avoir été tué à la plage de Big Brim, mais que personne ne comprend pourquoi quelqu'un aurait voulu le tuer, ni comment sa voiture est arrivée là. Ils me proposent une série d'hypothèses dignes d'une série télévisée. Papa refusait de payer un maître chanteur. Il s'est suicidé et a maquillé son suicide en meurtre. Papa avait un fils depuis longtemps perdu de vue, que personne ne connaissait et qui a resurgi pour lui prendre tout son argent. Il avait assisté à quelque chose de mal, comme un viol, et s'est retrouvé dans une bagarre en essayant de secourir la victime. Papa était un caïd de la mafia. Je regarde leurs visages lisses, leurs yeux pétillants. Les épreuves les plus rudes auxquelles ils ont dû se confronter ont eu lieu sur l'écran, loin de leur vie tranquille à Lowis. Peut-être, s'ils restent éternellement à Lowis, échapperont-ils aux coups durs et garderont-ils les joues lisses. Je les fais taire:

— C'est de mon père que vous parlez. C'était un homme

honnête. Professeur à l'université. Il n'aurait jamais été mêlé à une histoire de chantage, de mafia ou de fils perdu et retrouvé.

— Vous n'avez pas l'air trop triste, remarque un garçon aux cheveux en brosse, assis sur son skate.

Je le fixe d'un air surpris. Le gamin se force à soutenir mon regard, mais je vois bien qu'il se fait tout petit, dans son bermuda flottant et son tee-shirt trop large.

— Bien sûr que si, elle est triste, Tony. Il n'y a que les petits garçons comme toi qui pleurent quand ils ont du chagrin, intervient une voix beaucoup plus grave.

Tony rougit.

— Ma mère n'a pas pleuré quand son père est mort, mais elle a quand même dû prendre des antidépresseurs.

— Alors, vous avez pleuré quand ils vous l'ont annoncé? insiste Tony.

Son visage a viré à l'écarlate; il me regarde comme s'il m'en voulait.

— Au début, le choc a été trop fort. Depuis, j'ai beaucoup pleuré.

— On ne dirait pas. Vous n'aimiez pas votre papa?

— Bien sûr que si. Je l'aimais énormément, et en ce moment j'ai l'impression que je ne serai plus jamais la même qu'avant sa mort.

Je sens mon visage se crisper : je vais pleurer. Au moins, ça devrait contenter Tony. Je tourne le dos aux garçons et redescends la rue. Derrière moi, c'est le silence.

— Merci de votre aide! Je crie par-dessus mon épaule lorsque je suis à nouveau en état de parler.

Mais j'ai la gorge serrée et les mots ont du mal à sortir.

Nouveau silence.

Enfin, une petite voix s'élève :

— J'espère qu'ils vont attraper le gars qui l'a tué.

16

Je me dirige vers la maison des Zacarro, afin de poser à M. Zacarro des questions sur la soirée de dimanche qu'il a passée avec papa, quand soudain un souvenir m'assaille avec une telle violence que je me fige sur place.

Je trébuche dans l'allée de papa, me heurtant deux fois un orteil et me retenant à une branche d'eucalyptus pour ne pas tomber. Je longe le chemin de terre et constate que les nids-de-poule n'ont pas changé depuis mon enfance, bien que la végétation ait gagné du terrain. La maison des Zacarro dispose d'un petit lopin de terre. Alors qu'ils venaient d'emménager et que les arbres et les broussailles n'avaient pas encore pris le dessus, les gosses du voisinage avaient coutume de couper par le jardinet en question, écrasant la terre sèche entre les plates-bandes et, parfois, piétinant les plates-bandes elles-mêmes. Mme Zacarro, qui s'occupait du jardin, n'avait pas l'air de s'en soucier. Mais M. Zacarro, connu pour son tempérament coléreux, m'avait un jour surprise en flagrant délit. Il s'était mis à hurler et avait déclenché le système d'arrosage. Lorsque j'étais arrivée à la maison, trempée et en larmes, Jane s'était mise dans tous ses états :

— Je l'appelle immédiatement! Je vais lui dire que tu es malade et qu'il n'a pas le droit de te faire ça!

Je l'avais suppliée de n'en rien faire. En tournant dans l'allée escarpée des Zacarro, je me surprends, tant d'années plus tard, à espérer qu'elle n'en ait effectivement rien fait.

Au fil du temps, les orages ont emporté presque tout le revêtement de l'allée. Je me souviens de l'époque où la couche d'asphalte était si récente qu'on la sentait depuis chez nous. À présent, la seule odeur est celle de la chaleur, écrasant chaque surface, martelant les feuilles jusqu'à ce qu'elles se laissent tomber, soumises.

Je trébuche dans un nid-de-poule et frôle quelque chose, au bord de l'allée. Une plante, en apparence insignifiante, luttant avec ses racines charnues pour se faire une place. Ses fleurs roses sont flétries et poussiéreuses. Ses feuilles, poisseuses. Je n'ai pas fait deux pas que je sens le résidu laissé sur mes jambes. Presque aussitôt s'élève le parfum libéré par la plante. À peine l'ai-je respiré que mon cœur se fige. L'air me manque, mes yeux se baignent de larmes. J'entends un sanglot et un souvenir émerge des profondeurs secrètes, silencieuses et scellées de ma mémoire.

C'était tôt le matin, mais assez tard cependant pour sentir la caresse du soleil sur mes épaules et mes jambes tandis que je remontais l'allée pour m'enquérir de Lindy. J'avais beau être timide, je devais m'assurer que tout allait bien. Je prenais mon temps, marchant tout au bord de l'allée, sachant qu'au contact de ma jambe les fleurs roses que Mme Zacarro avait plantées le long de l'asphalte libéreraient leur parfum douceâtre. Elle en avait bordé le chemin du haut en bas. J'avais volontairement traîné un de mes pieds dans les fleurs tout en gravissant l'allée. Une fois devant la maison, la tête me tournait et j'avais envie de vomir, à cause du soleil et de l'écœurant nuage parfumé. Ma jambe était couverte d'une pellicule visqueuse faisant penser à du papier tue-mouches. Un insecte, peut-être une guêpe, bourdonnait trop près de mes cheveux, mais ma tête me paraissait alors comme détachée de mon corps, et je n'avais même pas tenté de la chasser d'un geste.

Intoxiquée par le parfum des fleurs, je n'avais pas éprouvé de surprise en voyant maman émerger, agitant ses doigts tels des oiseaux pris au piège, de la maison des Zacarro. J'étais pourtant consciente du caractère exceptionnel de l'événement. À cette époque, elle ne sortait déjà presque plus, et jamais seule. Comme elle se rapprochait, je lus l'horreur sur son visage. Elle marchait d'un pas plus déterminé qu'à l'ordinaire, et je savais que c'était mauvais signe. Quand elle me vit, elle me fixa droit dans les yeux, puis détourna la tête.

— Tu ne peux pas entrer dans la maison, dit-elle.

Je n'eus pas besoin de lui demander pourquoi : ils avaient trouvé Lindy.

Ma mère ne s'arrêta pas. Elle me dépassa, marchant à la manière absurde et sautillante des personnages de films muets.

Toute la classe assista aux funérailles. Lindy avait été la plus jolie fillette de l'école et, si certains la détestaient à cause de cela quand elle était vivante, ce fut une raison de plus pour verser de chaudes larmes après sa mort. J'étais la seule à ne pas pleurer. Je ne pouvais pas. Les larmes restaient coincées dans ma gorge.

Je gravis péniblement l'allée en direction de la maison, aspirant avec avidité le parfum de plus en plus faible de la plante, comme s'il contenait quelque information susceptible de m'aider à décoder le passé. Une fois arrivée à mi-chemin, une fois passé le point où maman m'avait ordonné de retourner en arrière, je songe que je m'apprête enfin, après toutes ces années, à mener ma dernière visite à son terme. J'ai davantage pensé à Lindy au cours des deux derniers jours que pendant toutes les années avant. Jusqu'à aujourd'hui, j'avais refoulé sa mort, comme si j'avais appuyé, il y a longtemps de ça, sur la touche « Effacer ». Elle est morte quand nous avions huit ans. Les années suivantes ont été marquées par cet événement. Pour finir, je décidé de ne plus penser à elle. J'y suis si bien parvenue que lorsque nous sommes arrivés ici, Sasha et moi, et qu'il m'a demandé si les Zacarro étaient de gentils voisins, tout ce dont je me suis souvenue, c'est que M. Zacarro boitait.

En haut de l'allée, j'aperçois une voiture en face du garage.

Le coffre est tourné vers moi et je remarque aussitôt qu'il est fermé par trois cadenas métalliques. D'énormes cadenas, qui ont l'air de provenir d'une prison. À cette vision, je sens les cheveux se dresser sur ma nuque.

Je sonne à la porte. Je me demande ce que ressent M. Zacarro à l'égard des anciens camarades de sa fille. Leur en veut-il d'être toujours en vie? Leur hurle-t-il dessus et déclenche-t-il le système d'arrosage en les voyant?

Aucun son ne me parvient depuis l'intérieur; je me mets donc à traîner autour de la maison ainsi que j'avais coutume de le faire quand je venais jouer avec Lindy. J'avance lentement, l'air chaud semble m'opposer une résistance. Arrivée devant une grille, j'aperçois une piscine. Dans la piscine, un gros corps hâlé est étendu sur le dos, immobile, bras et jambes déployés. Aucun mouvement n'agite la surface de l'eau. Il y a des flotteurs un peu partout, sur l'eau figée et sur le bord, pour la plupart orange ou jaune vif. Un fauteuil gonflable est amarré dans un coin.

Je franchis tranquillement la grille, mais lorsqu'elle se referme derrière moi avec un déclic, le corps hâlé se replie aussitôt et lève une main, brisant la surface parfaitement lisse. Comme pour me souhaiter la bienvenue, les flotteurs se mettent à danser, se cognant les uns contre les autres ou venant échouer sur M. Zacarro.

— C'est Jane ou c'est Lucy? beugle-t-il.

— Lucy.

— Tant mieux! s'exclame-t-il de manière assez inattendue.

Je me suis rapprochée, mais il continue à hurler :

— Je suis vraiment content de te voir, Lucy. Vraiment content. Je voulais te dire que je suis désolé pour ton père. Et j'aimerais bien que tu m'expliques ce qui se passe là-haut. J'ai essayé de grimper l'allée, mais ils ont installé cette espèce de barrière à la noix et je me suis fait barrer la route par un type qui se prenait pour Dieu le Père sous prétexte qu'on lui avait refilé un uniforme et un bloc-notes. Tu veux une bière?

— Eh bien... merci.

Je ne reconnais pas M. Zacarro. Je me souviens de lui comme d'un homme imposant et lorsqu'il se hisse, avec une série de gestes compliqués mais visiblement travaillés, je constate qu'il l'est toujours. Mais il a perdu presque tous ses cheveux.

— Là, sur la véranda, il y a un frigo plein de bières froides. Amène-m'en une à moi aussi, tu veux bien? lance-t-il.

La véranda. Lorsque Lindy et moi n'étions pas chez moi, sur la balançoire, nous étions ici, sur la véranda, à jouer avec nos petits chevaux. Le préféré de Lindy était un alezan à la tête adorable. La plupart de nos chevaux étaient en plastique. Certains, en porcelaine, s'étaient vite ébréchés. Mais le cheval de Lindy avait une robe soyeuse et des jambes repliables. Gâchette. Son nom surgit soudain, tel un cheval galopant vers la porte de l'enclos. Gâchette, il s'appelait ainsi. Et Lindy répétait toujours que, quand elle serait plus grande, elle aurait un vrai cheval, exactement comme celui-ci.

Je parcours la véranda des yeux. Quelques-uns de mes petits chevaux étaient restés là au moment de la mort de Lindy, mais je n'étais jamais venue les récupérer. À présent, c'est tout juste si je ne m'attends pas à retrouver les écuries en carton que nous avions fabriquées, le sempiternel Gâchette, les jouets laissés derrière moi. Bien sûr, ils ont tous disparus, et un absurde sentiment de déception m'envahit.

J'emporte les bières dehors et en passe une à l'homme flottant. Il me fait signe de m'asseoir sur un des sièges au bord de la piscine.

— Alors, Lucy Schaffer! hurle M. Zacarro. J'ai dû vaguement t'apercevoir depuis que tu as grandi, mais je me souviens surtout de toi ici, en train de jouer avec les gosses.

Sa voix est ferme. J'avale ma salive. Je ne veux pas être la première à mentionner Lindy.

— Comment vont Davis et Carter?

J'ai répondu d'une voix forte, persuadé qu'il entend mal.

— Tu n'es pas obligée de crier, je ne suis pas sourd. Davis, qui a lancé une société de logiciels, gagne désormais je ne sais pas combien de millions de dollars par an. Carter, lui, a très bien réussi dans l'immobilier, et il a maintenant quatre enfants. Ils sont tellement occupés que je ne les vois pas très souvent. Mais ils m'appellent, ajoute-t-il en désignant le téléphone tout proche.

Jetant un coup d'œil alentour, je remarque que le jardin est meublé et équipé. Il y a les banquettes et les sièges qu'on trouve souvent autour des piscines, mais également une coiffeuse, une commode, une télévision, deux miroirs et quelques photos, suspendues dans leurs cadres à la barrière métallique nichée à flanc de coteau. À côté de la piscine se trouvent quelques cailloux empilés avec soin. Certains sont ronds et présentent des veines intéressantes, d'autres sont cristallins.

M. Zacarro m'observe.

— C'est ton papa qui m'a donné ces pierres. Il en apportait souvent, et je les mettais toutes ici.

Tandis qu'il agite les bras, la chair forme sur son estomac des plis semblables à des bandes de pâte dorée.

— C'est quoi, celle-ci?

Je désigne une pierre plate et plus grande que les autres, un peu à l'écart, sur laquelle est gravée une inscription.

Il sourit en biais.

— C'est une stèle funéraire.

Je me rapproche pour la regarder de plus près. Dessus, je lis :
« N'oubliez jamais la mort. Ainsi vécut Joe Zacarro. »

— Il y a un espace vide au-dessous, pour les dates, explique-
t-il avec obligeance. Elle te plaît ?

Je hoche la tête, me retourne vers le corps imposant, vautré
dans le fauteuil flottant.

— Vous étiez avec papa dimanche soir, monsieur Zacarro ?

— Joe. Ouais, il est venu ici. Et aussi Adam Holler.

— Vous êtes l'une des dernières personnes à l'avoir vu en
vie.

— Je sais, Lucy. Ça me fait froid dans le dos.

— Comment l'avez-vous trouvé, monsieur Zacarro ?

— En forme. Appelle-moi Joe.

— Savez-vous s'il a vu quelqu'un d'autre, dimanche ?

Il hausse les épaules.

— Si c'est le cas, il ne m'en a rien dit.

— À quelle heure est-il rentré chez lui ?

— Je ne sais pas. Il est resté ici une heure ou deux.

Jetant un coup d'œil à son torse, je remarque qu'il a la chair
de poule.

— Vous avez froid ? Vous ne voulez pas que je vous apporte
une serviette ?

Il sourit ; mon ton attentionné lui a fait plaisir. Puis une
expression de tristesse passe sur son visage telle une feuille
balayée par le vent, et je devine qu'il regrette de ne plus avoir de
fille pour lui demander s'il a froid et besoin d'une serviette. Il
pense tous les jours à Lindy.

— À vrai dire, Lucy, je ne suis plus sensible au froid ces derniers temps, réplique-t-il d'une voix forte. Au début, j'avais du
mal, ici, pendant l'hiver. Mais je suis devenu insensible au
froid.

— Vous nagez toute l'année ?

— La vérité, c'est que je ne nage plus beaucoup. Je me contente surtout de flotter.

Il boit une gorgée de bière, puis la glisse dans le porte-canette intégré à l'accoudoir du siège. Lorsqu'il parle, le fauteuil flottant fait des petits bonds et tire sur la corde qui le relie au bord, si bien que M. Zacarro semble sur le point de partir à la dérive.

Je jette un nouveau regard autour de moi.

— Vous...

J'hésite.

— ... vous vivez ici ? Dans la piscine ?

— Oh, il m'arrive de rentrer dans la maison. Mais ça fait mal, tu comprends ? Quand j'ai les pieds sur terre, je me traîne comme une espèce de gros élan fatigué. J'ai toujours eu une jambe plus courte que l'autre, alors c'est pas nouveau. Tu te souviens de ça, non ? J'ai toujours pensé que ce devait être la chose que les gens remarquaient en premier.

M. Zacarro qui boite. M. Zacarro qui déclenche le système d'arrosage car l'eau courait dans les tuyaux tellement plus vite que lui. M. Zacarro qui poursuit Davis et Carter en poussant des hurlements furieux, tandis que les deux garçons rient, se moquant de ce père qui ne pourra jamais les attraper. Je me rappelle le terrible mélange de terreur et d'humiliation que sa colère avait provoqué en moi. Pendant un instant, je n'ose le regarder.

— Quand avez-vous construit la piscine ?

— Du temps où les garçons étaient adolescents. Tous les soirs, en rentrant, je piquais une tête. J'ai toujours su que l'eau était mon élément naturel. Je me déplace comme je veux, dans l'eau, j'ai l'air symétrique. Je me suis mis à y passer de plus en plus de temps, et maintenant je ne bouge presque plus d'ici.

— Mais vous viendrez à l'enterrement de papa ?

— Bien sûr. Il m'arrive de m'habiller, d'aller faire des

courses, de remplir le congélateur. Depuis que Gracie est partie, je ne mange quasiment plus que du surgelé. Lucy...

Il pagaie avec ses mains, de manière à tourner le fauteuil flottant vers moi.

— Est-ce que je t'ai dit à quel point je suis navré, pour ton père ? C'était un type formidable. Tellement intelligent qu'il me donnait mal à la tête. Et drôle. Il vous adorait, toi et ta sœur. Mais, diable, que fout la police chez vous ? Bernard Dimoto a raconté à Adam Holler qu'il s'était noyé à Big Brim. Il s'est noyé ou il ne s'est pas noyé ? Enfin... tu peux m'expliquer ce qui se passe ?

J'aimerais ne pas avoir à répondre, mais je ne vois pas comment l'éviter.

— La mort de papa...

Je patauge, puis je reprends les termes dont s'était servi Jim, à New York.

— Sa mort n'est pas claire. D'après la police, il s'agit d'un homicide.

Un long silence s'ensuit, puis M. Zacarro émet un long sifflement.

— Un homicide. Nom de Dieu ! Oh, Lucy, Lucy... C'est des foutaises. Cette histoire d'homicide, c'est des foutaises.

Autre long silence. Je l'observe. Il ne dit rien mais ses lèvres ne cessent de former le mot « homicide ».

— Avez-vous idée de... Connaissez-vous quelqu'un qui aurait pu avoir une raison de tuer papa ?

— Tuer Éric ! rugit-il. Personne n'aurait pu vouloir tuer Éric ! Enfin... qu'est-ce qu'ils disent, au juste, les médecins légistes ?

Je hausse les épaules.

— Qu'il ne s'est pas noyé. Qu'il était déjà mort quand son corps s'est, Dieu sait comment, retrouvé dans l'eau.

— Oh! Merde, c'est horrible!

Ses lèvres forment d'autres mots silencieux.

— Les habits de papa ont été découverts sur la plage de Big Brim, mais personne ne sait comment il y est parvenu, vu que sa voiture a été retrouvée à San Strana.

Il me fixe avec des yeux écarquillés.

— Dans la vallée de San Strana! Nom de Dieu!

— À Lowis, plus précisément.

— Lowis? Lowis? mugit-il.

— Il connaissait quelqu'un là-bas? Avait-il des raisons de se rendre à San Strana?

— Non, non, je ne l'ai jamais entendu dire qu'il connaissait qui que ce soit à Lowis.

Il secoue la tête. Ses lèvres remuent toujours, comme s'il discutait en silence avec quelqu'un.

— Est-ce qu'il vous a dit, dimanche, s'il avait l'intention d'aller nager le lendemain? Peut-être a-t-il fait allusion au nouveau programme de remise en forme qu'il suivait avec son ami Seymour?

— Non, il n'a pas parlé d'aller nager. On a discuté de tas de choses, tu sais comment sont les vieux, toujours à blablater, à raconter des conneries... Dimanche aussi, on a dû se raconter des conneries, mais je suis sûr qu'il n'a à aucun moment parlé de remise en forme, de Seymour, d'aller nager, de Lowis ou...

Sa voix s'éteint et il fixe avec intensité la surface miroitante de l'eau tout en s'efforçant de se rappeler dimanche soir, et tout ce que papa a pu raconter.

— Est-ce qu'il vous a dit s'il avait un rendez-vous?

— Non, non, non...

— A-t-il fait la moindre allusion à ce qu'il comptait faire lundi?

— Non.

— Vous a-t-il fait part de quelque chose qui le tourmentait ? Il avait l'air d'un homme inquiet ?

— Éric ? Non. Il n'était pas inquiet.

J'observe sa masse flottant sur l'eau scintillante. Sa bouche et ses yeux retombent vers le bas du visage. Je m'en veux de lui avoir fait de la peine, il a suffisamment souffert comme ça.

— Joe, dis-je d'une voix douce. Il y a une grosse bosse sur l'avant de la voiture de papa.

— Ah oui ?

— J'ai pensé qu'elle y était peut-être depuis un moment.

— Il ne m'en a jamais parlé.

— Il avait des problèmes de voiture ?

— Oui. Un gros problème qui s'appelle l'Oldsmobile. Il avait de quoi se payer une nouvelle voiture. Mais est-ce qu'il l'a fait ? Non. Il aimait passer tout son temps à réparer l'Oldsmobile, voilà pourquoi.

— Elle est tombée en panne, récemment ?

— Il ne me l'aurait jamais dit, parce qu'il savait que j'aurais rétorqué : débarrasse-toi donc de ce tas de ferraille !

— A-t-il dû faire appel à une dépanneuse, dernièrement ?

Joe secoue la tête. Il ne me regarde pas. Dans un souffle, il murmure :

— Un meurtre !

Je me lève pour partir.

— Je suppose que la police va bientôt venir vous interroger. Et M. Holler aussi.

Il tourne vers moi son gros visage mou, me fixe avec tristesse. Alors que je m'éloigne, il me rappelle.

— Tu viens piquer une tête ici quand tu veux. T'entends ? À n'importe quel moment, que je sois là ou pas, tu viens nager ici et pas sur une de ces foutues plages.

J'essaie d'éviter de regarder le coffre cadenassé de la voiture de M. Zacarro, mais je ne peux pas passer devant sans repenser à Lindy, caressant son petit cheval dont elle disait qu'elle aurait le même, en vrai, quand elle serait grande. Et, tandis que je redescends l'allée défoncée, glissant sur le revêtement craquelé et entendant des bestioles détaler dans les broussailles à mon approche, et que je remarque que les fleurs roses et parfumées plantées par Mme Zacarro ont presque toutes cédé la place aux mauvaises herbes, il me semble qu'il y a eu un jour ici un vrai cheval, un cheval alezan. Lindy le faisait aller au galop et ses cheveux blonds se soulevaient au rythme de la chevauchée. Elle se tenait bien droite, se penchant parfois rapidement en avant pour caresser le cou de l'animal. Les flancs du cheval brillaient au soleil et on pouvait voir ses muscles travailler comme des ombres sous sa robe étincelante. Je contourne avec précaution la seule plante aux feuilles poisseuses qui subsiste. Je ne veux pas respirer à nouveau son odeur. Lindy montant à cheval... Était-ce un véritable souvenir, arraché au passé ? Ou le souvenir d'un rêve éveillé, le rêve de Lindy Zacarro ?

17

Jane et Larry soupçonnent quelqu'un de s'être à nouveau introduit chez papa hier soir. Je les trouve dans sa chambre à coucher, en train de rassembler les quelques objets de valeur.

— Je suis furieuse que le serrurier ne soit pas passé hier comme il l'avait promis, me dit Jane en examinant un petit coffret en argent.

— Même une fois les serrures changées, il va falloir qu'on emporte ce fatras, fait remarquer Larry.

Je ferme la porte du placard, qui me fait l'effet d'un œil fixé sur moi. Certains des tiroirs de la coiffeuse sont également ouverts, et au milieu du lit se trouve un amas d'objets en argent et de petites pierres scintillantes.

Sur le bureau, les photos de papa et de maman que j'aime tant, où l'on nous voit tous les quatre à la plage. Je les pose soigneusement sur le lit, avec les autres affaires.

— Les cadres ne sont pas en argent véritable, m'informe Larry.

— Ce sont les photos qui sont précieuses.

Je lui montre le cliché de la plage en souriant.

— C'est comme ça que je veux me souvenir de papa, en train de rire.

Jane s'interrompt pour jeter un coup d'œil à la photo.

— Il ne riait jamais comme ça.

Larry se caresse la barbe.

— Lucy, tu veux bien aller voir dans le bureau si tout est tel que tu l'as laissé?

J'ai passé plusieurs heures à travailler dans le bureau de papa, hier soir, à classer des dossiers pour Scott.

— Vous pensez que quelqu'un est venu ici hier soir?

— Oui : hier Jane a fermé la porte à double tour, et aujourd'hui elle n'était plus fermée qu'à un tour. À part ça, on n'arrive pas à voir où ils sont allés.

Je suis soulagée de constater que mes soigneuses piles de documents sont toujours disposées de la même façon, sur le sol et sur le bureau. Mais lorsque je les examine plus attentivement, je découvre de légères différences dans leur classement. Dans les tiroirs, deux dossiers ont été déplacés et remis à l'envers. Jane a raison. Quelqu'un est venu ici.

Jane et Larry le comprennent à mon expression quand je

reviens à la chambre bleue. Ils se consultent du regard, puis se tournent vers moi.

— Ils ont essayé de tout remettre en place, mais n'y sont pas tout à fait parvenus, dis-je.

— Qui que soient la ou les personnes qui sont venues ici, elles tiennent à ce qu'on ne le sache pas, fait remarquer Larry en s'asseyant sur le lit.

— Mais ils ont laissé les lumières allumées et les portes ouvertes hier, objecte Jane.

Je suggère :

— Peut-être ont-ils été dérangés ?

— Par quoi ?

— Par les gars qui ont ramené la voiture ?

— Possible, admet Jane.

Elle saisit un cadre à photo très orné et le met sur le lit. Je me demande à qui appartiennent les mystérieux visages fanés qu'il contient.

Jane me regarde.

— Qu'y a-t-il donc, dans ce bureau, qu'une personne pourrait avoir envie de prendre ? Enfin... ils doivent bien chercher quelque chose. Ils auraient pu emporter tous ces objets en argent, mais ils n'en ont rien fait. Il y a un genre de dossier ou de document qui vaut davantage à leurs yeux. Tu es sûre qu'il ne manque rien en bas ?

— Non, je ne peux pas être tout à fait sûre. Mais j'ai consulté la plupart des dossiers hier et, à part ceux que j'ai emportés pour les donner à tante Zina, je n'ai pas remarqué, à priori, qu'il manquait quoi que ce soit.

Je reprends mon travail dans le bureau. Deux hommes arrivent, vêtus de chemises rouges sur lesquelles on peut lire les mots : « Buddy, la sécurité c'est notre hobby. » J'entends le murmure de leurs voix et le frottement de leurs outils pendant

210

qu'ils changent les serrures. Ensuite, ils font un tour de la maison avec Jane, qui leur explique à quel point il est facile de s'y introduire.

— On ne peut absolument pas faire tout ce qu'ils suggèrent, soupire Jane après leur départ, en se laissant tomber dans le fauteuil du bureau.

— Du genre?

— Oh, au mieux une alarme, des caméras de surveillance et des grilles automatiques. Au pire, des cadenas aux fenêtres et un bon débroussaillage pour qu'il y ait moins d'endroits où se cacher. Contentons-nous de vider la maison, de la vendre le plus vite possible et de laisser les nouveaux propriétaires se soucier de la sécurité.

Elle se lève et se fraie un chemin à travers les dossiers.

— Dis donc, ça avance.

— J'en ai fini avec ceux-ci, dis-je en désignant les gros dossiers verts qu'elle vient d'enjamber. Ça signifie que j'ai averti toutes les personnes nécessaires de la mort de papa et que j'ai terminé toute la paperasse. Demain, je m'occuperai de ceux-là. Quant aux dossiers sur le bureau et dans les tiroirs, ils vont demander un peu plus de temps.

— Tout est en ordre?

J'aime me pencher sur les dossiers de papa, découvrir des notes griffonnées de sa petite écriture intelligente, étudier ses comptes, vérifier ses investissements. J'ai l'impression de lui rendre une sorte d'hommage.

— Papa était très organisé. Je suis juste tombée sur une petite anomalie jusqu'à présent, mais je suis sûre de pouvoir régler ça avec quelques coups de fil.

— Quoi?

— Oh, une histoire de puits de pétrole... Peut-être que

j'étais trop fatiguée hier soir, quand j'ai travaillé dessus chez tante Zina. Je vais y rejeter un coup d'œil aujourd'hui.

— Du pétrole ? s'étonne Jane.

Je hoche la tête. Il est arrivé à papa de faire de la prospection pétrolière, pendant ses vacances. Avant de se marier et à nouveau, des années plus tard, quand je vivais encore ici et que Jane était partie étudier à la fac. Je l'accompagnais mais, contrairement aux spécimens rocheux, le pétrole avait le chic pour se trouver dans des endroits plats et sans intérêt. La seule chose à faire, c'était de rester toute la journée à lire, assise devant la piscine du motel, en attendant que papa revienne.

— Mais ça fait des années qu'il ne fait plus de prospection !

— Quand il en faisait, il était assez malin pour demander à être partiellement payé en royalties. Il avait donc droit à un pourcentage pendant toute la durée d'exploitation du puits qu'il avait découvert. Crois-le ou non, deux de ces puits sont toujours productifs.

— Il touchait encore de l'argent des compagnies pétrolières ? Ça représentait beaucoup ?

— Je n'ai pas examiné les relevés les plus récents mais, jusqu'à il y a quelques années, il aurait pu en vivre, à condition de ne pas faire de folies.

Jane émet un sifflement.

— Et dire qu'il n'en a jamais parlé !

— J'ai peut-être un peu trop tendance à toujours vouloir mettre les points sur les « i », Jane, mais j'aime bien analyser les choses sous toutes les coutures jusqu'à être certaine que je ne me suis pas trompée...

Jane sourit tendrement. Elle se moquait tout le temps de ma manie de refaire systématiquement les exercices de maths, pour voir si j'arrivais deux fois au même résultat.

— ... alors, j'ai essayé de remonter, depuis ses relevés bancaires, aux revenus que lui rapporte le pétrole. Et je ne les ai pas trouvés.

Elle me regarde, stupéfaite.

— Tu ne trouves pas l'argent?

— Jusqu'à présent, non.

— Qu'est-ce qu'il en a fait?

— Il a touché les premiers versements, ceux qui remontent à avant notre naissance. Et puis, soudain, au bout de quelques années, il a cessé de les encaisser.

— C'étaient des versements réguliers?

— Annuels.

— Et chaque année, ils... disparaissent dans la nature?

— En tout cas, je n'en ai pas encore trouvé la trace.

Elle paraît songeuse.

— Seymour pourra peut-être nous renseigner.

Seymour était le plus proche ami de papa, un géologue en retraite, autrefois spécialisé dans la recherche du pétrole.

— Je vais l'appeler, dis-je. Il va sûrement tout nous expliquer.

— N'oublie pas de lui préciser que l'enterrement aura lieu mardi, lance-t-elle par-dessus son épaule.

J'ouvre le tiroir du bureau pour chercher, dans le carnet d'adresses de papa, le numéro de Seymour. Pas de carnet, juste le fouillis qu'on entasse habituellement dans un tiroir de bureau : une pince à dégrafer, de vieilles cartes d'embarquement avec le logo d'une compagnie aérienne, des photos ratées... L'une d'entre elles me montre avec Stevie. Je le porte tant bien que mal, avec un sourire crispé. Son visage est comme toujours contracté en une petite boule rouge, et de sa bouche grande ouverte on devine qu'un cri va sortir. Derrière nous apparaît une partie du corps de Scott, qui, en signe d'impuissance, se tient courbé, les mains dans les poches.

213

Je remets la photo dans le tiroir et en sors des coupures de presse jaunissantes. Les caractères typographiques de la *Valley Gazette* sont immédiatement identifiables. « Incroyable mais vrai! Il neige sur Hollow Grove! » « Comment la ville pollue notre vallée. » « Mariages. »

Non sans curiosité, je déplie la page des mariages. Elle est si soigneusement pliée que je la déchire un peu. Je la pose sur le bureau et la lisse du plat de la main. Elle annonce le mariage de Robert Joseph et Karen Sylvester.

Bien que je ne sois plus amoureuse de Robert Joseph depuis des années, l'article semble me sauter au visage. Je fixe attentivement la photo grise. Ses cheveux sont plus courts, son visage plus mince, mais le sourire du marié est reconnaissable entre mille.

Je cherche une date, en vain, puis lis l'article. Le marié est docteur. La mariée est banquière. La mère de la mariée a reçu les invités dans la magnifique demeure familiale située dans la vallée. La mariée portait une robe historique, en dentelle, cousue par une aïeule pendant que son époux combattait au loin les sudistes. Les demoiselles d'honneur portaient du jaune. Suit la liste des invités.

Je sors sur la terrasse et contemple la vallée si ordonnée, si calme, la parfaite symétrie unissant les arbres fruitiers à leur ombre. J'apprécie les petits rectangles bien nets. Enfin, mes yeux se posent sur les angles droits du croisement.

Les demoiselles d'honneur portaient du jaune. La mariée est banquière, comme moi. Sa mère a reçu les invités : peut-être que son père est mort, comme le mien. Et Robert, qui voulait être réalisateur de films, est devenu docteur. Peut-être l'accident de voiture l'a-t-il changé. Peut-être le fait d'avoir passé tellement de temps à l'hôpital et d'avoir failli perdre une jambe a-t-il modifié ses ambitions. Peut-être a-t-il cessé d'aimer les films. Il a cessé d'exister pour moi à dix-huit ans, mais depuis il est devenu un homme, a sans doute eu des enfants et je ne suis plus qu'un infime détail de sa biographie.

Si je regarde vers le sud, j'imagine la ferme des Joseph, bien qu'elle ne soit visible que depuis le chemin de terre, une petite tache d'un vert aussi vif et frappant que le morceau d'épinard qui reste coincé entre les dents. On peut facilement griller dans la vallée, mais l'aqueduc traverse la ferme des Joseph et leur jardin est une oasis, verte, fraîche et ombragée. Robert Joseph et moi avions passé tout un été enlacés sur le hamac suspendu entre deux arbres au tronc puissant, à parler de tout et de rien, à nous aimer. Un amour d'adolescents. Facile d'ironiser, après coup. Sur le moment, ça paraissait tout à fait réel. La mère de Joseph disait qu'elle aimait entendre le bourdonnement de nos voix, depuis le hamac. Elle était gentille et avait de gentils amis. Il m'arrivait de regretter qu'elle ne soit pas ma mère, et cette pensée me donnait aussitôt mauvaise conscience. Un jour où je faisais allusion à ma mère, Mme Joseph dit, à ma grande surprise, qu'elle se souvenait de l'avoir rencontrée à Cornington — l'école primaire où nous étions allés, Robert et moi. Mme Joseph avait précisé :

— On avait organisé un barbecue à Cornington, et ta maman nous avait donné un coup de main.

Je sus à la manière dont elle avait prononcé ces mots, même si elle avait gardé un ton posé, que maman avait fait quelque chose d'épouvantable : elle n'avait pas apporté la bonne sorte de saucisses, ou elle n'avait pas apporté de saucisses du tout, ou bien celles qu'elle avait apportées étaient recouvertes d'une couche de moisissure verdâtre... et alors, peut-être, réalisant son erreur, elle s'était mise à pleurnicher lamentablement devant Mme Joseph, le principal et tous mes professeurs. J'attendis que Mme Joseph en raconte davantage sur ma mère et sur le barbecue de Cornington. À mon grand soulagement, elle n'en fit rien.

Je retourne au bureau de papa et, après avoir mis la main sur son numéro, j'appelle Seymour. Il répond immédiatement.

— Lucy, hé, Lucy. Ça me fait drôlement plaisir de t'entendre! s'exclame-t-il, mais sa voix se brise aussitôt. Mon Dieu, ce qu'Éric me manque! Il est mort depuis quelques jours à peine et il me manque déjà. Imagine ce que ce sera dans un mois ou dans un an. Je continue à lui découper des articles de journaux. Tu sais, ce matin encore, j'ai découpé, dans *Le Marteau du géologue* un papier dont je savais qu'il le rendrait dingue. Vraiment fou de rage. En rigolant d'avance à l'idée de sa réaction, je l'ai fourré dans une enveloppe, sur laquelle j'ai écrit son adresse! Tu crois ça? Heureusement, je m'en suis rendu compte avant d'aller acheter le timbre.

Je souris. En Seymour, il me semble retrouver quelque chose de papa. Ce serait comme tomber sur une photo du bungalow après qu'il eut été emporté par l'océan. Les rapports de Seymour et de papa n'étaient pas sans conflits, surtout du fait que Seymour s'était converti au christianisme et que papa aimait l'attaquer sur ce point. À la fin d'une longue journée de chamailleries, Seymour avait coutume de dire :

— Eh bien, Éric, à mon avis, il faut être profondément d'accord avec quelqu'un pour pouvoir se disputer avec lui aussi longtemps.

— Je ne suis pas d'accord! protestait papa. Je n'approuve pas une seule de tes paroles.

Il était clair que ce rituel les amusait beaucoup.

Nous échangeons quelques mots au sujet de l'enterrement. Seymour m'approuve lorsque je lui apprends que nous avons opté pour un service non religieux. Puis je lui parle des royalties de papa.

— Simms-Roeder est toujours en exploitation? Je suis drôlement jaloux. Éric a découvert un filon du tonnerre.

— Mais, Seymour... je n'arrive pas à savoir où est passé l'argent. Tout ce que j'ai trouvé, ce sont les relevés de la compagnie pétrolière, comme quoi les règlements ont bien été effectués. Papa t'a parlé de cet argent?

— Non. Il doit apparaître sur ses relevés de banque, Lucy.

— Ce n'est pas le cas. Il n'apparaît sur aucun relevé. J'ai appelé la compagnie pétrolière et ils n'ont pas pu me renseigner... Tu connais encore des gens là-bas?

— Oh, mon Dieu... la plupart des gens que je connaissais sont à la retraite. Mais je peux toujours essayer... Laisse-moi un jour ou deux pour m'en occuper. Tu viendras à la maison pour savoir ce que j'ai dégoté? Katherine sera tellement contente de te voir.

Je promets à Seymour de passer les voir vendredi soir.

Quelques heures plus tard, lorsque je constate que le ciel a pris la teinte bleu électrique et que l'après-midi touche à sa fin, je me demande pourquoi papa a découpé cet article à propos du mariage de Robert Joseph. A-t-il eu l'intention de me le donner? A-t-il oublié? A-t-il changé d'avis?

Kirsty et Rougemont arrivent. Rougemont m'accueille avec un trop grand sourire, comme si nous étions de vieilles connaissances. Jane se montre amicale. Larry fait du café, tandis qu'elle leur explique que nous soupçonnons l'intrus d'avoir à nouveau visité la maison pendant la nuit.

— Je n'aime vraiment pas ça. Je suis soulagée que le serrurier soit passé, dit-elle. Parfois, j'ai le sentiment qu'on nous observe.

Je la regarde, étonnée. Difficile d'imaginer quelqu'un de moins paranoïaque que Jane.

— J'ai vu un type devant notre immeuble, précise Larry. Il n'a pas l'air de faire quoi que ce soit, il traîne dans les parages.

— Oh, fait Rougemont.

Il est sceptique mais le cache bien.

— Vous l'avez vu combien de fois ?

— À vrai dire... seulement deux fois, reconnaît Larry.

Jane sourit en nous passant les tasses :

— On est sur les nerfs, et ça nous fait imaginer toutes sortes de choses.

— Quelqu'un est entré avec son propre trousseau de clés, fait remarquer Kirsty. Ça, vous ne l'avez pas imaginé.

— Cachez un agent ici, cette nuit, suggère Larry. Au cas où ce gars reviendrait.

Il parle sur un ton autoritaire, comme si c'était lui qui dirigeait l'enquête. Les inspecteurs ne laissent paraître aucune contrariété, pourtant je conçois leur agacement.

— Il a dû trouver ce qu'il cherchait, réplique Rougemont. Il ne reviendra sûrement pas.

— Et s'il revient ? insiste Larry.

— D'accord, dit Kirsty sans perdre son ton aimable. On va poster deux agents dans le jardin cette nuit, on verra bien ce qui va se passer.

Rougemont engloutit sa tasse de café, sa pomme d'Adam montant et descendant à chaque gorgée.

Puis il demande à jeter un coup d'œil à la maison. Je l'interroge :

— Vous cherchez quoi ?

— Je suis un vieux chien qui aime renifler les vieilles maisons, esquive-t-il. Ma mère avait un chien marron quand j'étais tout petit. Il aimait bien tout renifler. Il aimait aussi se cacher et se jeter sur moi en aboyant pour me faire peur.

Kirsty demande si Scott est là. Je hoche la tête :

— Il enseigne aujourd'hui. Et puis, il n'a pas besoin d'être ici si souvent, puisque je me coltine tout son travail d'exécuteur testamentaire.

— À votre avis, pourquoi votre père ne vous a-t-il pas désignée, vous, pour exécuter son testament ?

La brusquerie de sa question me prend au dépourvu.

— C'est pourtant clair, lâche Jane d'une voix calme.

Je la regarde avec surprise. Elle reverse du café dans les tasses et, bien que contrariée, elle le fait avec des gestes gracieux.

— Tu as quitté la Californie, non ? Papa respectait ta décision. Il ne voulait pas te confier des responsabilités t'obligeant à revenir ici, même s'il savait que tu étais la personne qui convenait le mieux. Il a fait ça par amour, par générosité.

Elle a raison, je le sais. Jane a compris ma souffrance et a su la soulager, comme toujours. Je surprends le regard admiratif de Larry.

— Il y a des nouvelles de l'autopsie ? demande-t-elle à Kirsty.

— On est désormais à peu près sûrs que la mort de votre père s'est située aux alentours de huit heures du matin. Peu de temps avant l'immersion. C'est tout ce qu'on peut dire.

Nous réfléchissons à l'importance de ces révélations.

— Alors, tente prudemment Larry, ça signifie qu'il n'est pas mort près de l'endroit où sa voiture a été retrouvée.

— Non, effectivement.

Elle parle sur un ton las, impliquant qu'elle dispose de cette information depuis un bout de temps et a déjà considéré toutes les possibilités.

— Lowis est situé à au moins trente minutes de Big Brim, plutôt quarante.

— Est-ce que le médecin légiste a pu déterminer avec davantage de précision où est mort papa ? s'enquiert Jane.

219

— Elle est en train de consulter Charles Rossi à ce sujet. C'est un célèbre expert en science médico-légale.

Kirsty glisse une main dans son porte-documents bourré à craquer et en tire un carnet d'adresses. Elle feuillette des pages à l'écriture serrée, jusqu'à une page presque vide.

— J'ai une question qui va vous sembler bizarre.

J'attends la question bizarre, non sans nervosité, en jetant un coup d'œil à Larry et Jane, qui ont eux aussi l'air nerveux.

— C'est au sujet d'une dépanneuse.

Je la fixe.

— Je réalise que ça doit vous paraître invraisemblable, mais est-il possible que votre père ait conduit une dépanneuse, le soir précédant sa mort ?

Jane et moi échangeons un regard, avant de grimacer :

— Eh bien, non.

L'inspectrice se passe une main dans les cheveux.

— Nous avons lancé un appel à témoin pour recueillir des informations pouvant nous aider à localiser votre père entre dimanche soir et lundi matin. Un agent de la police routière nous a contactés. Il a parlé avec le conducteur d'une dépanneuse, tard dimanche soir, sur la grande autoroute qui mène en ville, à environ quatorze kilomètres de Big Brim, à l'intérieur des terres. L'homme, qui assure avoir bonne mémoire, se souvenait du nom de votre père et nous l'a décrit en détail.

Jane paraît incrédule.

— Il prétend que papa conduisait cette dépanneuse ?

— Il est catégorique. Ça ne vous évoque rien ?

Elle me regarde. Je secoue la tête.

— Je ne vois vraiment pas...

Larry pointe sa barbe vers l'inspectrice d'une manière indiquant qu'il s'apprête à parler.

— Est-ce qu'elle remorquait quelque chose ?

— Non.

— Alors pourquoi l'agent lui a-t-il demandé de se ranger?

— La dépanneuse était déjà arrêtée à côté d'une espèce d'épave au bord de la route. L'agent Howie a demandé à voir le permis du conducteur. Et il affirme que le nom était celui de votre père et que le conducteur collait à sa description. Malheureusement, il n'a rien noté sur le moment. Pas même le numéro d'immatriculation de la dépanneuse.

— La dépanneuse s'apprêtait-elle à emporter l'épave?

— De toute évidence, c'est ce qu'elle cherchait à faire. Mais quelque chose clochait du côté du treuil, et le conducteur a expliqué qu'il attendait quelqu'un pour le réparer. L'agent Howie s'est montré très convaincant. Il affirme qu'il ne fait jamais d'erreur.

— On en fait tous, dis-je.

L'inspectrice m'adresse un sourire, qui me rappelle mes propres erreurs.

— La seule erreur qu'il ait faite, poursuit-elle, c'est de ne rien avoir écrit. Si seulement il avait relevé le numéro de plaque de la dépanneuse ou un autre détail sur le chauffeur ou la dépanneuse. La seule chose qu'il ait remarqué, c'est que c'était une vieille dépanneuse.

— Le conducteur était seul?

— Non. Il y avait au moins un autre homme avec lui, peut-être même deux. L'agent Howie ne sait pas trop. Bien sûr, ça peut nous aider à expliquer comment votre père est allé à Big Brim, ou comment sa voiture s'est retrouvée à Lowis. Vous comprenez donc que je sois assez attachée à cette idée.

Larry lui sourit.

— Les scientifiques ont tendance eux aussi à faire ce genre de chose. C'est si terrible, quand les faits ne corroborent pas vos hypothèses, qu'on aurait tendance à se mettre à douter des faits.

Rougemont entre dans la pièce. Je croyais qu'il s'était limité à l'intérieur de la maison, mais il sent l'eucalyptus. Il s'assied devant la table, replie ses longues jambes et prend sa tasse de café.

— Il est froid, non? Vous voulez que je vous en refasse? propose Jane d'une voix aimable.

Beaucoup de gens doivent percevoir la tristesse de Rougemont. Certains doivent réagir par la cruauté, d'autres par la gentillesse.

— Non merci, répond-il avec un sourire. En général, le café est toujours froid quand je pense enfin à le boire.

Kirsty lui explique que Jane, Larry et moi ne voyons pas pourquoi papa aurait conduit une dépanneuse dimanche.

— Ce n'était pas son genre, fait remarquer Larry.

— Oh, dit Rougemont en laissant retomber sa grosse tête sur le côté, bien sûr que si, c'était son genre.

Nous le fixons tous, pendant qu'il sirote son café froid.

— Pardon? s'étonne Jane.

— Eh bien... Je crois vous avoir dit que j'ai un peu connu votre père, il y a quelques années. Et je peux vous affirmer qu'il en avait une, à l'époque, de dépanneuse.

— Papa? Une dépanneuse? Non! rétorque Jane.

Je renchéris :

— Non. Pas lui.

— Je vous assure.

— Vous êtes certain de ne pas vous tromper? insiste Jane.

— Certain. Il gardait même sa licence à jour. Mais ça ne signifie pas forcément qu'il en ait conduit une récemment.

J'interviens :

— Quand possédait-il cette dépanneuse, monsieur Rougemont?

Il pince les lèvres et plisse les yeux.

— Mmm... Vous étiez alors une toute petite fille, Lucy. Il se peut que vous ne vous en souveniez pas. En revanche, j'aurais pensé que Jane...

— Pourquoi un géologue aurait-il besoin d'une dépanneuse ? interrompt Larry, sceptique.

Je connais la réponse à sa question. La dépanneuse est déjà dans ma tête depuis un bout de temps, et elle n'y est pas arrivée par l'autoroute. Elle y a toujours été. Il a suffi que j'écarte les rideaux pour la découvrir juste derrière, étincelant dans la lumière du soleil.

— Il la réparait, dis-je. Comme le tracteur, la presse typographique et l'Oldsmobile... Il passait des heures dessous, avec une clé, à la retaper. Elle paraissait énorme. Et elle était en acier chromé, je crois, argentée et brillante. Devant, il y avait une sorte de visage. Enfin, les phares étaient les yeux et cette grosse calandre, on aurait cru la bouche d'un monstre.

— Vous vous souvenez ! s'exclame Rougemont avec admiration. Vous aviez seulement quatre ans, Lucy, et vous vous souvenez ! Bien sûr, je ne sais pas combien de temps il l'a gardée. Vous aviez peut-être six ou sept ans à l'époque. Eh bien, dans cette famille où personne n'est capable de se souvenir de quoi que ce soit, je dois avouer que, grâce à vous, il y a du progrès !

Kirsty approuve avec enthousiasme. Tous deux semblent me féliciter, comme si je venais de gagner à un jeu télévisé. Je jette un coup d'œil à Jane. Elle est rouge de rage.

— Écoutez..., dit-elle.

Quand on la connaît très bien, on sait que ce ton glacial exprime une grande colère. Larry le sait, je le sais, et nous nous redressons tous deux un peu sur notre chaise.

— Écoutez... Quand les gens ne se rappellent rien, c'est parfois parce que leurs souvenirs sont si désagréables ou si douloureux qu'ils préfèrent les refouler. Vous devez être au courant, non? Et vous avez dû réaliser qu'il y a des choses de notre enfance qu'on a décidé d'oublier.

Elle veut parler de notre mère. Omniprésente, même si je ne l'ai pas vue depuis des années. Survolant notre conversation tel un grand oiseau blanc.

Mais Rougemont ignore la colère de Jane, ou ne s'en rend pas compte.

— Bien sûr, approuve-t-il en hochant la tête à la manière d'un pantin.

Il sourit toujours comme un présentateur de jeu télévisé, qui pense que les participants ne détestent pas se faire humilier.

— Bien sûr, mais je ne vois pas en quoi se souvenir d'une dépanneuse peut être si douloureux?

Sa voix monte comme si elle allait s'achever par un éclat de rire. Au lieu de ça, un silence s'ensuit et, dans ce silence, s'élève la voix d'une toute petite fille au bord des larmes.

— Parce que c'est comme ça qu'ils l'ont emportée.

Tout le monde se tourne vers la petite fille. C'est moi qu'ils regardent.

— Quand maman n'a pas voulu sortir de la voiture...

Je m'adresse à Jane mais, baissant les yeux, elle fixe le plateau de la table.

— Tu te rappelles, quand maman ne voulait pas sortir de la voiture?

Jane ne répond pas. Lorsqu'elle baisse ainsi la tête, c'est pour ne plus me voir. Elle trouve que je fais ma Russe. Pour elle, c'est une trahison, mais je ne peux plus m'interrompre.

— Quand on est revenus de l'Arizona avec maman, qui venait de devenir psychotique, sauf qu'on ne le savait pas encore : c'était la première fois et on pensait que ce n'était qu'un petit problème sur le point de se résoudre tout seul... eh bien, elle a refusé de sortir de la voiture. Elle y est restée, jour et nuit, jusqu'à ce qu'on sente l'odeur de l'urine à trois mètres. Ils sont venus la chercher, deux hommes et une femme, et ils n'ont pas réussi à la faire sortir. Ils ont tout essayé, sans parvenir à la calmer. Ils ont tenté de prendre le volant du véhicule, mais elle était trop agitée pour qu'ils puissent rouler en toute sécurité. Elle a failli faire échouer leurs plans. Seulement voilà : il y avait une dépanneuse. Elle était garée devant la grange, ce devait être une des épaves que papa retapait. Alors ils s'en sont servis pour la remorquer... pour remorquer la voiture, je veux dire. Avec notre mère à l'intérieur, c'est ça, Jane ? C'est ce qu'ils ont fait, non ? Je l'ai plus ou moins deviné quand j'ai vu qu'ils étaient partis et que la voiture et la dépanneuse n'étaient plus là. J'étais cachée dans le jardin... J'ai dû entendre... je crois que je me souviens. Le moteur ronflait comme un gros monstre hideux. La transmission émettait ce grincement, pendant qu'ils la manœuvraient, on aurait cru les dents du monstre. La dépanneuse a emporté notre mère. Et vous savez quoi ? À mon avis, elle n'a jamais pu nous pardonner ça. Elle a été épouvantable après, quand on est allés la voir, parce qu'elle nous en voulait à mort de l'avoir remorquée, au lieu de l'avoir laissée dans la voiture comme elle le souhaitait.

Le silence qui suit est plus douloureux que des piqûres d'aiguille. Les deux inspecteurs me fixent attentivement. Sous le choc, Larry a momentanément abandonné son masque d'observateur détaché. Jane est écarlate, son visage est tendu. Lorsqu'elle parle enfin, c'est sur un ton calme, à peine plus haut qu'un murmure.

— On ne pouvait pas la laisser moisir dans la voiture au milieu de ses excréments, comme un chien.

— On aurait pu attendre. Le moment où elle jugerait bon de sortir.

— Alors on aurait attendu éternellement.

Je parle moi aussi d'une voix douce. Dans ce genre de silence, où chaque mot est assourdissant, il n'est pas utile d'élever la voix.

— Elle serait sortie quand elle se serait sentie prête.

Jane me regarde, la tête légèrement rejetée en arrière, comme si j'émettais des rayons lumineux susceptibles de l'éblouir.

— Elle ne mangeait pas. Et tu passais ton temps à pleurer. C'est ce qui a fini par décider papa. Cela n'a pas été une décision facile à prendre, mais il l'a fait pour toi tout autant que pour notre mère. Tu prétends qu'il a mal agi ?

Je secoue la tête vivement car je sais que papa, parmi ses innombrables qualités, s'efforçait toujours d'agir au mieux.

— Non, je veux juste dire que c'était horrible.

Je me tourne vers Rougemont.

— C'est sûrement pour ça que nous avons toutes deux préféré oublier la dépanneuse. Bon, maintenant, on s'en est souvenu, au bout de tout ce temps. Alors vous allez peut-être pouvoir m'expliquer quel est le rapport avec dimanche soir et tout ce qu'a raconté l'agent Howie.

Rougemont mâchouille pensivement sa lèvre inférieure.

— Oh, dit-il enfin. C'est probablement sans rapport. Je suis d'accord avec Larry : l'agent Howie a dû faire erreur.

18

Il est huit heures quarante quand j'atteins le quartier général de la police routière, à Bellamy. Lorsque j'ai appelé de chez tante Zina, hier soir, on m'a dit que l'agent Howie prenait son service à neuf heures.

— Qui le demande? a ajouté la voix sur un ton soupçonneux.

— Eh bien... c'est privé.

— Hé, hé, m'a-t-on répondu d'un air grivois. Dans ce cas, passez à neuf heures moins le quart, vous devriez pouvoir obtenir une entrevue.

Dans l'entrée, je tombe sur un agent en uniforme, et le persuade d'intercepter l'agent Howie avant qu'il ne quitte les lieux. À sa réaction enjouée mais résignée, je comprends que je ne suis pas la première femme à lui demander ça. Quelques minutes plus tard apparaît l'agent Howie, dans son uniforme impeccable. Il s'avance avec l'assurance d'un bel homme. Il me regarde avec circonspection, examinant ma main avant de la serrer, comme s'il craignait que je profite de la poignée de main pour lui coller sur le dos un procès en paternité.

— Je m'appelle Lucy Schaffer. Mon père est mort tout récemment et j'ai cru comprendre que vous êtes l'une des dernières personnes à l'avoir vu vivant.

Il me regarde fixement.

— Dimanche soir, vous avez contrôlé une dépanneuse qu'il conduisait. Lundi matin, il a été retrouvé mort, non loin de l'endroit où vous l'avez vu. Il a été assassiné et il n'est pas impossible qu'il ait été tué par un des hommes présents avec lui dans la cabine.

Il fouille ses souvenirs de dimanche soir, de papa, de la dépanneuse...

— Nom de Dieu! Oh, bon sang... Je n'ai pas vu qui était dans la cabine avec lui. Une inspectrice m'a déjà posé la question. L'inspectrice MacFarlane. Elle a vraiment eu l'air sceptique quand je lui ai dit que c'était le type en question, mais j'ai reconnu la photo. Et puis je me souvenais de son nom. Ouais, Schaffer.

— Vous en êtes certain?

Il a la souveraine assurance de la jeunesse.

— Absolument certain. Et je suis sûr qu'il y avait d'autres gars avec lui. Au moins un. Plus probablement deux. Pas plus, en tout cas. Ils seraient pas rentrés à quatre dans la cabine. C'était pas une grosse dépanneuse, c'était un modèle super-vieux.

— Vous ne vous souvenez pas d'eux? Pas du moindre petit détail?

— Je ne les ai pas bien vus et ils sont restés très discrets.

— Est-ce que mon père est sorti de la dépanneuse?

— Non, m'dame. Il a baissé la vitre et m'a expliqué qu'il avait un problème de treuil. Vous comprenez, il était venu chercher cette épave au bord de la route, mais il avait un pro-blème de treuil. Et quelqu'un devait venir arranger ça.

— Agent Lowis, est-ce que mon père paraissait? Ou ner-veux? Ou inquiet?

Il sourit. Un sourire blanc et régulier.

— M'dame, la plupart des gens sont nerveux et inquiets quand ils se font arrêter par la police sur l'autoroute.

— Je veux dire, avait-il l'air particulièrement mécontent? Si mal à l'aise qu'on aurait pu en déduire qu'il était détenu dans la cabine contre son gré?

L'homme se penche un moment sur la question.

— Non, il était nerveux, mais pas à ce point-là. Je n'avais aucune raison de lui coller un P.V., mais vu sa tête, il pensait que j'allais le faire.

— Et cet accident... Il s'était passé quoi, au juste?

— Quel accident?

— L'épave qu'ils s'apprêtaient à remorquer.

— Alors là... c'est là que ça devient vraiment bizarre. Je pre-nais à peine mon service, et la voiture accidentée se trouvait sur un de nos pires points noirs. J'en ai conclu qu'il y avait eu une collision plus tôt dans la journée. La voiture était complètement calcinée. Impossible à identifier... Mais vous savez quoi ? J'ai découvert hier qu'il n'y avait pas eu d'accident.

Il a les yeux écarquillés, une expression de surprise sur le visage.

— Rien du tout. Aucun accident n'a été signalé dimanche sur cette partie de la route.

Je réfléchis, mais mes pensées ne mènent nulle part.

— Alors dans ce cas, dis-je lentement, comment pensez-vous que l'épave soit arrivée là ?

— À mon avis, ils l'ont recueillie ailleurs et ils ont dû s'arrêter pour la décrocher parce qu'ils avaient des problèmes de câble.

— Et ils sont parvenus à le réparer ?

— Non, m'dame. L'épave est restée au bord de la route, et elle a créé de gros problèmes de circulation lundi matin. Vous pouvez être sûre que j'ai regretté de ne pas avoir relevé le numéro de plaque de votre père.

— Elle bloquait l'autoroute ?

— Elle n'avait pas besoin de bloquer l'autoroute pour créer des problèmes. Les gens ralentissent pour jeter un coup d'œil, résultat, toute la circulation se trouve ralentie sur des kilomètres.

Il consulte sa montre. Je le rassure :

— Plus que deux petites questions... Vous pouvez me décrire la dépanneuse ?

Il fait une grimace.

— Euh... Voyons. Il n'y a pas tellement de lumière, dans ce coin-là. Mais je dirais qu'elle était vraiment vieille, quasiment une antiquité. Votre père devait l'avoir depuis très longtemps.

Sa déclaration est une demi-question, que j'ignore.

— Est-ce que les plaques étaient noires?

Un autre sourire éclaire brièvement son visage.

— Sûr qu'elle était assez vieille pour ça. Je n'ai pas trop bien regardé, je n'avais aucune raison de le faire.

— Vous souvenez-vous de quoi que ce soit d'autre? Un mot prononcé, un détail à propos des autres occupants de la cabine? Quelque chose de bizarre?

— Non m'dame. Pour moi, ce n'était qu'une vérification de routine.

Il m'a à peine regardée depuis le début de notre conversation, mais soudain, nos regards se croisent.

— À ce que j'ai compris, votre père a été assassiné. Mais pourquoi est-ce que vous me posez toutes ces questions?

— Quand votre père est assassiné, ça vous pousse à poser des questions.

— L'inspectrice MacFarlane sait que vous êtes ici?

— Personne ne sait que je suis ici.

Un instant, il me regarde d'un air chagriné. Bêtement, il me vient une envie de pleurer parce que cet étranger a partagé mon chagrin, ne serait-ce que d'une manière fugitive.

— Je suis désolé, dit-il. Il ne s'est rien passé d'inhabituel, ce soir-là, sur l'autoroute. Votre père n'avait pas l'air d'avoir des ennuis. Mais s'il a été... nom de Dieu, je suis désolé, vraiment désolé.

Depuis Bellamy, je longe un moment les sinuosités de la côte tortueuse, puis la circulation s'accélère lorsqu'elle atteint le long ruban régulier de Big Brim. Ce doit être la plage la moins populaire du coin. Le parking où Rougemont avait garé sa voiture tout à côté de la mienne est désert. À l'exception de deux voitures et d'une dépanneuse.

Une dépanneuse. À Big Brim. Visiblement une antiquité, en

acier chromé, son bras pointant vers le ciel telle la nageoire d'un requin. Je freine et fais demi-tour. Le conducteur de la voiture de derrière klaxonne et ses passagers me lorgnent, de même que ceux des deux voitures suivantes.

Je me gare près de la dépanneuse et, giflée par l'air que déplace chaque véhicule passant en trombe, j'en fais deux fois le tour. Loin de me paraître monstrueuse, elle semble toute petite et cabossée par le temps. L'acier chromé étincelle gaiement dans la lumière du soleil. Le système de levage et le câble sont d'une solidité d'un autre temps. Son numéro d'immatriculation est jaune sur fond noir. Le nom du véhicule n'est pas lisible, car plusieurs lettres se sont détachées. C'est « Diver », peut-être, ou « Divine ». Il reste, à demi effacé, un nom de garage sur la portière côté conducteur. La dépanneuse est si vieille que, si elle roule encore, c'est grâce à la chance et à un rafistolage permanent. Cela fait aussitôt penser à papa et à la vieille Oldsmobile.

Je trouve dans la voiture de location une carte au dos de laquelle je note ce qui subsiste des inscriptions, le numéro d'immatriculation du véhicule et quelques précisions sur les pneus et les couleurs. J'examine les pneus, passant la main sur les sillons en zigzag. Le véhicule est inoffensif sans son chauffeur. Le chauffeur est impuissant sans son véhicule. Par-delà la route, je vois les dunes. Mon cœur bat comme celui d'un chasseur guettant sa proie.

Profitant d'une brève interruption dans le flot de la circulation, je me hâte de traverser la route. Je retire mes chaussures et mes pieds s'enfoncent presque aussitôt dans le sable, jusqu'aux chevilles. Chaque pas est une lutte, comme si le sable m'enjoignait de faire demi-tour. Je poursuis ma route avec détermination, le corps penché en avant. Beaucoup plus lentement que je ne le souhaiterais, je progresse vers la mer. Et pendant tout ce temps, jusqu'à ce que je parvienne enfin à la troisième dune, je ne cesse de le chercher des yeux, lui, le conducteur de la dépanneuse. Il me semble qu'il y a toujours eu dans ma vie un conducteur de dépanneuse pour me terroriser, emporter les êtres que j'aimais et s'esquiver quand j'étais sur le point de le surprendre.

Je balaie la plage des yeux. Le gros homme et son chien sont toujours là. Deux femmes font du jogging, sans trop forcer l'allure. Une mère est assaillie par une flopée de petits enfants. Quelques chiens s'ébattent dans l'eau, sous le regard vigilant de leurs maîtres. Et puis je le vois. Seul sur les dunes, à environ quatre cents mètres. Un homme, grand, brun, sans doute jeune. Il marche en direction de la route et probablement de la dépanneuse, mais il a mal estimé la longueur de la plage et traverse les dunes à quatre cents mètres trop au nord. Je l'aperçois depuis le sommet de la troisième dune, alors qu'il a déjà presque atteint le haut de la première. Marcher dans le sable ne paraît pas lui coûter autant d'efforts qu'à moi. Il gravit la dune d'un pas assuré.

Parvenu au sommet, il s'arrête et fait brusquement volte-face. M'aperçoit. Se fige. Nous nous fixons, par-delà ces vagues composées de millions de grains de sable. Je sais qu'il sait que je le cherche. Nous nous regardons, de trop loin pour que nos regards se croisent, pour que nos visages soient nettement perceptibles. Puis il fait à nouveau demi-tour. Il ne lui reste plus qu'à redescendre une dune et à longer la route sur quatre cents mètres.

Je dévale la dune sur laquelle je viens de grimper et entreprends de gravir la deuxième. Tout mon corps lutte contre le sable : orteils, cou, tête. J'ai l'impression qu'il cherche à aspirer mes jambes, mes pieds sont des poids morts, mes bras battent l'air... Lorsque j'atteins le sommet de la dernière dune avant la route — mon cœur battant toujours comme celui du chasseur à l'affût, la moindre cellule de mon corps tendue vers ma proie —, je jette aussitôt un coup d'œil au parking. Trop tard. La silhouette sombre n'a eu qu'à franchir une portion de route en courant, et elle est parvenue à la dépanneuse alors que je n'avais même pas redescendu la deuxième dune. J'imagine le grognement du vieux moteur, le gémissement de la transmission, le mugissement du monstre tandis qu'il rejoignait, pied au plancher, le flot des autres véhicules.

<h2 style="text-align:center">19</h2>

Assise sur le sable chaud, je fixe l'emplacement où était garée la dépanneuse. Là où se trouvait une réponse, une explication possible, il n'y a plus qu'un espace vide.

À nouveau, je retourne vers la mer. Cette fois-ci, je prends mon temps. Au point de sentir, sous mes pieds, la brûlure du sable. Je dévale la dernière dune puis, là où le sable est ferme et humide, je pose mes chaussures sur la plage et pique droit vers la mer. À cet endroit, elle est aussi calme que l'eau d'un lagon. J'avance droit devant moi et stoppe lorsque l'eau glacée vient toucher mes pieds.

— Hé! s'écrie une voix. Hé, vous, là!

Je fais volte-face. Une grosse forme molle se dirige vers moi, oscillant entre la marche et la course, un petit chien dans son sillage. L'homme porte sous le bras d'insolites échantillons de bois flotté. Comme il se rapproche, je vois ses joues rebondir, son ventre trembloter, la bouteille d'eau attachée à sa ceinture s'élever à chacun de ses pas. Lorsqu'il parvient à me rejoindre, il est trop essoufflé pour parler.

— Pff..., soupire-t-il. Attendez une minute, vous voulez bien?

Il saisit la bouteille d'eau, renverse la tête en arrière et verse le liquide dans sa bouche grande ouverte.

— Je tiens à ce que vous sachiez que c'est de l'eau. Pas de la bière, du bourbon ou un truc dans ce goût-là, dit-il en haletant.

Il lève les yeux au ciel, en un regard candide, mais sa bouche trahit sa préoccupation. Je me demande ce qui a bien pu le contrarier. Peut-être est-ce là son état habituel.

— Je vais vous dire autre chose : la plupart du temps, quand un gars vous court après sur la plage en hurlant, ça signifie qu'il est dingue et que vous feriez mieux de prendre vos jambes à votre cou. C'est vrai dans les trois quarts des cas, mais pas dans le mien, croyez-moi.

Je suis plantée là, les mains sur les hanches.

— Très bien. Maintenant, quel est le problème?

— Je dois vous mettre en garde. Premièrement, la mer monte très vite. Quand on est à marée haute, bien sûr. Pour le moment, c'est marée basse. Deuxièmement : ça paraît peut-être un bon coin pour nager : une plage en pente douce, des eaux calmes... Mais s'il n'y a pas de grosses vagues ici, c'est à cause des courants. Des courants très particuliers. Exceptionnels. Provoqués par les deux langues de sable, à chaque extrémité. Des océanographes viennent ici étudier ces courants alors que, pour tout savoir, il leur suffirait d'interroger un pêcheur. Dans tous les cas, cela veut dire que cette plage n'est pas bonne, vous m'entendez, vraiment pas bonne, et même carrément dangereuse, pour les nageurs. Il fallait que vous le sachiez.

Il agite un doigt en signe d'avertissement.

— Merci. En fait, je le savais déjà. J'ai entendu parler d'un bébé qui s'est noyé ici, il y a des années.

— Oh, quelle tristesse ! Ce n'est pas une plage pour les enfants. On pourrait facilement croire le contraire, mais il n'y a pas pire.

— Ce n'était qu'un tout petit bébé.

L'homme me jette un regard sceptique avant d'avaler une autre gorgée d'eau.

— Il s'est noyé comment, alors ? Sa maman l'avait mis à l'eau ?

— Je ne sais pas.

— C'est pour ça que vous venez là aujourd'hui, madame ?

Du bout du pied, je trace des dessins dans le sable. On dirait un labyrinthe ou un hiéroglyphe.

— Très bien. Vous n'êtes pas obligée de répondre. Ce qu'on va faire, c'est considérer les solutions qui se présentent à nous. Solution numéro un : nous restons tranquillement ici à discuter, et vous m'expliquez votre problème. Solution numéro deux : je repars comme je suis venu et vous pourrez faire ce que vous voulez une fois que je serai plus là pour vous surveiller, mais je vous signale tout de suite que, personnellement, je ne vote pas pour la deux. Solution numéro trois : vous décidez de quitter cette plage et de retourner bien sagement à votre voiture, sans me fournir aucune explication. Si vous optez pour la trois, soyez certaine que je ne me sentirai nullement vexé.

L'air de la mer m'ébouriffe les cheveux. Ceux de l'homme sont épais, et le vent le décoiffe comme un personnage de dessin animé.

— Vous voulez que nous reprenions depuis le début ? demande l'homme.

— Non, vous vous trompez.

L'homme écarquille les yeux.

235

— Vous voyez une autre solution ?

— Vous avez pensé que je voulais me suicider, c'est ça ?

Il baisse timidement les yeux sur le sable.

— Eh bien... à la manière dont vous avez posé vos chaussures avant de piquer droit vers la mer... C'est ce qu'ils font, en général.

Ses yeux se posent à nouveau sur moi, mais il ne relève pas la tête. Toute son assurance s'est envolée.

— Ce n'est pas ce que vous alliez faire ?

— Non.

— Non ?

— Mon père a été retrouvé mort, un peu plus loin sur la côte, il y a quelques jours. Il avait laissé ses vêtements ici, sur la plage.

— Oh, nom de Dieu ! Ce type... celui dont ils disent qu'il a été assassiné, c'était votre père ?

— Vous l'avez vu ?

Ses traits épais et caoutchouteux se figent en une expression de tristesse.

— Non, je n'ai vu personne. C'est pour ça que je sais qu'il n'est pas venu ici.

— Il est mort lundi matin. À huit heures, d'après la police.

— Il n'est pas mort ici.

Je fixe l'homme droit dans les yeux.

— Qu'est-ce que vous voulez dire ?

— Je parcours toujours la plage à sept heures, explique-t-il. Il n'y avait personne ce matin-là. Je l'ai déjà raconté à la police.

— Mais ses vêtements ont été retrouvés ici.

— Il n'y avait pas de vêtements ici à huit heures du matin. Enfin, je suis pas allé jusqu'au bout de la plage, mais je les aurais vus. J'habite à l'autre extrémité. Je suis la seule personne qui puisse arriver ici sans avoir les trois dunes à franchir.

— Qui a découvert les vêtements?

— Moi et Cannelle.

Le chien, qui s'est laissé tomber sur la plus proche parcelle de sable sec, lève la tête en entendant son nom, avant de se recoucher.

— Je suis rentré chez moi à huit heures et demie pour boire une tasse de café et je suis ressorti, comme aujourd'hui, à neuf heures et demie. C'est alors que j'ai vu les vêtements. J'ai appelé la police et ils sont venus. Nom de Dieu, ce qu'ils détestent avoir à franchir ces dunes, avec leurs uniformes!

Tournant le dos à la mer, l'homme fait quelques pas sur la plage et s'assied à côté de son chien, en étendant les jambes. Cannelle pose la tête sur ses genoux. Je m'assieds moi aussi et me mets à tracer, de la main, de nouveaux motifs dans le sable. Des formes élaborées. Des labyrinthes. Des labyrinthes aztèques. Des labyrinthes incas.

— Donc, quelqu'un a déposé les habits de mon père ici après sa mort, dis-je enfin.

C'est davantage une affirmation qu'une question, et l'homme acquiesce d'un hochement de tête.

— C'est juste. Ou bien le médecin légiste se trompe sur l'heure du décès. Ça peut arriver. Si votre père est mort sur la plage pendant que j'étais en train de boire mon café, alors... je suis vraiment désolé.

— Qui se trouvait sur la plage lorsque vous êtes ressorti de chez vous à neuf heures et demie?

Il me désigne les promeneurs disséminés çà et là, promenant presque tous des chiens.

— Des gens semblables à ceux-ci. Personne de suspect ni d'inhabituel. Personne ayant particulièrement attiré mon attention.

— J'ai vu un homme ici, ce matin. Grand, brun, seul, pas

de chien. Il a dû partir dix minutes avant que vous ne m'aper-
ceviez.

— Ouais.

— Vous lui avez parlé?

— Non.

— Comment s'est-il comporté?

— Exactement comme vous. Il a balayé la plage du regard,
s'est avancé jusqu'à la mer, et il est resté planté là comme s'il
avait l'intention de s'y enfoncer. Puis il m'a vu arriver et est
reparti aussi sec.

— Vous le décririez comment?

— Grand, brun, vous l'avez dit.

— Et son âge?

Il se renverse en arrière, sur le sable.

— Je n'arrive plus à deviner les âges. Le même que vous, à
peu près.

— Ses vêtements?

— Il portait un jean.

— Vous avez remarqué autre chose?

L'homme pousse un énorme soupir.

— Je me suis dirigé vers lui au cas où... mais il a battu en
retraite. Je ne crois pas qu'il avait une idée derrière la tête. Ça
fait maintenant quelques années que je surveille cette plage, et
je suis assez bon juge pour ce genre de choses.

— Et vous, que vous est-il arrivé?

— Qu'est-ce que vous voulez dire par là, madame?

— Comment vous êtes-vous retrouvé à surveiller cette
plage?

Nouveau soupir.

— Vous avez raison, il s'est passé quelque chose. À vrai dire,
je suis un ancien chauffeur routier, répond-il comme si cela
expliquait tout.

238

Je le regarde, étendu sur le sable dans un pantalon de survêtement flottant et je vois comment, au fil des kilomètres, son gros corps mou a peu à peu pris la forme du siège de son camion.

— Et puis j'ai cessé d'être chauffeur et j'ai commencé à travailler dans la location de camions. Un métier risqué, je me suis rongé les sangs. Mais à quarante et un ans, j'avais réussi professionnellement. En tout cas suffisamment pour pouvoir confier la direction de l'affaire à d'autres.

Il se rassoit, le dos voûté, la tête ballante.

— Un jour, j'ai écrasé un gars. Les vaches, les moutons, ça arrive fréquemment quand on traverse les prairies, sur les contreforts des montagnes Rocheuses. On s'y habitue. Mais un homme...

Il se gratte vigoureusement la tête, comme un gamin qui apprend à écrire s'efforce de gommer une erreur.

— Je croyais ne jamais m'en remettre. Nuit après nuit, j'en ai rêvé.

— Je suis désolée.

— Et voilà... Cet endroit a la cote avec les suicidaires. Je suis là pour essayer de les faire changer d'avis. Enfin, certains vont peut-être le faire ailleurs, mais j'ai quand même le sentiment d'en sauver quelques-uns et de me racheter un peu. J'aurais vraiment voulu sauver votre père, mais je ne crois vraiment pas qu'il soit mort à Big Brim.

— Vraiment pas ?

— Non. Il est entré dans l'eau à Seal Wash. Ou à Bellamy, à la rigueur, mais il y a des restaurants le long de la falaise d'en face et quelqu'un l'aurait vu. Je parie donc sur Seal Wash.

— Pourquoi ?

— Une intuition éclairée. Fondée sur ce que je sais des courants et sur ce que racontent les pêcheurs. Votre papa a été retrouvé au large de Retribution et s'il y a des courants qui partent d'ici, il y en a aussi qui mènent droit là-bas à partir de Bellamy et Seal Wash, et il est facile de... eh bien, la route suit la mer de très près. Surtout au sommet de la falaise de Seal Wash.

Le corps de papa plongeant, depuis la falaise, dans les profondeurs bleues de l'océan. Le bruit d'un corps frappant l'eau. Assourdissant dans une piscine, mais pas plus sonore, ici, qu'une petite vague contre un rocher.

— Ça va ? demande l'homme.

Je hoche la tête.

— C'est juste une théorie. Peut-être que je l'ai élaborée parce que j'avais mauvaise conscience à l'idée de l'avoir loupé. Je n'en loupe pas beaucoup.

Je souris pour le rassurer. Ce n'est pas un vrai sourire, je me suis contentée de mettre mes lèvres en ligne droite et de les plisser aux commissures mais, pour le moment, je ne peux pas faire mieux. Le petit chien à poil frisé s'est glissé vers moi avec une expression obséquieuse et me renifle. Je lui caresse les oreilles et il se renverse sur le dos, afin que je lui gratte le ventre.

— Ah, Cannelle. Cannelle est un trésor, murmure l'homme d'une voix affectueuse.

— Vous vous souvenez de l'endroit où étaient ses habits ?

L'homme soupire et balaie la plage du regard.

— À peu près à ce niveau-là, il me semble. Mais plus vers les dunes. Ce n'est pas la coutume, lorsque les gens se suicident. En général, ils laissent leurs habits tout près de l'eau.

Je me lève, secoue le sable qui colle à mes vêtements. Le vent l'emporte un peu plus loin sur la plage.

— Merci, dis-je. Votre aide m'a été très précieuse.

Il me regarde d'un œil soupçonneux.

— Ça va mieux, à présent ?

— Je ne suis pas venue ici pour me suicider. Vraiment.

— Oh, bien sûr, dit-il.

Mais il n'en croit rien.

20

À Seal Wash, aujourd'hui, la mer est agitée comme un animal affamé. Les rochers noirs qui émergent des profondeurs de l'océan paraissent plus menaçants que mardi, et lorsque la mer vient s'abattre contre les falaises, son écume rejaillit très haut dans l'air.

Ici, on peut se garer de manière que la portière, côté passager, se trouve presque au bord du précipice. Alors, en la traînant, on peut facilement jeter à l'eau une masse inanimée, sac de cailloux ou corps humain. Bien sûr, la chute l'endommagerait un peu, mais le bruit et les éclaboussures passeraient inaperçus, et l'objet — sac de cailloux ou corps humain — disparaîtrait bien vite dans l'insondable immensité bleue.

Une énorme vague se fracasse contre la roche et mon visage se couvre de fines gouttelettes.

Ou peut-être papa est-il sorti de la voiture. Avec son assassin. Quelqu'un qu'il connaissait, avec qui il discutait en toute confiance. À peine a-t-il détourné le regard que le meurtrier a agi. Or en poussant quelqu'un à cet endroit de la falaise, on ne peut pas être certain qu'il mourra. La mer a l'air féroce, mais un bon nageur pourrait se mettre sous le couvert d'un rocher proche. Non. Le médecin légiste a dit que papa était déjà mort lorsque les rochers lui ont causé les éraflures et les hématomes, il était mort quand son corps a été précipité depuis la falaise.

241

Son meurtrier a-t-il regardé le corps tomber en chute libre, a-t-il attendu le bruit du corps frappant l'eau? Ou bien est-il remonté dans la voiture pour filer jusqu'à Big Brim? Il n'y avait pas beaucoup de gens sur la plage. Il a abandonné les vêtements de papa près des dunes, plus loin de la mer que ne le ferait un nageur, pour ne pas courir le risque d'être vu. Et puis, ruisselant de sueur, le cœur battant après tous ses efforts, est-il retourné à sa voiture pour s'enfuir aussitôt?

— Je sais ce que vous pensez et je suis d'accord avec vous, dit une voix.

Je pivote sur mes talons. Un long bras se tend pour me soutenir. Michael Rougemont me saisit à bras-le-corps, de ses longs doigts osseux.

— Ne vous approchez pas trop du bord!

Ses yeux sont si écarquillés que j'ai beau savoir qu'il est sérieux, je lui trouve l'air comique.

— Vous me suivez?

Je recule vers la terre ferme. Son emprise se relâche et il laisse retomber ses bras. Sa voiture est garée au pied de la falaise, de l'autre côté de la route.

— Je suis sûrement ici pour la même raison que vous. Vous pensez que votre père est mort à Seal Wash et je suis d'accord avec vous. Il se peut même qu'il ne soit jamais allé à Big Brim. On a perdu notre temps, mardi, à essayer de se pénétrer de l'atmosphère.

— Ces coupures et ces bleus, sur son visage...

Rougemont baisse les yeux sur les rochers noirs dépassant de la mer telles des dents cariées.

— ... n'ont probablement rien à voir avec sa mort. Et tout à voir avec l'océan Pacifique.

L'océan gronde et nous crache à la figure. Je goûte le sel sur ma langue.

— Monsieur Rougemont, hier vous m'avez dit que vous

connaissiez papa, du temps où il avait une dépanneuse. Comment l'avez-vous connu?

Il marque un temps d'arrêt. Lorsqu'il répond enfin, c'est en choisissant ses mots.

— Je l'ai rencontré quand votre frère est mort.

Je me tourne vers son vieux visage abîmé.

— Quand mon frère est mort?

— L'inspecteur chargé de l'enquête, c'était moi.

Au-dessous de nous, la mer se jette avec fracas sur les rochers.

— Pourquoi y a-t-il eu enquête?

— Quand un bébé meurt, c'est généralement le cas. Par exemple, quand votre bébé est mort, Kirsty a enquêté.

— Quelle coïncidence incroyable, que vous enquêtiez tous deux sur la mort de papa!

Il ne répond pas, et je réalise que ça n'a rien d'une coïncidence.

— Bien entendu, vous ne vous rappelez pas la mort de votre frère, dit-il.

— Non.

— Pourtant il m'a semblé, hier, que votre mémoire recommençait à fonctionner.

— Je ne me souviens de rien, concernant mon frère. À part qu'il a existé et que je l'aimais.

— Je me suis demandé si vous pouviez vous souvenir d'événements plus récents. On peut monter dans votre voiture?

Cela fait du bien d'échapper au vent, aux embruns et au vacarme des vagues. Je m'assieds au volant. Rougemont recule son siège pour faire place à ses longues jambes. Il pose les mains sur ses genoux. Puis me demande quand j'ai vu mon père pour la dernière fois.

— Oh, votre collègue m'a déjà posé la question.

Mais il ne s'excuse pas, ne retire pas la question.

— Je lui ai raconté qu'il était venu me voir à New York, il y a deux ans et demi de ça. Mais on s'appelait souvent.

— Quand l'avez-vous vu pour la dernière fois en Californie, Lucy?

— Juste avant de m'en aller. Cela fait presque trois ans.

J'avais roulé jusque chez papa, pour lui annoncer que je partais. Je ne l'avais pas appelé avant. J'étais arrivée comme ça et, dans ma voiture bringuebalant le long de l'allée, mon cœur battait à tout rompre. Il m'arrivait de me demander ce que faisait papa quand je n'étais pas dans le coin. Lorsque je l'avais trouvé avec sa salopette maculée de taches d'huile, le visage rougi par le soleil et l'effort, radieux sous son vieux tracteur, je m'étais sentie incroyablement soulagée. Il avait le détachement décontracté de qui vient de se concentrer profondément sur une tâche.

Nous avions pris notre café sur la terrasse et étions restés assis là, à contempler le paysage comme s'il allait se mettre à bouger, bien que la vallée eût été aussi immobile qu'un reptile. Même les camions qui la traversaient en ligne droite semblaient rouler au ralenti. Un coup de vent soudain avait agité les feuilles au-dessus de nos têtes. C'est papa qui avait planté ces arbres et, pendant quelques années, il avait craint qu'ils ne soient trop proches des fondations de la maison. À présent, il paraissait surpris de les voir, pourtant il les avait vus presque tous les jours depuis plus de trente ans.

— Quand on plante un arbrisseau, avait-il murmuré, on ne peut pas s'imaginer qu'il deviendra un jour aussi grand. C'est un peu comme les enfants. Les enfants grandissent forcément. C'est une nécessité de la biologie et de l'évolution. Les fossiles nous disent, l'histoire nous dit, nos yeux nous disent que les enfants grandissent. Mais quand ils sont petits, on n'arrive pas à croire que les nôtres aussi vont finir par devenir adultes. On ne met pas un enfant au monde, mais un adulte. C'est une sacrée responsabilité.

— Vous êtes en train de penser à votre père, remarque Michael Rougemont.

Sa voix me fait sursauter.

— À quoi pensiez-vous ?

Je lui parle des arbres plantés trop près de la maison, et de la pensée que vos enfants ne grandiront jamais.

— Ce sont ses mots après que vous lui avez annoncé votre départ ?

— Non... Je le lui ai annoncé un peu plus tard. Il n'a pas essayé de me dissuader. Je ne lui ai pas demandé la permission, mais il me l'a accordée de toute façon.

— Ça a été dur, de lui dire au revoir ? demande calmement Rougemont

— Oui, ça a été dur.

Je ne lui raconte pas que papa a pleuré.

— Mais, continue l'inspecteur, vous lui avez quand même dit au revoir. Et, à part cette brève visite qu'il vous a faite à New York, vous ne vouliez pas affronter la douleur de devoir le lui dire à nouveau. C'est peut-être pour ça que, quand vous êtes venue en Californie le week-end dernier, vous n'avez prévenu personne.

Ses mots m'écorchent les oreilles.

— Vous êtes venue ici, à San Francisco, le week-end dernier. C'est exact, Lucy ? Vous avez repris un avion dimanche soir. Peu de temps avant la mort de votre père.

J'étouffe. Je baisse la vitre. Aussitôt, le bruit de la mer s'engouffre dans la voiture.

— C'est bon, reprend Michael Rougemont d'une voix plus douce. Je ne vais pas leur dire. Votre sœur, votre mari, je ne vais rien leur répéter.

Je ne réponds pas.

— Mais pourquoi l'avoir tu ? Pourquoi ne pas l'avoir dit à Kirsty ? Pourquoi nous avoir menti, à nous ?

Silence.

— Qu'êtes-vous venue faire ici le week-end dernier, Lucy ?

Un rayon de soleil tombe sur le pare-brise et atterrit sur mes genoux. Je regarde les chiffres changer lentement, sur l'horloge du tableau de bord.

— Lucy, si vous étiez ici le week-end dernier, je ne vais pas tarder à découvrir ce que vous avez fait, où vous êtes allée et qui vous avez vu. Faites-moi gagner un jour et racontez-moi tout : il faut que je sache.

Mais je secoue la tête. Le silence se prolonge au-delà du raisonnable, et finalement, Michael Rougemont ouvre la portière de la voiture.

— Très bien. Puisque vous ne voulez pas m'aider, je ferais mieux de me mettre au boulot.

21

À peine ai-je remis les pieds dans le bureau de papa que je compose un numéro à New York : Mittex. Non seulement Jay Kent est à son bureau aujourd'hui, mais il a selon toute évidence demandé à sa secrétaire de lui transmettre directement tout appel de ma part.

— Lucy ! Quel plaisir de t'entendre !

Ma réaction me surprend : mon cœur bat la chamade.

— J'ai essayé de t'appeler, dit-il. Mais je n'ai rien compris à ce que racontait la femme sur laquelle je suis tombé...

— Ma tante Zina.

— Elle parle anglais?

Je réalise, pour la première fois, que tante Zina doit avoir un très fort accent. Je ne remarquais pas non plus l'accent de ma mère et lorsque mes camarades d'école me disaient qu'elle parlait d'une drôle de manière, j'étais déconcertée.

— Elle non plus ne t'a pas compris. Elle a dit que tu parlais comme une mitrailleuse.

Kent éclate d'un rire de mitrailleuse.

— Comment ça va, Lucy?

— Ça va. Tu as commencé à réfléchir aux propositions que vous alliez faire à Gregory Hifeld?

— Je croyais que tu n'étais pas censée travailler, pendant une semaine ou deux, râle-t-il.

— Qu'est-ce que tu as pensé de Gregory Hifeld?

— Lucy, je ne lui ai pas plu. Mais moi, je l'admire beaucoup. Malheureusement, il part à la retraite et tu nous proposes George à la place.

— Mais peut-être comme pilote...

Nouvel éclat de rire, nouvelle décharge de mitrailleuse.

— Tu es maligne, Lucy. C'est une des premières choses que j'ai remarquées chez toi et c'est une des raisons pour lesquelles je t'ai voulue. Mais tu devras être encore plus maligne pour parvenir à arranger ça.

Ma propre voix, une voix pleine de lassitude, semble me revenir en écho. Comme si je parlais dans le vide.

— Thinking Toys est une bonne compagnie, Kent. Tu en as besoin, et le prix est raisonnable.

— Le vieux ne va pas nous la vendre, il n'a pas apprécié notre attitude. Il veut jouer les Père Noël pour ses gentils petits nains. Il ne veut pas que la grosse méchante Mittex fasse pleuvoir les feuilles de licenciement au Pays du Jouet. Mais je ne veux pas parler de ça, Lucy. Tu as découvert ce qui était arrivé à ton père ?

— Eh bien, oui...

Je m'interromps. L'idée m'effleure de ne rien révéler à Kent. Mais il attend, et je finis par lâcher :

— Il a été assassiné.

Silence.

— Assassiné ?

Pour la première fois, sa voix perd de son assurance.

— C'est ce qu'affirme la police.

Nouveau silence. À supposer que Kent se soit jamais penché sur la question, il avait dû me croire issue d'un milieu respectable et d'une bonne famille chrétienne comme la sienne. Il ne m'avait certainement pas soupçonnée d'avoir une tante au langage incompréhensible et le genre de père susceptible de se faire assassiner.

— Je croyais que ton père était profess...

— Il l'était.

— Mais tu as une idée de... Est-ce que la police...

— Non, Kent. Mais il est arrivé quelque chose ce matin...

— Il t'est arrivé quelque chose ?

— Il est arrivé quelque chose à toi et à moi.

Nouvelle pause. Il connaît la suite, mais il attend de l'entendre de ma bouche, en espérant se tromper.

— Un inspecteur a tout découvert, au sujet du week-end dernier.

— Quoi ?

— Le week-end dernier. Quelqu'un est au courant.

— Il sait quoi exactement ? demande-t-il prudemment.

— Pour le moment, il sait juste que je suis venue ici.

Kent hausse le ton.

— Oh, il va tout découvrir. On ne peut rien cacher à ces gars-là.

— Il a affirmé qu'il saurait, avant la fin de la journée, où j'étais, avec qui et pourquoi ...

— Oh, nom de Dieu, Lucy!

Je perçois sa colère, sa peur.

— Oh, nom de Dieu!

Il crie presque. Il pense à sa mère, à la paroisse à laquelle elle appartient, là-bas, en Virginie. Il pense à la manière dont il a été élevé et dont il s'est comporté et il lui semble à présent que sa relation avec la triste, l'étrange Lucy Schaffer l'a conduit au genre de désastre que sa mère aurait pu prévoir.

— Qu'est-ce que tu lui as dit? lance-t-il d'un ton sec.

— Rien. Quand ils m'ont interrogée, j'ai prétendu que j'avais passé tout le week-end chez moi.

Il hausse à nouveau le ton.

— Tu as menti à la police! Tu as fait une fausse déclaration! Merde, Lucy!

— J'ai voulu te tenir en dehors de tout ça, Kent.

Mais il est trop occupé à hurler pour m'entendre.

— Lucy, ils vont te coincer et après, ils vont remonter jusqu'à moi. Merde, Lucy, ça risque de tout foutre en l'air.

— Qu'est-ce que je peux faire? Maintenant que j'ai menti, je ne peux plus changer de version.

— Rien, répond-il d'un ton haletant, tu ne peux rien faire. Reste tranquille et ne dis rien, si tu le peux. Il faut que j'y aille, maintenant.

Kent raccroche avec une telle violence qu'il rate le support : j'entends le combiné rebondir sur le bureau, puis Kent le rattrape et raccroche à nouveau. S'ensuit une sorte de gémissement électronique.

Une fois que j'ai reposé le téléphone, la maison me semble

poisseuse et silencieuse. Aujourd'hui, j'y suis seule. Scott a proposé de m'aider, mais je lui ai dit de rester à l'université, que j'avais la situation bien en main, question paperasse. Larry et Jane sont eux aussi au travail. Ils ont fini de débarrasser la maison des cailloux et de tous les objets paraissant précieux, et sont en train de régler les derniers points relatifs à l'enterrement.

— Tu devrais être en sécurité seule dans la maison pendant la journée, à présent que nous avons fait installer les nouvelles serrures, m'a assuré Larry. Prends tout de même bien garde à refermer la porte.

La clé que m'a donnée le serrurier était autrement plus pimpante que celle de papa : brillante, dodue... J'ai suivi les conseils de Larry mais, sitôt dans la maison, j'ai compris qu'il y faisait trop chaud pour la garder fermée. Les murs emmagasinent la chaleur de la journée beaucoup plus vite qu'ils ne l'évacuent la nuit.

J'ouvre en grand les portes coulissantes donnant sur la terrasse et un vent chaud s'engouffre à l'intérieur. Dehors, le soleil est fort et les feuilles s'agitent comme pour me souhaiter la bienvenue. Par réflexe, mes yeux cherchent les repères familiers, dans la vallée.

Quand nous étions gosses, nous avions coutume de nous glisser sous la balustrade à l'une des extrémités de la terrasse, là où elle rejoignait presque le terrain en pente. Je me souviens de l'envolée libératrice, puis du bruit sourd du bois sous les pieds quand on réussissait notre atterrissage. Profitant que personne n'est là pour m'observer, je me laisse glisser jusqu'à la pente, m'agrippe à la balustrade et reste suspendue au-dessus du sol. Si cette position était autrefois indolore, j'ai aujourd'hui l'impression que je vais me déboîter les bras. Je me balance une fois, deux fois, puis saute sur la terrasse d'un geste sûr. Mon corps se projette selon la bonne trajectoire, je sens la vigueur de sa cambrure avant d'atterrir parfaitement sur les deux pieds. Satisfaction. L'exécution du mouvement n'a pas pris plus de deux secondes et mon corps en a parfaitement conservé la mémoire. Je me demande comment j'ai pu m'en souvenir aussi bien.

Je retourne dans le bureau pour appeler Jim Finnigan.

— Lucy! Oh mon Dieu, Lucy, je pensais justement à toi. Comment ça va, là-bas? Comment tu te sens?

Il parle fort et vite. Dans sa voix, je perçois New York.

— Ça fait du bien de t'entendre, Jim.

— La vie est dure, non? C'est quand, l'enterrement?

— Pas avant mardi.

J'imagine le dernier tiroir du bureau de Jim ouvert, ses pieds calés dessus... S'ils ne sont pas sur la corbeille, voire dans la corbeille. Le téléphone doit être coincé entre son oreille et son cou par ses bajoues.

— Bien... Ne te dépêche pas de rentrer.

— Jim, tu t'es trompé de réplique. Tu es censé me dire que sans moi, tu ne t'en sortiras pas.

— Eh bien, si, je m'en sors. Alors prends ton temps.

— Je pensais revenir à la fin de la semaine prochaine.

— C'est bon. Reste plus longtemps s'il le faut.

— On en est où, des négociations Hifeld-Mittex?

— Ça sent le roussi, mais ne t'inquiète pas de ça. Reste où tu es, je me charge de faire le nécessaire.

En dépit de ses mots rassurants, je sens que sa voix touche le fond de la rivière.

— Lucy, la police m'a contacté hier. À ton sujet.

Le lit de la rivière est tapissé de rochers.

— Ils voulaient quoi?

— Oh..., répond-il en expirant fort. Un type va venir en avion exprès pour m'interroger.

— Quel type? Tu connais son nom?

— Euh...

Froissement de papier.

— ... Rougemont. Ça t'évoque quelque chose?

— Il vient à New York?

— Oui. Ce week-end. Il sera au bureau lundi. Je dois lui fournir le détail de toutes les heures que tu as passées ici dans les dix jours avant la mort de ton père. Ce genre de chose...

— Oh.

— Lucy, dit Jim d'une voix hésitante, c'est vrai, ton père a été tué?

— La police le pense.

— C'est horrible. Tu as une idée de qui aurait pu...

— Non, Jim, vraiment pas. Papa était un type adorable, et je ne vois pas qui aurait pu avoir une raison de lui en vouloir.

— Tu crois que les gens ont toujours besoin d'une raison?

— Oui, à moins d'être fous. Rougemont t'a posé d'autres questions?

— Il voulait savoir à quoi tu avais passé le week-end. Tu m'as raconté que tu avais rendu visite à des amis et c'est ce que je lui ai répété. J'ai bien fait?

L'anxiété de Jim m'inquiète. Et son ton semble insinuer que je cache des choses à la police.

— Bien sûr. Je leur ai déjà dit.

— Il veut aussi parler avec Fatima.

— Mmm mmm...

— Lucy, il m'a demandé les enregistrements de tes conversations téléphoniques des deux dernières semaines.

Je reste silencieuse. À cause du choc, tout d'abord, puis de la réflexion. Je me demande ce que j'ai bien pu dire à Kent ou ce que lui a bien pu me dire sur la ligne téléphonique de la société.

— Lucy?

Qu'une banque enregistre les appels est chose courante et

acceptée. Personne ne les écoute, sauf en cas de litige ou de soupçon d'espionnage. Je me demande qui conserve les cassettes et qui décide si elles peuvent être entendues.

— Hé, tu es toujours là?

— Qu'est-ce que tu lui as répondu, Jim?

— Que c'était impossible, car les cassettes contiennent des informations confidentielles. Il a insisté et, pour finir, j'ai dû en référer en haut lieu.

— Jusqu'où?

— J'ai le sentiment que c'est allé jusqu'à Semper.

— Semper! Oh, merde, Jim! Ça pourrait sonner le glas de ma carrière.

— Ouais. Ce truc donne un peu l'impression que... que tu fais partie des suspects. Je suis sûr que ce n'est pas le cas, ajoute-t-il aussitôt. Mais ça fait cet effet-là, quand la police commence à poser des questions et à vérifier les faits et gestes. Ce n'est certainement pas le tremplin idéal.

— Est-ce que Semper va leur donner les cassettes?

— Il ne devrait pas le faire sans t'en aviser auparavant. Mais si tu as un avocat...

— Jim, je n'ai pas besoin d'avocat. Je n'ai rien fait de mal.

— Très bien, très bien. N'en ajoute pas davantage, vu que cet appel est enregistré.

— Il n'y a rien, dans ces cassettes, que la police ne devrait pas entendre. Simplement, c'est une... une intrusion. Une violation de la vie privée. Rien de plus.

— Ouais, c'est affreux, Lucy. Mais au moins tu n'as pas à te faire de souci pour Hifeld. Laisse-moi m'occuper de Gregory. Oublie-nous et passe ces tristes moments en compagnie de ta famille.

J'ai envie de hurler : « Je n'ai pas d'autre famille que mon travail! » Mais je n'en fais rien. Je sais qu'il en est ainsi de la plupart d'entre nous à la banque, y compris Jim. Mais nous n'aimons pas le reconnaître à haute voix, surtout si l'on nous enregistre.

J'essaie de rappeler Jay Kent, mais depuis mon dernier coup de fil sa secrétaire a visiblement reçu l'ordre de m'intercepter. Humiliée, je me réfugie dans les petits détails de la vie de papa : ses fichiers, ses lettres, ses relevés bancaires, ses papiers de sécurité sociale. De temps en temps, j'entends bruisser les rideaux dans le salon. Rien d'autre ne vient perturber le silence de la maison.

J'ouvre le tiroir de son bureau et, non sans mauvaise conscience — comme si c'était une tablette de chocolat — j'en sors les coupures de journaux. « Mariages » est sur le dessus de la pile. Le marié est docteur. Les demoiselles d'honneur portaient du jaune.

Après l'accident de voiture, j'avais rapidement pu quitter l'hôpital et rentrer chez moi. J'avais passé les longs mois d'été à attendre un coup de téléphone de Robert. Même s'il ne m'appelait pas, il aurait pu m'écrire. Il n'en avait rien fait. J'espérais que sa mère me contacterait. Mais elle ne le fit pas non plus. Je ne trouvais à cela qu'une seule explication : Robert et sa famille me jugeaient responsable de l'accident. C'est vrai, il avait un bras passé autour de moi alors qu'il aurait dû garder les deux mains sur le volant. Avais-je encouragé ou, pire, provoqué son manque d'attention, ce qui avait bien failli être fatal ? Son silence semblait le suggérer et, au fond de moi, je m'étais toujours considérée comme partiellement, voire totalement, responsable de l'accident. À la fin de ce long été, de l'été de Robert, nous étions partis chacun de notre côté, dans une université différente. Lorsque, plus tard, quelqu'un m'avait appris que Robert avait pu conserver sa jambe mais qu'il boitait terriblement et ne pourrait plus jamais faire de sport, j'avais éprouvé plus de remords que de compassion.

Je suis plongée dans ces pensées quand soudain je réalise que je ne suis pas seule.

Quelqu'un est ici. Ce n'est pas un bruit que je perçois, mais une impression de mouvement, là, juste à la porte du bureau. Je ne le vois pas, je le sens. Un frisson me court le long de la nuque et je bondis hors de mon siège. Il n'y a personne sur le seuil et la porte est immobile, mais l'air est d'une qualité différente. Quelqu'un s'est tenu là, ou du moins est passé, il y a dix secondes à peine.

Je me précipite sur la terrasse, les nerfs à vif et la bouche sèche, et me penche au-dessus de la balustrade. Le soleil est aveuglant. Les feuilles tremblotent au vent. À part ça, rien ne bouge sur la colline. Au-dessous, la vallée cuit comme un gros pain brun. J'attends en retenant mon souffle haletant puis, retournant dans la maison, j'inspecte toutes les pièces du bas et, bien que la porte soit demeurée fermée, je sors sur la véranda. La grange, la voiture, l'allée. Rien ne bouge. Rien ne change.

Sur la terrasse, je distingue alors, loin au-delà de la maison, presque au niveau du chemin de terre, un mouvement dans l'ombre mouchetée des arbres. Sans doute un homme, probablement en train de courir. Il a dû se tapir sous la terrasse, juste sous mes pieds, parmi la réserve de bois et les vieilles machines, jusqu'à ce que je sois rentrée. Puis il a fui. Je surprends encore une fois la silhouette sombre dans un coin de mon champ de vision, puis elle disparaît tout à fait. J'attends, le regard rivé sur le point où je l'ai aperçu, mais je n'ai plus sous les yeux qu'un paysage calme et désert.

Je saute de la terrasse et cherche à reconstituer le trajet de l'intrus. Il y a de grosses empreintes de pas sur la terre, mais elles pourraient aussi bien être celles d'un policier ou de Larry.

Je fais le tour de la maison, puis vais jusqu'au sentier de terre. Il y a un trou dans le feuillage, par lequel il a dû s'échapper.

Je reviens vers la maison, m'arrête devant le jardin encastré, l'œil à l'affût, l'oreille aux aguets. Mon cœur bat à tout rompre. Le jardin est abrité par des arbres formant une voûte et à demi tapissé de lierre. Rien n'a été dérangé depuis un bon bout de temps. Soudain, j'ai le souffle coupé. Une chose inconnue émerge des broussailles. La couleur cloche, la forme cloche : ça ne devrait pas être là.

Écartant le feuillage, je sens les branches duveteuses glisser entre mes doigts et descends avec précaution les marches de pierre. Appuyée contre l'un des murs se trouve une pierre tombale. Je suis si surprise que je ne parviens pas tout de suite à décrypter l'inscription, les lettres me sautant au visage tels les débris d'une explosion. Au début, je prends ça pour un monument récent et un peu excessif à la mémoire du chien de maman, enterré par ici. Mais après avoir fixé les mots suffisamment longtemps, je lis : « Ne m'oubliez pas. N'oubliez pas la mort. Éric Schaffer. » Je les relis plusieurs fois, jusqu'à ce qu'ils résonnent dans ma tête. Ne m'oubliez pas. N'oubliez pas la mort.

La pierre est grise et sa surface rugueuse, plus rugueuse que celle que j'ai vue chez Joe Zacarro. Et bien que l'inscription soit identique, les caractères sont moins travaillés. En bas, un espace est laissé vide, pour les dates. Posée de guingois sur les pierres inégales bordant le jardin, elle dégage quelque chose d'absurdement guilleret.

Je remonte lentement les marches. Papa a pavé ce jardin avec les mêmes cailloux ronds et lisses qu'il avait utilisés pour l'allée. Nickel y est enterré, un chien marron que ma mère adorait et que Jane avait un jour découvert empoisonné, sans doute par quelqu'un qui voulait exterminer les coyotes. Si l'on parvient à oublier le tragique destin de Nickel, le jardin encastré aurait pu être un lieu idéal pour faire ses devoirs. Mais ça n'avait jamais été le cas car le soleil y redoublait d'agressivité. Je ne me souviens pas m'être jamais assise sur les marches de pierre.

Le vieux maillot de bain que m'a rendu Scott est dans la voiture. Je le prends et vais fermer la maison. Alors que je fais coulisser la porte-fenêtre de la terrasse, la vallée m'attire comme un aimant et j'y plonge à nouveau le regard. La ferme où Lindy et moi nous étions rendues à pied. Les pistes par lesquelles le fermier nous avait raccompagnées dans son camion, tandis que des nuages de fumée s'élevaient derrière nous. L'endroit où la voiture de Joseph Robert s'est retournée. La longue route grise menant à l'intersection où, en ce moment même, minuscule et silencieuse, roule une dépanneuse semblable à un modèle réduit. Elle pique droit vers le cœur de la vallée puis, tandis qu'un rayon de soleil ricoche sur le métal chromé, tourne au nord. Je la suis des yeux jusqu'à ce qu'elle ait disparu de mon champ de vision. Puis je quitte la maison pour me rendre chez Joe Zacarro.

22

Joe est sorti. Mes cris et mes coups de sonnette restent sans réponse, et la voiture au coffre cadenassé n'est pas là. Rien ne flotte à la surface de la piscine, hormis le fauteuil gonflable, amarré dans un coin. Je vais droit à la pierre tombale. « N'oubliez jamais la mort. Ainsi vécut Joe Zacarro. » Les caractères sont différents, mais ils ont probablement été gravés par le même artisan.

J'enfile mon maillot de bain et la piscine se déploie devant moi, rectangle d'eau lisse et étincelant. J'y entre jusqu'à la taille, sens sa fraîcheur me saisir, tandis que le soleil frappe de ses rayons brûlants mon visage et mes épaules. Je m'avance encore, et la sensation de froid s'élève dans mon corps. J'ai le souffle coupé lorsque l'eau se referme, tel un anneau de métal, autour de mon cœur. Je me projette en avant et change d'élément. À présent, mes mouvements sont aquatiques, mes pensées, celles d'un poisson. Je ne sens plus le froid.

Je nage rapidement, découpe la calme surface de l'eau avant de faire demi-tour et de la couper à nouveau, comme le feraient les ciseaux d'une couturière. Une longueur de piscine, une autre, encore une autre. L'eau ruisselle de part et d'autre de mon visage. M'étreignant, me caressant tel un parent patient tandis que, dans ses bras, je m'agite et me débats à coups de pied. Les sens engourdis, la pensée bercée par le rythme de la nage, je continue longtemps. Puis, sans raison, je m'arrête à mi-course.

Je sors de l'eau avec l'impression de m'être lavée des dernières heures, voire des derniers jours. Je m'enveloppe d'une serviette et regarde les gouttes qui s'écoulent de mon corps dessiner d'étranges formes sombres sur les dalles entourant la piscine.

— Faut croire que tu en avais besoin, dit une voix.

Sous un parasol, en maillot de bain, est assis M. Zacarro. Il pousse vers moi un verre de café glacé.

— Ça m'a pris un petit moment, de le préparer. Je ne me doutais pas que, quand j'aurais fini, tu serais toujours en train de nager.

Je sirote le café, savourant son goût sucré. Joe étend sa jambe malade sur une chaise. Je lui parle de l'homme qui s'est introduit chez papa. Il écoute, réfléchit puis, enfin :

— Et tu as eu le réflexe de venir ici. Tu as bien fait. Tu es en sécurité chez Joe, n'oublie pas ça.

— Mais ce type est peut-être encore dans les parages. Il est parti par le chemin de terre, après avoir traversé la haie.

Joe fronce les sourcils.

— Il s'est sauvé, me rappelle-t-il. S'il avait voulu te faire du mal, il l'aurait fait quand tu étais seule dans la maison.

Je hoche la tête, quasi certaine que l'intrus était au volant de la dépanneuse.

— O.K. poursuit Joe, sur un ton sérieux. Reprenons du début. Il s'est servi d'une clé. À deux reprises. Jusqu'à ce que vous fassiez changer les serrures.

— Hier soir, la police a posté deux agents dans le jardin, pour le cas où il aurait eu envie de recommencer. Mais il n'en a rien fait.

Jane me l'avait annoncé ce matin, par téléphone. Elle paraissait déçue.

— Donc... soit il savait que vous aviez changé les serrures, soit il s'en est douté, soit il avait déjà trouvé ce qu'il cherchait. Sauf qu'aujourd'hui, il est entré directement par la terrasse, t'a vue et a filé aussi sec.

— Oui, c'est sans doute parce qu'il m'a vue qu'il a filé. Je ne vois pas quelle autre raison il aurait pu avoir.

— Visiblement, il n'a pas l'intention de se présenter.

— À mon avis, il veut quelque chose.

— Quoi?

— Quelque chose qui se trouve dans le bureau.

— Et il y a quoi?

— Les papiers de papa, c'est tout.

Joe se lève et se dirige vers la piscine, avec un air hagard. Un énorme plouf se fait entendre et l'eau jaillit de toutes parts. Elle laisse des taches sombres sur le dallage et me mouille les jambes, que j'étends au soleil.

Joe effectue une ou deux brasses, sous l'eau, avec une espèce de grâce naturelle. Puis il se retourne sur le dos.

— J'ai besoin de me mettre à l'eau si je veux pouvoir penser, explique-t-il, le visage ruisselant.

Il rejette la tête en arrière et, plus loin, ses orteils émergent. Il fait la planche. Ferme les yeux.

— J'ai une théorie..., dis-je d'une voix hésitante. Je crois qu'il conduit une dépanneuse.

Joe rouvre les yeux.

— Ce type qui visite la maison? Tu l'as vu conduire une dépanneuse?

— Non. Je ne sais même pas où il la gare. Mais les deux fois où j'ai senti une présence, j'ai regardé dans la vallée et dix, peut-être quinze minutes plus tard, j'ai vu une dépanneuse.

— Elle allait où?

— Vers l'est. Et puis, à l'intersection, elle a pris vers le nord.

— Si tu ne l'as vue que deux fois, c'est sûrement une coïncidence.

— Est-ce que papa connaissait quelqu'un possédant une dépanneuse?

L'eau est à présent presque calme. Les vagues créées par le plongeon de Joe suffisent à peine à faire remuer son corps.

— Je vais y réfléchir, répond-il enfin. Cela dit, quand on conduit un vieux tas de ferraille comme celui d'Éric, il vaut mieux avoir quelqu'un à appeler si on tombe en panne sur l'autoroute.

— J'ai cherché dans son carnet d'adresses, mais je n'ai rien trouvé qui paraisse coller.

— Mmm... je vais y réfléchir, répète-t-il.

Il reste si longtemps sans bouger et sans parler que j'en conclus qu'à force de réfléchir il s'est endormi. Je n'ai jamais vu personne s'endormir dans l'eau sans flotteurs d'aucune sorte, Joe semble en être capable. Il est temps de partir, même si je ne lui ai pas posé la question qui m'amène ici. Je ramasse les verres en silence, en évitant de les faire tinter comme quand Jane et moi faisions la vaisselle, lorsque maman était très malade. Joe ouvre un œil.

— Eh, Lucy. Ne t'en vas pas!

— Je pensais que vous dormiez.

— Non, je réfléchissais.

— Il y a autre chose que je voulais vous demander.

— Oui...

— J'ai découvert la dalle funéraire de papa.

Il ouvre les deux yeux et s'assied dans l'eau, troublant son calme, agitant sa surface de vaguelettes.

— Ah oui? Dans la fosse?

— Dans le jardin encastré.

— Tu parles d'un nom à la noix.

Il se hisse sur le siège flottant, tandis que l'eau ruisselle sur sa peau.

— Vous saviez donc que la stèle funéraire était là?

Ses jambes pendent dans l'eau, paraissant plus pâles que le reste de son corps hâlé. Il rejette la tête en arrière et ferme les yeux.

— Bien sûr. Éric n'en parle pas dans son testament? C'est comme ça qu'on fait, en général, et les membres de la famille sont alors bien contents qu'on leur ait épargné les tracas et la dépense.

— Je ne crois pas qu'il l'ait mentionnée.

— Eh bien, tu as dû remarquer qu'elle ressemble pas mal à la mienne. À celle d'Adam Holler, aussi. On les a toutes fait faire au même endroit, Éric, Adam et moi.

— C'était une promo? Trois pour le prix de deux?

De manière inattendue, M. Zacarro rejette la tête et éclate d'un rire tonitruant. Le fauteuil flottant oscille.

— Ce n'était pas une blague, dis-je lorsqu'il s'est calmé.

— Aucun souci économique n'est entré là-dedans, Lucy. On voulait que nos stèles funéraires soient comme ça, alors on les a fait graver nous-mêmes, pour qu'il n'y ait pas de malentendu.

— « N'oubliez pas la mort »? Ce n'est pas un peu bizarre?

— Pas tant que ça. De telles formules ont été utilisées de tout temps. C'est une notion moderne, propre aux pays industrialisés, que de faire comme si la mort n'existait pas. Mais si l'on n'oublie pas que l'on va mourir un jour, on vit d'une tout autre manière. Pas forcément mieux, mais probablement, tout de même. En tous les cas, différemment, ça c'est certain. Éric, Adam et moi, on étiait d'accord sur ça.

Je le regarde sans trop savoir que penser.

— Sois gentille, va me chercher une bière et prends-en une pour toi.

Je file sur la véranda et rapporte une bière à Joe.

— Je ne me rappelle pas avoir jamais entendu papa parler de sa mort.

— Ça ne veut pas dire qu'il n'y pensait pas.

J'avale ma salive et demande :

— Il avait peur de mourir?

M. Zacarro soupire et je vois ce soupir glisser dans tout son corps.

— Oh, bien sûr, comme nous tous. On ne sait pas comment la mort va se présenter, si on va souffrir... et ça fait peur. La seule chose dont on soit sûr, c'est qu'on ne peut pas y échapper.

Son ton a changé. Il est soudain plus grave. Je lui jette un coup d'œil.

262

— Ça va, Joe?

— J'ai été interrogé ce matin. Une gentille fille de la police. Brune. Aux cheveux longs.

— Longs?

— Elle n'arrêtait pas de se les tripoter. Elle voulait savoir si Éric avait un ennemi, ou s'il avait la moindre raison de redouter quelqu'un. En somme, si je savais qui l'a tué.

— Et vous lui avez répondu quoi?

Son visage prend une expression triste.

— J'ai ri, tellement cette idée me paraissait dingue.

— Que vous a-t-elle demandé d'autre?

— Eh bien...

Il s'interrompt. Fixe l'eau de la piscine, à peine agitée de vaguelettes, et les reflets qui dansent à la surface. Mais son visage reste sombre. Les coins de sa bouche tombent et il se frotte les yeux comme s'il avait une poussière dedans.

— Ça a été un fichu sale coup...

J'attends et lorsqu'il se tourne enfin vers moi, je remarque qu'il a les yeux rougis et que ce n'est pas à cause d'une poussière. Il avale sa salive. Puis, d'une voix froissée et usée, il dit:

— Elle m'a posé des questions au sujet de Lindy.

— Lindy!

L'espace d'un instant, je me sens furieuse contre l'inspectrice. Je la vois, tripotant ses cheveux imaginaires, souriant froidement, lacérant le passé des gens avec son stylo, attaquant leurs points sensibles avec son bloc-notes.

Le gros corps bronzé de Joe Zacarro est secoué de sanglots. Ses muscles se contractent et sa chair frissonne tandis que la douleur s'agite en lui tel un poisson au bout d'une ligne.

Son visage, son torse et son ventre sont bientôt trempés de larmes. Il se penche, recueille de l'eau entre ses mains, se la passe sur la figure, plusieurs fois.

Je tends un bras vers lui et il met aussitôt sa main sur la mienne, la retenant et la protégeant tout à la fois.

— Elle m'a demandé comment Lindy était morte. Je lui ai répondu qu'ils possédaient déjà quelque part un dossier Lindy Wardine Zacarro. La police était venue ce soir-là et avait posé tout un tas de questions. J'ai dit à cette fille brune qu'ils devaient encore avoir le dossier quelque part et que si ça l'intéressait, elle n'avait qu'à le chercher. Et puis elle m'a quand même interrogé sur tout. Sur tous les souvenirs qu'il me reste du jour où ma Lindy est morte. Comme si j'avais pu en oublier une seule seconde.

Il lève vers moi ses yeux toujours rouges.

— Ça m'a achevé pour quelques heures.

Son torse se soulève, il respire avec peine.

— Tu te rappelles? Tu te rappelles, quand ma Lindy est morte?

C'étaient les vacances d'été et nous jouions à cache-cache avec les enfants du voisinage. À cause d'une espèce de dispute, je ne sais plus exactement pourquoi — une broutille, sans doute, une histoire de gamines —, notre amitié, à Lindy et à moi, s'était relâchée. Malgré cela, nous nous joignions quand même aux autres gosses, sur la colline, pendant les vacances. Quand était venu le tour de Lindy de se cacher, personne n'avait pu la trouver. On avait cherché, appelé et, pour finir, il s'était fait tard et nous étions tous rentrés chez nous, chacun de son côté. Au début, Mme Zacarro ne s'était pas trop inquiétée: il faisait chaud et les mères étaient presque toutes assises ensemble, à s'éventer. Mais lorsque Davis et Carter commencèrent à avoir faim et que Lindy n'avait toujours pas reparu, Mme Zacarro comprit que quelque chose clochait. Elle prit la voiture et se mit à sillonner les environs en criant le nom de sa fille. Elle passa chez nous. Demanda à voir ma mère. Mais ma mère avait été malade et se reposait, et mon père était sorti. Si Mme Zacarro avait d'abord semblé en colère, son visage était désormais creusé par l'inquiétude. Elle ignorait que pendant ce temps Lindy était tout près, dans le coffre de la voiture et qu'elle s'était arraché les ongles à essayer d'en sortir. Selon la police, la température était si élevée dans le coffre qu'elle avait dû mourir en moins d'une demi-heure. À cette époque-là, chaque fois que je pensais à Lindy, étendue morte et sans ongles dans le coffre de la voiture garée juste devant notre grange, j'avais envie de vomir.

— Je ne comprends pas, dit Joe, pourquoi cette femme vient me poser des questions sur ma petite fille au bout de toutes ces années.

Il s'asperge à nouveau d'eau. J'hésite un moment, puis :

— J'ai beaucoup pensé à Lindy, depuis mon retour.

Son visage s'éclaire d'un sourire indulgent.

— Ouais, vous étiez de grandes copines. Tu te souviens, vous jouiez aux petits chevaux et vous vous faisiez des tresses et tout le reste ?

— Joe, est-ce que Lindy a eu un vrai cheval ?

— Slim ! Un beau cheval alezan. Je l'avais acheté à un ran-cher, dans les montagnes. On le laissait aux écuries Tannerman, en bas, dans la vallée. Lindy l'adorait. Quand elle est morte... je ne pouvais plus regarder Slim. Je ne supportais pas de penser à lui. Je l'ai laissé chez Tannerman et j'imagine qu'ils se sont occupés de lui, j'en sais rien, je ne leur ai jamais posé la ques-tion, j'espère qu'ils l'ont bien traité. Pour finir, quelqu'un a voulu l'acheter. Prenez-le, je lui ai répondu, on ne veut plus jamais en entendre parler. À présent, j'ai un peu mauvaise conscience. Slim n'y était pour rien. Il ne pouvait pas comprendre.

— Je me souviens d'avoir vu Lindy monter ce cheval, dis-je.

265

Ça me fait plaisir de savoir que c'est un vrai souvenir et pas quelque chose qu'elle ou moi avons imaginé.

— Attends, m'ordonne Joe. Il se lève et, lentement, se dirige en boitant vers la maison. Il ressort, tenant quelque chose dans les bras. Lorsqu'il se rapproche, je distingue des photos enca-drées. Lindy sur le cheval alezan, si jolie avec ses cheveux au carré. Lindy plus jeune, le visage plus rond, les cheveux plus longs, posant timidement dans son uniforme de scout. Lindy riant à l'objectif, d'une manière qui suscite chez moi un mouve-ment de recul. Je me souviens de ce rire. Il n'était pas toujours tendre.

— Elle est mignonne, hein ? fait Joe. Enfin... elle serait deve-nue une belle jeune femme, non ? Comme toi, Lucy, aussi belle que toi.

Lindy était mon amie, mais nous nous étions disputées à propos de je ne sais plus quoi. Après ça, elle était devenue un genre de meneuse, constamment entourée des autres filles de la classe, alors que j'étais tout le temps seule, traînant d'un groupe à l'autre sans appartenir vraiment à aucun. Il m'arrivait d'avoir des amies pendant un temps. Je redoutais le jour où elles ou leurs mères m'inviteraient chez elles. Notre amitié toucherait alors à sa fin, car je ne pourrais pas leur rendre leur invitation.

Joe retourne laborieusement vers la maison reposer les pho-tos, me laissant assise là, seule avec mes pensées, à l'ombre du grand parasol.

266

23

En descendant l'allée de Joe, je cherche des yeux la plante aux feuilles poisseuses et aux fleurs roses. Je m'apprête à la frôler sans crainte et à la laisser, telle une sorte de machine à voyager dans le temps, me transporter dans mon enfance et dans celle de Lindy. Mais aujourd'hui je ne la vois pas, et rien d'autre n'a cette consistance visqueuse.

Une fois dans le jardin de papa, je me dirige vers la pierre tombale. « Ne m'oubliez pas. » Papa ignorait-il que son entourage lui vouait une affection aussi inébranlable que cette pierre grise dont il avait choisi de faire sa pierre tombale ? Ne savait-il pas que nous ne risquions pas de l'oublier ? Je passe la main sur la surface qui, parce qu'elle a emmagasiné la chaleur de la journée, est agréable au toucher. Du bout des doigts, je suis le tracé des mots. N'oubliez pas la mort. N'oubliez pas Éric Schaffer.

À présent, la pierre tombale de papa est couverte de mes empreintes. Des traces silencieuses, invisibles et inodores, infime part de moi-même.

Après la mort de Lindy, une petite partie d'elle m'était restée. C'était mon secret et je n'en avais parlé à personne, pas même à Jane. Je faisais comme si Lindy était toujours en vie et était restée mon amie. Je lui racontais des choses. Je m'asseyais avec elle sur la balançoire de la véranda, nous discutions de l'école, des professeurs et des autres gamins. Lindy n'avait jamais un mot plus haut que l'autre. Un jour, je m'étais dit qu'au fond je préférais cette Lindy-là à celle que j'avais connue vivante, avec son amitié capricieuse et ses réactions imprévisibles. Je savais que c'était une mauvaise pensée et, à partir de ce jour, je m'étais efforcée de bannir la Lindy imaginaire de la balançoire.

J'entends un bruit de voiture. Me tourne à nouveau vers la

pierre tombale. En cette fin d'après-midi, l'air dégage une sorte de maturité tranquille. Le jour a perdu sa chaleur, qui a passé comme une mauvaise fièvre.

— Salut Lucy! lance une voix familière.

Je ne sursaute pas, ne me retourne pas. Je suis surtout agacée car, sans même m'en rendre compte, je m'attendais à sa venue. Il dit que je lui ai donné du boulot aujourd'hui. Et maintenant, il est là.

— Bonjour, monsieur Rougemont.

— Vous ne voulez vraiment pas m'appeler Michael? demande-t-il d'une voix amicale.

Je hausse les épaules. Je l'entends descendre avec difficulté dans le jardin encastré : ses grands pieds glissent un peu sur les marches branlantes, la terre et les pierres bruissent sous ses pas.

Je me souviens de n'avoir vu de lui qu'une ombre, le soir de la mort de papa, quand il parlait avec Kirsty devant la cuisine. Même en chair et en os, il demeure une ombre : incroyablement mince, incroyablement grand. Davantage encore que dans mon souvenir. Son long visage est tourné vers la pierre tombale.

— Elle a l'air récente, commente-t-il. Depuis combien de temps savez-vous qu'elle est là?

— Pas longtemps. Un voisin et ami de papa, Joe Zacarro, en a une aussi. Et encore un autre voisin.

— Intéressant.

Je hausse les épaules.

— C'est d'une bizarrerie assez attendrissante. J'aime les vieux excentriques.

Rougemont m'adresse un de ses sinistres sourires :

— C'est quoi, cet endroit, au juste?

Il s'assied sur l'une des dalles lézardées que papa a fixées dans le mur pour servir de sièges. Il étend une de ses jambes comme un insecte géant et jette un regard curieux autour de lui, sur les grosses pierres, tout en écrasant entre ses doigts une plante fragile qui libère soudain une forte odeur estivale.

— C'est le jardin encastré. Papa l'a construit avec ce qui restait des pierres de l'allée, pour qu'on ait un joli petit endroit tranquille où s'asseoir. Le chien de maman y est enterré quelque part.

— Celui qui est sur la photo, dans le bureau?

J'hésite. Il y a bien, sur le bureau, depuis mon enfance, une photo de maman et tante Zoya avec un petit chien marron. Mais il ne m'est jamais venu à l'esprit qu'il pouvait s'agir du fameux Nickel.

— Sans doute. Il s'appelait Nickel car papa l'avait acheté cinq cents à un type qui n'en voulait pas.

— Vous l'aimiez beaucoup?

— J'étais toute petite.

Je ferme les yeux et entrevois brièvement une chose marron, au poil dru et frisé, qui pousse de petits aboiements. Il me semble avoir serré contre moi une créature tiède et soumise, peut-être Nickel ou ma peluche Hodges.

— Jane m'a raconté qu'il avait coutume de se jeter sur moi et de me faire peur, mais je ne suis pas sûre de m'en souvenir. D'ailleurs, je ne suis même pas certaine de me souvenir de lui. Je veux dire, peut-être que je me rappelle juste ce que Jane a dit à son propos.

— Oh oui, approuve l'inspecteur. On confond très facilement ce qui s'est vraiment passé et ce qu'on nous a raconté ou que l'on a rêvé. C'est bien, c'est vraiment très bien, de réaliser que la mémoire n'est pas fiable. Mais il me semble que si vous deviez vous rappeler quelque chose, ce serait bien la mort de Nickel. Enfin... vous avez dû être triste, votre mère a dû avoir du chagrin, quelqu'un — votre père sans doute — a dû l'enterrer.

Je m'efforce d'évoquer toutes ces images : ma mère en larmes. Papa avec une pelle, l'air affligé. Jane livide. Mais la mort du chien m'est aussi insaisissable que sa vie.

— Vous veniez souvent vous asseoir ici quand vous étiez gamine ? demande-t-il.

— De temps en temps. Mais si je voulais m'échapper, j'allais sur la véranda, devant la maison.

À peine les mots me sont-ils sortis de la bouche que je voudrais pouvoir les ravaler. Le corps de Rougemont frémit, comme s'il s'apprêtait à bondir.

— À quoi vouliez-vous échapper, Lucy ?

En attendant ma réponse, Rougemont étend son autre jambe.

— Vous devez vous demander, reprend-il enfin, ce que j'ai découvert aujourd'hui, au sujet de votre week-end.

Je reste silencieuse, les yeux rivés sur la pierre tombale de papa. Il marque un long temps d'arrêt, avant de poursuivre :

— Ça me simplifierait tellement la vie, Lucy, si vous acceptiez de me parler.

Devant mon obstination à garder le silence, il ajoute :

— Je ne veux pas seulement parler du week-end, même si, à ce sujet, j'aimerais bien que vous soyez plus claire. Non, ce que je voudrais, c'est que vous me racontiez le genre de trucs qu'en général on ne raconte pas, parce que ça n'intéresse personne. Des tas de gens ne s'intéressent à rien d'autres qu'à eux-mêmes. Prenez Jay Kent, par exemple.

Nul sursaut, nul raidissement ne me trahit : je demeure parfaitement impassible.

— Eh bien, ce M. Jay Kent... il a beau être un super-homme d'affaires — à ce que j'ai compris, il sera cet été à la tête de la plus grosse entreprise de jouets du pays — je suis sûr que quel que soit son degré d'intimité avec quelqu'un, il ne se soucie absolument pas du passé de la personne. Il ne lui pose pas la moindre question sur son enfance, et il ne révèle rien, s'il peut l'éviter, de la sienne. Mais je suis différent de Jay Kent, Lucy. J'aime que les gens me confient des choses, et j'aimerais particulièrement en savoir davantage sur vous.

Je l'observe à présent. Regarde ses lèvres se tendre sur ses grandes dents pendant qu'il parle. Je demeure silencieuse, mais une chaleur venue de l'intérieur — sur laquelle je n'ai aucun pouvoir — se répand peu à peu dans mon corps. Bientôt elle atteindra mon visage et il s'en apercevra.

— J'ai parlé avec lui aujourd'hui, continue Michael Rougemont. Oui, ajoute-t-il en levant les yeux sur le feuillage au-dessus de sa tête, j'ai parlé avec Jay Kent il n'y a pas longtemps.

C'est le soir à New York. Rougemont a-t-il contacté Kent à son bureau ou chez lui, alors qu'il jouait les maris modèles avec sa femme et son bébé? Je retiens ma respiration.

— Il n'était pas vraiment surpris que je l'appelle, mais n'a pas paru enchanté de m'entendre.

Je regarde ses yeux creusés par toutes ces années où il s'est couché trop tard et levé trop tôt, toutes ces années d'inquiétude et de souffrance. La vie semble s'être concentrée autour de ses yeux. Je touche mon visage. Ma peau est douce mais brûlante.

— Quoi qu'il en soit, il a été coopératif. Je dirais même qu'il était soucieux de se rendre utile. Il s'est isolé dans une pièce où il a pu se concentrer sur mes questions et y répondre sans la moindre hésitation. Vous voyez, Lucy, j'ai posé des tas de questions à des tas de gens depuis le temps que je fais ce métier, et j'ai remarqué que la plupart d'entre eux hésitent. Pour différentes raisons. Parfois parce qu'ils mentent mais encore plus souvent, d'après mon expérience, parce qu'ils veulent être sûrs que ça ne va pas trop poser de problèmes s'ils disent la vérité. Alors ils prennent le temps de peser les conséquences, pour eux et pour les autres, de cette vérité qu'ils s'apprêtent à révéler. Jay Kent n'avait pas un tel souci, Lucy. Il se fichait éperdument des conséquences de ses paroles. Il savait juste que plus vite il répondrait à mes questions, plus vite il se débarrasserait de moi. C'est pourquoi il n'a pas hésité, pas une seule seconde.

Rougemont me regarde de près, de si près que je détourne le visage.

— Vous n'êtes pas amoureuse de lui, Lucy. Rassurez-moi.

Je ne réponds rien mais me surprends à hausser légèrement les épaules. Rougemont en conclut que Jay Kent m'est indifférent.

— Tant mieux, ça me fait plaisir. Vous saviez déjà le peu de cas qu'il fait de vous, je crois. Ce type a besoin de posséder les choses, si vous voulez mon avis. Vous l'avez rencontré parce que vous vous occupez d'une société qui cherche un acquéreur. Thinking Toys. Thinking Toys est à vendre, Lucy, mais pas vous. Vous n'êtes pas le genre de femme qu'un homme comme Jay Kent peut acquérir.

Je le dévisage.

— Monsieur Rougemont, pour quelqu'un qui est censé poser des questions, vous répondez beaucoup.

Il rit à présent. S'esclaffe, même.

— Très bien, Lucy. Je vais commencer à poser des questions. À propos de dimanche dernier, par exemple. M. Jay Kent a fait la tournée des grands magasins, avec un obscur employé de son empire. Et vous, vous avez fait quoi pendant ce temps?

Devant mon absence de réponse, il se met à fouiller dans son sac. C'est un gros sac qu'il portait sur l'épaule jusqu'au moment où il s'est assis. Le genre de sac noir informe dont les gens se servent pour transporter un ordinateur, un tas de documents et un enchevêtrement de câbles. Il en sort une chaussure, qu'il agite devant moi.

— Attendez. Attendez une minute. Je peux faire mieux.

Il plonge à nouveau la main dans le sac.

— Oui...

Il tire une autre chaussure du sac, identique à la première, mais il y manque le talon.

— Alors, voilà ma question : reconnaissez-vous ces pièces à conviction ?

Je me tiens toujours près de la pierre tombale de papa. Je tends la main vers sa fraîcheur grise, regarde les chaussures. Ce sont des escarpins noirs, en cuir souple. Coûteux. À talons moyens. Abîmés pour avoir été mis en contact avec un sol pour lequel ils ne sont pas faits. De la terre brun-rouge a pénétré le cuir, au-dedans et au-dehors.

— Mmm, fait Rougemont en les examinant à la manière d'un docteur. Elles sont un peu sales, mais pensez-vous qu'elles vous iraient ?

Je hausse les épaules.

— Vous voulez en essayer une ? Juste pour voir si c'est votre taille ?

Comme je reste sans répondre, il insiste :

— Oui, bien sûr que vous voulez.

Il s'accroupit tout à coup devant moi. La stèle, sous mes doigts, supporte mon poids tandis qu'il soulève légèrement ma jambe droite. Avec une grande délicatesse, il retire ma chaussure et fait glisser mon pied dans celle qu'il a en main.

— Ah ! s'exclame-t-il. Pour être la bonne taille, c'est la bonne taille. Vous ne trouvez pas, Lucy ?

Je me soumets à son petit manège sans y participer.

— Et voyez, ce soulier que j'ai retiré...

Il le tient au niveau de son œil, le tournant vers la gauche et vers la droite.

— ... le talon est un peu plus usé du côté droit que du côté gauche. C'est parce que le poids n'est pas réparti de manière égale quand on marche : parfois on repose davantage sur un côté du pied, souvent c'est sur une jambe.

Clic clac, clic clac.

— Par exemple, ce soulier que vous venez d'essayer...

D'un seul geste, il me l'enlève, puis le remplace par ma chaussure.

— Oui, ce soulier est lui aussi usé au même endroit, peut-être un peu plus, mais pas tant que ça. La propriétaire de ce soulier a donc elle aussi tendance à faire reposer son poids sur l'intérieur du pied. Quelle coïncidence ! À moins que...

Il dresse le visage vers moi et lève comiquement les yeux au ciel. Il s'est remis à jouer les présentateurs de jeux télévisés.

— ... à moins, bien sûr... que ces chaussures vous appartiennent toutes.

Il se relève, me dominant à présent. Je m'agrippe à la stèle.

— Dommage pour celle-ci, soupire-t-il, les yeux fixés sur la chaussure sans talon. Quel gâchis !

Il ramasse les chaussures sales et s'assied. Dans l'air fraîchissant du début de soirée, sa voix paraît plus coupante.

— Vous êtes un escargot, Lucy. Vous n'avez pas appris à dissimuler vos traces. Ça a été tellement facile de les retrouver que je me suis demandé si vous ne jouiez pas avec moi à une espèce de jeu. Dimanche matin, vous avez loué une voiture, vous êtes sortie de la ville et êtes venue ici voir votre père. Je ne sais pas exactement où vous avez garé la voiture. En un lieu où elle ne risquait pas d'être vue. En un lieu où le terrain était accidenté, donc il allait vous falloir marcher un moment. Vous ne vouliez surtout pas que quiconque apprenne votre arrivée. Je ne sais pas ce que vous avez fait, au juste, mais vos chaussures en ont bavé. Marché dans la terre ? Peut-être même couru ? À votre retour en ville, elles étaient fichues, et il vous fallait une nouvelle paire. Vous en avez acheté au grand magasin qui se trouvait à un pâté de maisons à peine de votre hôtel. Je vous ai dit que ç'avait été un jeu d'enfant de retrouver votre piste. Voilà, on était dimanche, il n'y avait pas grand monde dans le magasin, la vendeuse se souvient de vous. Vous avez rangé l'ancienne paire dans la boîte des neuves et, une fois à votre hôtel, vous les avez jetées à la poubelle. Pour vous, elles avaient fait leur temps. Mais pour la femme de chambre, c'était une magnifique paire de chaussures, le genre qu'elle ne pourrait jamais se payer. Et elles étaient presque à sa taille, même si elles lui comprimaient un peu les orteils... alors elle les a rapportées chez elle, dans l'intention de les nettoyer, de les assouplir un peu et de leur faire mettre un nouveau talon. Bref, d'avoir elle aussi sa paire de chaussures de marque. Heureusement, elle n'a pas eu le temps de faire tout ça.

Il m'observe. Poursuit, d'une voix monotone et basse, car il me sait attentive à chacun de ses mots.

— Je pourrais les donner directement aux experts et leur demander d'analyser si la terre provient des environs immédiats. Je pourrais. Mais je n'aurai pas besoin de le faire, Lucy, si vous me dites ce qui s'est passé ici dimanche dernier. J'ai surtout besoin de savoir à quelle heure vous êtes venue. C'était en début d'après-midi, n'est-ce pas ?

Il pousse un énorme soupir.

— Je suis un gars généreux...

Je jette un coup d'œil à son gros visage. En ce moment précis, il n'a pas l'air généreux, mais son expression n'est pas méchante.

— Je suis un gars généreux, Lucy, et je vais vous accorder un

275

petit délai, car je dois quitter la ville demain pour quelques jours. Mais à mon retour, je vous demanderai de me raconter ce que vous faisiez ici, dans la maison de votre père, juste avant sa mort.

Il se lève et remet soigneusement les souliers dans le sac.

— On se voit à mon retour, Lucy, dit-il d'une voix douce.

Le croyant parti, je me retourne pour le découvrir perché en haut des marches de pierre.

— Au revoir, lance-t-il.

Il espère encore que je vais lui dire ce qu'il voudrait entendre mais je me tais. Et ne bouge pas, jusqu'à ce que je distingue le vrombissement de sa voiture dans l'allée. Je m'assieds alors sur la dalle réchauffée par Rougemont et, tandis que les feuilles bruissent au-dessus de ma tête, je me souviens de la mort de Nickel. La tristesse de ma mère, s'exhalant dans un hurlement déchirant, la pâleur de Jane et ses doigts s'agitant de tous côtés, et papa portant à deux mains un paquet rigide : Nickel enveloppé dans une couverture. Alors, j'avais couru, dépassant la vieille dépanneuse, contournant les buissons, me faufilant à travers les arbres, m'élançant dans l'herbe épaisse. J'avais couru jusqu'à atteindre la cabane que nous avions fabriquée, tout au fond du jardin, sous un buisson en surplomb. Un vieux tapis, quelques peluches et là, dans la cabane, une amie qui m'attendait. Lindy.

24

Une fois que j'ai fini de raconter à Seymour et à Katherine tout ce que je sais de la mort de papa, ils réfléchissent un bon moment.

— Quelqu'un s'est donné beaucoup de mal pour faire croire qu'Éric s'est suicidé, fait remarquer Seymour.

— Comme si c'était son genre! grogne Katherine.

— Par exemple... Laisser ses vêtements sur la plage, et ainsi de suite.

— Ce doit être une personne qui ne regarde jamais de séries policières, dit Katherine. Il suffit de deux ou trois épisodes pour savoir que la police peut déterminer si quelqu'un s'est noyé ou s'il était déjà mort avant d'entrer dans l'eau.

— Ça devrait nous permettre de retrouver l'assassin, réplique Seymour sur un ton sérieux. Vu qu'on peut éliminer la quasi-totalité de la population de ce pays.

En dépit des circonstances et de notre tristesse, nous échangeons un sourire.

Je jette un coup d'œil autour de moi. Les murs de la pièce sont tapissés de livres et partout s'entassent des magazines. Quelques étagères regorgent de petites figurines sculptées, africaines ou sud-américaines. Il y a même un masque, provenant sans doute d'une île du Pacifique. Et, partout, les visages radieux de petits enfants, et leurs barbouillages primitifs. Seymour et Katherine ont vécu une existence intense et elle est là, affichée sur leurs murs, débordant de leurs étagères. Je pense à la maison de papa, où tellement de choses sont cachées : dans la grange, dans des cartons, dans des placards et dans des chambres à coucher laissées à l'abandon.

Seymour verse dans des tasses un liquide brun pâle. Il explique :

— C'est du Pouchong rose citron, le thé qui a été sélectionné ce mois-ci. On fait partie de ce club, en Angleterre : tous les mois, ils nous envoient un thé différent.

— Il a plu à l'inspectrice, précise Katherine.

— Une fille séduisante, renchérit Seymour.

C'est un petit homme chauve et nerveux qui jouait au baseball quand il avait encore tous ses cheveux. Un jour, il a même affronté Joe DiMaggio. C'est un épisode qu'il ne se lasse pas de raconter : papa disait qu'il l'avait entendu au moins cinquante fois, chaque fois avec des variantes. Ce à quoi Seymour rétorquait : « C'est que je ne voudrais pas t'ennuyer, Éric. »

Le thé est encore trop chaud. Je me contente de respirer son arôme fleuri.

— Prends donc un biscuit, propose Katherine en poussant l'assiette vers moi. J'ai envie de te gâter, ma petite Lucy. Tu as l'air d'avoir besoin qu'on s'occupe de toi.

Depuis la mort de papa, même les inconnus reconnaissent instinctivement mon chagrin. À l'aéroport, la fille au guichet m'a dit : « Je vais vous trouver une bonne place, dans le vol de ce soir », et elle a tapoté sur son clavier d'ordinateur jusqu'à me dégoter la place idéale. À la station-service, le caissier m'a regardée timidement et, tout en enregistrant ma carte de crédit : « M'dame, on fait une offre spéciale sur la porcelaine, et je tiens à ce que vous emportiez notre cadeau du jour. » À la librairie russe devant laquelle je passe en allant du parking à l'immeuble de tante Zina — et où je me suis arrêtée pour lui acheter une somptueuse édition de Pouchkine qui remplacera son vieux volume tout déchiré —, la vendeuse a soudain sorti de derrière le comptoir un cadeau promotionnel contenant un tablier et un ensemble de cuillères en bois sculpté. « Acceptez ça, je vous prie. C'est un cadeau réservé aux lecteurs éclairés de Pouchkine », a-t-elle insisté.

Je prends un biscuit et demande à Seymour :

— Tu as parlé à l'inspectrice des anomalies relatives aux versements de la compagnie pétrolière?

Il tourne son visage hâlé vers Katherine, puis le dirige à nouveau sur moi.

— Eh bien, non, Lucy. Mais nous pensons, Katherine et moi, que quelqu'un devrait s'en charger.

— Pourquoi?

— Tout d'abord, laisse-moi te faire part de ce que j'ai découvert, même si ce n'est pas grand-chose. Le gisement Simms-Roeder est toujours exploité. Ce gros malin d'Éric a conclu avec eux un accord inattaquable qui les oblige à poursuivre les versements, ce qu'ils auraient volontiers arrêté de faire, crois-moi, s'ils en avaient eu la possibilité. Quant à l'argent, tu as raison, Éric ne le touchait pas directement. Il est viré sur un autre compte.

— Et il est où, ce compte? Qu'est-ce que tu as découvert là-dessus?

— Son nom, rien de plus.

— Et c'est quoi, ce nom?

Seymour se lève et se dirige vers le bureau. Il tire une feuille de sous un presse-papiers en terre cuite visiblement fabriqué par un enfant.

— Le fonds Marcello, lit-il.

Je le fixe, les yeux écarquillés.

— Le fonds quoi?

— Marcello.

Il m'épelle le nom, puis se rassied et me tend la feuille.

— Qu'est-ce que c'est?

Seymour hausse les épaules.

— J'espérais que tu saurais. Moi, ça ne m'évoque rien du tout.

— Cela fait penser à un genre d'association caritative, dit Katherine. Éric avait-il coutume de faire des dons à des sociétés de bienfaisance ?

Je secoue la tête.

— Il pouvait se montrer vraiment généreux. Il aimait aider les gens à s'en sortir, par exemple. Mais le don organisé, ce n'était pas son truc, ni les sociétés de bienfaisance.

— Éric n'avait pas de comptable ? demande Katherine.

— Si, bien sûr. J'ai parlé avec lui, il ne sait rien des revenus liés aux puits de pétrole. Je lui demanderai quand même s'il sait d'où sort ce fonds Marcello.

— Éric connaissait-il quelqu'un du nom de Marcello ?

— Je chercherai dans son carnet d'adresses. Je vais le passer au peigne fin. Regardons tout de suite dans l'annuaire...

Je m'interromps, pensive.

— Tu as déjà entendu ce nom, Lucy ? interroge Katherine. Ça te rappelle quelque chose, à présent ?

Je hausse les épaules.

— Il me semble l'avoir entendu récemment. Mais tout finit par paraître familier quand on se penche assez longtemps dessus.

Seymour remet de l'ordre dans les piles de magazines et de livres traînant sur la table pendant qu'il cherche l'annuaire.

— Récemment ? s'étonne Katherine. Tu es sûre que ce n'est pas un souvenir plus ancien ?

— Non, non, récemment...

Je bois le thé à la saveur fleurie. Fouille ma mémoire à la recherche d'un nom. Marcello. Prénom ou nom de famille.

Dans l'annuaire, je trouve huit Marcello dispersés dans la zone de la baie.

— Je vais les appeler tous.

Katherine et Seymour échangent un regard.

— Il y a sûrement une explication très simple, à laquelle on n'a pas pensé et que tu ne vas pas tarder à découvrir..., dit Katherine.

Et la manière dont elle accentue la fin de la phrase suggère qu'ils pensent à une autre explication, beaucoup moins claire.

— Ou bien..., conclut Seymour d'un ton prudent, il y a une autre possibilité.

Katherine me met en garde :

— Ça ne va pas te plaire, Lucy. Mais il va sans doute falloir que tu en parles à cette inspectrice.

J'attends. Le thé est chaud et la tasse me paraît étonnamment fragile, menaçant de se briser entre mes doigts et de renverser le liquide brûlant.

— Tu as pensé au chantage ? avance Seymour.

Je me souviens des ados en skate, à Lowis, et avec quelle ardeur ils avaient évoqué l'hypothèse du chantage. Je rétorque sèchement :

— Oh, je vous en prie... Vous regardez trop de séries policières à la télé.

— Ce n'est pas impossible, reconnaît Seymour en hochant la tête, mais quand la police est venue nous poser des questions, on a appris quelque chose : on a appris à quel point on connaissait peu Éric. On ignorait tout de son passé, de la famille dont il était issu... On ne savait même pas qui étaient ses autres amis et, bien entendu, on n'a jamais rencontré ta mère. Une fois qu'on a eu fini de répondre par des haussements d'épaules, cette fille de la police a dû se demander comment Éric et moi avions pu être de si grands copains.

— On ne peut faire chanter les gens que s'ils ont quelque chose de terrible à cacher.

281

— C'était peut-être le cas d'Éric, réplique calmement Katherine.

Je me souviens de la fine ligne blanche, sur le poignet de papa.

— Enfin..., ajoute Katherine. Il lui est peut-être arrivé quelque chose dont il avait honte, il y a très longtemps.

— Tu vois, Lucy... Ne le prends pas mal, mais on a tous fait des choses, quand on était jeunes, qu'on préférerait ne pas crier sur les toits. C'est précisément le grand sens moral de ton père qui aurait pu faire de lui la cible idéale pour un maître chanteur. À supposer qu'il y ait eu quelque chose, dans son passé, dont il avait honte.

— Ce n'est pas possible.

Le thé a refroidi. Je le bois, mais ne sens que l'acidité du citron.

— Ce n'est pas une pensée réjouissante, je le sais, Lucy, poursuit Katherine d'une voix tendue. Mais il y a une toute petite chance que ça puisse expliquer pourquoi quelqu'un a tué ton père.

— Il faut que la police creuse cette piste, ajoute Seymour. Tu dois leur parler du fonds Marcello.

Je réponds sans les regarder.

— Si papa avait un secret, je le respecterais. Je ne demanderais certainement pas à la police, ou à qui que ce soit d'autre, d'aller y fourrer son nez.

Ils se regardent, consternés. Puis Katherine me prend la main et la serre fortement. Je lève les yeux vers eux, vers leurs visages bienveillants. L'espace d'un instant, je voudrais qu'ils soient mes parents, cet heureux couple marié. Ils ont des enfants, des petits-enfants, ont vécu une vie intéressante et, parvenus à la retraite, ne s'ennuient pas une seconde entre le bénévolat, les voyages et leurs nombreux amis. Une fois de plus, je regrette de n'avoir pas eu, moi aussi, une famille normale.

Lorsque je me lève en annonçant que je rentre appeler tous les Marcello de l'annuaire, ils essaient d'abord de me dissuader. Puis Seymour propose de m'aider.

— Assieds-toi et mange quelque chose, bon sang. Après, on appellera à tour de rôle, dit-il.

Nous passons les coups de fil, sous l'œil intrigué de Katherine. Tous les Marcello qui nous répondent prétendent ne rien savoir d'un fonds à leur nom et n'avoir jamais entendu parler d'Éric Schaffer. L'un d'eux se montre soupçonneux, puis furieux, et finit par menacer d'appeler la police.

— Alors? demande Seymour. Tu comptes faire quoi, à présent?

— Je rappellerai plus tard les Marcello qui étaient sortis. Demain, je chercherai dans le bureau, je questionnerai la banque, j'appellerai le comptable. Il faut que j'éclaircisse cette histoire, Seymour.

Katherine nous a observés en silence. Soudain, elle lance :

— Lucy, tu as revu Scott depuis ton retour?

— Oh, oui! On est toujours amis.

— J'aime vraiment beaucoup Scott. Éric et lui étaient très proches. Scott avait terriblement besoin de soutien, après ton départ.

— Scott a toujours eu besoin d'énormément de soutien. C'est aussi pour ça que je suis partie. Je ne pouvais pas le lui apporter après la mort de Stevie.

— La perte d'un enfant est la pire chose qui puisse arriver, fait remarquer Katherine. Peu de mariages survivent à une telle épreuve.

— La naissance de Stevie était déjà une épreuve.

Ils protestent :

— Vous étiez fous de Stevie! Tous les deux! Et tellement fiers.

— Je l'aimais plus que je n'ai jamais aimé personne. Mais ça ne signifie pas que j'ai été une bonne mère.

En sortant de chez Seymour et Katherine, je me rends au cimetière où Stevie est enterré et suis étonnée de le voir aussi fréquenté en fin de journée : des gens portant des bouquets de fleurs, des petits groupes, des femmes seules, un couple âgé, avançant main dans la main.

En approchant de la tombe de Stevie, je distingue une silhouette immobile dans la pénombre.

— Scott?

Il fait volte-face. Lorsqu'il m'aperçoit, son visage s'illumine.

— Luce!

— Je voulais venir avec toi, mais comme on n'a pas trouvé le moment de se fixer un rendez-vous, j'ai...

— Je suis juste passé pour arranger un peu... Les fleurs qu'on a laissées samedi étaient fanées.

— Tu viens souvent?

— Une fois par semaine, parfois davantage.

Nous nous tenons, silencieux, devant la tombe. Je jette un coup d'œil alentour. Presque toutes les petites stèles funéraires du cimetière des enfants sont tristement ornées de motifs de nursery. Un ours ou un chien en peluche, un Pierrot lunaire. On dirait une cour de récréation désertée par les enfants. Il n'y a pas d'ombre. En été, le soleil écrase de ses rayons le petit rectangle de terre de Stevie. En hiver, la pluie tombe dessus. Il est aussi peu protégé dans la mort qu'il l'a été dans la vie.

Scott attend de moi un commentaire, puis finit par demander :

— Luce? Est-ce que ça te plaît?

La petite stèle de Stevie n'a pas l'aspect sinistre des tombes plus récentes. Elle ne révèle que son nom et ses dates de naissance et de mort.

— Oui, dis-je. Je suis contente que tu sois resté sobre, que tu n'y aies pas fait graver un ours en peluche.

Je fixe la stèle, sachant que Scott veut me voir pleurer. J'essaie, en vain. Ce froid rappel de Stevie n'a rien à voir avec le bébé remuant dont je me souviens.

— Tu commences à te remettre de la mort de Stevie? s'enquiert Scott. Moi, oui. Non que je l'oublie, ni que ce ne soit plus douloureux. Mais pendant un temps, la souffrance était en quelque sorte physique, comme un poids énorme sur mes épaules. Je m'en suis délesté à présent.

Je serre son bras.

— Je ne crois pas avoir ri une seule fois depuis la mort de Stevie.

— Tu veux dire depuis sa naissance?

Je me tourne vers lui. Il redresse les épaules, visiblement sur la défensive.

— C'est une des étapes du travail de deuil, Lucy. Le moment où l'on cesse d'idéaliser ses rapports avec le défunt. Je l'ai atteint. Je reconnais que j'aimais beaucoup Stevie, mais ça n'a jamais été une partie de plaisir. Loin de là. Dès le début, ça a été un choc pour nous deux. On n'était absolument pas préparés aux sacrifices et aux renoncements qu'implique la naissance d'un enfant. C'est à ce moment-là que je t'ai perdue. Quand il est né.

Sur la route du retour, je me surprends à reconnaître que les six mois d'existence de Stevie ont été six mois de folie. Rien ne se passait au moment prévu, rien n'était comme il fallait, sauf lorsque j'étais loin de lui, à mon bureau. J'oubliais des choses. J'en perdais d'autres. Quand je sortais le linge de la machine, il avait rétréci. Je brûlais les toasts. J'arrivais en retard. Je me trompais de jour. Et pendant tout ce temps, Stevie protestait par des hurlements. Je le berçais, ça ne changeait rien. Je criais, ça ne changeait rien. Je lui chantais des comptines, ça ne changeait rien. Pour finir, je restais assise là, pendant qu'il m'accablait de ses lamentations. Après sa mort, j'ai dormi vingt-quatre heures d'affilée.

Il est tard lorsque je traverse enfin le pont, de retour vers la ville et vers ma famille russe. Les lumières, les odeurs, la perpétuelle agitation de la ville, tout cela me plaît. Il est si tard que je décide de stationner directement sur le parking, quitte à me mettre à dos Dimitri Sergueïevitch, le désagréable voisin. Jusqu'à présent, je me suis garée à deux pâtés de maisons de là, dans le parking où maman laissait sa voiture quand elle m'emmenait rendre visite à grand-maman. Elle donnait un peu d'argent à un type qui louchait. Il échangeait quelques plaisanteries avec maman et c'était toujours lui, le premier Russe de la journée. Chaque jour, je les cherche des yeux, lui et la cabane où il se tenait, mais ils ont bien sûr disparu, remplacés par un parcmètre. Je roule au pas entre les carrefours, la vitre baissée, en me rappelant avoir parcouru ces rues, la main dans celle de ma mère : les magasins russes, les restaurants, les enseignes en caractères cyrilliques... C'est bon de se réfugier dans ces souvenirs-là. Ils sont doux et confortables, maman n'y est presque jamais malade.

Je lui tenais la main et nous marchions dans ces rues et je lui faisais confiance. Bien sûr, nous ne nous approchions jamais des porches sombres, et n'adressions pas la parole aux groupes d'hommes qui traînaient au coin des rues, échangeant des propos en russe. De temps à autre, un passant lançait quelque chose à ma mère, mais elle se gardait bien de répondre.

— Cet homme, il te connaît? avais-je un jour demandé.

Ma mère avait serré ma main plus fort et poursuivi sa route, d'un pas déterminé.

— Non, c'est juste un mal élevé.

— Tu as compris ce qu'il t'a dit?

— Bien sûr que j'ai compris! Trop bien!

— Alors pourquoi tu ne lui as pas répondu en russe?

— Parce qu'on n'est pas en Russie! On est en Amérique! On ne parle pas russe ici.

L'exaspération contenue dans sa voix signifiait que j'allais bientôt devoir cesser mes questions.

— Et le monsieur du parking? avais-je interrogé d'un ton prudent.

— Il est trop simplet pour apprendre l'anglais.

— Et grand-maman?

— Grand-maman est trop vieille.

Il était inutile de faire remarquer que tante Zina, Sasha et tous les autres cousins et tantes passaient leur temps à parler russe entre eux et que, bien que Sasha soit né ici et ait fréquenté l'école américaine, il ne serait jamais aussi américain que nous l'étions, Jane et moi.

Lors de notre visite mensuelle chez grand-maman, j'observais ma mère attentivement : tout d'abord, son langage changeait, puis sa bouche se modifiait pour pouvoir produire ces nouveaux sons. Enfin, peu à peu, son visage et son corps se métamorphosaient, devenant ceux d'une aimable jeune fille : la personne que papa avait épousée et qui était parvenue à désigner toutes les couches géologiques du gâteau de mariage.

Il arrivait que grand-maman s'adresse à moi avec les quelques mots d'anglais dont elle disposait et un fort accent russe. Mais la plupart du temps, elle se contentait de sourire, de me serrer dans ses bras et de s'extasier comme si j'étais un remarquable petit oiseau apprivoisé. Les tantes parlaient un meilleur anglais.

Katya et Olya, nées après l'arrivée de la famille aux États-Unis, pouvaient presque passer pour des Américaines et utilisaient les expressions idiomatiques dont l'anglais de maman, bien que correct, était dépourvu. Elles interrompaient souvent leur conversation en russe pour me poser des questions en anglais et ne cessaient de me proposer à manger. Je me vautrais dans leur amour, leur admiration et leurs confiseries maison. Tout en mangeant, j'écoutais leurs voix chantantes et, même si je ne comprenais pas un mot de leurs paroles, je ne m'en sentais pas moins appartenir à leur cercle. Lorsque je repartais, j'étais repue. D'amour et de bonbons.

— Elles sont étouffantes, je ne supporte pas d'aller là-bas, protestait Jane.

Ma mère n'avait visiblement aucun mal à comprendre ce point de vue, et l'on exigeait rarement de Jane qu'elle rende visite à grand-maman. Son attitude n'était pas perçue comme un affront. Bien au contraire, grand-maman et les tantes demandaient constamment des nouvelles de Jane, s'extasiant à mon intention, dans leur anglais approximatif, sur sa beauté et son intelligence.

Et me revoilà aujourd'hui — non plus enfant mais adulte, non plus à pied mais en voiture, non plus avec ma mère mais seule — en train de dépasser les boutiques, les enseignes et les bars du quartier russe, en me rendant chez ma grand-mère, même si celle-ci est morte depuis longtemps et que maman est internée à la clinique de Redbush, pour sa propre sécurité et sans doute aussi celle des autres.

Les rues n'ont pas beaucoup changé. Peut-être les magasins, illuminés par les reflets vacillants et lointains de la nouvelle Russie, sont-ils plus gais... Mais ils n'ont pas, pour autant, l'air plus américain qu'autrefois. Il n'y a plus d'hommes groupés au coin des rues mais, lorsque je m'arrête à un feu rouge, j'entends un couple parler russe et les inflexions de leurs voix évoquent une triste mélopée. Quand je sors de la voiture, même l'air de la rue — frais après une chaude journée, et où flotte un soupçon de brouillard — me paraît chargé de mélancolie.

Je sais à présent, tout comme je savais alors, que je m'apprête à entrer dans un lieu où l'on m'aime inconditionnellement. Mes pas résonnent sur l'asphalte. Leur claquement est régulier. Les lumières de la nuit, l'air chargé de sel, tout me plaît et je regrette d'avoir pu désirer échanger ma famille contre Seymour et Katherine.

Tante Zina est déjà allée se coucher en emportant son Pouchkine, mais je trouve la cuisine allumée.

— Lucia !

Sa veste en cuir négligemment jetée sur le dossier d'une chaise, la tête plongée dans un bocal de biscuits, Sasha est là, dégageant une forte odeur de tabac, de sueur et d'alcool.

— Je rentre à peine. Je pensais que tu dormais déjà. Regarde, maman t'a laissé de quoi manger, si tu as faim.

— J'ai dîné chez des amis de papa.

— Tu as fait quoi, aujourd'hui ?

Je me laisse tomber sur une chaise, à côté de lui. Soudain, mes jambes ne me portent plus.

— Un million de trucs. Mais je me suis surtout occupée des paperasses de papa.

— Ah, la gentille fille. Elle a tout revérifié, fait des annotations... Mis un joli point final à la vie de son papa en fermant ses comptes et en faisant interrompre le versement de ses pensions.

— J'ai aussi trouvé sa stèle funéraire.

— Grands dieux ! Où ?

— Dans le jardin. Dessus, il est écrit : « N'oubliez pas la mort. » Ses copains en ont des semblables. Ils pensent qu'on vit sa vie différemment si l'on n'oublie pas qu'on peut mourir à chaque instant.

— Combien de copains?

— Juste trois, avec papa.

— Le club « N'oubliez pas la mort ». J'adore. À présent que ton père est mort, il y a une place de libre. Peut-être vont-ils me laisser m'inscrire.

Sasha me passe le bocal de biscuits. Je lui demande :

— Pourquoi arrives-tu si tard? Tu sors d'une réunion?

Il sourit mystérieusement.

— Une réunion des plus stimulantes, à laquelle la fascinante Natasha a apporté une contribution absolument sensationnelle. Je reviens, attends une seconde.

Il sort de la pièce et reparaît avec une bouteille de whisky et deux verres.

— Oh, non, Sasha. Il est trop tard pour ça, et je suis fatiguée.

— C'est quand on est fatigué qu'on discute le mieux.

Un léger couinement s'élève quand il fait sauter le bouchon de la bouteille.

— Et depuis quand est-ce si fatigant, pour une banquière, de faire des additions?

— Ce ne sont pas les additions qui me fatiguent, c'est réfléchir.

Il remplit un verre de glaçons, que nous entendons craqueler tandis qu'il les recouvre de whisky. Puis il le pousse vers moi et lève le sien.

— Je bois à Lucia, sœur affectueuse et cousine bien-aimée.

Il trinque avec moi et nos deux verres, en s'entrechoquant, émettent une note parfaite.

— Quelles sont ces pensées qui t'ont tellement fatiguée, Lucia?

— Je crois que je sais qui a tué papa.

Il se frotte les mains et s'assied à table, en face de moi. Je sirote le whisky et sens sa chaleur se répandre dans tout mon corps, jusque dans mes orteils.

— As-tu révélé cette information à qui que ce soit? Par exemple à cette charmante femme qui, lundi soir, supervisait les opérations de police?

— Je ne peux pas le lui dire. Je ne peux en parler à personne.

— Sauf à ton dévoué cousin. Comme c'est flatteur.

— Sasha, j'ai menti à tout le monde. À la police, à Jane, à Scott, même à toi.

Il écarquille les yeux.

— Tu peux compter sur Sasha pour garder tes secrets, Lucia.

— J'ai raconté à tout le monde que je n'avais pas mis les pieds en Californie depuis trois ans. Mais je suis venue le week-end dernier. Ici, à San Francisco.

Je n'ai pas aimé ce week-end. Je n'en ai pas aimé la moindre seconde. À peine l'avion avait-il atterri, non, à peine avait-il décollé que je m'étais sentie inquiète et aux aguets, craignant d'être aperçue par un parent ou une ancienne camarade d'école. Et Kent était dans un tel état de nerfs qu'il ne s'était même pas assis près de moi. Plus tard, il avait regardé mon corps nu de haut en bas, sans tendresse et sans la moindre admiration, et m'avait attirée vers le lit. C'était un amant doué et pressant. Avec lui, l'acte sexuel était affaire de ténacité, et nous avions tous deux mis à l'accomplir la même énergique détermination excluant toute idée d'amour, ni même d'érotisme. Ensuite, nous étions restés là, étendus sans bouger. Côte à côte, mais séparés par un gouffre. Une terrible solitude s'était abattue sur

291

moi telle une chape de plomb. J'avais jeté un coup d'œil à Kent en me demandant s'il ressentait la même chose. Mais si ç'avait été le cas, je savais qu'il n'aurait pu réagir qu'en se réfugiant dans davantage d'ébats sexuels.

Chaque fois que le téléphone sonnait, il répondait. Je me précipitais dans la salle de bains et ouvrais le robinet de la douche, parce que c'était peut-être Mme Kent qui appelait. Mme Kent et, en arrière-fond sonore, les gigotements et les gazouillis du nouveau-né. Lorsque le coup de fil était terminé, il refermait le robinet de la douche et disait : « C'est bon, tu peux sortir. » Il m'enveloppait dans l'un des moelleux draps de bain de l'hôtel, et je prenais ce geste pour de l'affection. Et c'est seulement à présent, dans l'appartement plein de poussière et d'odeurs de tante Zina, que je me sens aimée. Je suis aimée par tante Zina et tante Zoya, par Sasha, Jane, Larry et Scott. Je suis cuirassée par leur amour tel un insecte lové dans une feuille. Je sais que je n'aurais jamais dû prendre la douceur du linge d'hôtel pour de l'affection.

Sasha hausse les sourcils.

— Mais pourquoi tu as fait ça avec cet homme ?

— Je n'en sais rien, Sasha.

À un moment, alors que Kent s'était endormi et que ma sensation d'isolement menaçait de m'engloutir, j'étais allée dans la salle de bains, avais saisi son rasoir et m'étais passé la lame sur la cuisse. Une fine ligne rouge s'était aussitôt formée, semblable à la traînée de vapeur qui suit un avion. Quelques instants plus tard, j'avais senti la douleur. Si intense qu'elle avait absorbé ma solitude comme une éponge.

— Tu as des sentiments pour lui ?

— Non. Je n'aurais pas pu venir ici avec lui le jour du troisième anniversaire de la mort de mon fils si ç'avait été le cas. En outre, cette aventure est contraire à la morale de notre profession. Ça n'aurait jamais dû arriver dans la mesure où l'on est en train de négocier un accord : mes clients se nomment Hifeld et ce sont leurs intérêts, et non mes besoins sexuels, qui sont censés passer en premier. C'est pourquoi j'ai eu tort. Kent a eu tort, quant à lui, parce que Mittex cultive une respectable image familiale et s'attend que ses cadres se comportent en conséquence. Surtout son futur P-DG Kent est terrorisé à l'idée que quelqu'un découvre la vérité, d'abord sa femme, ensuite ses collègues. Ça coulerait son mariage, ça coulerait sa carrière. C'est pourquoi j'ai raconté à la police que j'avais passé le week-end chez moi.

Le whisky me réchauffe à présent tout le corps. La bouche, la tête, les orteils, les doigts. Il m'isole de la température fraîchissante.

— Mais ce n'était pas la seule raison.

Dimanche matin, en fin de matinée, Kent était allé retrouver un responsable local, avec qui il devait passer la journée à visiter des grands magasins. À peine était-il parti que j'avais loué une auto et m'étais rendue au cimetière. Je m'étais avancée prudemment dans les allées, dévisageant les gens que je croisais de peur de reconnaître quelqu'un, ne prêtant que peu d'attention aux arbres puissants ou aux monuments. Puis j'avais atteint la sobre petite tombe de Stevie. De son vivant, Stevie avait été entouré de choses compliquées : le berceau alambiqué, la table à langer, la poussette ergonomique, le tire-lait, le chauffe-biberon. Et là, j'avais sangloté sans pouvoir m'arrêter sur cette pierre si simple, si lisse, si parfaite. Quelques petits bouquets étaient soigneusement disposés tout autour. J'avais pleuré en plaçant une rose à la base de la pierre. Un simple bouton, une promesse de beauté. Je sanglotais toujours en regagnant le parking et en roulant en direction de chez papa.

J'aurais pu l'appeler. À présent, je regrette de ne pas l'avoir fait, de ne pas lui avoir rendu une visite normale. Mais ce n'était pas un jour ordinaire. Papa m'aurait posé des questions sur Kent, aurait voulu que je le lui présente, m'aurait supplié de rester. Il aurait peut-être appelé Jane, Larry et Scott pour leur proposer de passer chez lui. Au bout de trois ans, mon retour aurait été un événement.

— Le fait que tu n'aies pas souhaité voir oncle Éric est tout à fait compréhensible, Lucia. Cesse de chercher à te justifier.

— Mais Sasha, je devais le voir. Chaque fois que je les avais au téléphone, Jane ou lui, j'avais le sentiment qu'ils me cachaient quelque chose. Ou peut-être était-ce moi qui ne les laissais pas me parler, qui n'avais pas envie d'entendre? De temps en temps, ils faisaient allusion à sa hanche. Ou alors Jane disait, comme ça, en passant, qu'il devenait distrait. Ou je lui trouvais la voix cassée, ou ses lettres me paraissaient écrites d'une main un peu tremblante. Puis j'arrêtais d'y penser parce que c'était trop douloureux. Papa était censé être un roc, pas un vieillard. Quand je me suis rendue chez lui, dimanche, c'était juste pour le voir. Pour m'assurer qu'il allait bien.

— Tu avais l'intention de le voir sans qu'il te voie?

— Tu trouves que c'est une idée de dingue?

— Non.

— J'ai garé la voiture en bas, dans la vallée, pour ne pas attirer l'attention des voisins. Et je suis montée par un chemin qu'on utilisait souvent quand on était gosses, qui contourne les maisons et coupe par le verger des Holler. Il était boueux, sale et envahi par les mauvaises herbes. Mais au moment où j'allais renoncer, j'étais déjà presque arrivée, alors j'ai continué jusqu'au bout. Je me suis faufilée derrière la maison et suis montée sur la terrasse en me glissant sous la balustrade.

— Lucia, Lucia, ton intelligence me sidère! Ce que j'ai pris, lundi soir, pour le caprice d'une fille inconsolable — contem-

294

pler la vallée depuis la terrasse de son père — était en fait un plan concerté, visant à égarer l'expert en empreintes digitales.

Je rougis.

— Sasha est très impressionné. Pendant qu'il refusait obstinément de fournir ses empreintes digitales, tu collais les tiennes partout. Mais pourquoi as-tu choisi, lors de ta visite à ton père, de grimper, euh, de sauter sur la terrasse?

— Je me disais qu'un dimanche, en début d'après-midi, il y avait des chances pour que papa soit dans le salon, à lire ou à écouter de la musique.

— Et c'était le cas?

Il était effectivement dans le salon. Mais il n'était pas seul. Il y avait quelqu'un avec lui, et ils étaient en train de se disputer. Enfin, papa, lui, restait calme. C'est l'autre type qui était énervé. Il parlait d'une voix forte et se tenait au-dessus de papa, avec une expression menaçante.

— C'était qui?

— Je ne sais pas. Il était grand, un peu plus jeune que moi, mais pas tant que ça. Il portait un jean. Il avait les cheveux bruns et le visage assombri par une barbe de trois jours.

Sasha sourit et passe la main sur son menton mal rasé.

— Je n'ai pas pu l'observer longtemps, parce qu'il m'a vue au bout de quelques secondes. Il a bondi vers moi, s'est élancé à ma poursuite sans un moment d'hésitation. J'ai sauté de la terrasse et couru dans la grange. Je l'entendais qui me cherchait... Il criait. Nom de Dieu, Sasha, j'étais terrifiée, j'ai cru que mon cœur allait lâcher. Dans ma panique, j'ai cassé le talon de ma chaussure. Mais il est parti du mauvais côté, et j'ai pu me faufiler entre les buissons de l'allée et redescendre par le verger des Holler pendant qu'il était toujours en train de courir autour du jardin en hurlant comme s'il avait l'intention de me tuer. C'est seulement une fois de retour à la voiture que je me suis dit que je n'étais pas une criminelle et que je n'avais pas à me comporter comme telle. Enfin, c'est quand même la maison de mon père, nom de Dieu! Mais j'avais l'impression d'être un animal traqué.

— Et ton papa?

Papa, une silhouette mouvante, entr'aperçue par la porte-fenêtre de la terrasse. Ma dernière image de lui avant le mannequin froid et recousu de la morgue.

— Je l'ai à peine vu. Il paraissait bouleversé.

— Par l'intrusion?

— Ou par ce gars qui lui hurlait dessus et semblait le menacer. Oh, Sasha, si je l'avais appelé pour lui rendre une vraie visite... Si je l'avais vu avant sa mort... J'aurais peut-être pu lui sauver la vie.

Sasha prend ma main dans la sienne.

— Seulement si tu as raison de supposer que ce jeune homme, dans sa colère, menaçait la vie d'oncle Éric... Il n'y a pas moyen de l'identifier?

— Pendant que je traversais le jardin de papa en courant, j'ai vu quelque chose, de manière fugitive. Je n'ai pas pu y regarder à deux fois, mais je suis presque sûre qu'il y avait une dépanneuse garée devant la grange. Un vieux modèle, en métal chromé. Ce devait être la sienne. Ça ne me donnait pas grand-chose sur quoi me fonder, jusqu'à ce que cette inspectrice arrive avec son histoire de dépanneuse...

Je lui parle de l'agent Howie et il se caresse le menton, à la manière de Larry. Puis je lui raconte comment je suis tombée sur la vieille dépanneuse à Big Brim et comment son chauffeur — un homme grand et brun — s'est enfui en se sachant repéré.

— Au moins, maintenant, c'est lui qui te fuit. Pas le contraire.

— Je crois qu'il m'a fuie à deux reprises aujourd'hui. La

deuxième fois, c'était dans la maison. Il s'est faufilé à l'intérieur, m'a vue et a décampé. Quelques instants plus tard, j'ai aperçu une dépanneuse s'éloigner dans la vallée.

— Je me demande pourquoi il fuit. Enfin, il ne va pas pouvoir nous échapper éternellement. Tu m'as dit qu'à Big Brim tu as pu noter le numéro de plaque de la dépanneuse et les quelques lettres déchiffrables du nom du fabricant ? Va les chercher, Lucia. Avec l'aide des pages jaunes, on va voir si ces lettres correspondent à un garage existant. Ce sera comme faire des mots croisés et, sans fausse modestie, je suis un crack en mots croisés.

Je me lève et sens mes jambes se dérober sous moi.

— C'est dans la voiture.

— À deux blocs d'ici !

— Eh bien, non. J'étais tellement fatiguée que je me suis garée en bas ce soir. J'avais l'intention de partir demain matin avant que Dimitri Sergueïevitch ne se réveille.

— Il ne dort jamais, celui-là. Il veille vingt-quatre heures sur vingt-quatre sur son petit domaine. Je vais tout de même t'accompagner, on va vite prendre ce qui nous intéresse et revenir ici avant qu'il ait eu le temps d'enfiler ses pantoufles.

Nous sortons de l'appartement et appelons le grinçant ascenseur. La fraîcheur de l'air me prend au dépourvu et je titube. Sasha me soutient.

— J'ai tout noté au dos de la carte routière que l'agence de location fournit avec la voiture. Elle est là, côté passager, dis-je en soulevant les documents et les fichiers.

Plus de carte. Sasha attend, trépignant dans la nuit froide comme il trépignait lundi, devant chez papa. Je fouille parmi les documents, certaine que la carte doit se trouver parmi eux. En vain. Elle n'est pas non plus sur le siège, dessous ou derrière, ni dans la boîte à gants.

— Réfléchis, Lucia. Est-ce que tu as pu la laisser chez ton père?

— Non. Je ne l'ai pas sortie de la voiture.

Je m'assieds à l'avant, laissant pendre mes jambes au-dehors. Je me rappelle m'être garée près de la dépanneuse, avoir tourné autour, noté le numéro d'immatriculation, examiné sur la portière les lettres à demi effacées et les avoir copiées au dos de la carte. Que j'ai ensuite balancée sur le siège avant, côté passager, avant de traverser la route. Le bord jonché de détritus. Les dunes de sable, enfin. Le sable filant entre mes orteils. Ma laborieuse ascension des dunes.

Je ferme les yeux. Il y a comme un silence entre le moment où j'ai jeté la carte sur le siège et celui où j'ai traversé la route. J'essaie de le combler avec le bruit d'une serrure que l'on ferme. Je me triture les méninges, à la recherche de ce clic manquant. Je me revois retournant à la voiture, décoiffée, à bout de souffle et en sueur, je me revois fixant l'asphalte comme s'il pouvait me fournir une indication quant à la direction prise par le camion. Mais je ne parviens pas non plus à retrouver le clic d'une serrure que l'on ouvre.

— Elle a peut-être été volée quand tu étais garée devant chez ton père? Après tout, le chauffeur de la dépanneuse est bien passé là-bas aujourd'hui...

— C'est possible.

— Ou alors c'est là-haut dans ton sac à main, suggère Sasha, en m'entraînant vers le bâtiment. Chez nous, on finissait toujours par retrouver les choses qui avaient disparu dans le sac à main de ma femme. Le chat, même, une fois.

Dans la cuisine, nos verres à nouveau remplis, nous fouillons dans mon sac.

— Pas de chat? demande Sasha.

— Pas de chat. Ce type. Le chauffeur de la dépanneuse. Il l'a volée. Il l'a vue posée là, sur le siège avant, et il l'a volée.

— Mais...

— Ce n'était pas sorcier. Je crois que j'avais oublié de fermer la portière à clé.

— Et tu étais garée juste à côté de la dépanneuse?

— Oui.

— Côté conducteur?

— Oui.

— Alors ce type est passé devant ta voiture et a vu la carte où tu avais noté les caractéristiques de son camion posée, bien visible, sur le siège. Et la portière ouverte. Bien entendu, il a décidé de la confisquer. De toute évidence, on n'a pas affaire à un crétin. Évidemment, si tu avais toujours son numéro de plaque, je te suggérerais de le transmettre à la police, pour qu'elle puisse le retrouver. Mais tu ne l'as plus.

— Je n'aurais pas pu leur donner sans leur parler du week-end dernier. De toute façon, maintenant, il y en a un qui a tout découvert.

Je raconte à Sasha comment Rougemont m'a confondue, grâce à mes propres chaussures.

— Si tu leur as menti, ce n'est pas juste pour protéger Kent, c'est aussi pour ne pas avoir à révéler à ta famille que tu es passée à San Francisco sans leur rendre visite. Ton manque de sincérité peut paraître suspect, mais à part la bêtise de t'être laissé séduire par une brute sans cœur, tu n'as rien fait de mal.

Je le regarde. On dirait qu'il oscille. Puis je me rends compte que Sasha est immobile : c'est moi qui commence à voir flou.

— Sasha, quand quelqu'un meurt, tu crois qu'il faut garder ses secrets?

— Bien sûr, on doit tout faire pour respecter l'intimité du

défunt, mais c'est rarement le cas. Lucia, soupçonnerais-tu ton papa d'avoir eu des secrets ?

— Le conducteur de la dépanneuse... C'est un genre de secret. Papa le connaissait mais il ne m'en a jamais parlé. Il n'en a jamais parlé à Jane.

— Tu penses qu'il jouait un rôle dans la vie d'oncle Éric ?

— Je n'en sais rien. Mais si je lance la police à ses trousses, les secrets de papa risquent d'éclater au grand jour.

Sasha sirote son whisky, le gardant un moment dans la bouche pour mieux le déguster.

— Eh bien, Lucia, puisque tu préfères éclaircir seule la situation, agis comme bon te semble. Mais je t'en prie, sois prudente.

25

Jane m'appelle samedi, tôt dans la matinée, pour me dire que la police veut nous voir dans la maison de papa.

— Kirsty veut que nous soyons tous là. Même Scott.

— On n'était pas censés s'y retrouver de toute manière ?

— Ils nous ont demandé d'être là à dix heures.

Je soupire.

— Ils ne se reposent jamais, le week-end ?

— Dieu sait quand Kirsty se repose. Elle a des gamins en bas âge.

— Et Rougemont ?

Elle hésite.

— Lui, je ne sais pas trop. J'ai l'impression qu'il vit seul. Visiblement, il s'est absenté. Il ne sera donc pas là aujourd'hui.

En descendant à la voiture, j'ai une altercation avec Dimitri Sergueïevitch. En version bilingue, même si nous ne comprenons l'un et l'autre qu'une seule langue. Sa voix furieuse résonant à mes oreilles, je démarre. Je m'arrête avant d'atteindre le pont, pour prendre un autre café.

Quand j'arrive, les voitures de Larry et Scott sont déjà garées côte à côte. Celle de Scott est indéfinissable : il n'a aucun goût pour les voitures ni pour la conduite automobile. En revanche, celle de Larry est longue, sa ligne pure. Non seulement il aime les voitures, mais il adore les acheter, se pencher sur les équipements de série et les accessoires, comparer les modèles, marchander avec les vendeurs. Papa aimait taquiner Larry au sujet de ses voitures coûteuses. Un jour, ils s'étaient retrouvés arrêtés au même feu rouge, et papa prétendait que l'Oldsmobile avait démarré plus vite.

Scott est content de me voir. Il a déjà feuilleté les lettres que j'ai laissées sur le bureau de papa afin qu'il les signe.

Jane m'entoure de son bras et dépose un petit baiser sur ma joue.

— Je suis désolée de ne pas avoir pu venir hier. J'espère que tout s'est bien passé.

Si je lui dis qu'un homme conduisant une dépanneuse s'est sans doute introduit dans la maison, ça va l'inquiéter. Elle va me poser des questions, passer des coups de fil et me retirer la situation des mains.

— Tout s'est très bien passé.

Puis je demande à Larry en reniflant l'air tiède et parfumé :

— Qu'est-ce qui se prépare ?

Si quelqu'un a commencé à s'activer en cuisine, c'est forcément Larry.

— De la paella, répond Larry d'un air modeste. Je n'ai mis

que trois heures à la préparer ; en principe, il faut vingt-quatre heures, ne vous attendez donc pas à grand-chose.

Bien sûr, la paella sera bonne. La plupart du temps, Larry et Jane mangent dehors avec leurs amis. Mais lorsqu'ils restent chez eux, c'est en général Larry qui cuisine. Il dit que ça lui permet de se détendre. Quand Jane revient tard de l'hôpital, il y a toujours un bon plat qui l'attend. Elle le mange seule, pendant que Larry travaille ou regarde la télévision. Puis elle lit le journal. Au bout d'une heure, Larry entre et ils commencent à discuter. J'ai du mal à imaginer à quoi aurait ressemblé leur existence si Jane avait eu des enfants. Comment elle aurait tenu le coup sans cette heure à elle. S'il leur aurait été difficile de renoncer aux voyages coûteux, aux mondanités, à leurs douzaines d'amis. Peut-être ont-ils eux aussi du mal à l'imaginer : en ne voyant pas venir d'enfants, ils n'ont ni eu recours à la médecine, ni envisagé d'en adopter. Et à voir Jane avec Stevie, j'avais compris qu'elle n'était sans doute pas faite pour être mère. Elle l'aimait beaucoup, mais sa manière de se comporter avec lui restait toute professionnelle.

— Qu'est-ce que c'est ? demande Scott en ramassant, sur le bureau, une coupure de journal jaunie.

J'essaie de lui reprendre des mains.

— Rien, un truc que j'ai trouvé dans le tiroir de papa.

Mais Scott l'a dépliée et commence à lire : « Mariage du docteur R. D. Joseph et de Mlle K. K. Sylvester. »

Jane me jette un coup d'œil pénétrant :

— Tu étais au courant ?

Je hausse les épaules.

— Non, mais que veux-tu que ça me fasse ? Ça fait des siècles que je n'ai plus de nouvelles.

Scott a reconnu le nom du marié, et ce nom ne lui plaît pas. Je le vois serrer les dents, se raidir.

Jane désigne l'article d'un geste.

— On pensait qu'il était préférable de ne rien te dire.

Alors que j'hésite à adopter une attitude défensive ou offensive, Larry demande :

— C'est qui ?

— Robert Joseph, l'amour de jeunesse de Lucy, explique Jane.

— L'homme qu'elle aurait voulu épouser, ajoute Scott avec amertume.

J'avais fait l'erreur de lui confier à quel point Robert avait compté pour moi. Scott et moi venions de nous rencontrer, nous savions tous deux que ça allait durer longtemps et avions cru bon de nous raconter les histoires importantes que nous avions eues.

— Je voudrais pouvoir occuper l'espace que Joseph Robert occupe dans ton cœur, m'avait alors confié Scott. Mais je n'y parviendrai jamais.

— C'est absurde !

Il avait fait cette réflexion à plusieurs reprises, même après notre mariage. J'avais beau protester, une partie de moi était d'accord, et Scott le savait.

Il me tourne le dos à présent et sort du bureau, en marmonnant quelque chose à propos du café. Je voudrais demander à Jane de quand date l'article et si elle a jamais croisé Robert Joseph à l'hôpital ou entendu dire que son père était mort. Mais je ne veux pas laisser paraître mon intérêt.

Larry n'a cessé de nous observer attentivement, en caressant sa barbe, sans doute amusé. Il semble sur le point de faire un commentaire lorsqu'une voix se fait entendre. Kirsty vient d'arriver.

Elle nous suit dans la cuisine. S'arrête un instant.

— Waouh, ça sent bon ! s'exclame-t-elle.

— Ce ne sera pas prêt avant midi, précise Larry d'un ton désolé. Mais si vous êtes encore là, déjeunez avec nous.

— Si seulement je pouvais! réplique-t-elle et je sens qu'elle est sincère. Elle pense au sandwich rassis dont elle va probablement devoir se contenter. Elle a dû rentrer tard hier soir et, n'ayant sans doute pas un mari cuisinier comme Larry, elle a dû hier aussi avoir droit au sandwich rassis.

Kirsty est sur le point de nous exposer la raison de sa présence lorsque Larry dit :

— Kirsty, il y a une petite chose qui m'inquiète...

Kirsty le regarde sans aucune anxiété, prête à écouter ses soucis, mais certainement pas à les partager.

— Larry, tu fais perdre son temps à Kirsty! proteste Jane.

— Non, insiste Larry. Je crois que c'est important. Le gars dont je vous ai parlé, il est revenu hier soir. À mon avis, il traîne autour de notre appartement. Il est possible qu'il suive Jane.

— S'il traîne devant chez nous, c'est sûrement à cause de Gerry, au rez-de-chaussée, coupe Jane. Gerry les attire comme des mouches.

Le Gerry en question est terriblement séduisant, et sa vie sentimentale affreusement compliquée.

— Qu'est-ce qui vous fait penser qu'il suit Jane? demande Kirsty.

— Hier soir, elle s'est rendue à la Walrus House pour vérifier que tout était au point pour mardi.

Un buffet est prévu pour le déjeuner, chez papa, après l'enterrement. La Walrus House a été chargée de sa préparation. Ce sont des bons traiteurs, bien que Jane craigne que leur nourriture ne paraisse un peu trop exotique à certains des invités.

— Le type s'est volatilisé quand Jane est partie. Et a reparu à son retour.

— Il est resté combien de temps devant chez vous ? Toute la nuit ?

— Je ne peux pas vous dire exactement. Mais, bien sûr, il n'était plus là ce matin.

Kirsty sort son calepin et demande à Larry de lui décrire l'homme. Grand. Brun. Plutôt mal rasé. Je m'enquiers :

— Quel âge ?

Larry a du mal à donner un âge aux gens de moins de cinquante ans.

— Trente ans ? suggère-t-il. Vingt-cinq ?

— Très bien, dit Kirsty. On va surveiller ça.

Rien n'indique, dans son ton, qu'elle partage l'inquiétude de Larry.

— N'y consacrez pas trop de votre précieux temps, conseille Jane. Je suis sûre que Larry se trompe, et Gerry ne nous pardonnerait pas d'avoir fait fuir un de ses admirateurs.

— Il a plein d'autres admirateurs, fait remarquer Larry.

Kirsty tire de son sac un sachet en plastique, à demi couvert par une étiquette sur laquelle je parviens à lire, à l'envers, les mots : affaire numéro..., officier chargé de l'enquête, date...

— Vous avez retrouvé les clés de papa ! s'exclame Jane.

Kirsty hoche la tête. Elle les sort du sachet et les pose sur la table.

— Prenez-les. Dites-moi si vous pensez que le compte y est.

Jane saisit le trousseau. Je reconnais le porte-clés kitsch que j'ai acheté à papa quand il est venu à New York. C'est une petite reproduction de l'Empire State Building. Quand on appuie sur le bout, une ampoule s'allume en haut. Il fait à la fois porte-clés et lampe de poche et je suis bêtement ravie de découvrir que papa s'en servait. Je voudrais le toucher, mais Jane a mis l'anneau sur la table et disposé les clés autour, comme si nous jouions au poker et qu'elle venait d'abattre un flush royal.

— Je ne les reconnais pas toutes..., dit-elle. Mais il y a celles de la porte d'entrée, de la grange, de notre appartement... Ça, ce doit être une clé de valise... Il avait la clé de chez toi, Scott?

— Oui, depuis que je suis allé en France, à Noël. C'est celle-ci...

Je ne savais pas qu'il était allé en France. Avec Brigitte, j'imagine.

— Celle-ci, je ne sais pas trop, continue Jane. Ni cette autre. Mais celle-là, c'est celle du tracteur. Eh bien, il ne manque rien, on dirait.

— Où les avez-vous trouvées? demande Scott à l'inspectrice.

— Chez les gamins qui, lundi matin, ont volé l'Oldsmobile sur le parking de Big Brim.

— Des gamins avaient piqué la voiture d'Éric?

— D'adorables bambins, qui habitent à Lowis et n'avaient jamais volé de voiture auparavant. Le petit frère de l'un deux a tout raconté.

Je me souviens du gamin aux cheveux coupés en brosse qui, assis sur son skate, n'avait cessé de me fusiller du regard.

— On n'a pas eu trop de mal à récupérer les clés. Mais ils n'ont pas pu nous donner la lettre. Ils ne l'avaient pas conservée.

Nous la regardons, attendant qu'elle poursuive.

— Une lettre? finit par demander Jane. Quelle lettre?

— Je peux vous la montrer. À vrai dire, nous en possédons nous-mêmes un exemplaire.

Elle plonge la main dans son sac et en sort une feuille de papier où sont imprimées quelques lignes. Se met à lire:

— « À mes filles... »

Sa voix me parvient comme si j'étais sous anesthésie, insensible à la douleur.

— « À mes filles. Je veux que vous vous souveniez de moi comme d'un homme fort, non d'un vieillard faible et impotent. C'est pourquoi j'ai choisi de vous quitter en espérant que vous comprendrez que j'accomplis un acte de courage et d'amour. Jane, Lucy, je vous aime toutes deux énormément. Si je me suis bien acquitté de mon rôle de père, vous devriez pouvoir vous débrouiller sans moi. Lucy, quand tu te sentiras seule, Jane sera là pour te soutenir. Avec tout mon amour. Papa. »

Regardant autour de moi, je vois des visages livides et bouleversés. Le mien doit l'être aussi. Les doigts de Jane tapotent la table, Larry a une main crispée sur sa barbe, Scott est pétrifié.

— Cette lettre aurait dû nous parvenir avant, dit Larry.

— L'exemplaire qui était dans la voiture volée a été perdu, et nous venons à peine de trouver cette version sur l'ordinateur du professeur Schaffer.

Elle se tourne vers Jane :

— Merci pour tous les mots de passe que vous nous avez suggérés. Aucun n'a marché, mais on a fini par y arriver quand même.

Kirsty nous fixe, l'un après l'autre.

— Alors, quel effet vous fait cette lettre ? Est-ce que ça ressemble au professeur Schaffer ?

— Eh bien... je suppose que oui, lâche Jane.

Larry hoche gravement la tête. Scott demeure silencieux.

Je lui prends la feuille des mains et étudie son contenu.

— Non, dis-je.

Kirsty se tourne vers moi.

— Vous ne pensez pas qu'il l'ait écrite ?

— Non.

— Comment pouvez-vous en être sûre ?

307

— Eh bien...

Il nous aurait écrit un mot à chacune. J'aurais reçu une lettre rien que pour moi, avec mon nom dessus. Une lettre signée « Papa ».

— Il ne l'a pas écrite, un point c'est tout.

— Ce sont les mots qui vous font penser ça? La manière dont il les utilise?

J'examine la lettre, puis répète obstinément :

— Il ne l'a pas écrite. Il n'aurait pas fait les choses comme ça.

Elle regarde Scott.

— Et vous, qu'est-ce que vous en pensez?

Elle sourit pour l'encourager, mais son visage reste de marbre.

— Lucy n'avait pas vu Éric depuis longtemps, dit-il. Le Éric qu'elle a quitté n'aurait peut-être pas écrit cette lettre, mais l'homme qu'il était devenu — âgé, soucieux, accablé — enfin... c'est très improbable... mais il lui arrivait d'être si secret. Impossible de deviner ses pensées. Qui sait? C'est peut-être à ça qu'il pensait, pendant ses longs moments de silence.

Je secoue la tête, mais Scott ne me regarde pas et Kirsty passe à Larry :

— Vu vos compétences professionnelles, je vous serais reconnaissante de bien vouloir me donner votre avis.

Il se passe la langue sur les lèvres.

— Dans cette lettre, je retrouve le côté sensé d'Éric. Il se montre très perspicace, au sujet de chacune de ses filles. Il suppose, avec raison, que Lucy aura besoin de réconfort et pourra compter sur Jane pour le lui apporter. Il prévoit leur probable réaction — colère, douleur — et s'efforce de les gérer. Il ne s'étend pas sur les doutes, les difficultés ou les peurs qu'il a dû éprouver face à la mort, parce que cette lettre a précisément pour fonction d'atténuer la souffrance de ses filles. Je dirais que cette lettre est l'œuvre désintéressée et réfléchie d'un homme désintéressé et réfléchi et, par conséquent, qu'elle est authentique.

— Je vous remercie. Jane ?

Jane fixe la lettre avec des yeux rougis. Elle ouvre la bouche pour parler, mais, au lieu de ça, se met à pleurer. Je la regarde, fascinée et bouleversée. Je l'ai rarement vue pleurer, et jamais ainsi. Ses traits habituellement impassibles, même quand elle parle, sont altérés par l'émotion, ses yeux sont rouges, ses joues enflées. Lorsqu'elle rejette la tête en arrière, les larmes coulent dans ses cheveux et ses oreilles. Son corps est secoué de sanglots convulsifs, comme s'il était soumis à des électrochocs. Je voudrais m'élancer et la serrer contre moi, mais déjà Larry l'entoure de ses bras.

L'inspectrice observe la scène sans sourciller. Lorsque la crise semble enfin se calmer, elle demande à Jane :

— Est-ce que vous pleurez car vous pensez que votre père s'est vraiment suicidé ?

— Ce n'est pas une preuve ? répond Jane d'une voix étrange et tremblante que je ne lui aie jamais entendue.

— Oh non, rétorque l'inspectrice, son regard vif passant de l'un à l'autre. Loin de là. Je ne crois pas que le professeur Schaffer ait écrit cette lettre, ni qu'il ait été au courant de son existence. Ce document, le dernier à avoir été enregistré sur son ordinateur, porte la date de dimanche après-midi, seize heures huit. Après avoir analysé le clavier, nos experts ont conclu que la dernière personne à s'être servie de l'ordinateur — et on peut raisonnablement supposer que cela s'est produit dimanche après-midi à seize heures huit — portait des gants de caoutchouc tout ordinaires. Il nous paraît assez invraisemblable que votre père ait tapé sa lettre d'adieu avec des gants en caoutchouc. Il est donc probable — mais pas certain — que l'assassin du professeur Schaffer était ici, dans cette maison, à seize heures huit, dimanche après-midi.

Silence. Je sens un frisson courir le long de ma nuque, comme si quelqu'un se tenait juste derrière moi. Kirsty jette un coup d'œil autour d'elle pour juger de nos réactions. Mais il n'y a aucune réaction. Pas même un battement de cil.

— Éric savait-il que quelqu'un était ici dimanche ? finit par demander Scott d'une voix caverneuse.

Kirsty hausse les épaules.

— Nous ignorons ce qu'a fait le professeur Schaffer dimanche après-midi.

— Et personne n'a rien vu du tout, dimanche ? insiste Scott. Il n'y a pas un voisin, un ami...

Kirsty nous regarde tous, mais il me semble que ses yeux s'attardent un peu sur moi lorsqu'elle répond :

— Si c'est le cas, on nous cache des choses.

Je consulte machinalement ma montre, en essayant de calculer l'heure qu'il était au moment où j'étais cachée sur la terrasse, dimanche. Kent avait quitté l'hôtel à onze heures, je m'étais rendue au cimetière, j'avais roulé jusqu'à la vallée, gravi la colline... Il devait être une heure et demie. Moins de trois heures avant que l'assassin n'entre dans la maison. À quatre heures, il était là, dans le bureau, à taper une fausse lettre d'adieux révélant une connaissance approfondie de la vie et de la famille de sa victime. J'enfonce mes ongles dans ma paume. Mes articulations sont exsangues.

— Oui, Lucy ?

L'inspectrice me regarde droit dans les yeux. J'ai un léger sursaut.

— Vous alliez dire quelque chose ?

Je secoue la tête. Kirsty poursuit :

— Vous m'avez plusieurs fois demandé comment était mort le professeur Schaffer. Eh bien, nous avons de bonnes raisons de supposer — même si nous ne pouvons pas l'affirmer formellement — qu'il a été électrocuté.

— Oh! s'exclame une voix de femme.

Ce « Oh » — mi-soupir, mi-exclamation — est-il sorti de Jane ou de moi? Je la regarde. Elle a les yeux rivés sur l'inspectrice. Les mots de Kirsty ricochent dans ma tête. « Nous avons de bonnes raisons de supposer qu'il a été électrocuté. »

— Électrocuté! répète Larry, et le mot résonne partout dans la pièce.

Jim Bob Holler, qui vivait dans la maison d'à côté, s'était électrocuté. Il n'avait que quatorze ans. Son père n'avait pas correctement branché l'éclairage de la piscine, et le plongeon de Jim Bob avait été fatal. Je lâche soudain :

— C'était un accident!

Tous me fixent avec surprise.

— Quand Jim Bob Holler s'est électrocuté, c'était un accident.

Kirsty me regarde, intriguée.

— Je ne vois vraiment pas comment la mort du professeur Schaffer pourrait être accidentelle.

— Vous êtes vraiment sûre de ça? demande Jane.

— Le professeur Rossi et le docteur Angela Ball, notre médecin légiste, sont prêts à risquer leur réputation sur une telle assertion.

Le docteur Ball. Parfum coûteux. Jolis bijoux qui bruissent délicatement tandis qu'elle se déplace entre les morts.

— L'analyse des tissus d'une petite cloque sur le cou de votre père semble indiquer que cet endroit a été soumis à une décharge électrique massive. Le professeur Schaffer a aussitôt fait un malaise cardiaque.

Kirsty sort de son sac une petite boîte noire. Elle la pose au creux de sa main, qu'elle tend vers nous.

— Vous avez certainement déjà vu ce genre de chose. Les pistolets électrochoqueurs et les tasers sont largement commercialisés à des fins d'autodéfense. On peut se les procurer en toute légalité. Ça, c'est un taser. Il suffit de toucher quelqu'un avec les électrodes pour paralyser son système nerveux central. Le tissu musculaire se contracte alors de manière incontrôlable et, pendant une période d'environ trente minutes, la personne peut voir, entendre et même ressentir, mais est incapable d'effectuer le moindre mouvement volontaire. Les tasers sont efficaces à cent pour cent. Les pistolets électrochoqueurs sont comparables, mais plus rudimentaires. Ils envoient dans le corps une décharge pouvant aller jusqu'à cinq mille volts, qui laisse la victime affaiblie, étourdie et désorientée.

Nos yeux sont rivés sur le taser. On dirait une lampe de poche ou un rasoir électrique.

— Et quel est celui qui a été utilisé sur Éric? demande Larry, d'une voix dépourvue de son assurance habituelle.

— Sans doute le taser.

— Alors..., dit Larry, Éric a été touché avec un de ces machins, puis jeté à l'eau sans possibilité de sauver sa peau.

Papa, précipité du haut de la falaise de Seal Wash. Son visage fouetté par les embruns, le grondement de plus en plus proche de la mer, l'eau qui se referme sur lui. Incapable de se débattre, incapable de nager.

— Non, objecte Scott. Ça, c'est ce qu'avait projeté l'assassin. Éric se serait noyé et sa mort aurait eu l'air d'un suicide. Mais le taser a provoqué une crise cardiaque, avant qu'il n'ait atteint l'eau. C'est pour cela que vous savez qu'il s'agit d'un meurtre.

Kirsty acquiesce d'un signe de tête. Ses yeux se posent, à tour de rôle, sur chacun d'entre nous.

— Vous avez des questions ? s'enquiert-elle.

Je me rends compte que mes doigts recouvrent totalement mon visage. Il me faut retirer mes mains pour pouvoir lui demander :

— C'est douloureux ?

Avant que Kirsty ait pu répondre, Jane dit :

— Oh, Lucy. On ne souffre sans doute pas tellement quand on est électrocuté. Et, tu sais, la mort en général est presque certainement une expérience agréable. Imagine-toi, te laissant aller à un relâchement total de tout ton être.

— On doit être trop engourdi pour ressentir de la douleur, fait remarquer Larry.

— Pas sûr, rétorque Kirsty. Certaines personnes rapportent que le taser est douloureux au point de donner la nausée.

Je ferme les yeux.

— Vous avez d'autres questions ? répète Kirsty.

Nous secouons la tête. Nous n'avons plus de questions. Je me lève :

— J'ai besoin de prendre un peu l'air.

Je sors sur la terrasse, mais il n'y fait pas frais. L'air y est stagnant, on croirait sentir l'haleine de la vallée. Mon regard suit les routes, les pistes et les vergers pour y retrouver les repères habituels. Mais cela ne m'apporte aucun réconfort.

313

26

Kirsty s'en va, laissant derrière elle un silence pesant comme une chape de plomb. Nous travaillons, mangeons, discutons, mais le silence ne nous quitte pas totalement. Ça nous rend nerveux. Nous jetons fréquemment des coups d'œil par les fenêtres et tressaillons au moindre bruit, en nous demandant si ce n'est vraiment que le plancher qui craque. Au cours du déjeuner, je demande :

— L'un de vous a-t-il entendu parler du fonds Marcello ?

Ils secouent la tête.

— Papa connaissait-il quelqu'un du nom de Marcello ?

Jane réfléchit.

— Non. Ça m'évoque rien du tout.

— Regarde dans son carnet d'adresses, suggère Larry.

Même lui a perdu son entrain.

— C'est déjà fait. J'ai appelé la banque, le comptable de papa. J'ai consulté l'annuaire, une liste des œuvres de bienfaisance, les dossiers de papa...

— Désolée, je ne peux rien pour toi, dit Jane.

Larry fait circuler le plat de paella. Nous le complimentons à nouveau. Je laisse tomber ma fourchette et tous sursautent. Scott pose quelques questions sur les cailloux. Je l'interromps sèchement, avant de m'en vouloir lorsqu'il m'explique que Larry et lui s'efforcent de rassembler toute la collection de papa en un seul lieu, pour les géologues de l'université qui, contactés par Jane, doivent venir l'inspecter.

Tout l'après-midi, nous nous affairons dans différentes pièces. La porte d'entrée est fermée à double tour. Larry trie des cartons à l'étage. Il met ceux qui contiennent des pierres dans le couloir, afin que Scott les emporte dans la grange. Jane a défendu à Larry de porter des pierres, parce qu'il a des problèmes de dos.

Lorsque j'en ai assez d'avoir le nez dans les dossiers, je sers à tout le monde des boissons fraîches.

Des verres à la main, je découvre Larry en train de faire des marques au crayon rouge sur les cartons pleins de cailloux.

— Merci. Pose-le là, dit-il.

Je reste plantée sur le seuil.

— Pourquoi quelqu'un suivrait-il Jane?

Il lève les yeux.

— Si ce type est un malade, il n'y a pas d'explication rationnelle qui tienne, répond-il.

— C'est peut-être un patient de l'hôpital.

— Possible. Tout ce que je sais, c'est qu'on ne peut plus rien laisser au hasard, Lucy. J'ai personnellement le sentiment que la famille Schaffer est menacée, d'une manière ou d'une autre. Éric est mort, quelqu'un s'est introduit dans la maison. Tout ce qu'on peut faire, c'est être vigilants, c'est pourquoi j'ai demandé à Kirsty de chercher à se renseigner sur ce gars.

Jane a fermé la porte de son ancienne chambre à coucher. Je m'attarde un moment devant, les yeux rivés sur les glaçons qui tournoient dans son verre. Quand nous étions petites, je n'avais pas le droit de pénétrer dans sa chambre sans frapper ou sans qu'elle me l'ait demandé. J'étais tout le temps à traîner devant la porte, à espérer qu'elle m'inviterait à entrer. Il y avait des tas de belles choses à l'intérieur. Une collection de coquillages, un couvre-lit en patchwork. Les étagères étaient couvertes de livres sans illustrations.

Je frappe à la porte et ne l'ouvre pas avant d'avoir entendu la voix de Jane. Elle se tient parmi des colonnes de cartons bourrés à craquer comme parmi les arbres d'une forêt.

— J'ai fermé à cause de la poussière, explique-t-elle.

Je me glisse timidement à l'intérieur. Le couvre-lit est toujours là, ses couleurs moins vives que dans mon souvenir. Et, à peine visible entre les cartons, j'aperçois la collection de coquillages. Je lui tends un verre :

— Qu'est-ce que tu as découvert ?

— Rien. Des trucs à jeter.

— Quel genre de trucs ?

— Oh, tu sais bien... les annuaires de notre ancien lycée. Des journaux intimes où plus rien n'a été inscrit après le 6 janvier. Des poupées auxquelles il manque un bras. Des vêtements qu'on trouvait tellement chouettes qu'on n'a jamais pu se résoudre à les jeter, même une fois usés. D'autres qu'on n'a jamais portés. Des photos de gens dont on ne se souvient même pas. Un appareil photo que j'avais l'intention de faire réparer, ce que je n'ai jamais fait. Une laisse qui devait sans doute appartenir à Nickel... ce genre de vieilleries.

— Tu comptes vraiment jeter les annuaires du lycée ?

Elle grimace.

— Oui.

— Tu gardes quoi ?

— Rien.

— Mais tu ne veux pas emporter des souvenirs ? Juste quelques objets ? La famille Schaffer va quitter cet endroit. Il ne restera plus rien de nous.

Jane pose son verre et commence à farfouiller dans le carton posé juste devant elle. Elle en tire un vieux livre de découpage, dont personne n'a jamais découpé les images. *Habillez la poupée.*

— Je n'ai pas besoin d'emporter des souvenirs. J'ai déjà suffisamment de choses dans la tête.

— Je te comprends. Toutes ces choses du passé, ces gens, ces

316

trucs qui sont arrivés... je suis assaillie en permanence, comme par un chien enragé. Comme par Nickel, tiens...

Jane glousse. Elle m'a souvent raconté la manière qu'avait Nickel de se jeter sur moi. « Il t'envoyait au tapis, mais c'était sa façon de témoigner son affection. »

— Je crois que je me souviens du jour où il est mort.

— Ah oui? Je ne sais plus quel âge tu avais.

— Qu'est-ce qui s'est passé?

— Je l'ai trouvé mort, un soir, sur les marches de la véranda. Papa a dit qu'il avait été empoisonné. Les Carmichael, de l'autre côté de la colline, avaient de gros ennuis avec les coyotes. Ils avaient mis du poison un peu partout, et on en a conclu...

— Je me souviens, Jane. Je revois maman en train de pleurer. Papa avait enveloppé Nickel d'une couverture. Il emportait le corps dans le jardin encastré. Je suis passée devant la dépanneuse et j'ai couru jusqu'au fond du jardin, à la cabane qu'on avait construite avec Lindy Zacarro. Et Lindy était là aussi...

Jane a un sourire désolé.

— Tu as imaginé tout ça.

— Mais ça me paraît si précis!

— Lucy, on ne t'a pas laissé voir le corps, pas même enveloppé dans une couverture. Et papa ne l'a enterré qu'à la nuit tombée, quand tu dormais.

— Mais je me souviens! Papa est descendu avec la couverture...

— Tu te souviens de ce que tu as imaginé.

Je crois entendre Rougemont : « On confond très facilement ce qui s'est vraiment passé et ce qu'on nous a raconté ou que l'on a rêvé. C'est bien, c'est vraiment très bien, que vous réalisiez que la mémoire n'est pas fiable. »

Je jette un coup d'œil par la fenêtre, au-dessus de Jane. Autrefois, l'allée était parfaitement visible depuis la chambre de

Jane et depuis la mienne, mais les arbres sont à présent si proches que leurs branches frôlent presque la vitre.

— Tu dois avoir raison, dis-je.

Mon imagination a brodé la mort de Nickel à partir d'événements récents. Ce faux souvenir est né du chien enterré et de ma mère en larmes, images qui m'ont été suggérées par Rougemont. Je n'ai pas manqué d'y intégrer la dépanneuse de papa, élément jusque-là oublié. C'était un chant funèbre à la mémoire de ma lointaine amitié avec Lindy Zacarro. Tous les ingrédients y étaient, sauf l'authenticité. Ce n'était qu'un faux, fabriqué de toutes pièces.

Scott est dans la grange. Lorsque je quitte la véranda et l'ombre des arbres, le soleil m'assaille. Je m'immerge lentement dans sa chaleur et sa lumière, comme si j'avançais dans l'eau.

La grange est haute et rouge telles les granges des livres pour enfants. Ça me plaisait quand j'étais gamine. Même si, une fois la porte ouverte, j'avais peur devant cette immense caverne aux ténèbres impénétrables, étouffant les bruits du dehors.

Scott a verrouillé la porte de l'intérieur. J'y donne un coup de pied.

— Qui est là? crie-t-il.

Il paraît nerveux. Lorsqu'il ouvre, mon regard plonge dans l'insondable obscurité de la grange.

— Referme derrière toi, dit-il d'un ton impératif.

Ses mots se perdent avec lui quand il retourne au froid de la grange.

— Scott, tu es où?

— Ici!

— Je ne vois rien du tout... Pourquoi tu n'allumes pas la lumière?

— Elle est allumée! Mais le soleil est fort, dehors, il faut attendre que tes yeux s'accoutument.

318

Le tracteur est la première chose à se matérialiser. Papa passait des heures couché dessous, dans l'odeur de l'huile et le cliquetis des clés, jusqu'à ce que s'élève enfin le rugissement puissant du moteur, donnant l'impression que la grange elle-même allait démarrer en trombe.

— Nom d'un chien! Je secoue la tête tandis que le reste apparaît progressivement. Tout un bric-à-brac : des sacs de jute, des machines, des bûches, les outils de papa ; des clous, des pièces de machines, des planches et des panneaux de bois, des roues ; et des cartons, certains portant des étiquettes avec des noms de roche. Il y en a tout autour de Scott. En lui tendant le verre, je remarque qu'il est ruisselant de sueur. Il avale le liquide d'un trait. Je lâche :

— Je ne comprends pas qu'au bout de tout ce temps le nom de Robert Joseph te fasse encore cet effet.

Il ne cesse pas de boire, mais sa bouche grimace.

— Tout de même... Tu pars en France avec Brigitte et tu te mets dans tous tes états à propos d'un petit ami que je n'ai pas revu depuis mes dix-huit ans. Mince alors!

Il repose le verre vide et reprend son souffle.

— C'est à cause de la manière dont cette histoire s'est terminée... sans se terminer. Tu n'as jamais pu tourner la page sur ce que tu avais éprouvé pour lui.

— Il y a des années que je n'ai pas pensé à Robert Joseph.

Il hausse les épaules et se penche sur un des cartons.

— Dans ce cas, pourquoi être allée repêcher cette coupure de journal?

Je marmonne quelque chose, où il est question du rangement du bureau de papa et du fait que je suis tombée sur toutes sortes de choses.

— Chaque fois qu'on faisait l'amour, reprend Scott, c'est comme si tu n'étais pas vraiment là. Pas totalement.

Je tombe des nues, le regarde. À présent, je distingue bien son visage. Il est luisant de sueur. Je proteste :

— Mais je croyais que tu y prenais du plaisir ! Moi, je trouvais ça bon ! Du moins avant la naissance de Stevie.

Après, nous avions quasiment cessé de faire l'amour.

— Oui, Lucy, c'était bien, souffle Scott d'une voix plus douce. Mais pas aussi bien que ça aurait pu être. Parce qu'une petite partie de toi n'était pas là.

Je me revois, étendue avec Kent sur le lit de cet hôtel du centre-ville, pleurant silencieusement dans le noir pendant qu'il dort. Je revois la ligne nette comme un trait à l'encre rouge, laissée sur ma cuisse par la lame de son rasoir. Quand Kent et moi avons fait l'amour, aucun de nous deux n'était là.

— Je ne vois pas de quoi tu parles, dis-je.

— Bien sûr que si, Lucy. Il a toujours manqué quelque chose. Et c'est Robert Joseph qui l'avait. Tu le lui avais donné des années avant et tu n'as jamais cherché à le récupérer. C'est pourquoi la mention de son nom me fiche toujours en rogne !

Plus tard, bien plus tard dans la journée, alors que le fragment de ciel visible depuis le bureau de papa a viré au rose, au bleu pâle, puis au noir, je m'étire dans un bâillement. La maison est silencieuse à présent, car les autres sont tous dans la grange, à ordonner des centaines de cartons pleins de pierres. Il leur a même fallu déplacer le tracteur pour dégager de l'espace. Il a démarré tout de suite, dans un vrombissement voluptueux, et Larry l'a garé dehors, devant la grange. Lorsque Larry a coupé le contact, on aurait cru que le tracteur poussait un soupir de déception, tel un chien qui avait vraiment envie de faire une petite promenade.

Je mets de l'ordre sur le bureau. Dans un coin se trouve la coupure de journal, à l'endroit où je l'ai laissée ce matin. J'espère que les autres ont remarqué que je n'y ai pas touché de la journée. Comme ils sont tous dehors, j'y jette un dernier coup d'œil. La robe de la mariée en dentelle d'époque. La main de Joseph, posée sur son épaule. Et soudain un détail, au bas de la page, me saute aux yeux. Marcello. Le nom que j'ai cherché partout est juste là. Lorsque Seymour me l'avait communiqué, je savais qu'il m'était familier. Je l'avais lu là, sur la liste des invités au mariage de Robert. B. Marcello.

Quelqu'un passe devant la porte ouverte du bureau. J'espère qu'on ne m'a pas vue en train de lire l'article. Je le range aussitôt. Puis je feuillette l'annuaire, mais il n'y a aucun « B. » parmi les Marcello. Une idée me passe par la tête et le battement de mon cœur s'accélère : je pourrais prendre la voiture et rouler dans la vallée, jusqu'à la ferme des Joseph. Je pourrais questionner Mme Joseph au sujet de B. Marcello. Peut-être a-t-elle même entendu parler du fonds Marcello.

Je sors sur la terrasse. Un gros insecte me frôle, je le sens au déplacement de l'air, au bourdonnement accompagnant son vol. Je contemple la vallée, ce grand océan sombre. Les phares de deux ou trois voitures. Quelques fermes.

Un bruissement tout proche me fait sursauter. Jane est là, assise sur une chaise, les pieds calés sur la balustrade.

— Pour une chaude nuit, c'est une chaude nuit, murmure-t-elle. En été, ce serait normal. En mars, c'est absurde.

Je m'assieds à côté d'elle et nous fixons l'immensité obscure.

— J'aurais aimé que tu restes un peu après l'enterrement et que tu nous aides à tout régler, reprend-elle.

— Je peux rester jusqu'à la fin de la semaine prochaine, mais pas plus longtemps, Jane. Ce marché est en train de me passer sous le nez...

— Bien sûr, dit-elle d'un ton calme. Bien sûr, Lucy. C'est égoïste de ma part de te demander ça. Mais je suis tellement fatiguée et, quand je suis fatiguée, il m'arrive de me sentir submergée par tout ce qui reste à faire.

Sa voix est triste, comme dépassée par les événements. Je réplique :

— Non, c'est moi qui suis égoïste, pas toi. J'essaierai de revenir le plus vite possible.

— Et cette histoire de contrat ?

— Il m'est déjà probablement passé sous le nez. Il y en aura d'autres.

Je vois clignoter les feux d'un avion au-dessus de la vallée, sans distinguer le ronronnement de son moteur.

— Jane, tu te souviens du jour où Lindy Zacarro et moi avons traversé la vallée à pied ? Nous sommes allées jusqu'aux vergers Sturmer.

— Mon Dieu, ce que je m'étais inquiétée ! Tu étais restée dehors si longtemps.

— On était vraiment très amies, Lindy et moi. Sauf vers la fin. On s'était disputées et elle est morte avant qu'on ait pu se réconcilier. Je me suis toujours sentie très coupable.

— Vous vous étiez disputées à propos de quoi ?

— Je ne me souviens plus.

— Ça devait être en rapport avec notre mère, dit Jane. Je veux dire... Lindy insistait pour venir jouer ici.

Je hoche la tête.

— Notre mère rendait toute amitié impossible, car on ne savait jamais à quoi s'attendre de sa part. Même entre deux crises, on n'était jamais sûres de ce qu'elle allait faire.

Il y avait des périodes, parfois une semaine ou deux, au moment des vacances, pendant lesquelles nous parcourions la colline avec les gamins du voisinage. Lindy, Davis et Carter Zacarro. Les Carmichael. Phyllis Schneck. Les triplés Dimoto. Jim Bob Holler et parfois son grand frère. Les Spelman,

Miranda et Michael. On bâtissait des camps, on se déclarait la guerre... Et puis, un jour où l'autre, tout s'écroulait et nous nous retrouvions seules. Nous finissions toujours par nous retirer du groupe lorsqu'ils manifestaient l'envie de venir chez nous. Un jour, c'est ce qui se passa. Ils vinrent tous, douze ou treize enfants. Maman leur servit une grande carafe de sirop et mit des petits gâteaux sur la table. Mais le sirop, trop sucré, était imbuvable et les gâteaux immangeables, parce qu'elle avait oublié la levure. Les gamins restèrent assis là, en silence. Lorsqu'elle quitta la pièce, ils se mirent à rire. Je ne savais pas si je devais rire avec eux ou conserver un silence embarrassé, mais loyal.

— Et quand elle sombrait à nouveau dans la psychose..., ajoute Jane. Là, on savait de quoi elle était capable. Tu te rappelles cette fois où tous les gamins du voisinage étaient venus, alors que maman était très mal et qu'on se déplaçait en rasant les murs...

— Oh, je me rappelle avoir souvent rasé les murs...

Ne réveillez pas votre mère, n'embêtez pas votre mère. Ne dérangez pas le mécanisme complexe et fragile de son esprit, car la plus petite tension peut avoir des conséquences terrifiantes, cataclysmiques.

— On était là, à marcher sur des œufs et une bande de gosses est apparue sur la véranda. Ils nous appelaient, ils poussaient des cris. Ils ont même sonné à la porte. Ils ont sonné si fort qu'on aurait cru que la maison vibrait.

— Comme avant un tremblement de terre. C'est ce qu'il y a eu, d'ailleurs, pour finir... Comment on s'en est tirées ?

— On les a persuadés de redescendre dans l'allée sous un prétexte absurde. Notre mère hurlait à réveiller un mort, et nous, nous sommes sorties comme si de rien n'était. Mais bien sûr, ils ont tous compris. Et ils sont jamais revenus ici.

Le visage me brûle. Agir comme si de rien n'était. Normalement. Quel luxe ! Le contraire de « faire sa Russe ».

— Où était papa ?

— Dehors. Au travail. Je n'en sais rien.

Nous sombrons à nouveau dans le silence. J'attends que l'air nocturne rafraîchisse mes joues.

Jane rompt le silence d'une voix douce :

— Lucy, je t'ai vue en train de lire l'annonce du mariage de Robert, à l'instant, dans le bureau.

— Nom de Dieu, Jane ! Je consultais simplement la liste des invités. Il se trouve que l'un d'entre eux est un Marcello et que je cherche...

— Lucy, ne fais pas ta Russe ! Dis-moi juste une chose : est-ce que tu l'as lue et relue ?

La balustrade émet un craquement, ou peut-être est-ce le chant des grillons ? L'air est si immobile que je distingue le souffle odorant de Jane, les effluves capiteux de son parfum.

Je soupire.

— Et alors ? Ça a été une histoire importante pour moi, la première que notre mère ne pouvait pas détruire. Elle était internée pour de bon, à ce moment-là, et pas près de sortir de la clinique. Et puis...

J'hésite.

— Et puis un premier amour, ça ne s'oublie pas comme ça. À vrai dire, toute cette famille comptait beaucoup pour moi.

L'oasis des Joseph, dans la vallée. Mme Joseph prenant part à la vie de ses fils sans jamais chercher à la contrôler. Riant de leurs plaisanteries. Les regardant jouer au volley. Se réjouissant de leurs petits succès. M. Joseph était plus âgé et son allure plus rigide, mais c'était un homme gai, qui taquinait ses fils et admirait leurs petites amies. J'appréciais également sa manière de discuter avec sa femme. Quand l'un d'eux parlait, l'autre l'écoutait respectueusement, puis ils échangeaient les rôles. Je pensais alors : c'est ainsi que devraient se parler tous les couples mariés. Pas de cris. Pas d'indifférence. Pas de désir de dominer l'autre. Ils prenaient toujours le temps de discuter bien que leur maison soit pleine de monde. Il y avait Ralph, le frère de Mme Joseph, qui vivait avec la famille et aidait au jardin. Personne ne le regardait de travers ni ne faisait le moindre commentaire sur son attitude. Il y avait les amis de Mme Joseph. Et il y avait tout un tas d'autres enfants : des cousins, des amis des cousins. On avait parfois du mal à se retrouver seuls, en dépit de la taille de la demeure, mais ce n'était pas pour me déplaire. Je venais d'une maison où l'on était voué à rester seul et où le claquement de la porte grillagée marquait toujours le début ou la fin d'une nouvelle période de solitude.

Après que les Joseph m'eurent rejetée si catégoriquement, pouvais-je vraiment frapper à leur porte, poser des questions au sujet de B. Marcello et me resservir une autre part de leur savoureux mode de vie? À cette seule pensée, je sens mon cœur bondir dans ma poitrine.

— Il n'était pas si merveilleux que ça, fait remarquer Jane. Il a failli te tuer, dans la vallée.

— Je n'ai pas été grièvement blessée.

— Tu aurais pu. Lui l'a été. Et la voiture était dans un état, ça m'a fait une de ces peurs.

Jane était arrivée peu après Mme Joseph et son amie, quelques minutes avant l'ambulance. Ses yeux brillaient comme si elle allait fondre en larmes d'un instant à l'autre. Elle m'avait examinée, pour voir si j'étais blessée, avec un sang-froid tout professionnel, même si c'était plusieurs années avant qu'elle obtienne son diplôme de docteur.

— Tu n'en as rien montré.

— Il me fallait conserver mon calme, pour ne pas t'effrayer.

Je me tourne vers elle. Ses yeux brillent dans l'obscurité.

— Je te dois tellement, Jane. Je sais, nous avons toutes deux envie d'oublier le passé, mais les bonnes choses, c'est à toi que je les dois. Je te suis tellement reconnaissante. Pas seulement de t'être occupée de moi quand j'étais malade ou de m'avoir sauvé la vie à la piscine. Mais tout le reste aussi. De m'avoir appris à m'habiller. À dire les choses qu'il fallait. À obtenir de meilleures notes. À bien me comporter. Je crois que maman ne m'a pas élevée du tout. C'est toi qui as tout fait. Et je...

De manière inexplicable et embarrassante, ma voix se brise, l'espace d'un instant.

— ... je te suis reconnaissante de tout ça. Et surtout de...

Une fois de plus, je suis forcée de m'interrompre.

— Quand Stevie est mort. Du soutien que tu m'as apporté.

Voilà. Je l'ai dit. Sans m'y être préparée, sans savoir que j'allais le dire. Depuis des années, je suis consciente de devoir lui exprimer ma reconnaissance ; je sais que Jane est en droit d'attendre cela et l'attendait sans doute. Mais, pour des raisons qui m'échappent, je l'en ai privée jusqu'à présent.

Elle met du temps à répondre et, lorsque je lui jette un coup d'œil, je vois, en dépit de l'obscurité, les larmes couler sur ses joues.

— Oh, Lucy. Merci. Je veux dire... parfois j'ai l'impression que tu ne te souviens pas.

— Je me souviens.

Mon propre visage est baigné de larmes tièdes.

— Je suis consciente de ce que je te dois. Et je ne t'ai jamais remerciée. Je suis partie, sans un mot d'explication.

Ce genre de conversation ne nous est pas habituel. Nous n'avons pas coutume de pleurer ainsi. Nous ne nous regardons pas, nous continuons à lancer nos paroles, calmement mais impérieusement, par-dessus la balustrade et dans la vallée. Et ensuite, en silence, nous continuons à fixer son immensité insondable, en étouffant de temps à autre un sanglot.

Lorsque Scott et Larry apparaissent, apportant avec eux l'odeur de la grange, nous nous efforçons de parler normalement, de ramener la conversation sur un terrain familier. Mais ils sentent que quelque chose d'important s'est passé entre nous et nous observent, intrigués. Les feux avant d'une voiture, projetant un faisceau aussi droit que la route, se déplacent lentement dans l'obscurité. Soudain, il me semble essentiel que Jane et moi portions ensemble le fardeau pesant de notre passé commun. Pour la première fois, je songe à revenir m'installer en Californie.

27

Dimanche matin, nous quittons la maison, Sasha, mes tantes Zina et Zoya et moi, pour la clinique de Redbush. Je suis soulagée de ne pas aller seule rendre visite à maman, mais tante Zina m'explique :

— Ce n'est pas bon pour Tanya d'avoir plus d'un visiteur à la fois, alors on va t'attendre pendant que tu iras la voir.

— Mais vous allez faire quoi ?

Elles éclatent de rire.

— Parler !

Redbush est à trente minutes au nord de la ville par la route et, dans la voiture, les tantes — qui ont insisté pour que je m'asseye devant — me posent des questions pour savoir où nous en sommes avec la maison de papa. Je gémis :

— Il y a tellement à faire !

Elles hochent prudemment la tête. Tante Zina se penche vers moi :

— Lucia, il va y avoir des tas de choses à régler. Cela prend beaucoup de temps de s'en charger, après un décès, mais c'est nécessaire et cela va peut-être t'aider à surmonter ton chagrin.

Je pense à la maison, regorgeant de cartons, de documents, de tiroirs, de placards.

— J'ai l'impression de violer l'intimité de papa.

— Quand une personne meurt, fait remarquer Sasha, il est difficile de préserver son intimité et ses secrets. Dieu sait que quand papa est mort, j'ai trouvé insupportable de voir sa vie exposée aux yeux de toute la famille, mais tout cela m'a permis de mieux le connaître.

— Tout quoi ?

Sasha jette un coup d'œil au rétroviseur pour consulter sa mère du regard et poursuit, avec son accord — un hochement de tête ou un clin d'œil, sans doute :

— Quand maman et ses sœurs ont trié ses affaires — et je continue de penser que c'était à moi de le faire —, elles ont découvert un certain nombre de magazines dont je te laisse imaginer la nature, et pour lesquels personne n'aurait pu soupçonner son intérêt. Et il avait des dettes, des dettes de jeu, ce qui était proprement stupéfiant pour un homme à la prudence légendaire, qui avait toujours géré l'argent de la famille avec parcimonie.

— Des dettes de jeu ! L'oncle Pavel !

— N'est-ce pas incroyable ? s'exclame tante Zina en agitant les bras en signe de stupéfaction. Tout le monde est tombé des nues, moi la première. Mais je remercie le ciel que maman soit morte un an avant et n'en ait jamais rien su.

Sasha se redresse sur son siège et prend une expression de dégoût qui rappelle si bien celle de grand-maman que nous

nous esclaffons tous deux. Il émet des espèces de couinements qui me font rire encore davantage. Mais ça n'amuse pas les tantes.

— Vous devriez avoir honte de vous moquer de votre vieille baba. C'était une femme très bonne, qui a beaucoup souffert.

Tante Zoya s'adresse tout particulièrement à moi :

— Et tu devrais comprendre cela mieux que personne.

— Oui, bien sûr, je sais. Son bébé est mort dans le train, dis-je gravement.

— Sa douleur a été immense, confirme tante Zina. Chaque fois que mon Pavel s'énervait contre elle, je lui rappelais à quel point elle avait souffert.

Sasha me regarde en haussant les sourcils :

— Tu vois, Lucia. En quelques minutes, tu en as plus appris sur mon père que s'il était là, assis dans la voiture avec nous, à fumer sa pipe. Il va peut-être se passer la même chose avec ton papa à toi. Tu vas découvrir des aspects de lui que tu ne connaissais pas. Parce qu'on a tous des secrets. Même toi.

Avec ses hauts murs d'enceinte et ses caméras de surveillance, Redbush évoque davantage la propriété spacieuse d'une star de cinéma qu'une clinique spécialisée dans le traitement des maladies mentales et les cures de désintoxication pour toxicomanes et alcooliques. Ces derniers sont séparés des patients comme ma mère, et le personnel en uniforme parle d'eux comme de « clients ». On les croise parfois, qui se promènent seuls, dans le vaste parc de la clinique.

Les patients dont le problème s'apparente à celui de ma mère ne se promènent pas seuls. Ils sont toujours accompagnés, soit par un autre patient ou par un parent, soit le plus souvent par un membre du personnel hospitalier. Comme les docteurs ne portent pas de blouses blanches, il est parfois difficile de les distinguer des patients. Un jour, alors que Scott et moi étions venus rendre visite à maman avec Larry et Jane, Larry s'était dirigé tout droit vers un vieil homme débraillé que je voyais toujours traîner dans le coin et lui avait serré la main. Il s'était alors avéré que cet homme, que je prenais pour un patient en long séjour, était un psychiatre renommé, qui avait autrefois travaillé avec Larry.

Sasha arrête la voiture devant le garde posté à la grille. Derrière la vitre épaisse, des visages nous scrutent avant que quiconque apparaisse. Le garde, à qui son uniforme donne l'air d'un policier, demande à voir les papiers d'identité de tout le monde. Clic-clac de sacs à main sur la banquette arrière.

— Vous allez tous rendre visite à la patiente? demande-t-il.

— Non, seulement sa fille, dit Sasha en me désignant d'un geste.

— Veuillez descendre de la voiture, je vous prie, ordonne l'homme.

Il me détaille des pieds à la tête, d'un œil soupçonneux. Examine ma carte d'identité en la regardant à la lumière, comme si c'était un faux billet.

Il finit par me la rendre.

— Je suis désolé. On est obligé de prendre des précautions. On a une grosse vedette du show-biz en cure de désintoxication et, toute la journée, des femmes ont essayé de s'introduire dans la clinique.

La voiture pénètre dans le parc. La pelouse est découpée en triangles réguliers, sur lesquels les arroseurs vaporisent un nuage de fines gouttelettes. Lorsqu'un rayon de soleil se pose dessus, ils semblent projeter de petits arcs-en-ciel.

— Ah, même le système d'arrosage est beau, ici! soupire tante Zina en dévisageant tous les gens que nous croisons. Personne n'a l'air d'une grosse vedette.

— C'est tellement calme, ici, s'extasie tante Zoya. Regardez-moi ces arbres! Et ces fleurs!

Je pénètre dans le bâtiment bas et rouge avec le même sentiment de désespoir et d'impuissance que quand j'étais adolescente. En ce temps-là, tout était possible. Maman pouvait être tout sucre tout miel, m'accueillir comme une reine, me poser des questions polies, regarder avec une fascination exagérée les photos que je lui apportais. Mais elle pouvait tout aussi bien bouder et refuser de me parler. Ou encore poursuivre obstinément Dieu sait quel raisonnement obscur, se mettre en colère contre moi ou me confier sa haine pour tel ou tel membre du personnel ou tel ou tel patient. En vieillissant, elle s'était adoucie, préférant le silence aux excès. Les visites cessèrent d'être des épreuves pour devenir des corvées.

Devinant mon état d'esprit, Sasha me passe un bras autour des épaules.

— Ne t'inquiète pas, rien ne t'oblige à rester longtemps, dit-il.

On nous prie d'attendre dans la serre. Les tantes, en chuchotant, font toutes sortes de suppositions quant à l'identité de la vedette en question. Elles ont beau parler russe, des noms célèbres se détachent de leur conversation.

Je fais quelques pas, ramassant des magazines pour les reposer aussitôt, puis parcours les pelouses des yeux à la recherche de la vedette. Je suis nerveuse. Je dresse mentalement une liste des sujets que nous allons pouvoir aborder.

Un homme s'avance vers moi, vêtu d'un ample uniforme vert. Il nous regarde et salue les tantes d'un signe de tête.

— Vous ne pouvez pas entrer tous en même temps, vous connaissez le règlement.

Elles expliquent d'une seule voix que je suis la seule à venir voir ma mère aujourd'hui. L'homme paraît perdu, jusqu'à ce que je m'avance vers lui.

— Mademoiselle Schaffer? Bonjour. Je suis Jonathan, l'infirmier de Tanya.

Qu'il désigne ma mère par son prénom — et même par son diminutif — m'étonne tellement que je reste un moment sans réaction. Puis il me serre la main, avec une force qui ne doit pas être inutile quand il a affaire à des patients difficiles.

— Suivez-moi dans la chambre de votre mère, je vous prie.

Je le suis docilement. Il ralentit le pas pour que nous puissions discuter.

— Quand avez-vous quitté New York? interroge-t-il.

Dans le couloir, nous passons devant des tableaux colorés et enfantins. L'infirmier marche pratiquement sans faire de bruit.

— Votre mère dit que vous avez un très bon poste, là-bas.

— Elle dit ça?

— Oui, bien sûr. Elle est très fière. Elle parle beaucoup de vous.

— Ma mère? Ma mère parle de moi?

— Qu'est-ce qui vous surprend tellement, mademoiselle Schaffer?

— Je croyais que ma mère ne parlait presque plus.

L'infirmier sourit en me tenant la porte.

— Certains jours, c'est un vrai moulin à paroles.

— Est-ce que la police est déjà revenue l'interroger?

— Ils sont venus une seule fois.

— Ils reviennent quand?

— Eh bien, d'après eux, ils repasseront un jour de la semaine prochaine avec un interprète, car Tanya leur a déversé un flot de russe. Mais je ne suis pas certain qu'ils se donnent le mal de revenir. À mon avis, ils ont compris qu'elle ne leur serait pas d'un grand secours.

— À quand remonte la dernière visite de papa?

— À samedi.

Nous nous tenons devant une porte et l'infirmier est sur le point de l'ouvrir lorsque je l'en empêche.

— Il est resté longtemps? Vous les avez vus ensemble?

— Oh, je ne sais pas combien de temps il est resté. Une demi-heure, peut-être. Je l'ai vu au début, quand je l'ai accompagné jusqu'ici. Et je l'ai vu à la fin.

— Et il paraissait... normal?

Un sourire éclaire le visage de l'infirmier, dévoilant de grandes dents.

— Le mot « normal » n'est pas de ceux que nous utilisons fréquemment ici, mademoiselle Schaffer, dit-il sur un ton taquin. Mais Tanya était un peu contrariée après sa visite. Non, pas un peu... elle était très contrariée. Ça m'a surpris parce que d'ordinaire, quand votre père s'en va, elle est calme et satisfaite.

— Elle vous a expliqué pourquoi?

— Eh bien... non. Elle a beaucoup pleuré. Puisque vous me le demandez, je vous avouerai que depuis sa visite elle est d'humeur mélancolique. Je veux dire, elle semblait triste avant même que votre sœur ne vienne lui annoncer la mort de votre père.

— Comme si elle s'y attendait.

— J'en suis venu à croire que le cerveau humain fonctionne sur différents niveaux et que nous sommes loin de tous les comprendre. Lorsque les gens ne raisonnent pas normalement, nous les voyons comme des handicapés. Mais sur d'autres plans, ils ont des facultés étonnantes.

Il tend le bras. J'avale ma salive tandis que s'ouvre la porte de la chambre. Elle est plus petite que dans mon souvenir, mais ressemble encore davantage à une chambre d'hôtel quatre étoiles. Les rideaux sont épais, les poignées de portes ornementées. Je ne parviens tout d'abord pas à distinguer ma mère, mais l'infirmier me guide vers une forme vaguement humaine, emmitouflée dans un châle bleu vaporeux et blottie sur une chaise longue. Une vieille femme en qui je crois reconnaître ma grand-mère.

— Votre fille est ici! s'exclame joyeusement l'infirmier.

— Bonjour, maman.

J'aimerais être naturelle, mais je n'y parviens pas. Je me baisse pour embrasser la peau fine de sa joue, puis m'assieds à quelques pas d'elle. Ses épaules voûtées, sa petitesse et sa fragilité, ses membres aux os saillants, tout cela m'évoque l'image absurde d'un ballon qui, après un défilé, traîne près d'une maison, se dégonflant chaque jour un peu plus.

Ma mère regarde par la fenêtre et fait celle qui ne m'a pas vue entrer. Je lance :

— Alors, comment vas-tu?

À mon grand soulagement, elle ne répond pas. La visite va être telle que Jane l'a prévue. Je vais lui parler de la pluie et du beau temps tandis qu'elle restera là sans rien dire et puis, une fois la corvée finie, je serai libre de repartir.

L'infirmier s'affaire dans la salle de bains attenante à la chambre, remplissant d'eau un vase pour y placer le petit bouquet que j'ai apporté.

— Comme elles sont belles! commente-t-il d'un ton gai. Des anémones. Tatiana aime tant le bleu. Pas vrai, Tanya?

Ma mère ne répond pas, mais l'infirmier continue comme si de rien n'était.

— Ah oui, on peut dire que vous aimez le bleu. La dernière fois qu'Éric est venu, il vous a apporté des fleurs bleues, non?

Aucune réponse. L'infirmier n'en poursuit pas moins sa conversation unilatérale.

— Je suis bien placé pour le savoir, je ne les ai jetées que ce matin. Dites, Tanya, vous ne voulez pas vos lunettes? Pour pouvoir admirer votre fille et ce joli bouquet?

Mais ma mère ne montre aucun signe d'intérêt pour les fleurs, la fille ou les lunettes.

— Elle n'y voit plus grand-chose, ces derniers temps, commente l'infirmier en haussant les épaules et en lui tendant les lunettes. Vous ne les voulez pas, Tanya?

Ma mère l'ignore et il les pose sur la table.

— Il vaut mieux que vous vous approchiez un peu, m'explique l'homme. Là où vous êtes, elle risque de ne pas bien vous voir.

J'enregistre ses paroles mais ne bouge pas. En le voyant regagner la porte, une espèce de panique m'envahit.

— Je serai de retour dans une vingtaine de minutes, mais si vous voulez partir avant ou si vous avez besoin de moi, vous pouvez appuyer sur ce bouton.

Le bouton, rouge, est discrètement dissimulé derrière les rideaux. La porte se referme derrière lui.

Nous restons là, assises en silence. J'examine la peau blanche de ma mère. Bien qu'elle donne l'impression d'être très âgée, elle n'a pas de rides. Elle a de grands yeux bleus, plus pâles que dans mon souvenir, comme s'ils se délayaient au même rythme que sa raison.

Je me mets à parler, d'une voix d'abord empesée, hésitante. De l'enterrement, des gens qui vont y assister. Je lui dis que Sasha et tante Zina viendront la chercher. Je m'efforce de m'adresser à elle comme à une adulte sensée, tout en me rendant compte, par moments, que ma voix sonne faux : une gaieté forcée, un ton condescendant... De temps à autre, maman fait des petits gestes comme si elle se grattait, ou cligne des yeux. À part ça, elle est immobile. Je ne sais pas si elle m'écoute ou si elle comprend un traître mot de mes paroles,

335

mais, peu à peu, je finis par trouver son silence libérateur. Je lui parle de papa, du fait qu'il me manque, au point de finir par oublier sa présence muette et figée.

— C'est une douleur différente de celle que j'ai éprouvée à la mort de Stevie. Enfin, ça a aussi été un choc. Mais une fois le choc passé, la souffrance n'est pas la même.

Soudain, ma mère tourne le visage vers moi. Elle a beau n'être désormais qu'un fantôme, je réalise — comme pour la première fois — qu'elle est le fantôme d'une belle femme. Je cesse de parler, me pénètre de sa folie et de son désespoir.

Nous nous fixons pendant plus d'une minute. J'ai du mal, j'ai toujours eu du mal, à soutenir son regard. Enfant, sa fixité me plongeait dans l'horreur et je me cachais les yeux d'une main ou les gardais rivés au sol afin de pouvoir l'éviter. Et à présent, la voyant sur le point de parler, je sens mon cœur battre plus vite : peu à peu, lentement mais sûrement, son visage est en train de se transformer. Je frémis en reconnaissant le processus. La première fois que j'ai vu son visage ainsi déformé, c'était dans le désert, sur l'asphalte silencieux et chauffé à blanc. Lorsque j'avais émergé, en boitant, du canyon.

La chambre me paraît tout à coup étouffante. Je sens des gouttes de sueur ruisseler sur ma peau, mais je suis paralysée. Son visage change d'expression jusqu'à apparaître possédé par une créature cruelle et monstrueuse. Je me plaque contre le dossier du fauteuil, prête à subir l'assaut de la bête.

Elle dit dans un chuchotement, comme crachant son venin :

— Pourquoi as-tu fait ça ?

En dépit de ma peur, je remarque que son accent est aussi fort que celui de tante Zina. Enfant, je ne m'en rendais pas compte et, lorsque je pense à elle, j'occulte ce détail.

Elle attend une réponse, en vain. Mon cœur bat à tout rompre, mon visage et mon corps sont mouchetés de perles de sueur, telles des paillettes. J'ai mal aux mains à force de serrer les accoudoirs. Ce n'est plus une petite femme vieille et sans défense que j'ai devant moi, mais un serpent à la piqûre mortelle. Et je ne suis qu'une petite fille terrorisée. Elle se penche vers moi.

— Pourquoi? siffle-t-elle. Qu'est-ce qu'il a fait pour que tu le détestes tant?

Je bondis instinctivement hors du fauteuil. Mes doigts griffent le rideau, à la recherche du bouton rouge. J'appuie dessus et un voyant clignote, suivi d'un silence déconcertant. J'espère que ça fonctionne. J'appuie à nouveau.

J'ose à peine regarder ma mère et, lorsque je le fais, c'est en plissant les yeux, comme si je regardais le soleil. Elle marmonne encore quelques paroles en russe. Puis elle se tourne vers la fenêtre et son visage reprend son expression habituelle. Quand l'infirmier arrive, elle est presque redevenue la créature absente que j'ai trouvée en entrant.

— Tout va bien? demande-t-il en me regardant attentivement, avant de se tourner vers ma mère.

Quelles que soient les marques subsistant de sa colère, il la connaît suffisamment bien pour les déceler.

— Oh, Tanya. Vous n'avez pas été méchante, au moins?

Il paraît désolé.

— Tout va bien, mademoiselle Schaffer? Elle avait vraiment envie de vous voir. Je ne sais pas ce qui lui a pris.

Il s'avance vers moi et me touche délicatement le bras. L'examine.

— Elle vous a fait mal?

Je secoue la tête, mais il n'en poursuit pas moins son examen.

— Vous êtes sûre qu'elle ne vous a pas griffée?

Je secoue à nouveau la tête, incapable de dire un mot.

— O.K., Tanya... Votre fille va être obligée de s'en aller, à présent.

Ma mère l'ignore et je pars sans la saluer. Tandis que l'infirmier et moi longeons le couloir sans faire de bruit, il me dit :

— Elle n'est pas réellement dangereuse, mais il lui arrive d'essayer de griffer quelquefois. C'est pourquoi je veille à ce qu'elle ait toujours les ongles très courts.

Nous distinguons les babillements entrecoupés de glousse-ments des tantes. Elles discutent en russe et baissent un peu la voix à notre approche. Sasha scrute mon visage. J'évite son regard.

— Je vois que vous appréciez la sortie en famille, mesdames ! leur lance l'infirmier avec un sourire.

— Vous avez peut-être l'impression qu'elles n'ont pas souvent l'occasion de se parler, explique Sasha. Eh bien, croyez-le ou non, elles n'habitent qu'à un pâté de maisons l'une de l'autre.

— Oh, mais c'est un tel plaisir de se voir ailleurs ! pro-testent-elles vivement.

— Vu que cette sortie exceptionnelle est prévue depuis plu-sieurs jours, pourquoi avez-vous eu besoin de discuter des heures au téléphone, cette semaine ?

Tante Zoya incline son long corps vers Sasha et réplique, d'un ton impérieux :

— Jeune homme, est-ce que tu aurais l'idée de participer aux Jeux olympiques sans t'entraîner avant ?

Les deux femmes se tordent de rire à cette remarque. Sasha lève les yeux au ciel.

Sasha et l'infirmier tentent de s'écarter un peu afin de mettre au point les derniers détails, pour que ma mère puisse assister à l'enterrement. Ils se demandent s'il ne serait pas bon que l'infir-mier l'accompagne mais sont sans arrêt interrompus par les tantes, qui ne cessent de faire des remarques et des suggestions, transformant la discrète conversation des deux hommes en un drame bruyant. Comment se fait-il que maman ait deux sœurs aussi pleines de vie alors que sa propre demeure, si l'on excepte le fantôme qui hante parfois ses pièces, est désespérément vide? Ils finissent par décider que Sasha pourra se débrouiller seul, avec l'aide de sa mère et de sa tante. Ma mère sera conduite à l'enterrement et aussitôt ramenée ici. Elle n'assistera pas au buffet.

— Bon Dieu! s'exclame l'infirmier en faisant mine d'être épuisé et en levant les mains en signe d'impuissance. Heureusement que je n'ai à m'occuper que d'une seule de vos sœurs!

Les tantes se pâment de rire.

Avant de s'éloigner, l'infirmier se tourne vers moi.

— Vous êtes sûre que ça va? me demande-t-il d'une voix douce.

— Oui, je crois.

Comme nous quittons la clinique, les tantes se pressent autour de moi, si bruyantes et agitées que je me sens entourée de toute une foule.

— Comment tu as trouvé Tanya? Elle a beaucoup changé?

— Eh bien... Elle m'a semblé un peu plus petite et un peu plus vieille.

Ma voix est caverneuse.

— Vous n'avez pas le même teint mais, à part ça, vous vous ressemblez un peu, dit tante Zoya.

— Oui, oui, c'est vrai, approuve tante Zina.

— Je n'ai pas envie de lui ressembler.

À ce moment précis, alors que nous traversons le parking, je reconnais le clic clac de ma démarche. Cette menace de déséquilibre, sur laquelle je n'ai aucun contrôle. Les tantes, sans doute alarmées par mon ton, m'assurent que si je ressemble à ma mère, c'est seulement parce que j'ai hérité de sa grande beauté.

— Et Jane aussi, fait remarquer l'une d'elles.

— Absolument, confirme l'autre. Jane est elle aussi d'une grande beauté. C'est si rare, chez deux sœurs d'une même famille.

Lorsque nous atteignons la voiture, elles se sont tues. Et tous trois ne cessent de me jeter des regards en coin, qui en disent long sur leur préoccupation.

— Lucia, commence Sasha. Je crains que vos retrouvailles n'aient pas été des plus heureuses.

Détournant les yeux, je fixe le vert de la pelouse, m'efforçant de faire barrage à mes larmes, de les retenir à la source, une source située plus bas que mes yeux, au niveau de mon ventre.

— Oh, ma pauvre Lucia! gémit tante Zoya.

— Pauvre petite, marmonne tante Zina. Comme tu souffres!

Alors, face à toute cette gentillesse, le barrage cède.

28

Nous trouvons un banc à côté du parking et, assis en rang d'oignons, regardons devant nous comme si nous étions au cinéma. Je sanglote entre mes deux tantes.

— Elle a crié?

— Elle a griffé?

— Elle a vraiment l'air de me détester, dis-je enfin.

— Non, non, elle t'adore.

— Elle t'a toujours adorée, insiste tante Zoya. Elle ne supportait pas d'être séparée de toi quand tu étais petite, pas même pour un tout petit moment. Et toi, Lucia, tu la vénérais.

— Par conséquent, renchérit tante Zina, le bouleversement qu'elle a subi a été encore plus difficile à accepter. Même pour Tanya. Elle a énormément souffert.

— Et puis, ajoute tante Zoya, tu ne dois surtout pas oublier que la maladie de ta mère est le fruit des circonstances, et non une maladie qui se transmet de mère en fille.

— Elle est schizophrène, dis-je. Il y a une forte composante génétique.

— Les docteurs peuvent bien appeler ça comme ils veulent. Nous, on sait que les circonstances uniquement en sont la cause, s'entête tante Zina.

Soudain, il m'apparaît clairement qu'il a dû y avoir des raisons à la folie de ma mère. Toute ma vie, j'ai entendu raconter qu'elles trouvaient leur origine en Russie. Mais on ne m'a jamais véritablement fait part de ces fameuses circonstances, comme si on s'attendait que j'en déduise les conséquences sans en connaître le détail.

Je demande :

— C'est quoi, les circonstances ?

Sasha, à l'autre bout du banc, décroise et recroise ses jambes. Il a déjà vu le film et sait qu'il est long.

— À Moscou, commence tante Zoya, nous étions une famille privilégiée. Papa occupait une situation de confiance, et il avait un grand appartement et une grande famille. C'était du luxe, en ce temps-là. Mais nous avions beau être enfants, nous ne pouvions pas ne pas nous rendre compte de ce qui se passait tout autour de nous. Et Tanya a eu la malchance de voir cela de ses propres yeux. C'est tout. J'ai le sentiment qu'elle n'a plus jamais été la même après.

— Qu'est-ce qu'elle a vu ?

Les tantes échangent des coups d'œil. Tante Zoya se tait et détourne les yeux lorsque tante Zina se met à parler :

— À la datcha, sa meilleure amie était une fillette nommée Rita, qui avait le même âge qu'elle et dont la famille avait la même position que nous. Nos pères étaient amis. Un jour, les filles jouaient dans le potager ou dans la forêt, je ne sais plus trop bien. Mais elles avaient grimpé sur un arbre et, une fois là-haut, elles ont entendu des voix d'hommes. Elles se sont cachées et ont regardé. Ce qu'elles ont vu n'était pas rare en ce temps-là. Mais elles auraient mieux fait de fermer les yeux.

Tante Zoya se penche en avant et laisse retomber sa tête. Je jette un coup d'œil, derrière elle, à Sasha. Son regard est totalement dénué d'expression.

— Qu'est-ce qu'elles ont vu, tante Zina ?

— Elles ont vu le père de Rita se faire battre à mort.

J'ai le souffle coupé, pas tant par l'information — déjà choquante en soi — que par le ton sinistre de la révélation.

— Mais... Pourquoi ?

— Oh, qu'est-ce que tu veux que je te dise ? Je ne sais pas pourquoi le NKVD s'en est pris au père de Rita. C'était fréquent, dans une telle horde de loups. La vie était comme ça, sous Staline. Vous étiez populaire et, l'instant d'après, un type désireux de récupérer votre appartement vous dénonçait à la police. Il montait une accusation de toutes pièces et vous étiez un homme mort. Ça se passait tout le temps, je ne te raconte rien d'exceptionnel. Simplement, Tanya y a assisté, et il aurait mieux valu pour elle que ce ne soit pas le cas.

— C'était qui, les hommes ?

— Oh, je sais pas... des voyous.

— Malheureusement, précise tante Zoya, ils étaient sous les ordres de papa.

— Grand-papa a tué le père de Rita ?

— Pas de ses propres mains, bien sûr...

— Grand-papa a tué son ami!

Sasha s'étonne de mon indignation.

— Tu n'y étais pas, tu n'as pas vécu en ce temps-là, tu n'as pas le droit de juger.

Je repense aux paroles de ma mère : « Pourquoi as-tu fait ça? Qu'est-ce qu'il a fait pour que tu le détestes autant? » Peut-être les mots avaient-ils surgi de son enfance.

— Il n'est d'ailleurs pas impossible, ajoute tante Zoya, que le père de Rita ait lui-même fait la même chose à beaucoup de gens. Et pour papa, ç'a été la dernière fois et, probablement, la raison pour laquelle il est parti.

— Malheureusement, dit tante Zina, maman et lui ont payé cela très cher puisqu'ils ont perdu, au cours de leur fuite, leur fils nouveau-né.

Je hoche la tête.

— Le bébé du train. Maman n'arrêtait pas de nous raconter cette histoire dans tous les détails, mais je l'ai presque oubliée aujourd'hui.

— Nom de Dieu, Lucy! s'exclame Sasha en levant les yeux au ciel. Si tu avais vécu avec nous, on ne t'aurait pas laissé oublier!

Tante Zina l'ignore.

— Ça a été horrible. Il est mort dans les bras de maman. L'homme l'a emporté et maman a toujours été hantée par l'idée que le corps avait peut-être simplement été balancé du train.

— C'est sûrement ce qui s'est passé, fait remarquer tante Zoya.

Je consulte une nouvelle fois Sasha du regard, mais son visage reste impassible. Puis je demande :

— Vous avez pris le train directement à Moscou?

— Absolument. C'était très courageux de fuir ainsi. Papa

avait été nommé à la tête d'une délégation envoyée en Lituanie par le ministère de l'Industrie. Mais, allez savoir comment, on est parvenus à monter dans un autre train.

— Vous êtes allés où?

— C'était compliqué... un voyage compliqué et très risqué.

— Mais vous avez pris le bateau où?

Elles échangent quelques mots en russe.

— Sans doute à Rotterdam, dit enfin tante Zoya. On n'en est pas sûres.

Elle se lève, lentement, avec raideur.

— Ça suffit! s'exclame Sasha. Lucia en a entendu assez pour aujourd'hui en ce qui concerne la famille Andreyev.

Tante Zoya paraît blessée :

— Si on te raconte tout cela, Lucia chérie, ce n'est ni pour te traumatiser ni pour te rendre malheureuse, juste pour te permettre de comprendre un peu la souffrance de ta mère et les raisons de sa folie. Et t'amener, peut-être, à la lui pardonner.

— Rappelle-toi..., ajoute tante Zina, que Tanya a elle aussi perdu un fils, un malheur que tu peux comprendre.

Je me penche un peu, pour les regarder tous.

— Vous vous rendez compte qu'on a toutes les trois perdu un nouveau-né? Grand-maman, maman et moi?

Ils me dévisagent. Semblent attendre que j'ajoute quelque chose. Devant mon silence, tante Zina parle enfin, d'une voix douce.

— Évidemment, dit-elle. Lucia... Tu ne réalises que maintenant?

Depuis la clinique de Redbush, nous nous dirigeons vers le nord. On nous attend chez tante Olya, à vingt minutes de route à peine, pour un déjeuner barbecue. Tante Katya et son mari seront également là, ainsi qu'un certain nombre de cousins.

— Tu es prête à affronter ça, Lucia? Si tu es trop triste, tu préfères peut-être rentrer te reposer?

Je préférerais rentrer me reposer mais, désireuse de ne pas les décevoir, j'insiste pour les accompagner. Nous roulons en silence. Machinalement, je passe en revue tous les camions que nous croisons. Lorsqu'une dépanneuse apparaît, de l'autre côté de l'autoroute, je sursaute si violemment que je manque tomber de mon siège et que Sasha, surpris, tourne la tête vers moi. Mais c'est un modèle très différent. Je réalise alors que la voiture n'est pas véritablement silencieuse. De la banquette arrière s'élève un murmure permanent, semblable au bruissement des vagues : mes tantes parlant russe.

Au bout de dix minutes, la circulation ralentit puis s'immobilise.

— Il y a des travaux? demande tante Zina.

— Un accident? suggère tante Zoya.

Nous avançons à une allure d'escargot, et les tantes ne cessent de s'agiter, à l'arrière, faisant toutes sortes de suppositions quant à la raison du bouchon.

Puis nous voyons clignoter un gyrophare : une voiture de police nous dépasse dans un hurlement de sirène.

— Comme c'est affreux! Comme c'est terrible! gémissent les tantes.

Lorsque nous atteignons l'origine du ralentissement, il apparaît qu'il est dû à une collision entre un camion et une voiture. Chacun a dévié pour tenter d'éviter l'autre, et dans cette tentative désespérée tous deux sont sortis de l'autoroute. Les tantes reviennent au russe, langue de toutes les tragédies.

— Il n'y a aucune raison, fait remarquer Sasha lorsque nous pouvons enfin accélérer, que la circulation soit ralentie ainsi. Les véhicules endommagés, la police et les ambulances ne se trouvent pas sur la chaussée, mais dans le champ attenant, et l'autoroute n'est absolument pas bloquée.

— Ah, mais tout le monde ralentit pour regarder! s'exclame tante Zoya. On a beau être horrifié, on ne peut pas s'empêcher de regarder.

— On jette un coup d'œil, explique tante Zina, et on songe que la voiture accidentée aurait pu être la nôtre. Ça nous rappelle que nous sommes vulnérables.

— Et mortels, approuve tante Zoya.

— Même maintenant..., poursuit tante Zina, la circulation a beau avoir repris normalement, les conducteurs roulent moins vite et sont plus concentrés. Au moins pour un petit moment, chacun d'entre eux a pris conscience de sa nature mortelle et réfléchi aux conséquences qu'aurait, pour ses proches, une telle catastrophe.

Je me souviens des paroles de Joe Zacarro : « C'est une notion moderne, propre aux pays industrialisés, que de faire comme si la mort n'existait pas. Mais si l'on n'oublie pas que l'on va mourir un jour, on vit d'une tout autre manière. Pas forcément mieux, mais probablement tout de même. En tous les cas différemment, ça c'est certain. »

Je me tourne vers Sasha mais, avant que j'aie eu le temps d'ouvrir la bouche, tante Zina s'écrie :

— Tourne ici, Sashinka! Ici!

La famille m'accueille chaleureusement et m'exprime ses condoléances. À leur arrivée en Amérique, les Andreyev espéraient avoir un fils, comme s'ils pouvaient remplacer le garçon mort dans le train. Au lieu de ça, ils eurent Katya et, pour finir, Olya. Katya est mariée à un Russe de la deuxième génération, qui n'appartient pas à la petite communauté fermée de la ville. Quant à Olya, elle s'est, comme ma mère, mariée avec un Américain. Les deux sœurs s'habillent à l'américaine et s'expriment dans un anglais tout ce qu'il y a de plus américain. On pourrait aisément les prendre pour les filles de leurs sœurs aînées. Mais lorsqu'elles se mettent à parler russe, elles se transforment : leur visage, leur démarche et même leurs chevelures, tout semble correspondre alors à cet autre langage, à cette autre culture. Je songe à la place occupée par maman dans cette famille. La sœur du milieu, prise entre deux univers. Rejetant l'ancien sans avoir jamais été totalement adoptée par le nouveau.

Les tantes Zina et Zoya échangent des regards cachant mal leur dégoût lorsqu'elles apprennent qu'il y a des hot-dogs pour le déjeuner. Elles les mangent tout de même, prudemment d'abord, puis goulûment.

— Je les ai bien cuisinés ? s'enquiert une de mes jeunes cousines, une adolescente dont je ne connais guère que le nom.

— Ah, c'est toi qui les a faits ? demande tante Zina.

— Oui, sur le barbecue.

— Non, non ! s'écrie tante Zina. Est-ce que tu as haché la viande avant d'ajouter les oignons et les épices ?

La fille hausse les épaules, désorientée. Ses yeux errent sur le jardin bien soigné, avec son filet de basket sur le mur du garage et les gros chiens repus haletant près du barbecue. À ses deux tantes qui parlent avec un accent si fort, elle répond, d'une voix mal assurée :

— On les a achetés au supermarché ce matin.

— Alors..., commence tante Zina.

— Tu n'as rien cuisiné du tout, l'interrompt tante Zoya. Tu les a fait cuire, rien de plus.

Tante Katya, qui passe à ce moment précis, s'arrête et passe un bras autour de sa nièce.

— N'oublie pas, dit-elle à l'adolescente, que tes tantes sont des vestiges d'un autre monde. D'un monde qui n'existe plus.

Traite-les avec tout le respect qu'on doit à des pièces de musée, par exemple...

— Un os de dinosaure? suggère Sasha. Mais pourquoi nous en tenir simplement à l'os? Imagine que tu as devant toi deux dinosaures vivants, en parfaite santé...

Sa mère le réprimande en russe. La nièce les écoute avec curiosité, puis s'éloigne.

Lorsque les desserts — tout frais sortis du freezer — sont déposés sur la table, Sasha me souffle :

— Je crains, aux yeux d'une Américaine pure souche telle que cette petite, d'apparaître moi-même comme un vestige d'une autre culture. L'ironie, c'est que quand je me rends à Moscou, c'est exactement le regard que mes amis russes portent sur moi.

Je me souviens combien il a été blessé par Jane lorsque, irritée par son refus de donner ses empreintes, elle lui avait brutalement rappelé sa nationalité.

— Oh, mais tu parles russe et tu te comportes d'une façon très russe, dis-je sur un ton empressé.

Il lève les yeux au ciel.

— Je sais tellement de choses sur la vie de mes contemporains russes que j'ai parfois le sentiment d'avoir vécu là-bas. Je revisite en rêve des camps de pionniers où j'arbore un foulard rouge et où j'entonne avec enthousiasme des chants soviétiques tout en aidant à allumer des feux de camp dans les bois. Ces rêves sont si réalistes que j'ai le sentiment de sentir le contact du lit de camp, sa fraîcheur métallique. Quand je me réveille, j'ai peine à croire qu'il ne s'agit pas de ma propre enfance, mais de celle d'autres gens.

Je reste silencieuse, songeant à mes souvenirs tout aussi confus. Et comment, il y a quelques jours, j'ai cru avoir moi-

348

même imaginé que Lindy Zacarro avait réalisé son rêve le plus cher.

— En fait, pendant que mes contemporains russes chantaient les slogans du Parti, leurs foulards rouges autour du cou, je jouais au basket-ball dans le parc et, durant une brève période d'aberration, je découvrais la musique soul. Mais c'est seulement quand je visite Moscou qu'on me rappelle que je n'y étais pas. Que je n'ai pas vécu tout cela, même pas mis les pieds en Russie avant la levée du rideau de fer. Et mes amis russes ont beau m'aimer, je n'ai pas suffisamment souffert pour être l'un d'eux. Pour moi, le fait d'être russe est une composante essentielle de mon identité. Mais pour eux, je suis un nanti, un Américain privilégié, un outsider.

29

La journée de lundi est encore plus chaude que celle de dimanche. Lorsque j'ouvre la porte, la chaleur m'assaille telle une foule en colère. Elle fait ressortir les odeurs de bois et d'huile de la maison de papa. Je bois deux verres d'eau glacée avant de sortir dans le jardin pour gagner le verger des Holler. Notre terrain s'étendait sur près de quatre hectares, puis papa en a vendu deux aux Holler. Je me souviens d'avoir joué autour des fondations de leur maison, et d'avoir regardé les briques monter chaque jour un peu plus haut. Et la famille avait fini par s'installer. Papa et M. Holler avaient alors de bons rapports de voisinage, mais n'étaient pas amis. Leur amitié a dû naître beaucoup plus tard, une fois leurs femmes parties et leurs enfants grandis.

Comme tant de maisons des environs, elle est construite à flanc de coteau, si bien qu'elle paraît avoir deux ou trois niveaux suivant l'endroit d'où on la regarde. Lorsque j'étais enfant, elle me semblait propre et moderne. Pas de planches fissurées sur la véranda et, au lieu de coins sombres, des pièces lumineuses.

Je sonne à la porte et, après un long moment, la voix d'Adam Holler me parvient par l'interphone.

— Qui est là?

— Lucy Schaffer.

— Lucy.

Dans son ton, neutre, ne perce pas la moindre surprise.

— Je suis en train de finir ma gym. Je t'ouvre dans une minute.

— C'est bon.

J'essaie de me rappeler M. Holler mais ne retrouve rien de plus précis qu'une impression de raideur physique et verbale. Je ne sais pas grand-chose de lui, si ce n'est qu'il a dû vivre avec la plus horrible des erreurs, la plus terrible des culpabilités — que même sa femme n'avait pu supporter. Car c'est Adam Holler qui avait installé l'éclairage de la piscine, cette piscine où Jim Bob a fait son plongeon fatal.

Un bruit de verrous, de clés qu'on tourne dans la serrure, et soudain M. Holler me fixe, derrière ses lunettes à verres fumés. L'autre homme qui n'oublie pas la mort.

— Bonjour Lucy, dit-il.

Aussitôt, je me souviens de sa pâleur. Malgré ses lunettes de soleil, son chapeau, ses manches longues, ses chaussettes et ses chaussures, le peu de peau qui reste visible est d'une blancheur frappante, surnaturelle.

Il me tend une main desséchée. J'ai l'impression, en la serrant, de froisser un vieux parchemin.

— Je voudrais t'exprimer mes plus sincères condoléances, à l'occasion de la mort de ton père. Nombreux étaient ceux qui l'aimaient. Il y a beaucoup de gens, dans le voisinage, qui n'ont pas oublié les petits gestes de générosité qu'il a eus à leur égard. Je dois ajouter, quant à moi, que sa compagnie va cruellement me manquer. Il possédait une énergie et une liberté de pensée exceptionnelles.

En l'entendant, je me souviens de son ton formel. Il cache une sorte de maladresse, voire de timidité dont j'étais déjà consciente enfant, à cause de la raideur de ses mouvements.

— Joe a dû vous dire que l'enterrement aura lieu mardi.

Il hoche la tête et me fait signe d'entrer, puis referme un verrou derrière nous.

— Je suis un peu lent, s'excuse-t-il en me précédant dans le vestibule. C'est à cause de l'arthrite. Dans le dos. Et un peu partout désormais. Ça fait des années que j'en souffre.

L'arthrite. C'est la raison pour laquelle les Holler avaient fait construire leur piscine, longtemps avant que quiconque ne songe à creuser dans le flanc raide et rocheux de la colline pour obtenir un coûteux rectangle d'eau bleue. Parce que la natation était bonne pour l'arthrite de M. Holler.

Tandis que je le suis dans l'entrée, j'ai le sentiment d'être devenue trop grande pour cette maison, au point de risquer de me cogner la tête au plafond ou de heurter du coude l'encadrement des portes.

— J'ai allumé la climatisation hier, dit M. Holler.

L'air conditionné était l'une des choses qui nous faisaient trouver si moderne la maison des Holler. Il y faisait toujours bon.

— Normalement, je ne l'allume jamais en mars, mais les températures sont bien au-dessus de la normale saisonnière, et ils annoncent que ça va encore se réchauffer. Assieds-toi.

Je jette un coup d'œil autour de moi. Jim Bob avait deux ans de plus que moi et son grand frère, deux ans de plus que Jane. Jane et Ed n'étaient pas vraiment copains mais il y avait eu un été — j'avais neuf ans — où Jim Bob et moi avions passé notre temps ensemble. La piscine des Holler venait tout juste d'être finie et nous y jouions chaque jour. Puis un nouveau semestre avait débuté, Jim Bob avait soudain paru beaucoup plus vieux et nous avions quasiment cessé de nous adresser la parole.

Le salon n'a pas changé. Sa baie vitrée, qui domine la vallée, est toujours équipée d'un système complexe de volets permettant de masquer la vue, ou n'importe quelle partie de la vue. Jim Bob et moi étions fascinés par ce système de volets. Nous l'avions cassé à divers endroits, sans en parler à personne, et nul n'avait paru s'en rendre compte. Je me demande s'il a jamais été réparé.

— Assieds-toi, répète M. Holler.

Mais je suis comme aimantée par la baie vitrée. À l'étage du dessous se trouve la terrasse. Au-delà de la terrasse, les marches menant droit à l'œil bleu, creusé dans la colline. Je le regarde fixement.

— Tu arrives à t'en sortir, Lucy? me demande-t-il, sur un ton guindé.

Je me rappelle l'été que j'ai passé avec Jim Bob. Il était petit pour son âge, avait la peau hâlée et les cheveux blonds coupés en brosse. J'adorais sauter et tout éclabousser. Mme Holler, qui nous avait à l'œil, ne manquait pas de nous gronder. Mais cet été-là, Jim Bob apprit à plonger. Au début, il faisait des plats, puis il gagna en grâce et en assurance.

— Regarde un peu ça, Lucy! Tu vas voir, Lucy, je vais y arriver!

Il courait jusqu'au bord de la piscine, s'arrêtait une fraction de seconde puis s'élançait dans l'air, dessinant dans le vide un arc parfait. S'ensuivait un fracas semblable à un bris de verre tandis que son corps fendait l'eau, fin et tranchant comme la lame d'un couteau.

On peut aimer quand on a neuf ans et j'aimais Jim Bob alors. Je l'aimais lorsque sa tête ruisselante émergeait des profondeurs de la piscine et qu'il me regardait avec des yeux brillants, avides d'approbation.

Je dansais autour de la piscine en claquant dans mes mains.

— Fantabuleux, Jim Bob!

C'est le terme que nous avions coutume d'employer, lui et moi, pour imiter les gamins des séries télé. Son dernier plongeon, des années plus tard, a-t-il été fantabuleux? Est-ce ainsi qu'il est parti, fantabuleusement? Avec une grâce et une adresse incomparables? J'espère que c'était un beau plongeon, son plus beau plongeon.

— Pourquoi tu ne t'assieds pas? insiste Adam Holler, et je crois distinguer dans sa voix une nuance de peur. Il sait que je pense à Jim Bob, que je me souviens de l'erreur de sa vie.

— Je ne suis pas revenue ici depuis mon enfance, dis-je.

— Vous veniez souvent ici, toute la famille. On invitait presque tout le voisinage, Bunny faisait des hamburgers.

— Toute la famille?

Je me souviens juste d'être venue nager ici avec Jim Bob, au cours de ce fameux été, jusqu'à ce que Jane elle-même se fâche de mes absences.

— Bien sûr. Tous les Schaffer, les Zac, les Dimoto.

J'essaie de me rappeler les Schaffer, nous quatre, faisant la fête près de la piscine. Cette seule pensée m'embarrasse. Ma mère ne pouvait pas se sentir à son aise. Même quand ils décrétaient, à la clinique, qu'elle allait assez bien pour revenir à la maison, elle était inapte à presque toute vie sociale. Soit elle faisait trop d'efforts et riait trop fort, soit elle restait immobile sans dire un mot, comme prisonnière d'une camisole.

— Tu ne te souviens pas? Tu ne te souviens pas du jour où tu as failli te noyer dans notre piscine? Alors que tu nageais sous l'eau?

— Je me souviens de ça, mais je croyais que c'était à la piscine municipale.

— C'était ici. Tu nageais sous l'eau, là où c'est profond et il y a eu un problème. Ton masque a dû se remplir d'eau. Tu devais sans doute suivre les autres gamins et l'eau a dû entrer par le tuba. Je ne sais pas trop. Personne ne s'en est rendu compte, pas même les gosses dans la piscine, parce que tu ne t'es pas débattue. Tu as coulé tout net. Tu n'as pas du tout lutté. Seule ta mère s'est aperçue que quelque chose clochait. Elle a plongé tout habillée et t'a sauvé la vie.

— Je me rappelle que j'ai failli me noyer et qu'on m'a secourue. Mais en fait, c'est Jane qui...

— Non, c'est Tanya qui t'a sauvée.

— Mais ma mère ne savait pas nager.

— Elle a plongé et t'a sortie de l'eau aussi sec. Ensuite elle t'a allongée près de la piscine et c'est à ce moment-là que Jane est arrivée. D'autres gens aussi, sans doute, mais surtout Jane. Elle t'a roulée sur le côté comme un tapis, t'a ramenée vers elle et t'a fait une espèce de massage jusqu'à ce que tu recraches l'eau que tu avais avalée. Elle a été calme et efficace. Je ne sais pas quel âge elle avait alors, peut-être douze ans, mais Bunny s'est tournée vers ton père et elle lui a dit : « Jane sera docteur, vous verrez. »

— Ma mère n'a pas pu aller dans l'eau, à aucun moment. Elle ne savait pas nager...

Il hausse le ton.

— Lucy, je l'ai vue de mes yeux.

354

Ses yeux. Leur pâleur me faisait tressaillir, lorsqu'il retirait ses lunettes pour nager. De tels yeux ne peuvent pas être des témoins très fiables.

— Alors, Lucy...

Il se demande pourquoi je suis venue.

— Je peux faire quelque chose pour toi? Vous avez besoin d'aide, là-bas?

— Je crois savoir que la police vous a interrogé, monsieur Holler, dis-je lentement.

— Bien sûr. Une femme. À peu près ton âge.

— Est-ce qu'elle vous a demandé quand vous aviez vu papa pour la dernière fois?

— Évidemment.

— Et que lui avez-vous répondu?

— Que je l'avais vu dimanche soir chez Joe.

— Monsieur Holler, qu'est-ce que vous avez fait dimanche soir?

Il agite les bras, dans un geste trop large et trop vague pour un homme généralement si raide.

— Eh bien..., dit-il, visiblement mal à l'aise.

Il tente de se raccrocher au genre d'attitude nonchalante à laquelle papa avait parfois recours, et que Joe Zacarro a portée à un point de perfection. Mais c'est comme s'il voulait enfiler les habits de quelqu'un d'autre : les mots ne lui vont pas.

— Eh bien, reprend-il, que font d'ordinaire des vieux gars comme nous?

Je regarde son corps, carré, tant il se tient depuis des années les épaules crispées. Dans sa propre maison, sous ce bon éclairage, il ne paraît plus si blafard. Derrière lui, les murs sont blancs; au-dessus de lui, le soleil coule à flots par la rangée de fenêtres.

— Ils n'oublient pas la mort ? C'est ça, ce que font les vieux gars comme vous ?

Un geste convulsif, à peine perceptible... avant qu'il ne reprenne le contrôle de lui-même et ne retrouve sa raideur habituelle. Il me regarde sans dire un mot. Il a les lèvres scellées, comme moi le jour où Rougemont m'a mise en face de la vérité en me montrant mes chaussures.

Je me tiens à côté de la fenêtre. Je sens derrière moi le soleil envahir la pièce. Peut-être M. Holler me voit-il en ombre chinoise, peut-être ne suis-je pour lui qu'une ombre, à ce moment précis ? C'est toujours ainsi que m'apparaît Rougemont.

— Dimanche soir, Joe Zacarro, papa et vous vous êtes rendus sur la route longeant la côte au volant d'une dépanneuse vieux modèle. Vous avez abandonné une épave juste au bord de la route, où elle ne manquerait pas, le lendemain matin, de rappeler aux automobilistes à quel point leur existence est précieuse. Pour eux-mêmes et pour les autres. L'homme voyant une voiture dans cet état imagine ses gosses orphelins. L'épouse voit son mari veuf. Les jeunes gens imaginent leurs parents inconsolables. Chacun pense à ce qu'il n'a pas su mener à bien, au drame que ce serait s'il venait à disparaître sans avoir fait ce qu'il voulait faire, accompli ce qu'il avait à cœur d'accomplir, dit ce qu'il aurait dû dire. Et pendant un petit moment — même si ça ne dure pas longtemps —, tous conduisent moins vite, plus prudemment, et vivent d'une manière un peu différente. Tout cela grâce à Joe, papa et vous.

Il demeure silencieux.

— Je parie que c'est une chose que vous faites souvent. Abandonner des épaves partout dans le coin. Je ne vous reproche rien, monsieur Holler. Votre manière de pousser les gens à redéfinir leurs priorités dans la vie est admirable. Joe et vous devez continuer, même si papa n'est plus là. Je ne voudrais pas avoir à dire tout cela à la police, qui vous contraindrait à arrêter, j'ai juste une question.

Il me regarde. Les verres de ses lunettes sont si sombres que je vois la baie vitrée s'y refléter et, au-delà, la fertile terre rouge brun de la vallée.

— Qui est l'autre gars ? Celui à qui appartient la dépanneuse. J'ai besoin de lui parler.

Avant même qu'il ait eu le temps d'y réfléchir, le mot lui sort de la bouche.

— Non. Non, Lucy.

— Quelqu'un doit lui parler. Si ce n'est pas moi, ce sera la police. Nous ne souhaitons cela ni l'un ni l'autre, monsieur Holler.

Il décroise et recroise ses jambes. Se redresse sur son fauteuil. Crispe les doigts sur les accoudoirs.

— Je vais te donner un conseil, Lucy. Reste en dehors de ça. Si ton père avait voulu que tu saches, il t'aurait parlé. Contente-toi de...

Il agite une main pour balayer mes objections.

— Contente-toi de régler ses affaires, de vendre sa maison, de prendre l'argent. Et retourne dans l'Est. Il n'y a que ça à faire, c'est ce qu'Éric aurait souhaité que tu fasses.

Les battements de mon cœur s'accélèrent. La colère envahit tout mon être, comme si on me l'avait administrée par injection.

— Monsieur Holler, papa n'est pas mort comme il aurait dû, tranquillement, dans son lit, entouré de ses proches. Et je veux savoir pourquoi. Je ne vais pas retourner dans l'Est simplement parce que vous me dites que je n'ai pas besoin d'en savoir plus. J'ai de bonnes raisons de penser que le conducteur de la dépanneuse est impliqué dans la mort de papa. Vous pouvez m'aider à le retrouver.

J'ai haussé le ton. J'ai élevé la voix sur ce vieil homme arthritique et cadavérique. Si quelqu'un nous avait aperçus par la fenêtre, quelle conclusion en aurait-il tiré ? Je me tourne à nouveau vers la vallée, pas son reflet dans les lunettes, mais la vraie vallée aux couleurs si vives, aux lignes si nettes. Je retrouve cette route que je connais par cœur, tel un chien qui trouve toujours moyen de se traîner jusque chez lui. L'endroit où nous avons eu l'accident avec Robert Joseph, la ferme où nous nous étions rendues à pied, Lindy et moi.

— Non, dit-il.

Je le fixe droit dans les yeux.

— Pas question que je vous apprenne des choses que votre père ne voulait pas vous révéler.

— Papa ne savait pas qu'il allait être assassiné.

— Je ne trahis pas les secrets qu'on me confie. Quelles que soient les circonstances. Si vous voulez poursuivre dans cette voie, ce sera avec l'aide de la police, pas avec la mienne. C'est ma décision, et Joe Zacarro me soutiendra.

Je sens mon cœur battre plus vite, mes nerfs me lâcher.

— Écoutez, monsieur Holler...

Il lève sa main blanche pour me faire taire.

— Je ne veux plus parler de ça, Lucy.

Appuyé sur une canne, il m'escorte en silence jusqu'à la porte. Cet homme a cultivé une sorte de dignité figée afin de contenir son humiliation. Il a accidentellement tué son fils. Commis une toute petite erreur, qui a eu des conséquences atroces, disproportionnées. Il déverrouille la porte. J'aimerais qu'il ait ne serait-ce qu'un mot pour Jim Bob. C'est comme si son mince corps hâlé, avec ses cheveux blonds coupés en brosse, gisait entre nous.

— Au revoir Lucy, conclut-il d'une voix aussi plate que la vallée. Ton père a arrangé les choses selon son désir. J'espère que tu penseras sérieusement à ça avant d'aller plus loin.

30

On n'aurait pas idée de rouler dans la vallée sans climatisation par un temps comme celui-ci. Ce serait de la folie pure. Toutes les lignes droites que l'on voit depuis là-haut se déforment sous l'effet de la chaleur. Elle s'élève de l'asphalte tel un esprit, faisant ondoyer le bord de la route et ployer les rangées d'arbres, qui évoquent des danseuses en état d'ivresse.

La route est longue pour parvenir à l'intersection. Lorsqu'on l'aperçoit depuis la terrasse, on a l'impression que les voitures, réduites à la taille d'insectes, ne mettent que quelques minutes à l'atteindre, depuis le flanc de la colline. Mais maintenant que je suis en bas, j'ai le sentiment de traverser un océan s'étendant à perte de vue.

Je finis par y parvenir. De la voiture, l'intersection pourrait passer inaperçue. Je tourne vers le sud. Lorsque je parviens aux Vergers du Soleil, je tente de retrouver l'endroit où la voiture du père de Robert Joseph s'est retournée. Je choisis un point précis, puis un deuxième, puis un troisième parmi les rangées d'arbres. Finalement, je me vois forcée d'admettre que je ne sais plus où s'est produit l'accident.

J'espère que la maison des Joseph n'a pas changé. J'en garde le souvenir flou d'un îlot de verdure, lumineux et ombragé. Je crispe mes mains sur le volant, tendue à l'extrême, en franchissant l'aqueduc et en tournant dans l'allée. Je suis aussitôt entourée de nouvelles formes et de nouvelles couleurs et retrouve le plaisir d'autrefois, en laissant derrière moi la terre brûlée par le soleil et les rangées d'arbres monotones pour pénétrer dans cette autre dimension. Ici, j'ai été heureuse. La vision de cette étendue herbeuse me réchauffe le cœur, parce qu'elle me réchauffait le cœur autrefois. Je souris devant l'abondance de fleurs et de buissons, parce qu'elle me faisait sourire autrefois. Je cherche des yeux le hamac où Robert et moi avions passé cet été-là, mais l'un des vieux arbres auquel il était suspendu a disparu et le hamac avec. Je me demande si l'arbre s'est effondré de lui-même. Si ça a fait beaucoup de bruit.

La façade de la grande maison, fraîchement repeinte, luit là où l'atteignent les rayons que laissent passer les arbres. Je me gare juste devant. Tout près, une femme qui s'affairait sur un parterre de fleurs se redresse et me fixe. Elle porte un chapeau de paille à large bord et il m'est impossible de distinguer son visage. Mon cœur bondit dans ma poitrine. Ce pourrait être la jardinière ou la femme de Robert ou la femme de l'un de ses frères, ou même Mme Joseph.

Ne sachant trop quoi faire, je reste près de la voiture à regarder la maison et le vert du jardin, tandis que la femme s'avance lentement vers moi. Ce n'est que lorsqu'elle est tout près que je reconnais un homme, vêtu d'une longue robe ample, aux couleurs passées.

— Ralph!

Son visage fin et livide s'éclaire d'un sourire. S'il marchait si lentement, c'est parce que je lui ai fait peur. Il accélère le pas et prend ma main tendue. La serre à peine. Il me fixe de ses yeux bleus et brillants, sans perdre son sourire.

— Bonjour Ralph. Je suis Lucy. Lucy Schaffer. Ça fait quelques années qu'on ne s'est pas vus.

— Bonjour Lucy, répond-il gaiement.

Ralph est le frère de Mme Joseph. Ce n'est pas un travesti, mais quel que soit le préjugé qui retient les autres hommes de porter une robe ample quand il fait chaud, Ralph n'en a cure. Par un caprice du hasard, c'est à Mme Joseph, brillante, vive et intelligente, que la nature a tout donné. Ralph n'aurait jamais pu exercer une profession ni obtenir un quelconque diplôme, et Mme Joseph a fait en sorte qu'il n'y soit jamais obligé. Lorsqu'elle a épousé le père de Robert, Ralph est venu vivre avec eux. Pendant mon été avec Robert, Ralph était toujours là, en général dans le jardin, en train de planter, d'élaguer ou d'arroser.

Ralph était très curieux de ce que nous faisions, Robert et moi, dans le hamac et derrière la roseraie. Il savait que nous faisions l'amour. Je n'avais aucune expérience et Robert, bien moins qu'il ne l'admettait. Nous étions nuls, techniquement parlant. Robert jouissait en général trop tôt en s'exclamant : « Oh, non ! » Ça n'avait aucune importance. Je riais de sa gêne, de ses excuses. Je lui disais : « J'aime que ça se passe comme ça, ça me donne l'impression d'être irrésistible. » Ce à quoi il répondait : « Tu es irrésistible. » Il ne comprenait pas que sa manière de me tenir dans ses bras, le plaisir que lui procurait mon plaisir, l'admiration avec laquelle il regardait chaque parcelle de mon corps, y compris mes coudes, et la tendresse de ses caresses étaient mille fois plus excitants qu'un décalage d'une demi-seconde. Ou peut-être le comprenait-il. Peut-être comprenait-il que son amour faisait de moi une autre Lucy et redoutait-il ce pouvoir qu'il avait sur moi. Peut-être est-ce pour cela qu'il avait disparu de ma vie.

Jane était au courant. Jane savait que Robert m'avait arrachée à la solitude et je crois qu'elle était heureuse pour moi. Nous n'en parlions pas. Une fois, elle me demanda si je prenais mes précautions. J'étais rêveuse et secrète. Je lui avais simplement répondu que oui.

Dieu sait comment, chaque fois que nous faisions l'amour, Ralph se débrouillait toujours pour nous trouver. Nous regardions derrière tous les arbres et tous les buissons, nous l'envoyions sous des prétextes absurdes dans le verger ou au fond du jardin, nous le collions devant la télé. Mais plus tard, lorsque nous levions les yeux, Ralph était là, à nous observer avec une curiosité candide, les yeux écarquillés.

— Comment ça va, Ralph?

— Bien.

Il sourit. Ne me reconnaît visiblement pas.

— Mme Joseph est là?

— Non.

— Elle rentre quand?

— Elle est chez Robert.

Mon estomac se noue sous l'effet de la déception.

— Oh, quel dommage! J'avais besoin de contacter un vieil ami de la famille. Quelqu'un du nom de Marcello...

— Barbara, dit Ralph. Barbara est morte.

Nouvelle déception. Le fonds Marcello et Barbara Marcello n'ont sans doute rien à voir, après tout. Je m'apprête à le remercier et à repartir, lorsque je me souviens de Barbara.

— Mais je la connaissais! C'était une amie de Mme Joseph. Elle était très gentille.

L'amie qui était arrivée avec Mme Joseph le jour de l'accident. Qui m'avait tenu la main et parlé d'une voix douce avant que Jane ne soit là.

— Shelley aimait beaucoup Barbara, confirme Ralph.

Barbara était souvent chez les Joseph. Elle était grande et avait de longs cheveux qu'elle laissait retomber sur ses épaules à un moment où toutes les mères arboraient des permanentes.

Elle avait un fils, un garçon solitaire et difficile. Il avait environ onze ans et piquait des crises disproportionnées lorsque Robert et moi lui faisions comprendre que nous préférions être seuls au lieu de jouer au football ou de regarder la télévision avec lui. Et puis nous avions fini par souhaiter les visites du gamin parce que, lorsque nous parvenions à lui échapper, il persuadait Ralph de jouer aux cartes avec lui et, de cette manière, ils nous fichaient tous deux la paix.

— Elle était peintre, non?

Je ne me souviens pas d'avoir jamais vu ses tableaux, mais son talent lui conférait une sorte d'aura.

Ralph sourit.

— Le cancer.

— Il me semble qu'elle avait un fils...

— Ricky. Ricky répare de belles voitures.

— Ricky, oui, c'est ça.

Soudain, mon cœur cesse de battre, mon sang se fige dans mes veines.

— Ralph, tu dis qu'il répare des voitures?

Ralph hoche la tête.

— Là-haut, à San Strana.

Il faut que j'y aille. Immédiatement. Je suis si pressée de me rendre à San Strana que j'en oublie de demander des nouvelles de Robert. Je remercie Ralph chaleureusement, lui serre la main et me dirige vers la voiture.

— Shelley sera là ce soir, dit-il, tandis que je me glisse au volant. Revenez bientôt lui rendre visite, ça lui fera plaisir.

Je claque la portière; il crie encore quelque chose. Comme je n'ai rien entendu, je baisse la vitre pour qu'il répète:

— Ce truc que vous faisiez avec Robert. Il a dû apprendre à bien le faire depuis le temps, vu qu'il a trois enfants.

Je souris.

— Revenez ! lance-t-il encore. On vous a attendue long-temps, Lucy.

Il me fait signe tandis que je m'éloigne.

Dans la vallée, où tout semble aller au ralenti, je fonce aussi vite que possible. Mon cœur bat à tout rompre. Au cours de mes recherches pour découvrir la nature du fonds Marcello et retrouver la dépanneuse, je n'avais pas songé une seule fois que les deux choses pouvaient être liées. Le trajet prend presque une heure, et pendant tout ce temps mes doigts ne cessent de tapoter le volant. L'impatience. Ce n'est qu'aux abords de la vallée de San Strana que je réalise à quel point je crains l'homme à la dépanneuse. Ce préadolescent étrange et solitaire qui a à peine frôlé ma vie et dont je n'aurais jamais imaginé croiser à nouveau la route. Tout ce que je sais de lui, c'est qu'il est grand et brun, évite tout contact avec les membres de ma famille, court vite, désire quelque chose qui se trouve dans notre maison et s'est montré agressif envers papa.

Le garage de Ricky Marcello se révèle facile à localiser. À Cooper, la principale ville de la vallée, j'entre demander des renseignements dans la première boutique de souvenirs venue, et pas moins de quatre personnes m'indiquent qu'il est situé à trois kilomètres de là. Il y a tout d'abord une grange reconvertie portant l'enseigne « Galerie Marcello ». Quelques centaines de mètres plus loin se trouve le garage.

— Ricky est vraiment doué, mais il ne répare les voitures que quand ça lui chante, me prévient un homme. Alors vaut mieux pas être pressé.

Je sors de la ville par la vallée verte et boisée. Les grands arbres ploient sous le fardeau de leur feuillage, comme s'ils avaient passé la journée à absorber leur pesant de soleil. Une rivière court le long de la route et les habitations concentrées aux alentours sont anciennes et entourées d'arbres centenaires qui ne ressemblent en rien aux arbres poussés trop vite de papa, avec leurs troncs maigrelets. Le lieu me fait penser à la propriété des Joseph. À croire que quelqu'un a prélevé une partie de San Strana pour la transplanter dans la vaste vallée aride.

Je dépasse bientôt les panneaux indiquant la galerie et ralentis. J'avais l'intention de me ranger au niveau du garage, mais lorsque je vois la dépanneuse garée juste devant, le courage me manque et j'accélère au lieu de m'arrêter. Au bout de quelques minutes, je fais demi-tour et repasse devant le garage, cette fois très lentement. L'enseigne, toute petite, semble indiquer une relative indifférence à la bonne marche des affaires. GARAGE DE COOPER ROAD, E. MARCELLO. Ricky doit être un surnom ou un diminutif. Je me demande ce que signifie le « E ».

Il n'y a ni pompes à essence ni panneaux publicitaires rouge vif vantant les mérites de tels ou tels pneus ou de telle ou telle huile de moteur. Le garage est juste constitué de quelques vieux hangars, d'une dépanneuse et d'un petit groupe de voitures, pour la plupart aussi anciennes que la dépanneuse. Ça me paraît trop pittoresque pour être une affaire sérieuse.

Je repasse devant une dernière fois avant de tourner et de me garer en retrait de la route. Puis je me dirige calmement vers le garage, comme quelqu'un dont la voiture vient de tomber en panne tout près.

Les portes du hangar sont fermées. Je reste plantée derrière la dépanneuse, l'oreille aux aguets, à espérer que mon cœur va se décider à battre moins vite. Les nerfs à vif, je suis prête à déceler le moindre bruit, la moindre odeur. Un claquement de clés, un homme qui siffle, l'odeur de l'huile chaude. Rien. Je reste dans l'ombre du camion un long moment, après avoir conclu que l'endroit était désert.

De là où je me trouve, j'aperçois la plupart des voitures. Deux d'entre elles ne sont plus guère que des épaves. L'un des phares d'une vieille voiture bleue en forme de cigare est recouvert de peinture blanche, comme d'un pansement. Deux modèles anciens de voitures de course semblent en bon état.

Bientôt, il va me falloir quitter ma cachette. À rester là, immobile et silencieuse, prête à m'enfuir si c'est nécessaire, je sens les bras et les pieds qui me démangent. Puis je me souviens que quand papa s'affairait sous le tracteur, on ne se rendait pas toujours compte de sa présence. Il pouvait se passer un bon moment avant qu'on détecte le moindre geste, le moindre bruit. J'écoute, tous les sens en éveil.

Une piste couverte de gravier mène derrière les hangars. Je marche silencieusement sur l'herbe qui la borde. À un moment, je bute sur un vieux bidon d'huile, qui émet un bruit métallique. Je me fige, puis m'avance vers les bâtiments. Derrière eux, il y a un petit champ. Un chemin bien entretenu conduit à une maison, à peine visible au-delà des arbres. La maison doit se trouver à peu de distance de la grange reconvertie en galerie.

Dans le champ, je me sens exposée. Le soleil est un phare impitoyable. Je me hâte de traverser. Un pont s'élève au-dessus d'un ruisseau. Une fois que je l'ai franchi, je suis soulagée d'être protégée des regards par les arbres qui entourent la maison. Lorsque je surprends un mouvement sur la véranda, à l'arrière de la maison, je me couche sur le sol, en position d'observation. Une femme, et un bébé. La maison est grande et patinée par le temps, et la véranda semble la relier aux arbres du dehors. Je vois le bébé s'y traîner, suivi par la femme qui le prend dans ses bras. Elle le tient, pendant un moment, bien au-dessus de sa tête. J'entends de loin les babillements du bébé. Soudain, je pense avec amertume à Stevie, qui ne manifestait jamais une telle gaieté. La femme repose le bébé à terre et entre dans la maison. Le bébé la suit. Ils laissent un vide derrière eux. Ils sont ensemble, dans la maison, tandis que je suis seule dans les bois.

Qu'est-ce que je fais, allongée là, l'herbe me chatouillant le visage ? À m'introduire chez les autres ? À espionner leur famille ? À suivre une piste connue de moi seule ? J'ai brusquement le sentiment, allongée à plat ventre dans le jardin de quelqu'un d'autre, dans la vallée de quelqu'un d'autre, que je n'ai fait que cela toute ma vie : suivre une piste solitaire.

Je voudrais pleurer, mais au lieu de ça je me lève et me dirige à nouveau vers le pont et le champ, que je traverse. Je ne me donne même plus le mal de me cacher. Nul ne sait que je suis ici, et nul ne s'en soucie. Je passe entre les hangars et contourne la dépanneuse. Soudain, ma joue est projetée violemment contre le métal chromé de la dépanneuse. L'air est plein de l'odeur de l'huile. Juste derrière moi, une voix siffle :

— Qu'est-ce que tu fous ici, bordel ?

Je ne peux pas répondre car une main me bloque la mâchoire. Mon regard va de gauche à droite. Je ne parviens pas à distinguer mon agresseur, mais je remarque qu'il tient une sorte d'arme. Puis il me fait pivoter vers lui. Sa force est telle que je sais qu'il est inutile de lutter ; je ne parviendrai pas à m'arracher à sa poigne. Je regarde l'arme : c'est une petite boîte noire que je reconnais aussitôt. Il me menace avec. Lorsqu'il appuie sur un bouton, elle envoie dans l'air, avec un sifflement, de minuscules filaments bleus, comme autant de petits éclairs. Les mots de Kirsty résonnent à mes oreilles : « Il suffit de toucher quelqu'un avec les électrodes pour paralyser son système nerveux central. »

Alors, mes yeux croisent ceux de Ricky Marcello. Je reconnais immédiatement son visage. Je retrouve ce regard sombre et pénétrant, surgi de l'époque lointaine où j'étais déjà grande et lui encore petit. À supposer qu'il ait conservé quelque souvenir attendri de cette période et de celle que j'étais alors, il le cache bien.

— Qu'est-ce que tu fous ici, bordel? répète-t-il.

Sa bouche est grimaçante et, à l'expression de ses yeux, je devine qu'il est fou de rage, ou fou tout court, ou les deux. Son odeur me parvient aux narines. Huile, sueur, chiffons, café : une odeur de garage.

— Je vous cherche.

Ma voix est faible. Étranglée. J'ai du mal à poursuivre, mais je me force.

— J'ai des questions à vous poser. Qu'est-ce que vous cherchez dans la maison de mon père? Est-ce qu'il vous donnait de l'argent? Pourquoi? Pourquoi lui hurliez-vous dessus juste avant sa mort? Vous avez crié, vous l'avez menacé et puis, le lendemain...

Son visage est livide. Il me fait pivoter comme une poupée si bien que mon dos est contre lui et sa main plaquée sur ma bouche. Sa paume me broie les lèvres, son pouce s'enfonce dans ma joue et il m'écrase le nez, je ne peux plus respirer. Pour la première fois, je me débats, tentant d'écarter ses doigts afin de reprendre mon souffle. Mais ils sont trop fortement pressés contre ma bouche.

— Je ne veux pas de toi ici, grogne-t-il.

Il me parle à l'oreille, comme un amant. Mais c'est de la haine que déverse son souffle tiède et humide.

— Je ne veux pas de toi ici. Je ne veux pas voir ta putain de tronche près de ma maison, de ma famille, de ma dépanneuse ou de ma grange.

Je lève brutalement mon genou droit et, du talon, frappe violemment son pied. La douleur contracte tout son corps. Sa main relâche son étreinte et je tente de reprendre mon souffle. Puis elle resserre sa poigne : je ne suis parvenue qu'à le rendre encore plus furieux.

Le taser apparaît devant mon visage, à quelques centimètres à peine, et ses éclairs menaçants, d'un bleu irréel et crépitant, occupent tout mon champ visuel. Qu'ils me touchent et je serai aussitôt paralysée, incapable de lutter. Je lève à nouveau le genou droit pour frapper son pied, avec encore plus de force. Je parviens à plier davantage la jambe, et mon talon, bien qu'il ne soit pas très haut, déchire sa chaussure. Je sens le craquement d'un os sous ma semelle. Je ne lui ai sans doute pas cassé le pied, mais je lui ai certainement fait très mal. Et avant même qu'il ait eu le temps de s'habituer à la douleur, je lève une fois de plus le genou. Je pense à papa, tué par le aser et précipité de la falaise de Seal Wash, et cette fois mon pied s'abat encore plus violemment sur le sien et lui broie un peu plus les os. Comme il tente de se reprendre en s'appuyant sur la jambe gauche, je fais porter tout le poids de mon corps à gauche. Il chancelle. Je me débats. C'est l'occasion ou jamais de me dégager. J'écarte ses doigts, donne des coups de pied en arrière, lui envoie des coups de coude dans les côtes. Mais l'étau de ses mains se resserre autour de mon cou, sur ma bouche et sur mon nez.

Peu à peu, mes jambes se dérobent sous moi, mes bras perdent toute force. Je cesse de lutter, je cesse de tenter de reprendre mon souffle, je suis totalement privée d'oxygène. Mon corps s'affaisse. Alors, curieusement, il desserre son étreinte. Je titube en avant, incrédule, avalant l'air à grandes goulées.

— Tire-toi maintenant! hurle-t-il.

Je porte une main à ma bouche. Elle saigne. Mes joues endolories me font l'effet d'être à vif.

Comme je m'éloigne en chancelant, il me crie :

— Tire-toi! Garde tes putains d'accusations pour toi et ferme ta putain de gueule si tu ne veux pas que je te la ferme pour de bon.

Je me mets à courir. Le sang ruisselle sur mon visage et sur ma chemise. Devant le garage, mains sur les hanches, Ricky Marcello me regarde partir.

L'après-midi de cette journée oppressante touche à sa fin. Dans la vallée de San Strana, tout semble marcher au ralenti : les chevaux qui, sous les arbres, agitent nonchalamment la queue, la circulation. La lenteur est frustrante. Je roule, un mouchoir plaqué sur mon visage, en jetant des coups d'œil nerveux au rétroviseur.

Juste avant de quitter la vallée, je tourne dans un parking poussiéreux. Il a deux stands de fruits qui ont déjà fermé pour la soirée, en dépit des panneaux disposés tout autour, vantant le bas prix des marchandises. Je fais marche arrière entre les deux. Depuis ma cachette, je surveille attentivement la route, m'interdisant presque de cligner des yeux. Lorsque la circulation devient moins dense, je me regarde dans le miroir du pare-soleil. Mon teint est livide, j'ai la lèvre enflée et l'air bouleversé. Sous mon nez, le sang a caillé. Je m'efforce de me nettoyer le visage sans quitter la route des yeux.

Je m'attends à voir passer la dépanneuse, mais quand apparaît la voiture bleue au pansement blanc, je réagis instantanément, démarre au quart de tour et me dirige vers la sortie du parking. J'atteins la route une seconde trop tard pour pouvoir dépasser un énorme camion qui gravit laborieusement la colline. Il transporte un chargement d'oranges. Derrière, quatre voitures suivent, roulant à petite vitesse. J'essaie de doubler. Un tonnerre de coups de klaxon et de protestations s'élève, et je suis forcée de me maintenir dans leur sillage. Lorsque la route se fait moins sinueuse et que je peux enfin dépasser le camion, je sais que Ricky Marcello doit être loin devant.

Sur l'autoroute, je me glisse parmi les véhicules se dirigeant vers le sud. J'aperçois en bas les briques rouges de Lowis. L'image d'un petit garçon aux joues rouges, assis sur son skate, s'impose à mon esprit. Puis disparaît tandis que j'appuie sur l'accélérateur, pressée de laisser Lowis derrière moi. Je scrute la route de plus en plus sombre, cherchant à retrouver la voiture bleue. Ne la voyant pas, j'accélère, jusqu'à dépasser la vitesse limite et slalomer gaiement entre les véhicules. N'oubliez pas la mort. Je me rappelle les mots de Joe Zacarro : « Si l'on n'oublie pas que l'on va mourir un jour, on vit d'une tout autre manière. » Je pousse un soupir et appuie à nouveau sur le champignon.

Ce n'est qu'aux abords du pont que je distingue enfin la voiture bleue. Elle apparaît si soudainement qu'il me faut freiner et passer sur une file moins rapide pour ne pas être repérée. Il m'est difficile de ne pas la perdre des yeux sans être vue moi-même. À présent que s'assombrit rapidement le ciel au-dessus de la ville, beaucoup de voitures paraissent bleues et, pour la surveiller au milieu de tous les feux arrière, il me faut renoncer à maintenir une distance prudente.

Lorsqu'elle quitte l'autoroute, je le remarque suffisamment vite pour la suivre. Le battement de mon cœur s'accélère : c'est la sortie la plus proche de l'appartement de Jane et de Larry. J'essaie de rester en arrière, mais les feux tricolores posent problème. Se maintenir à un seul carrefour d'écart serait déjà très difficile dans la journée; dans le noir, c'est impossible. Seules deux voitures nous séparent, Ricky Marcello et moi.

C'est alors que je fais une erreur, une sale erreur : je suis la mauvaise voiture. Elle roule à grande vitesse et ne cesse de doubler, et j'ai du mal à soutenir son allure. Or, m'arrêtant à un feu rouge, je constate que la voiture bleue au pansement blanc est juste à côté de moi. Je ne la regarde pas, je ne regarde pas son conducteur, je fais comme si j'étais quelqu'un qui rentre chez soi après une journée de boulot et montre beaucoup d'intérêt pour les vitrines des magasins, de l'autre côté de la rue. Mais je ne cesse, pendant tout ce temps, de sentir Ricky Marcello tout proche. De sentir ses yeux furieux rivés sur moi.

Le feu passe au vert et toutes les voitures se propulsent en avant avec la grâce de nageurs parfaitement synchronisés. Ricky Marcello est derrière moi. Je tente de perdre du temps, mais lui aussi ralentit. Dans mon rétroviseur, je vois les voitures s'amasser derrière nous. Je ne lui jette toujours pas un seul coup d'œil tandis que nous roulons au pas vers le feu suivant, mais juste après je réalise qu'il n'est plus là : il a pris la voie réservée aux véhicules tournant à droite. Lorsque j'ose tourner la tête, je vois sa voiture disparaître à un angle de quatre-vingt-dix degrés.

Je fais le tour du pâté de maisons. Puis je le traverse dans tous les sens. Espérant retrouver la voiture à son lieu de destination, je me dirige vers l'immeuble de Jane et Larry. Je ne passe pas devant, me contentant de balayer leur rue du regard depuis le carrefour voisin. Il est là. En train de se garer près d'un parcmètre, juste en face de l'appartement. J'avais vu juste. Ricky Marcello espionne Larry et Jane.

Plus haut, sur la rue en pente abrupte, je fais demi-tour et stoppe la voiture. De là où je me trouve, j'ai une bonne vue sur la rue qui descend vers l'appartement. La voiture bleue n'est pas dans mon champ de vision, mais elle le sera si Ricky la déplace. La rue en pente est bien éclairée et, s'il tente de traverser, je le verrai aussi.

Cette partie de la ville est ancienne et pittoresque. Les maisons sont serrées sur le versant de la colline, presque collées les unes aux autres. L'appartement blanc est situé au premier étage. Il y a quelqu'un, car les lumières sont allumées. Probablement Larry, en train de finir d'écrire l'hommage qu'il devra lire demain, à l'enterrement de papa. Peut-être aussi Jane. Elle était à l'hôpital aujourd'hui, mais elle a dû elle aussi rentrer tôt pour régler les derniers détails de l'organisation. Il y a, en bas de la rue, une voiture qui pourrait être la sienne. Je ne veux pas sortir pour vérifier.

Pendant un long moment, il ne se passe rien. L'air fraîchit. Je me sens engourdie et sale, j'ai froid, mais je m'efforce de rester sur le qui-vive de manière à pouvoir démarrer au quart de tour si Ricky Marcello devait traverser la rue et m'apercevoir.

Quelqu'un apparaît à la fenêtre de l'appartement. Je me crispe. C'est Larry, qui jette sur la rue un coup d'œil anxieux pour voir si on les observe. Ricky Marcello utilise sans doute une voiture différente lors de chacune de ses visites, car le geste décontracté avec lequel Larry ferme les rideaux semble indiquer qu'il ne se sent pas espionné.

Mes épaules et mon visage me font mal. Si on me demande d'où viennent mes bleus sur le visage, je répondrai que je suis rentrée dans une porte. Je ne peux parler à personne de Ricky Marcello, pas avant d'avoir appris en quoi il faisait partie des secrets de papa.

Tandis que je suis assise là, à attendre sans bouger, je me remets à songer à la femme que j'ai vue dans les bois, la femme qui tenait le bébé au-dessus de sa tête. Elle s'affairait dans la maison et, après avoir jeté un coup d'œil au bébé marchant à quatre pattes sur la véranda, elle s'était précipitée vers lui, le comblant de sa soudaine attention. Il gloussait de contentement. Je n'ai jamais connu de moments de joie avec mon enfant, sauf quand il dormait. Et je ne me souviens pas qu'il ait jamais exprimé un tel ravissement.

Ricky Marcello doit vivre dans la maison entourée d'arbres, et la femme doit être son épouse. Le bébé est son bébé. Je rassemble toutes les informations dont je dispose sur lui, bien que je doute de leur utilité. J'essaie de me rappeler le jeune Ricky que j'avais connu chez les Joseph. Je ne me souviens que d'une sorte d'énergie désordonnée et de sa manière frénétique et souvent irritante d'exiger notre attention. Quand je venais chez les Joseph, tout mon être était accaparé par Robert. Ricky n'était pour moi qu'une mouche tournant autour de lui.

Enfin, au moment où mon corps est épuisé par l'inaction, mes bras et mes jambes ankylosés par l'absence de mouvement, que mon ventre gargouille et que je me repasse pour la centième fois la scène de bagarre au garage, quelque chose se produit. Quelqu'un, dans l'appartement, éteint la lumière. Raisonnable Jane, raisonnable Larry, qui vont se coucher de bonne heure à la veille de l'enterrement. Je me sens bêtement reconnaissante à leur égard lorsque je vois la voiture bleue quitter l'endroit où elle était garée. Je m'engage dans son sillage. À présent que la circulation est réduite, nous n'avons aucune difficulté, Ricky Marcello puis moi, à filer dans la nuit. Je le perds de vue au niveau de l'autoroute, quand je tourne en direction de chez tante Zina. Je me demande dans quel but il passe ainsi des soirées devant l'appartement, mais j'ai le cerveau trop engourdi pour m'efforcer d'y trouver une réponse.

31

Le matin de l'enterrement, mon corps se réveille tout endolori, comme si quelqu'un me pinçait depuis des heures. Les couvertures sont sur le sol. Je ne me sens pas reposée. Ma nuit a été un marathon de colère et de peur, mais je ne me souviens pas en détail de mes rêves. Je sors de mon lit avec des gestes raides. Lorsque je regarde, dans le miroir, mon visage inexpressif, j'ai la surprise de constater que ma rencontre d'hier avec Ricky Marcello n'a pas laissé de traces.

Je décide de porter mes habits new-yorkais. Trop chauds, mais sombres. Je peine à les enfiler sur mon corps métallique. Le tailleur tombe gauchement, sans sa fluidité habituelle. Je suis incapable d'avaler la moindre bouchée de ce que me sert tante Zina, et même le café me laisse sur la langue un goût aigre. J'ajoute du sucre, mais ça ne change rien.

Sasha et les tantes Zina et Zoya sont déjà en route pour Redbush lorsque Scott vient me chercher.

— Comment vas-tu, Luce? demande-t-il en m'observant attentivement.

Il est livide. Il a mal dormi et s'inquiète de l'hommage qu'il va devoir lire.

— Je voudrais que tout soit déjà fini, dis-je.

Comme nous montons dans la voiture, Dimitri Sergueïevitch, visiblement prévenu par Sasha, limite l'expression de sa désapprobation à un froncement de sourcils.

Nous rejoignons Larry et Jane dans le hall de la chapelle attenante au cimetière. Jane m'embrasse. Il émane d'elle un parfum de fleurs, comme à l'ordinaire, et elle est d'une beauté presque irréelle, avec ses grands yeux bleus posés, tels des papillons, sur son visage incroyablement pâle.

Les parents et les amis sont bientôt là. J'en reconnais quelques-uns. D'autres se présentent, murmurent des condoléances et prononcent quelque chose de gentil à propos de papa. J'essaie de les remercier, mais ma langue refuse d'articuler le moindre mots.

— Mon chou..., me dit une grosse femme en posant une main sur la mienne. Le chagrin est cumulatif. Chaque deuil renvoie à toutes nos autres pertes. Le cycle ne s'arrête jamais, mais on finit par s'y faire.

Je hoche la tête et mets ses mots de côté, pour y repenser

plus tard. La femme de métal que je suis ne peut les intégrer pour le moment.

Seymour et Katherine arrivent et me serrent fortement dans leurs bras.

— On s'est fait tellement de souci pour toi, Lucy! s'exclame Katherine.

Je me demande ce que j'ai bien pu dire ou faire pour les inquiéter et tente de les rassurer d'une voix douce :

— Ça va aller.

Seymour me prend une nouvelle fois dans ses bras, mais la tiédeur de son corps ne pénètre pas ma nouvelle carapace.

Je vois Joe Zacarro entrer en boitant. Adam Holler le suit, d'un pas raide.

— Oh merde, Lucy! dit Joe en pleurant. Quand l'enterrement arrive et qu'on sait qu'on va se coltiner la vue du cercueil, vaut mieux avoir réalisé que la personne est morte. Mais je n'y arrive pas. Éric était le plus vigoureux d'entre nous, il n'aurait jamais dû être le premier à partir. Lucy, ça n'aurait jamais dû arriver, il n'aurait jamais dû laisser faire cela.

Qu'est-ce qui peut bien faire croire à Joe que papa s'est laissé tuer? Je ne peux pas lui demander tant qu'il n'a pas fini de pleurer. Je le regarde avec impassibilité. Il faudrait que je dise quelque chose, que je tende les bras vers lui... Au prix d'un effort presque surhumain, j'allonge une main vers son bras. Il la saisit et la presse dans ses deux grosses mains mouillées.

— Lucy, me dit M. Holler, ton père était un homme sacrément intelligent. Les gens qui possèdent ce type d'intelligence ne sont pas forcément aimables. Mais lui...

Sa voix se brise. Sa raideur est menacée. On dirait un bâtiment sur le point de s'écrouler. Il s'appuie sur Joe, puis se redresse. Je sors un mouchoir en papier de mon sac à main, et il le prend avec un air reconnaissant.

— Je ne pensais pas que j'aurais besoin d'un de ces machins, sanglote-t-il. On ne peut jamais prévoir quels sentiments ça va déclencher.

Le chagrin est cumulatif. Chaque deuil renvoie à toutes nos autres pertes. Il pleure papa, mais aussi son fils mort, sa femme qui l'a quitté...

Je propose des Kleenex à une quantité d'autres personnes présentes. Lorsque je jette un coup d'œil dans le hall alentour, j'ai l'impression que tout le monde a le visage enfoui dans des mouchoirs. De toute la pièce, je suis la seule dont le corps — langue et cœur compris — est entièrement composé de métal.

Presque en retard, mais pas tout à fait, les Russes arrivent. Ils forment un groupe, dont maman constitue le centre, son bras emprisonné par celui de Sasha. J'étais bien décidée à l'éviter, mais à son entrée je suis aimantée par sa silhouette minuscule et lasse. J'ai beau être habituée à sa petitesse, c'est un choc, dans une salle aussi grande.

Jane lui frôle la joue d'un baiser et se fond dans la foule des assistants, avant que des mains russes ne puissent s'emparer d'elle. C'est moi qu'elles parviennent à saisir, pour me traîner aussi sec devant maman.

— Tanechka, tu n'es pas contente de voir ta petite Lucia ? crie tante Zina.

Bien que prononcés en russe, ces mots — comme cela se produit parfois inexplicablement — franchissent la barrière linguistique et leur sens me paraît limpide. Soudain, il se produit une chose étonnante : à travers des mèches d'un blond presque blanc, le regard absent se fixe sur moi. L'expression de ma mère se modifie : ses yeux s'écarquillent, son air égaré la quitte. L'espace d'un instant, aussi bref que troublant, elle retrouve sa beauté. Me tend la main. Je la serre entre les deux miennes, tout petit oiseau que je ne veux pas laisser s'envoler. Et puis, comme en réaction à Dieu sait quel échange silencieux, le groupe entier se met en mouvement. Tante Zoya, des mèches de cheveux s'échappant de sa barrette, me saisit le bras, tout excitée.

— Comme elle est heureuse que tu sois là!

Les invités s'écartent pour laisser passer la veuve. Sasha l'escorte vers les portes, que l'on ouvre toutes grandes. Nous suivons ma mère, qui s'avance lentement, pleine de dignité, vers la chapelle. Sasha se retourne juste avant qu'ils n'aient franchi les portes, me repère parmi la foule et m'adresse un clin d'œil complice.

À la vue du cercueil, c'est le désespoir général. Jane frémit en versant des larmes silencieuses. Larry ferme les yeux, raide, la bouche pincée. Scott sanglote sans aucune retenue. Pendant que l'on passe de la musique, je jette un coup d'œil alentour pour essayer de reconnaître quelques têtes. Mais ce n'est pas tâche aisée, car tous se cachent le visage derrière un mouchoir. Comme il le craignait, Scott doit s'interrompre dans sa lecture, la voix étranglée par les sanglots.

« Il a pris sa grande chandelle

S'en est allé dans une autre pièce

Comment trouver... »

Tout le monde s'effondre avec lui. Tournant la tête, je vois Joe Zacarro et Adam Holler qui pleurent à chaudes larmes, en se soutenant mutuellement. Seymour et Katherine, têtes baissées, se tiennent par la main.

Scott retrouve sa voix et se débrouille pour achever sa lecture.

Au fond, tout à côté de la porte, se tiennent Rougemont et Kirsty. Leurs yeux sont secs. Ils observent. Mon regard croise celui de Rougemont.

Après un nouvel intermède musical, c'est à Larry de faire son discours. Il vient se placer au centre de la pièce, près du cercueil. Il a préparé une série de petits cartons en guise d'aide-mémoire, mais dès le début il ne les consulte pas. Je l'imagine en train de s'entraîner devant le miroir de la salle de bains ou derrière les rideaux fermés du salon.

— Nous n'avons cessé de nous répéter les uns aux autres en quoi Éric Schaffer était un être à part. Je voudrais tenter d'expliquer non pas en quoi Éric était un être à part, mais pourquoi. Oui, je suis psychanalyste, comme vous le savez, et ce que je m'apprête à dire n'est pas sans rapport avec mes compétences professionnelles. Mais ne vous inquiétez pas : je ne compte pas pratiquer mon tarif habituel.

Un mouvement — sans doute de l'amusement — s'élève dans l'assistance. Mais, passant au petit carton suivant, Larry poursuit :

— Lorsque nous voulons comprendre quelqu'un, il nous faut généralement remonter à l'enfance. Dans le cas d'Éric, ce n'est pas chose aisée : il ne parlait presque jamais de ses premières années. Nous savons qu'il était issu d'une petite communauté rurale installée dans les montagnes, dont l'existence était entièrement vouée au culte. Il ne s'agissait pas de mormons traditionnels, mais d'un groupe dissident qui, sans doute à cause de son isolement, avait développé son histoire, ses croyances et ses rituels propres.

» Nous ne savons pas grand-chose de sa famille, mais nous pouvons supposer que c'était une famille aimante. En tant que benjamin de huit enfants, Éric a dû jouir d'une attention particulière de sa mère, et de l'affection de tous ses frères et sœurs. Si sa communauté était polygame et que le père avait d'autres épouses, alors sans doute jouissait-il aussi de la tendresse de sa famille élargie. D'où me vient cette certitude ? Du fait qu'Éric était un homme aimant. Je parie que tout le monde, ici, a bénéficié d'une manière ou d'une autre de la bonté d'Éric. Sa femme et ses filles, bien sûr, mais tant d'autres encore ont apprécié cette capacité qu'il avait à donner et à recevoir de l'amour. Cela n'a pu lui venir que de son enfance.

» Deuxièmement, Éric était un homme bon. Il compatissait à la souffrance des autres parce qu'il avait lui-même souffert. Nous ne savons pas quand. Lorsqu'il était enfant ? Quand, adolescent, il a quitté sa famille pour affronter seul le monde ? Lors de sa difficile progression dans la hiérarchie universitaire ? Car, bien qu'il fût brillant, il n'avait, jusqu'à l'âge de seize ans, reçu aucun enseignement traditionnel.

» Nous savons que son mariage lui a apporté beaucoup de bonheur. Mais lorsque sa belle épouse est tombée malade, il a su endurer la souffrance car il avait appris, dans son enfance, à endurer la souffrance. Lorsque son fils est mort — drame auquel il ne faisait presque jamais allusion —, il a souffert, mais il a tenu le coup. Lorsque son petit-fils est mort, il a souffert, mais il a tenu le coup. Lorsque sa fille est partie vivre à l'autre bout du pays, il a souffert, mais il a tenu le coup. La plupart des gens rassemblés ici se souviennent des petites attentions et du soutien discret qu'Éric a su leur apporter. Toutes ses attentions signifiaient : je comprends votre malheur car j'ai très tôt fait l'expérience du malheur. Je veux vous aider à l'endurer comme j'ai moi-même, il y a si longtemps, appris à l'endurer.

» Troisièmement, il était impitoyable. Il a bien fallu qu'il le soit pour abandonner cette famille aimante et prendre seul un nouveau départ, dans un monde qu'il ne connaissait pas. De cet aspect de lui-même, il n'a gardé que le meilleur : il est demeuré impitoyablement attaché aux principes qui lui étaient chers. Il agissait toujours de la manière qui lui semblait la plus juste, quel que fût pour lui le prix à payer.

» Quatrièmement, il donnait des cailloux. S'il est ici une seule personne à qui Éric n'a pas, un jour, fait cadeau d'une pierre, qu'elle lève la main.... C'est bien ce que je pensais. Éric s'était fixé comme mission de redistribuer toutes les pierres du monde. Ou peut-être avait-il entrepris de démonter une montagne. Celle sur laquelle il a grandi, par exemple.

» Enfin, Éric était un outsider. La vie dans une communauté nichée à deux mille mètres d'altitude et composée de quasi-mormons probablement polygames devait différer quelque peu de l'éducation que nous avons reçue, vous et moi. Après ça, Éric n'était nulle part à sa place et il le savait. Rien d'étonnant à ce qu'il ait été, à la fac, un si bon responsable de département. Il dirigeait son équipe avec bienveillance, sans jamais entrer dans les luttes de clans ni les conflits de pouvoir propres à la vie universitaire. Élevé sur le mont Olympe, il pouvait regarder tout ça de haut. Il n'aimait pas les coteries. Avait beaucoup d'amis mais fonctionnait mal dans un groupe. Et lorsqu'il s'est marié, c'est avec Tatiana, une ravissante immigrante, une autre outsider.

» Éric aimait-il cette marginalité? Eh bien, je crois qu'elle l'isolait des autres. Je crois qu'il souffrait d'une très, très grande solitude, dont nous étions tous plus ou moins conscients. Je ne lui en ai jamais parlé. Sans doute n'ai-je jamais véritablement essayé de l'aider? Je le regrette aujourd'hui.

» Beaucoup de gens m'ont demandé : pourquoi Éric est-il mort de cette manière? Personne ne peut, pour le moment, répondre à cette question. Il paraît incroyable qu'un homme aussi discret, aussi aimable ait pu être victime d'un meurtre, la cible d'une attaque préméditée. Alors je me suis renseigné sur les homicides, et j'ai découvert quelques faits révélateurs. J'ai découvert, notamment, que les hommes solitaires et marginaux figurent en bonne place dans les études statistiques sur les victimes d'assassinat. Mais nous ne sommes pas là pour parler de la mort d'Éric, et nous ne devons pas laisser le mot "meurtre" se dresser entre nous et l'Éric que nous connaissions. C'est à sa vie que nous devons rendre hommage.

Larry rassemble ses petits cartons, adresse un signe de tête aux assistants et se rassied lorsque retentissent les mesures d'ouverture d'un concerto de Mozart. Pour la première fois, je sens quelque chose percer sous mon armure. Ce n'est pas de la tristesse, c'est de la colère. Larry se trompe. Il a tort de prétendre que les années de jeunesse de papa l'ont prédisposé à la solitude. Papa a souffert, certes. Il a tellement souffert qu'il a tenté de se suicider. Mais sa grande solitude est venue plus tard. Je le sais, grâce à cette photo où il est avec nous sur la plage et rit à gorge déployée, et non comme rirait quelqu'un de solitaire et de malheureux. Et s'il a cessé de rire, ce n'est pas à cause de ce qui s'est passé dans l'Utah il y a une éternité, mais à cause d'événements qui se sont produits ici même.

Une fois la cérémonie terminée, les membres de la famille se lèvent pour suivre le cercueil. Tout d'abord les Russes avec ma mère au centre, si petite qu'on la voit à peine. Puis Scott, Larry, Jane et moi. Nous enterrons papa et le ciel devrait être gris, la journée lugubre. Au lieu de ça brille un soleil aveuglant. Ses rayons viennent frapper les stèles et les monuments funéraires et rebondir sur le cuivre du cercueil tel un ballon dans un match de football. Je m'approche de Scott :

— Tu trouves que papa souffrait de la solitude ? Tu trouves que c'était un marginal ?

Il hoche la tête, tente de dire quelque chose, puis se remet à sangloter.

La terre autour de la tombe est sèche. Lorsque les premières poignées s'abattent sur le cercueil, un fin nuage de poussière s'élève dans la fosse, semblable à de la vapeur. Je pensais qu'à la vue de la fosse et du cercueil toutes mes forces m'abandonneraient. Je croyais mouiller la terre de mes larmes. Mais tandis que tous se tordent de douleur, le visage ruisselant, mon nouveau cœur, mon cœur de métal, reste insensible. Les émotions glissent sur sa surface polie. Le cercueil s'enfonce et cela me fait plaisir que papa devienne une couche géologique, une veine ténue d'humanité dans la terre caillouteuse.

En relevant les yeux, je vois ma mère. Elle laisse tomber une rose dans la fosse. Deux minuscules gouttes coulent telles des perles le long de ses joues. Comme les autres, elle est figée, les yeux rivés sur le cercueil de papa. Derrière elle, au loin, je perçois un mouvement. Un oiseau, sans doute, volant de stèle en stèle. Je le cherche des yeux et constate qu'il s'agit d'un homme. Je retiens mon souffle. Il n'est pas si éloigné que je ne puisse distinguer son visage. Ricky Marcello et moi nous fixons droit dans les yeux. J'ai envie de hurler, j'ai envie de lui courir après pour lui demander des explications. Mais la douleur de ceux qui m'entourent me cloue au sol et je me contente, impuissante, de le regarder se retirer derrière une pierre tombale, tel un serpent disparaissant dans les hautes herbes. Il se déplace rapidement, se faufilant entre les monuments, enjambant les tombes. Je l'aperçois par intervalle, avant qu'il ne sorte totalement de mon champ de vision.

Alors que nous nous en retournons silencieusement vers la chapelle, je m'obstine à le chercher. Sur la route, à l'autre bout du cimetière, une chose mouvante jette des éclairs dans la lumière du soleil. Et j'entends un vrombissement lointain, qui pourrait être celui d'une dépanneuse ou d'un avion. Tout près de moi, des voix, des portières que l'on claque, des moteurs qui démarrent : les assistants quittent le cimetière pour se rendre chez papa.

Michael Rougemont se tient juste devant la chapelle, comme s'il m'attendait. Je lui demande :

— Vous avez vu quelqu'un ?

Il me regarde, le soleil éclairant cruellement son étrange physionomie, et hoche la tête.

Lorsque nous arrivons chez papa, les invités forment une longue file depuis l'escalier de la véranda. Ils s'étaient remis à porter des salopettes pour jardiner et bricoler et voilà qu'ils ont dû sortir des placards les vieux costumes qui ne leur vont plus et empestent l'antimite. Ma mère a été reconduite à Redbush ; Jane et moi serrons des mains et recevons des condoléances. Scott et Larry sont tous deux félicités pour leurs hommages, Scott chaleureusement, Larry admirativement. Les compliments font rougir Scott, tandis que Larry les accepte en vieux routier. Il dirige les invités vers le buffet, sur la véranda. Je note, dans un coin de la véranda ombragé par le feuillage des arbres, la présence silencieuse des deux inspecteurs.

Bientôt, il y a des gens assis partout : sur la véranda, sur la terrasse et dans toutes les pièces du bas. Seul le bureau leur a été fermé. La maison est bourdonnante de voix : on échange des informations, on commente les nouvelles, on prédit la fin de la vague de chaleur. C'est le premier rassemblement auquel j'assiste dans cette maison. De tout le temps où j'y ai vécu, il n'y a pas eu une seule fête et les visites étaient rares. Si l'on excepte les hurlements de maman, je n'ai jamais connu la maison aussi bruyante.

Tandis que Jane aide un vieil invité à s'asseoir et que Scott est parti lui chercher une assiette de nourriture, Larry apparaît à mes côtés.

— Larry, tu as appelé la police au sujet de ce type qui traîne devant chez vous ?

Il me regarde d'un air surpris.

— Une fois. Mais ils ont mis tellement de temps à arriver que le type était parti. Je ne l'ai pas vu depuis un ou deux soirs, il a dû laisser tomber.

— Peut-être qu'il se cache. Dans une voiture.

— Possible. Ça fait froid dans le dos.

— Ferme les rideaux dès qu'il commence à faire noir. Ou si tu les laisses ouverts, éteins les lumières du salon comme si tu n'étais pas là.

Larry n'est pas du genre à écouter mes conseils, surtout en matière de sécurité.

— Je veux en parler avec Kirsty, dit-il en se dirigeant vers elle.

Je le rappelle :

— Au fait, d'où tiens-tu qu'ils étaient polygames, dans la communauté de papa ?

— Il y a de fortes chances, non ?

Puis, se frayant un chemin parmi les invités, il rejoint les inspecteurs et se met à leur parler avec animation. Kirsty écoute tandis que Rougemont promène son regard sur la pièce. De temps en temps nos yeux se croisent, mais je fais comme si de rien n'était et, lorsqu'il m'adresse un de ses sourires grimaçants, je reste impassible. Il finit par s'avancer vers moi. Avec son costume noir et sa cravate foncée, il a plus que jamais l'air d'une ombre.

— Comment vous sentez-vous, Lucy ?

— Bizarre.

— Vous voulez dire : comme si vous ne ressentiez rien ?

J'acquiesce.

— Oui, fait-il. Oui.

Silence. Je me demande s'il va se remettre à m'interroger sur mon week-end en Californie. Mais, au lieu de ça, il dit :

— Jim Finnigan est un brave type. Il vous aime beaucoup mais ne vous connaît pas vraiment. Pareil pour tous les gens que j'ai rencontrés à New York.

Je le fixe. Il poursuit :

385

— Vous êtes allée là-bas pour devenir quelqu'un d'autre. Ça, c'est la Lucy qu'ils connaissent. Mais pendant tout ce temps, la vieille Lucy vous attendait ici.

J'ai la vision absurde de la « vieille Lucy », attendant à l'aéroport, en short effiloché ou robe bain de soleil, que la « nouvelle Lucy », mince et pro, débarque d'un avion.

— Et je voudrais tant que vous écoutiez ce qu'elle a à vous dire. Parce que cette autre Lucy, la vieille Lucy, celle que vous avez fuie, a toutes les réponses.

Je le regarde froidement.

— Je ne sais pas de quoi vous parlez, monsieur Rougemont. Je suis banquière dans une société d'investissement. J'ai pris deux semaines de congé pour raisons de famille, à la suite de la mort de mon père et je reprends samedi soir l'avion pour New York, où je dois me remettre au travail.

— Mmm, fait Rougemont, la bouche tordue en ce qui pourrait être un sourire ou une grimace.

Je détourne la tête. Jim a déjà appelé pour m'annoncer que la banque avait remis à la police les enregistrements de mes conversations téléphoniques.

— Tu as besoin d'un bon avocat, Lucy? m'avait-il demandé.

J'avais détecté dans son ton une distance, à la place de la chaleur d'autrefois. Comme si j'étais partie un an et non une semaine.

— Bien sûr que non, Jim. Du nouveau dans le dossier Hifeld?

— Gregory Hifeld a décidé de ne pas vendre la société et Jay Kent s'est montré carrément grossier quand j'ai essayé de donner suite. Il a dit qu'il n'était plus question pour lui de traiter une seule affaire avec nous.

— Nom de Dieu!

— Semper pense que ta carrière est plutôt compromise, désormais, m'avait prévenue Jim. J'ai fait de mon mieux pour l'en dissuader, mais des négociations qui ont si mal tourné, plus la police qui a posé des tas de questions personnelles à ton sujet... eh bien, c'est une combinaison plutôt malheureuse.

— Je suis virée?

Jim avait hésité. Puis :

— Tu n'es pas encore morte, mais tu es gravement malade. Je suis désolé, Lucy. Les choses auraient pu se passer autrement. Elles auraient dû se passer autrement.

Lorsque je vois, se tenant à l'écart, Adam Holler et Joe Zacarro, je pique droit sur eux.

— Alors, vous allez continuer à ne pas oublier la mort sur les autoroutes? Même sans papa?

Le visage de M. Holler reste impassible, tandis qu'un grand sourire éclaire celui de Joe.

— Lucy, comment diable as-tu deviné ce qu'on traficote? Tu es aussi intelligente que ton père.

— Il y a au moins deux policiers ici, Joe, dit Adam Holler. Si vous voulez discuter de ça, vous pourriez au moins être discrets.

— Désolé, grogne Joe. Je vais t'exposer notre plan, Lucy.

Il s'approche de moi, sans pour autant baisser la voix.

— Ton papa a toujours rêvé qu'on se fasse le pont. Tu imagines? Le pont! Pense un peu à l'ampleur du chaos et des bouchons que ça va provoquer si on balance une épave sur le pont. On s'est dit que ça pourrait être une sorte d'épave-monument à la mémoire d'Éric.

Adam Holler scrute nerveusement la pièce.

— Le problème, continue Joe en balançant son poids d'un pied sur l'autre, c'est qu'ils ont installé des caméras de surveillance sur le pont. C'est donc une opération risquée... On va devoir faire quelques allers-retours, histoire d'examiner ces caméras de près.

— Chut! siffle Adam Holler.

Joe pousse un gros soupir et retire une poussière sur son costume mal ajusté.

— Va falloir être vraiment malins si on ne veut pas se faire choper.

— Peut-être que je pourrais me joindre à vous?

— Lucy, tu ferais ça? rugit Joe.

— Pourquoi pas? J'aime l'idée de l'épave-monument en mémoire d'Éric Schaffer.

Dans sa joie, Joe menace de se montrer encore moins discret, et M. Holler l'entraîne un peu plus loin.

Joni Rimbaldi, l'ancienne secrétaire de papa, qui devait déjeuner avec lui le dernier jour, me raconte comment elle s'apprêtait à sortir de chez elle quand Scott l'avait appelée pour lui annoncer la nouvelle.

— Et vous savez, dit-elle, quand j'ai ouvert le placard ce matin, je n'ai pas eu envie de sortir le joli tailleur bleu marine que je garde pour les occasions sérieuses. Au lieu de ça, j'ai sorti les vêtements que j'avais mis pour aller déjeuner ce jour-là. Il fallait absolument que je les porte pour l'enterrement. C'est pas une idée un peu dingue?

Elle rit, mais d'un rire nerveux. Je m'efforce de la rassurer. Joni, avec ses cheveux gris coupés court, est à la fois raisonnable et prévisible, et je vois qu'oser ce genre de choses l'effraie un peu.

— La veste est trop claire? s'inquiète-t-elle.

— Elle est parfaite, Joni. Vous êtes très élégante, papa aurait pensé pareil.

— Je vais devoir mettre quelque chose de plus chaud ce soir. On prend l'avion pour le Maine.

— Pourquoi allez-vous passer des vacances dans le Maine, alors que vous habitez déjà le plus bel endroit du monde ?

Lorsqu'elle a pris sa retraite, Joni et son mari sont allés s'installer à Tigertail Bay, une plage couverte de phoques qui est élue chaque année l'une des plus belles de la région.

— Ma sœur fête demain son soixantième anniversaire. On devait partir hier, mais je n'ai pas pu me résoudre à rater l'enterrement d'Éric. Ç'aurait été comme lui poser un lapin pour le déjeuner, répond-elle avec un sourire navré.

Alors que tous les invités sont occupés à manger, et qu'il semblerait qu'il n'y ait plus rien à dire à personne, une femme grande et mince me touche le bras.

— Lucy... Tu ne te souviens pas de moi ?

Je la regarde. Cheveux blancs attachés en une coiffure souple, yeux bruns, traits réguliers, sourire affectueux.

— Oh ! Madame Joseph !

Je redeviens la timide adolescente d'autrefois. Le rouge me monte aux joues.

— Oh, mon Dieu...

— Sûr que mes cheveux étaient loin d'être blancs, à l'époque, fait-elle remarquer en riant. Et je devais bien avoir cinq kilos de moins.

Mme Joseph a vieilli. Son mari est mort, ses enfants ont grandi, elle a des petits-enfants. Et c'est avec un rire triste qu'elle accepte le passage du temps.

— Ça me fait tellement plaisir de te voir ! Je suis désolée de ne pas avoir été là, hier, quand tu es passée à la maison. Pendant des années, j'ai espéré que tu viendrais nous rendre visite dans la vallée. Tu nous as tellement manqué, après ce terrible accident. J'espère que tu as pardonné à Robert, désormais.

Comme je reste sans voix, elle vient à mon secours :

— Il a mis longtemps à t'oublier. Mais il est marié depuis

quelque temps et, je crois, plutôt bien marié. Ils vivent en Virginie, le plus jeune de leurs enfants a huit mois. J'ai passé quelques jours chez eux, je ne suis rentrée qu'hier soir.

Nous parlons du fait que Robert ait décidé de devenir docteur, après avoir passé tellement de temps à l'hôpital.

— Et toi? J'imagine que ça n'a pas trop changé ta vie. Du moins, pas aussi radicalement?

— Mais si, bien sûr.

Cependant, je me garde de lui révéler comment, après que la famille Joseph m'eut balayée de son existence, quelque chose s'est définitivement brisé en moi. Au lieu de ça, je dis :

— Pendant un temps, je n'ai pas pu beaucoup bouger. Et ce sont toutes mes lectures et toutes mes pensées de cet été-là qui m'ont poussée à entrer dans la finance.

Elle me raconte comment M. Joseph a brusquement succombé à un malaise cardiaque, un matin, dans le jardin, vingt-quatre heures après que Robert fut reparti pour l'hôpital de Baltimore où il travaillait. Il aurait pu sauver son père si ses vacances avaient duré un jour de plus. Step enseigne au Massachusetts Institute of Technology et Morton, l'aîné des trois frères Joseph, dirige l'exploitation familiale.

— Mais je ne t'ai pas encore dit à quel point la mort de ton père m'a attristée. J'ai fini par le connaître assez bien, au bout de toutes ces années, et j'avais énormément d'affection pour lui.

— Ah oui?

Et moi qui pensais que leur lien se limitait à des rapports de bon voisinage.

— Lucy, est-ce que tu vas bientôt venir nous rendre visite dans la vallée, à Ralph et moi?

Je reconnais :

— J'aimerais bien. Ça fait des années que j'en ai envie, mais je repars samedi à New York.

— Et après l'enterrement, tu fais quoi ? demande-t-elle. Oh, bien sûr, tu vas rester avec ta famille...

Mais c'est avec Mme Joseph que je voudrais passer la soirée car, un instant, j'ai la sensation troublante que ma famille, c'est elle.

— Je passerai à la ferme un peu plus tard, dis-je.

32

À peine ai-je franchi l'aqueduc et pénétré dans l'îlot de verdure des Joseph que j'ai le sentiment de rentrer chez moi. Le soleil du soir crée des flaques d'ombre sur la pelouse et baigne la maison d'une lumière aussi intime qu'un secret.

Ralph et Mme Joseph entendent ma voiture et viennent à ma rencontre. Deux chiens trottent dans leur sillage, haletant, remuant paresseusement la queue. Mme Joseph s'est changée et porte à présent des vêtements clairs et amples ; ses cheveux sont relevés sur sa tête. Ralph est en salopette. Il sourit lorsque Mme Joseph me serre chaleureusement dans ses bras, puis disparaît dans le jardin.

— Tu as mangé aujourd'hui ? questionne-t-elle en me conduisant à l'intérieur.

— Non.

— Et tu n'as pas faim ?

Je suis stupéfaite de découvrir que j'ai effectivement faim et, lorsqu'elle me fourre une grosse salade sous le nez, je n'en laisse rien. Les chiens m'observent, attendant que je leur donne quelques morceaux de pain, claquant parfois la queue sur le sol.

— C'est bien, dit-elle lorsque, revenant dans la pièce, elle remarque mon assiette vide.

Elle s'assied près de moi, tenant dans sa main les photos qu'elle est allée chercher.

— On va commencer par ça, explique-t-elle. Je veux dire, satisfaire ta curiosité au sujet de Robert.

Avec un bref commentaire, elle me tend, une à une, des photos de Robert. Robert avant son mariage, Robert le jour de son mariage... Mais la plupart sont récentes. Je murmure :

— Il n'a pas changé.

— Ce n'est pas tout à fait vrai. Sa personnalité s'est approfondie et a changé après l'accident. Je crois que son visage en a été marqué.

— Sa femme est belle.

— Je trouve qu'elle te ressemble un peu. Et puis elle aussi est conseillère financière. Drôle de coïncidence, non? Ou bien ce n'en est pas une. Tiens, celle-ci a été prise il y a longtemps, on te voit avec les garçons.

Les garçons âgés d'environ cinq à quinze ans. Ils ont tous les mêmes cheveux noirs bouclés et sont vautrés sur un sofa, les uns sur les autres. Au milieu, une petite fille, qui doit avoir dans les dix ans. Elle est vautrée comme les garçons, sourit largement, comme les garçons.

— Mais... qu'est-ce que je faisais là?

— Tu grimpais aux arbres, tu risquais ta vie sur la balançoire, tu construisais des cabanes, tout ce que font habituellement les enfants.

Mon regard va de Mme Joseph à la photo.

— Je ne suis jamais venue ici quand j'étais petite.

— Bien sûr que si. Ta mère n'était pas là pour s'occuper de toi, ton père partait pour ses expéditions... Pendant ce temps, tu séjournais chez nous.

— J'étais souvent là?

— Certaines années, oui.

— Années? Ça a duré des années?

— Tu ne te souviens pas? C'est dommage, on a passé de si bons moments.

Sa voix est calme. Il me semble y percevoir une nuance de déception : sans doute regrette-t-elle que j'aie oublié les bons moments.

— Oh, madame Joseph, j'ai vécu ici des moments merveilleux, mais je croyais que tout s'était passé en un seul été, enfin, l'été de Robert.

— Robert était pour toi un camarade, bien avant de devenir un petit ami. C'est pour ça que quand vous avez franchi le pas, ça a tout de suite été du sérieux. Les papouilles, vous connaissiez déjà depuis des années.

Je pousse un soupir. Je comprends à présent pourquoi cette maison m'a toujours paru familière : j'ai fait tenir en un seul été les souvenirs et les sensations de plusieurs années.

— Mais... où était Jane?

— Il me semble que ton père la laissait chez les Carmichael. Ou chez les Spelman, je ne sais plus trop. Lucy, j'ai une autre photo de toi. Attends une seconde.

Une fois seule dans la pièce, j'étudie les photos avec plus d'attention qu'il n'aurait été convenable devant Mme Joseph. Tout d'abord celle où l'on me voit avec les fils Joseph. J'ai l'air heureux et décontracté. Je porte une queue de cheval que l'un des garçons, Step ou Robert, élève à la verticale.

Puis je saisis un cliché récent de Robert. Je l'amène devant la fenêtre et l'examine à la lumière. Les années n'ont pas altéré ses traits. Sans doute sont-ils un peu plus marqués, mais cela lui confère une sorte de rudesse qui lui va bien.

Relevant les yeux, j'aperçois Ralph à la fenêtre, qui me sou-

393

rit. Je me demande si un seul secret, dans cette maison, a jamais pu rester inconnu de Ralph.

— Bonjour Ralph, dis-je avec résignation.

— Jolies photos.

Il sourit à nouveau et s'évanouit dans la verdure.

— Et ces deux-là, tu les reconnais ? demande Mme Joseph en revenant dans la cuisine, une petite photo à la main.

Robert. Jeune. Ses cheveux bouclés lui retombant sur le visage. D'un bras, il enlace une fille aux yeux verts et aux cheveux noirs qui ne sourit pas à l'objectif, mais à lui. J'ai les yeux rivés sur la fille, comme si je contemplais mon propre fantôme.

Mme Joseph attend, tandis que j'examine la photo. Devant mon silence, elle demande :

— Qu'est-ce qui t'intrigue tellement ?

— Son sourire. Enfin, mon sourire.

— Tu as l'impression de regarder quelqu'un d'autre ?

— Oh oui, je n'arrive pas à croire que j'aie jamais pu être cette fille.

Mme Joseph me prend délicatement la photo des mains et l'étudie à son tour.

— Et pourquoi donc, Lucy ? dit-elle en me la rendant. C'est pourtant bien toi.

— Je n'arrive pas à croire que j'aie pu être aussi heureuse.

Elle se lève.

Je cale mes pieds sur le barreau de la chaise et prends mes genoux entre mes bras.

— J'étais heureuse ici. J'aimais tellement cette maison. Tous ces gens qui passaient leur temps à aller et venir, les conversations, les rires, les chiens... J'aimais cette façon que vous aviez de vous parler, M. Joseph et vous. À la fois tendre et polie. Vous étiez si respectueux l'un de l'autre. Je n'avais jamais réalisé, auparavant, à quel point le respect importait en amour.

— Et qu'est-ce qui importait, d'après toi ? Le pouvoir ? sourit-elle.

Je lui rends son sourire. Je me sens forte à présent, suffisamment forte pour lui demander :

— Est-ce que vous avez pensé que l'accident était ma faute ?

Mme Joseph m'observe avec surprise.

— Ta faute ? Comment quiconque aurait-il pu penser que c'était ta faute ?

— Robert conduisait avec un bras sur mon épaule.

— Dans ce cas, s'il fallait absolument désigner un responsable — ce que je ne crois pas avoir jamais essayé de faire —, ce serait Robert.

Elle pose deux boissons glacées sur la table et s'assied devant l'une d'elles. J'ajoute :

— Ce n'est pas moi qui lui ai demandé de conduire comme ça. Mais j'ai peut-être dit ou fait une chose qui lui a fait penser qu'il devait le faire. En ce cas, je serais responsable, d'un point de vue technique.

Elle sirote sa boisson en silence. Ce silence m'incite à poursuivre :

— Enfin... Je croyais que c'était pour ça que Robert ne m'a plus jamais rappelée. Que vous n'aviez pas tenté de me contacter après l'accident. Parce que vous pensiez que c'était ma faute.

Mme Joseph garde les yeux baissés, pensive.

— Tout cela s'est passé il y a très longtemps, dit-elle enfin. Et il est sans doute vain de remuer le couteau dans la plaie. Mais permets-moi te poser une question.

J'attends.

— Est-ce que tu as téléphoné à Robert après l'accident ?

— Euh... non.

— Est-ce que tu m'as téléphoné à moi ?

— Non. Enfin... comme vous ne m'appeliez pas, j'ai cru que vous m'en vouliez à mort et...

— Peut-être que nous pensions aussi que tu nous en voulais. Puisque tu n'appelais pas.

Un rayon de soleil, filtrant par la fenêtre, tombe en plein sur mon visage. Je sens sa chaleur.

— Oh non, non, non. Je n'en voulais pas à Robert, ni à qui que ce soit.

Elle me regarde attentivement, avec un sourire bienveillant.

— Il faut bien que quelqu'un décroche le téléphone à un moment donné, Lucy. C'est tout ce que je peux dire. Je suis sûre que tu n'es plus le genre de personne à rester assise là en attendant que les autres appellent. Ton père était vraiment fier de ta réussite dans les services financiers d'entreprise.

— En fait, les services bancaires d'investissement. Papa n'a jamais bien fait la différence.

— Peut-être était-il trop occupé à souffrir pour avoir le temps d'y penser, dit-elle avant de partir d'un petit rire que je reconnais et qui fait songer à des bulles d'air remontant à la surface. Je suis désolée, Lucy, mais ce discours de ton beau-frère, c'était vraiment quelque chose. Ça m'a irritée tout l'après-midi. Enfin, il arrive à tout le monde de se sentir plus ou moins seul, ou d'avoir l'impression d'être isolé. Je doute que ces sentiments soient systématiquement liés au fait d'avoir été élevé dans une communauté pratiquant la polygamie.

Ce n'est pas sans ressentir une secrète satisfaction que j'écoute Mme Joseph critiquer Larry. Dans notre famille, personne n'ose mettre en question ses compétences.

— Je n'ai pas non plus aimé cet hommage. Tout ce baratin sur la solitude de papa... ça m'a donné un de ces cafards. Quand je pense au chagrin que j'ai dû lui causer, au fait que je n'étais pas là pour soulager sa solitude...

Mme Joseph secoue la tête.

— Personnellement, je ne me souviens pas du tout de ton père comme d'un homme solitaire.

Je revois la ligne blanche sur le poignet de papa. Papa à seize ans, à peine débarqué de son camion de poisson, allongé sur un lit d'hôtel à écouter les ronflements des occupants des chambres voisines, le bruit des voitures et les voix s'élevant de la rue... tous ces bruits auxquels il n'était pas habitué. Papa tenu en éveil par les odeurs et les lumières de la ville, lui qui avait grandi dans l'implacable silence des montagnes, où seule la lune éclairait la nuit. Papa regrettant sa famille, tous les êtres et toutes les choses qu'il aimait.

— Mais papa ne riait jamais.

J'ai du mal à le reconnaître. Ça a tout l'air d'une critique. Les pères sont censés rire.

— Bien sûr qu'il riait! s'exclame Mme Joseph en écarquillant les yeux.

— Pas vraiment. Ça ne venait pas du ventre, ça ne venait pas du cœur.

— Mais si! Il était assis là, exactement où tu es maintenant, et il riait à s'en décrocher la mâchoire.

Je la fixe avec des yeux incrédules, mais elle sourit, perdue dans ses pensées. Ça l'amuse d'y repenser.

— C'est Step qui le faisait rire autant. Step était un tel clown quand il était petit.

— Je n'ai jamais vu papa rire à s'en décrocher la mâchoire.

— Et ça te rassure, de savoir que ça lui arrivait?

— Je suppose que oui.

— Eh bien, il riait longtemps, fort et souvent. Et il avait un sacré sens de l'humour. Il savait aussi faire rire les autres.

Papa à la ferme des Joseph. Au milieu des bruits, des gens, des rires. Papa assis là, dans la cuisine, à s'esclaffer devant les clowneries de Step comme s'il faisait partie de la famille. Papa suffisamment intime avec les Joseph pour me confier à eux lorsqu'il partait en expédition.

Mme Joseph suit le fil de mes pensées, comme quelqu'un qui attend un train à la gare et le voit lentement s'approcher. Elle m'attend à l'arrivée.

— Comment se fait-il que vous connaissiez si bien papa? J'aimerais le savoir. Et votre amie, Barbara Marcello. Papa avait-il un lien avec elle ou avec son fils?

— Il t'a dit qu'il en avait un?

— Non.

— Alors c'est qu'il était soit inexistant, soit insignifiant, soit secret.

— Papa versait chaque année de l'argent sur un compte baptisé le « fonds Marcello ». C'est sans doute en rapport avec Ricky Marcello. Ricky connaissait papa, c'est certain. Lorsque j'ai tenté de le questionner à ce sujet, ça l'a rendu fou de rage. Il m'a attaquée.

— Oh, je suis désolée de l'apprendre. Il t'a fait mal?

— Eh bien... non, pas vraiment. Mais il m'a saisie à bras-le-corps et m'a menacée.

J'ai trop honte pour avouer avec quel acharnement j'ai tenté de casser le pied de Ricky. Lorsque, à sa demande, je lui mime comment j'ai écrasé le pied de Ricky, en appuyant délicatement du talon sur des orteils imaginaires et en effectuant la manœuvre sans aucune animosité, Mme Joseph éclate de rire, de son rire plein de petites bulles.

— Lucy, dit-elle, c'est lui qui a le plus souffert de cette rencontre.

— Mais il fallait bien que je fasse quelque chose! J'ai vraiment cru qu'il allait me tuer.

— Oui, je comprends. Je n'ai pas de mal à imaginer que

Ricky puisse fiche la frousse quand il en a envie. Il a toujours eu un caractère épouvantable, tu dois t'en souvenir. Barbara s'inquiétait beaucoup à ce propos, mais elle-même était bien forcée d'admettre qu'il n'aurait pas fait de mal à une mouche. Et il a toujours été adorable avec Ralph.

Elle ne me parle pas du Ricky Marcello que j'ai croisé récemment.

— Figure-toi, ajoute-t-elle, qu'il emmène Ralph en balade dans les voitures qu'il répare à San Strana. Et de temps en temps, il monte dans la dépanneuse avec Ralph et le laisse conduire tout autour de la ferme. Voilà ce que j'appelle de l'héroïsme. Aucun d'entre nous ne laisserait Ralph conduire quoi que ce soit.

Je secoue la tête.

— Je crois qu'il y a, chez Ricky Marcello, un aspect que vous ne connaissez pas, madame Joseph.

— Sans doute, comme chez la plupart des gens.

— Je veux parler d'un côté mauvais. Très mauvais. Pour être sincère, je le soupçonne d'être impliqué dans la mort de papa.

Elle reverse de l'eau dans les verres. Une grosse tranche de citron tombe dans le mien, et des petites gouttes d'eau giclent sur la table.

— Lucy...

Son visage a conservé toute son expressivité et, quand ses yeux brillent ainsi, sa beauté. Je me demande si c'est l'amusement ou la curiosité qui lui donne ce regard pétillant. Mais lorsqu'elle parle, c'est sur le ton de la mise en garde :

— Lucy, quelles preuves as-tu pour avancer une chose pareille ?

Il est tard lorsque je retourne à l'appartement de tante Zina. Sasha est en train de lire le journal, son large visage chaussé de petites lunettes. Tante Zina, qui lit chaque jour un passage de

Pouchkine, a le nez plongé dans sa vieille édition toute abîmée et non — à ma grande déception — dans l'édition flambant neuve que je lui ai offerte.

Ils sont contents de me voir. Ils m'attendaient, impatients de discuter de l'enterrement, des hommages, des assistants...

Je me laisse tomber dans le fauteuil d'oncle Pavel. Tous les jours, il s'asseyait là et fumait sa pipe, et le fauteuil garde la trace de ces deux activités.

— Merci d'avoir amené maman. Et merci pour tout, dis-je.

À mon ton, ils comprennent que je vais leur annoncer mon départ. Leurs visages perdent toute gaieté.

— Je n'ai pas encore réservé mon vol mais j'ai l'intention de repartir samedi.

Ils me supplient de rester encore un peu.

— Il faut vraiment que je rentre si je ne veux pas perdre mon travail.

— Dans ce cas, rétorque tante Zina, tu n'auras qu'à en trouver un autre. Ici, en Californie.

Je lui explique que j'ai déjà dîné et la prie de rien m'apporter à manger, mais elle n'en reparaît pas moins avec des assiettes de biscuits faits maison. Nous parlons de l'enterrement et reconnaissons tous que maman s'est comportée impeccablement, donnant à l'événement une dignité qui nous a rappelé grand-maman. Ils trouvent que Larry a vieilli et que Scott est beau.

— Et Jane, ajoute tante Zina, est encore très belle. Peut-être même plus que jamais.

— Elle a toujours eu des airs de Greta Garbo, insiste Sasha, qui a passé, selon sa mère, une trop grande partie de sa jeunesse à regarder des vieux films.

Tante Zina apporte un petit paquet enveloppé dans du

papier de soie et ficelé avec un ruban, du genre de ceux qu'on a récupéré sur une boîte de chocolat et qui n'a cessé de servir depuis. Même s'il est encore rose par endroits, il est désormais presque totalement décoloré.

— J'ai entrepris un petit travail pour toi, Lucia. Il sera terminé samedi. J'espère juste avoir été à la hauteur de ma tâche.

Elle me tend le paquet, je tire sur le ruban et retire le papier de soie, qui craque comme de la meringue. À l'intérieur, il y a des lettres.

— Ce sont les lettres d'une mère à sa fille. Grand-maman les a écrites à ta chère maman. Quand grand-maman est morte, ton papa me les a données, un geste généreux et attentionné, si caractéristique de cet homme merveilleux. Je me suis fixé l'humble projet de les traduire pour toi. J'espère que tu approuves ma démarche.

Je tire de son enveloppe une feuille fine et cassante. Sur un côté, d'épais caractères cyrilliques. Tante Zina a donc entrepris d'extraire de ces pages desséchées ce quelque chose qu'une mère devrait transmettre à sa fille car, quelle qu'en soit la nature, tante Zina sait que ma mère n'a pas pu me le transmettre. Le papier craque légèrement entre mes doigts et ce son me paraît éveiller douloureusement un point sensible de mon être. Rien de ce qui est écrit ici ne remplacera jamais les caresses d'une mère.

— Merci, dis-je doucement. Ça me touche beaucoup.

— La traduction sera achevée avant ton départ, m'assuret-elle.

Elle me désigne sa vieille édition de Pouchkine.

— J'ai commencé par traduire pour toi quelques extraits de notre grand poète russe, mais il m'est vite apparu que mon mauvais anglais n'était pas à la hauteur.

401

Sasha s'est emparé du paquet de lettres et les parcourt du regard, derrière ses petites lunettes.

— Le contenu est intéressant? demande-t-il.

— Les lettres sont pleines de conseils maternels du plus grand intérêt pour une jeune femme.

Sasha pioche une lettre au hasard et jette un coup d'œil à son contenu.

— Maman, Lucia n'a pas vraiment besoin de savoir quelle quantité de farine elle doit mettre dans les pirojki.

Je rétorque aussitôt :

— Oh mais si, j'adorerais savoir faire les pirojki.

— Il existe diverses façons de donner des conseils, coupe tante Zina. Grand-maman n'aimait pas le téléphone. Elle préférait écrire, et c'est tant mieux pour nous.

Je scrute les impénétrables caractères cyrilliques d'une autre lettre, comme s'il s'agissait d'un code secret.

— Voyons..., dit Sasha. Celle-ci est datée du 1er juin. « Ma Tanechka chérie..., blablabla... blablabla... » O.K. « Ma petite Tanya chérie, je ne trouve pas de mots pour exprimer ma tristesse. Tristesse pour moi-même, pour ta famille et pour Nicolaï, le pauvre enfant chéri... »

— Ah, je n'ai pas encore traduit celle-ci. C'est la dernière lettre qu'elle ait écrite et elle a trait à la mort de ton frère, Lucia. Après ça, grand-maman s'est installée dans ta famille et y est restée longtemps.

— « ... mais avant tout pour toi, ma petite fille. Seule une mère ayant perdu un fils peut comprendre ton chagrin et... »

Sasha s'interrompt, avec un haussement d'épaules :

— Oh, je ne sais pas... *Toska*?

— Malheur, suggère tante Zina.

— Non, ce n'est pas assez fort. Angoisse, peut-être? Enfin, tu vois l'idée, Lucia.

402

— Oui.

Inexplicablement, j'ai la gorge nouée.

« Désormais, tu regarderas grandir les autres enfants, et même les arbres, et en les regardant tu songeras avec tristesse au grand homme qu'aurait pu devenir ton petit Nicolaï... » Nom de Dieu, Lucia, la babouchka avait un de ces styles! Voyons, où est-ce que j'en étais? « Je vais venir te voir et quand tu pourras parler, tu me raconteras comment ce terrible... drame... accident... est arrivé et, une fois que tu m'auras tout raconté, tu pourras me le raconter à nouveau. Parce que, vois-tu, je n'oublierai jamais l'horreur du jour où j'ai perdu mon enfant adoré. L'expression, sur le visage de l'employé des chemins de fer qui m'a dit que le bébé était mort et qu'il devait me le prendre. Je ne peux repenser même aujourd'hui au vide que l'homme a laissé quand il m'a arraché des bras le petit corps parfait de mon fils. Je voulais parcourir tout le train d'un bout à l'autre, pleurer et raconter mon malheur à tous. C'était la même chose sur le bateau, et quand nous sommes arrivés ici, en Amérique. Je voulais parler à tout le monde en Amérique de mon fils et de la manière dont il était mort. »

Sasha interrompt sa lecture et me regarde malicieusement.

— À vrai dire, Lucia, elle y est parvenue. C'est sûr qu'on ne risquait pas d'oublier cette histoire.

— Ma mère a beaucoup souffert lorsque Tanya a perdu son fils, commente tante Zina. Elle s'est comportée comme si elle revivait la mort de son propre bébé. Franchement, nous avons été soulagés quand elle est partie s'installer avec vous. Il est clair que Tanya avait besoin d'elle.

— Je ne me souviens pas de mon frère, dis-je. Je ne me rappelle aucun détail de sa mort.

Tante Zina lève les yeux et me jette un regard dur.

— Rien?

— Non.

— Voyons, Lucia. Tu étais petite, mais moi aussi, précise Sasha. Or je me souviens de ce cataclysme.

— Sashinka, proteste tante Zina. Lucia et toi aviez tous les deux quatre ans. Comment est-il possible que tu t'en souviennes mieux qu'elle?

— Tout le monde pleurait. Tante Zoya, qui était assise à cette place, n'arrêtait pas de répéter : « Ma pauvre Tanya chérie, ma pauvre Tanya chérie. » Grand-maman était inconsolable. Lucy, je crois que ton frère m'a donné mon premier aperçu de la mort, non, pas de la mort, du chagrin.

Un terrible drame, un terrible accident. *Toska.* Toute la famille effondrée. Grand-maman terrassée par le chagrin, se précipitant chez sa fille. La fragile assise de nos existences brisée, peut-être à jamais, par la mort d'un bébé.

— Je ne connais même pas son nom, dis-je d'une voix rauque.

— Les Américains l'appelaient Nicky, mais pas nous, réplique tante Zina. Nous, on l'appelait Kolya.

— Kolya? Kolya.

Je le répète encore et encore, comme si le nom pouvait me conduire directement au souvenir.

— Kolya est le diminutif courant de Nicolaï, explique Sasha. Est-ce que les noms Nicky ou Kolya te rappellent quelque chose, Lucia?

— Je ne crois pas...

Ma gorge se noue, tente de censurer mes mots. Je n'aurais jamais osé poser cette question du vivant de papa, ou si Jane avait été dans la pièce :

— Comment est mort le bébé, au juste?

Sasha et tante Zina échangent un regard.

— Eh bien, répond Sasha, tu as remarqué que par une bizarre coïncidence, père et fils sont morts au même endroit ?

— Oui, j'y ai vu une raison de plus de conclure que l'assassin connaissait bien papa. S'il savait que le bébé était mort à Big Brim, il s'est sans doute dit que c'était le lieu idéal pour maquiller un meurtre en suicide.

— Effectivement, approuve Sasha.

— Bien sûr, il n'est pas exclu qu'il s'agisse d'une incroyable coïncidence.

Nouvel échange de regards.

— Ça arrive, les coïncidences, fait remarquer Sasha.

— Oh, oui, j'en ai souvent vues, confirme tante Zina. Il suffit de vivre un peu vieux pour savoir à quel point elles sont fréquentes.

Un silence. J'insiste :

— Alors... Que s'est-il passé exactement, sur la plage de Big Brim ?

— Tanya a posé le bébé sur le sable, trop près de l'eau, en pensant peut-être que le bruit et les reflets l'amuseraient. Et puis elle a entendu le fracas...

Les bras de tante Zina, très expressifs, n'ont aucun mal à figurer l'océan Pacifique.

— ... d'une grande vague, d'une vague énorme, d'une vague sans précédent ce jour-là. Lorsqu'elle s'est retournée, elle a vu son fils arraché au rivage tandis que la vague refluait. Elle s'est aussitôt précipitée dans l'eau, mais il était déjà trop loin pour qu'elle puisse l'atteindre. Il a vite été entraîné en dessous de la surface.

Je regarde tante Zina. La grande vague, la gigantesque étendue d'eau, l'impuissance d'un bébé ainsi ballotté puis submergé par les flots.

— Elle aurait pu nager...

— Tanya ne savait quasiment pas nager, déclare tante Zina.

405

Je me souviens de ce que m'a raconté Adam Holler : maman m'a sauvée le jour où j'ai failli me noyer.

— Mais elle aurait pu...

Sasha me regarde par-dessus les verres de ses lunettes et hausse les sourcils. Tante Zina coupe court à mes protestations.

— Elle aurait été bien incapable de le sauver.

— Alors... elle a vu mourir son bébé?

— Il est reparu plusieurs fois à la surface, puis il a disparu pour de bon.

Je répète :

— Elle l'a vu mourir. Après toutes ces autres choses terribles qu'elle avait vues.

Tante Zina hoche énergiquement la tête.

— Oui, oui, elle l'a vu mourir.

— Le corps n'a jamais été retrouvé, précise Sasha.

— Y a-t-il quelque chose d'étonnant au fait qu'elle soit devenue folle? assène tante Zina.

Allongée dans le lit de grand-maman, regardant la poussière tournoyer tel un banc de petits poissons chaque fois que la pièce est éclairée par des phares, j'attends le sommeil en vain. Je pense au bébé ballotté par l'océan avant d'être avalé par son immensité, et à Stevie couché dans son berceau bleu, jusqu'à ce que les deux bébés ne fassent plus qu'un.

33

Le lendemain matin. Je marche dans la ville, d'un pas vif. J'ai l'impression que ça fait une éternité que je ne me suis pas rendue au travail à pied, comme ces gens, le regard fixé droit devant moi, les pensées concentrées sur la journée à venir.

J'aime la fraîcheur du matin. Bientôt, une chaleur accablante va s'abattre mais, à cette heure-ci, il est encore possible de se déplacer rapidement sans se sentir gêné dans ses mouvements. Mon attention est en éveil. Je remarque les ourlets défaits, les boucles d'oreilles cassées et, au-dessus de moi, la profondeur bleue du ciel. Les odeurs s'échappant des restaurants me paraissent si pénétrantes, c'est comme si je mangeais pour de bon. Devant une terrasse de café, je note que chaque table est occupée par un seul client. Je regarde une volée de mouettes descendre en piqué vers un homme, qui frappe du pied sur le sol et agite le bras jusqu'à ce que les mouettes reprennent leur envol, planant entre les gens, puis bien au-dessus de leurs têtes. Un instant, j'ai la sensation qu'une partie de moi s'élève au-dessus du trottoir et des bâtiments, aussi haut que les oiseaux. Et je me vois, tout en bas, marchant d'un pas vif tandis que les clients attablés lisent les journaux du matin.

J'arrive enfin à la bibliothèque. Elle est immense et fraîche, une vraie cathédrale. Je demande de l'aide à un employé et, quelques minutes plus tard, des journaux sont posés devant moi sur une table.

J'ouvre le premier, en tourne soigneusement chaque page avec un grand geste du bras. Je m'attendais que le ton et la typographie de mon enfance aient perdu de leur vigueur, tel un parent vieillissant. Or je suis frappée par le caractère saisissant des manchettes.

Au début, je me laisse distraire par des articles qui m'intéressent. Puis je tourne les pages de plus en plus vite et fais défiler les nouvelles à toute allure devant mes yeux.

La lettre de condoléances de ma grand-mère est datée du 1er juin. Je ne pense pas trouver d'articles sur la mort de mon frère avant le 31 mai. Voire le 1er juin. Lorsque je parviens au journal du 2 juin sans avoir lu la moindre mention concernant l'accident, je perds tout espoir. Je jette un coup d'œil rapide aux journaux du 3 et du 4. Peut-être a-t-on considéré que la mort d'un bébé sur la côte ne méritait pas un article ? Et puis, en première page de l'édition du 5 juin, je le vois : UN BÉBÉ EMPORTÉ PAR UNE VAGUE MONSTRUEUSE.

Je me penche.

« Nicholas Schaffer, huit mois, a été entraîné vers le large par une vague monstrueuse hier, sur la plage de Big Brim.

« Le drame a eu lieu à 10 h 10 du matin. Mme Tatiana Schaffer, qui était en train de jouer avec ses deux filles, avait laissé son fils au bord de l'eau, où il a été emporté par une énorme vague. Bien que ne sachant pas nager, Mme Schaffer n'en a pas moins tenté, assistée par d'autres gens, d'atteindre l'enfant. Les gardes-côtes se sont joints à eux afin de rechercher le corps, qui n'a toujours pas été retrouvé. Le docteur Schaffer, professeur à l'université, était absent au moment des faits ; il était allé chercher des pulls dans la voiture familiale, de l'autre côté des dunes. »

Personne n'avait vu la vague emporter le bébé, même si on citait les propos de quelqu'un ayant aperçu maman patauger en vain pour tenter de le sauver.

« Le docteur Schaffer et sa femme sont actuellement interrogés par la police. L'inspecteur Rougemont s'est refusé à faire le moindre commentaire sur cette affaire. »

Dans le journal suivant, je lis : AVERTISSEMENT DE LA POLICE AUX PARENTS : SOYEZ ATTENTIFS AUX VAGUES. L'article relate une fois de plus les circonstances de la mort, en spécifiant là aussi la date du 4 juin.

« La police a, aujourd'hui, mis en garde les parents : aucun enfant ne doit être laissé sans surveillance au bord de l'eau, même si l'océan est au plus calme. Le corps de Nicholas n'a toujours pas été retrouvé. Kurt Langheim, pêcheur des environs, a déclaré : "Big Brim est un lieu particulièrement propice à la noyade, mais les corps sont en général repêchés un peu plus loin sur la côte, à Retribution Bay. Celui-ci était peut-être trop petit."

« Le père du bébé, le docteur Éric Schaffer, est professeur de géologie et de géophysique à l'université. Mme Tatiana Schaffer était aujourd'hui encore sous le choc. Son époux a confirmé qu'elle était sous calmants. La police a fait circuler un appel à la vigilance, mais s'est refusée à faire le moindre commentaire sur cette affaire. »

Lorsque je retourne à ma voiture, le soleil cogne déjà sur le capot. Le volant est aussi brûlant qu'un pain juste sorti du four.

Gravissant l'allée cahotante de papa, je vois Jane tout en haut. Elle est en train d'ouvrir la porte de la grange, tendant le bras pour atteindre les verrous les plus hauts, le corps étiré comme un point d'exclamation. J'ai mauvaise conscience de l'avoir imprudemment laissée seule dans la maison et m'excuse d'arriver si tard.

Elle ne m'en veut pas.

— Il fait trop chaud pour avoir peur, dit-elle. Et puis les géologues de l'université vont arriver d'une minute à l'autre. J'espère qu'ils s'attendent à ce qu'il y ait autant de cailloux.

Ses cheveux, au soleil, brillent d'un éclat métallique. Les pierres rondes de l'allée ressemblent à des bulles dans le chaudron bouillonnant de la journée.

Nous entrons dans la grange et restons un moment figées sur le seuil, dans le noir, à attendre que nos yeux s'accoutument à l'obscurité.

— Jane. Il y a une chose que je ne comprends pas.

— Juste une ? demande-t-elle en riant.

— Jane...

Il fait sombre dans la grange, mais pas frais pour autant. J'ai la bouche desséchée.

— J'ai appris des choses sur...

J'ai du mal à poursuivre :

— Notre frère... sa mort.

Jane fait aussitôt volte-face, les pointes de ses cheveux viennent frapper son visage.

— Comment ça se fait?

— Eh bien, Sasha m'a traduit une lettre hier soir. Une lettre de grand-maman à maman, où elle lui écrit à quel point elle est affligée par la mort du bébé et... je me pose des questions.

Elle écarquille les yeux.

— Quel genre de questions?

— Ça ne colle pas, Jane. Les circonstances de la mort du bébé, ça ne colle pas.

Elle me fixe attentivement, dans l'obscurité où l'on commence à y voir. L'accablante lumière du soleil ne pénètre pas ici, mais je perçois sa chaleur, son éclat, juste derrière moi.

— Ça ne colle pas avec quoi? lâche-t-elle enfin.

Je commence à lui raconter comment notre mère et papa nous avait tous emmenés à Big Brim, un jour, lorsque je distingue le raclement des pneus sur la pierre et le gémissement du moteur d'une voiture. Les géologues sont arrivés.

— Je vais leur montrer comment procéder, conclut-elle. Ensuite, on parlera de tout ça.

Il me paraît soudain urgent que nous discutions de notre frère, comme si la chape de silence venait de s'effondrer sous le poids des années.

Dans la chaleur étouffante, les géologues émergent de la voiture au ralenti. L'un d'eux me rappelle papa, avec sa grande taille et son visage aimable. L'autre, barbu, tient absolument à nous faire savoir à quel point papa lui a appris son métier, et que papa lui avait prêté l'argent nécessaire à l'une de ses premières excursions, quand il n'était encore qu'un étudiant sans le sou.

— Cette évaluation ne vous coûtera rien, continue-t-il. Pour vous, ce sera gratuit. Je fais partie des nombreuses personnes qui ont de bonnes raisons d'être reconnaissantes envers le professeur Schaffer, et je tiens à payer mes dettes.

Je vais leur chercher des boissons fraîches, tandis que Jane les fait entrer dans la grange et leur explique comment Larry et Scott ont classé la collection chaotique de papa. Ils sont encore en train d'en discuter lorsque je leur apporte les boissons. Je traîne sur la terrasse en attendant Jane, ramassant quelques serviettes en papier qui ont échappé à l'attention des employés du traiteur.

Une brume de chaleur flotte toujours au-dessus de la vallée. Bientôt, le soleil la crèvera tel un poing. Quand la chaleur se fait aussi intense, elle se vautre sur la vallée, paresseuse, et seule une violente tempête peut la déloger.

Au-dessus de moi, les grosses feuilles rondes pendouillent, molles comme des chiffons mouillés malgré leur sécheresse. Tout en bas, la vallée de terre brune et aride s'affaisse et s'étire.

Jane apparaît près de moi.

— C'est bon. Ils sont occupés, ils ont une grosse carafe d'eau et n'ont pas besoin de nous. Allons-y, Lucy.

Je la suis. Nous traversons la maison, jusqu'à la véranda. Le claquement de la porte grillagée et le cliquetis de nos pieds sur le bois sont des sons appartenant à toutes les époques de notre vie. Nous traversons le jardin et nous frayons un chemin à travers le verger des Holler. La lumière et la chaleur se déversent sur nous comme de l'eau et, tout en marchant, on a l'impression de nager.

— On va où?

La réponse m'importe peu, je suis déjà épuisée par la faible distance couverte.

— En bas, dans la vallée, où personne ne pourra surprendre notre conversation. Tu te souviens de ce vieux chemin qu'on prenait tout le temps?

Je me souviens du chemin en question, car je l'ai emprunté pour monter chez papa juste avant sa mort. La vague de chaleur a desséché la terre et avachi les buissons. À deux ou trois endroits, il me semble reconnaître mes propres traces de pas. Ouvrant la route, Jane descend avec précaution le chemin envahi par les mauvaises herbes, écartant le feuillage. Ses hanches et ses longues jambes fines se balancent au gré des anfractuosités du terrain. De petits nuages de poudre rouge se forment à chacun de nos pas.

Nous contournons les arbres du verger des Schneck avec la sûreté instinctive des animaux. Nos chaussures sont pleines de terre. Nous baissant, nous nous glissons sous des branches basses avant de traverser le jardin des Spelman, brûlé par la chaleur et aux pourtours laissés à l'abandon. Un peu plus haut, au niveau des maisons, nous voyons les fleurs, les pelouses d'un vert irréel, les arroseurs grinçants.

Soudain, nous parvenons au pied de la colline. Nous sommes dans la vallée. Elle est d'un calme effrayant, comme sous l'effet d'un sortilège. La terre est roussie. Le soleil règne en maître, et l'on n'y trouve plus le refuge des arroseurs automatiques, des piscines ou de l'air conditionné. Il consume les arbres, le sol, les pierres : tout, ici, doit se soumettre à sa loi.

— Asseyons-nous, suggère Jane.

Des rochers sont blottis à la base de la colline. Ils sont chauds, mais protégés du soleil implacable par un arbre penché qui, me semble-t-il, n'a jamais été droit. Nous nous asseyons, soulagées d'échapper à la lumière, mais toujours assommées par la chaleur.

— O.K., dit Jane. Je suis prête. Raconte-moi ce que tu as appris sur la mort de Nicky.

Je suis stupéfaite de l'entendre prononcer ce nom avec un tel naturel. Je croyais que Jane aussi avait tout oublié.

Couverte de sueur, haletant comme si j'étais toujours en train de marcher dans l'air accablant, je lui raconte cette expédition à la plage de Big Brim, alors que j'avais quatre ans et elle sept. Comment papa était allé chercher des pulls dans la voiture lorsque la vague monstrueuse s'était abattue sur la rive, et comment maman avait été impuissante à sauver le bébé.

Elle hoche la tête :

— C'est ça. C'est exactement ainsi que ça s'est passé.

— Tu te souviens?

— Bien sûr. Ça n'a jamais cessé de me hanter. Je m'en souviens comme si c'était hier.

— Mais pourquoi avoir dit à la police que tu avais oublié?

— La mort de Nicky n'a rien à voir avec celle de papa. J'ai été atterrée qu'ils ne cessent de nous interroger à ce propos. Enfin, ça a été un événement terrible, tragique, qui a rendu maman folle, au sens littéral du terme. Je sais, certaines familles fonctionnent différemment, mais nous avons trouvé dans la nôtre la meilleure manière d'y faire face, qui a été de s'en affliger puis d'arrêter d'y penser. C'est ce que papa a fait, c'est ce que j'ai fait. Résultat : toi, tu as carrément tout oublié. Jusqu'à maintenant. Pour Dieu sait quelle raison, les gens, à la mort de papa, ont recommencé à parler de Nicky. Je n'en ai pas cru mes oreilles quand, à l'enterrement, Larry s'est mis à l'évoquer devant tout le monde.

J'avale ma salive. Elle a le goût du verger.

— Dis-moi, Luce, c'est quoi, ce truc qui « ne colle pas »?

413

— Pas grand-chose, j'imagine.

— Dis-moi. Je t'en prie.

— J'ai l'impression que la mort de Nicky ressemblait à une mise en scène.

Jane me fixe, la bouche légèrement entrouverte.

— Une mise en scène? demande-t-elle d'une voix douce. Bon sang, Luce, qu'est-ce que tu insinues?

— Cette vague monstrueuse censée avoir emporté le bébé. Il est peu vraisemblable qu'une telle chose soit possible à Big Brim. Enfin, cet endroit est calme comme un lagon, il n'y a presque pas de vagues. C'est une plage dangereuse, certes, mais le danger provient des courants sous-marins, pas des vagues. Et puis, cette histoire comme quoi maman n'a pas pu sauver le bébé parce qu'elle ne savait pas nager... Eh bien si, elle savait. Elle ne le faisait jamais, mais M. Holler se souvient de l'avoir vue plonger dans leur piscine afin de me secourir : tu m'as ranimée, mais c'est elle qui m'a repêchée. Pourquoi n'aurait-elle pas fait pareil avec le bébé? Le plus bizarre, c'est cette lettre que grand-maman a écrite quand Kolya, enfin Nicky, est mort. Cette lettre, dans laquelle elle s'efforce de consoler maman, est datée du 1er juin. Mais, à en croire les articles des journaux, Nicky est mort le 4 juin. Grand-maman aurait écrit une lettre de condoléances trois jours avant la mort du bébé, ce n'est pas bizarre, ça?

Mon souffle et mes mots s'épuisent. Jane n'a cessé de me fixer, les yeux écarquillés, les cheveux lui collant au visage, le corps gracieusement incliné vers l'avant.

— Comment est-ce qu'ils auraient pu mettre en scène sa mort? s'étonne-t-elle.

— Je ne sais pas. Mais si le bébé était déjà mort, enfin, s'il était mort avant et d'une autre manière, ils auraient pu faire comme s'il s'était noyé sur la plage, pour maquiller les faits.

Elle pousse un soupir.

— Tu ne devrais pas attacher tant d'importance à la date, sur la lettre de grand-mère. Elle a très bien pu se tromper, le journal aussi.

— Et la vague? Tu te souviens de la vague?

— Non, reconnaît-elle. Je ne m'en souviens pas. Personne ne l'a vue, même si, après coup, il m'a semblé que j'avais entendu un grand bruit.

— Tu te rappelles quoi, au juste?

Elle se redresse et ramène ses pieds sur le rocher. Son corps, long et mince, n'a jamais été déformé par la maternité.

— Tout, dans les moindres détails, finit-elle enfin par répondre. Je me souviens de la nuance du ciel gris, ce jour-là. De la couleur du ballon avec lequel on jouait. De la chemise que je portais. Maman t'a envoyé le ballon et, quand elle s'est retournée, Nicky avait disparu. Juste avant, il était assis sur le sable, ramassé sur lui-même à la manière des petits bébés, et soudain il n'était plus là. Elle a hurlé, nous nous sommes élancées vers elle et on a toutes trois observé le sable comme si, en le fixant suffisamment fort, il allait finir par reparaître. Tu as laissé tomber le ballon et les vaguelettes l'ont emporté, et il s'est vite retrouvé à danser à la surface. Quand on a cherché Nicky des yeux, dans l'eau, on ne l'a pas vu non plus. On n'a vu que le ballon ballotté par les vagues. Aucune trace de Nicky. Maman s'est mise à pousser des cris perçants et à agiter les bras telle une énorme mouette. Elle a dû penser que quelqu'un l'avait emmené parce qu'elle a commencé à parcourir le rivage des yeux, mais personne n'était suffisamment près pour avoir fait une chose pareille. Et puis, je l'ai vu. Enfin, j'ai vu son petit chapeau bleu. Il n'était pas loin et comme la plage, là-bas, est en pente douce, je suis entrée dans l'eau pour l'attraper. Maman s'est précipitée dans l'eau, en hurlant et en éclaboussant, elle m'a arraché le chapeau des mains et a continué à avancer jusqu'à avoir de l'eau à la taille, tandis que sa jupe flottait derrière elle, à la surface.

Un long silence semble aspirer tout l'oxygène contenu dans l'air. Je demande enfin :

— Personne ne lui est venu en aide? Il ne s'est trouvé personne sur la plage pour lui venir en aide?

— Il y avait quelques personnes et, oui, elles sont venues l'aider. Ça leur a pris un petit moment. Ils croyaient qu'on essayait de récupérer le ballon. De toute façon, papa n'a pas tardé à revenir.

— Et vous avez vu le bébé, à un moment?

— Oui, un peu plus loin, ballotté par les vagues. Son visage était tourné vers l'eau comme s'il nageait, mais je suis sûre qu'il ne bougeait déjà plus.

— Pourquoi est-ce que maman n'a pas nagé vers lui? Pourquoi est-ce qu'elle n'a pas essayé de l'atteindre, d'une manière ou d'une autre?

— Papa a essayé. Ça a duré un temps fou mais Nicky avait disparu au loin, et papa a dû abandonner quand les courants ont failli l'entraîner sous l'eau. On avait tous compris, alors, qu'il était déjà trop tard.

— Mais pourquoi est-ce que maman ne s'est pas précipitée dans l'eau à la seconde où elle a réalisé que Nicky n'était plus là?

J'ai crié. La vallée profonde renvoie l'écho de mes paroles. Plus là. Plus là. Plus là.

Je m'aperçois que Jane pleure en silence.

— Luce, je n'ai jamais dit cela à personne. Je n'en ai même pas parlé avec papa, jamais. Mais je crois que lui aussi le savait.

J'attends, pendant qu'elle s'efforce de ravaler ses larmes.

416

— Je soupçonne... J'ai toujours soupçonné notre mère... d'avoir noyé son bébé.

La chaleur me rive au rocher. Je sens ses minuscules aspérités et ses crevasses pressées contre ma peau, mais je suis incapable de bouger. Il est là depuis des centaines, des milliers, voire des millions d'années, et il lui en a fallu encore davantage pour se former. Il a été créé par des éléments aussi implacables que le soleil d'aujourd'hui, qui l'a dilaté, contracté, usé, fendu, sculpté. Un lézard sort la tête de sous la roche, avance un peu, puis se fige. Il reste immobile, comme rivé lui aussi à la surface de la terre par la chaleur. Sa peau sèche et écailleuse est sans âge, son mode de vie, ses pensées primitives sont sans âge. Dans la chaleur accablante, je ne sais plus où le lézard, le rocher et Lucy finissent ou commencent. Nous sommes tous faits des mêmes éléments, de même que la terre recouvrant le sol de la vallée.

— Nicky posait un problème à notre mère, reprend Jane sur un ton monotone. Toi et moi avions été des bébés faciles, mais Nicky, lui, n'arrêtait pas de pleurer. Il était adorable. Enfin, quand il dormait ou jouait, il était adorable. Mais la plupart du temps, il le passait à brailler. Maman ne pouvait pas l'en empêcher, alors elle a fini par l'imiter et par pleurer tout le temps elle aussi. Elle l'adorait, mais elle n'arrivait pas à s'en sortir et papa était obligé de préparer tous les repas et de sacrifier des heures de travail pour l'aider à s'occuper du bébé. Tout le monde était sous pression. Difficile de savoir ce que maman avait dans la tête, mais j'ai toujours espéré, j'ai toujours préféré croire qu'elle n'avait pas prévu de noyer le bébé. Qu'elle n'était pas aussi calculatrice. Non, je préfère penser qu'elle a juste renoncé, en une fraction de seconde, à le sauver.

Je pleure moi aussi, à présent. Les larmes tracent des lignes tièdes sur mon visage plein de poussière.

— Ne la juge pas trop durement, Lucy. Je sais que tu ne le feras pas. Je sais que tu comprendras.

— Je ne la juge pas, dis-je en sanglotant. Comment je le pourrais ?

Jane se lève et fait quelques pas sur le sol meuble de la vallée. Puis elle passe un bras autour de moi.

— Je sais que tu peux comprendre ce qu'elle a ressenti. Parce que, même si elle est responsable de sa mort, elle aimait vraiment ce bébé.

Je pousse un hurlement. Un hurlement de loup. L'écho de la vallée répercute mon cri, Jane et moi sommes entourées par les cris d'une horde de loups.

Je me souviens comment, après la naissance de Stevie, j'avais eu l'impression que tout mon être s'était ouvert à des torrents d'amour, avec une force jusque-là inconnue. « Tu as hérité, m'a dit tante Zina, la grande capacité à aimer de ta mère. » Il me semble à présent que mon amour pour Stevie avait toute la puissance et toute l'imprévisibilité d'une crue millénaire. Mais j'étais débordante d'un amour auquel Stevie était indifférent. Mes efforts maladroits pour le nourrir et prendre soin de lui ne le satisfaisaient pas, et il me montrait continuellement son mécontentement. Il pleurait et pleurait et, comme il faisait partie de moi, ses pleurs me semblaient exprimer une tristesse que je portais en moi, une grande souffrance intérieure dont je n'avais jusqu'alors pas pris conscience. Il claironnait mon malheur, pour que chacun puisse l'entendre. Et lorsque j'avais relevé la couverture et compris, à son étrange immobilité, qu'il était mort, ma première réaction — avant le choc et la douleur — n'avait-elle pas été de soulagement devant ce silence tant attendu ?

— C'est ma faute si Stevie est mort, Jane. Tout est ma faute.

Après sa mort, après que la police fut partie et que la femme en habits sombres l'eut emporté, je m'étais endormie. J'avais dormi pendant vingt-quatre heures.

— Chut..., murmure Jane, tandis que je sanglote sur son épaule. Chut. Je sais. Chut, tout va bien maintenant.

Elle me console doucement, comme on console un bébé.

— Tout cela est fini, Luce. Nicky est mort. Stevie est mort. Il faut cesser d'y penser.

Je lève les yeux.

— Maman est tombée malade tout de suite après la mort de Nicky, dis-je. Je comprends, maintenant. Son chagrin était aggravé par la culpabilité.

Jane hoche la tête.

— On est sans doute partis en Arizona trop vite après sa mort. C'était à peine une ou deux semaines après.

— Quelles horribles vacances ça a dû être pour elle.

Jane me prend la main et la tient bien serrée dans la sienne :

— Luce. Est-ce qu'il t'arrive de penser à la mort ?

— Souvent.

— Tu en as peur ?

— Oui.

— Quelquefois, je me dis que ce doit être assez merveilleux. Toutes ces choses idiotes dont on se soucie, la quête obstinée et épuisante du bonheur, les souffrances dont même la richesse ne préserve pas, la conscience que la seconde moitié de la vie ne peut être qu'un déclin... J'ai vu des gens mourir et, quelle qu'ait été leur crainte de la mort, ils paraissaient toujours s'y abandonner avec une sorte d'apaisement. Un peu comme on va se coucher à la fin d'une journée épuisante. Lorsqu'ils s'en vont, ils semblent tellement soulagés que tout soit fini. Si je t'explique ça, c'est parce que je tiens à ce que tu saches que ça n'a pas été si terrible pour Stevie. Pour Nicky non plus.

J'éprouve de la reconnaissance à son égard. Sa bonté est un soleil. Je la remercie et me lève. Des rangées d'arbres s'étendent à perte de vue. Chaque arbre est différent des autres. Les branches et les troncs ont pris avec le temps des formes différentes. Leur écorce n'a pas la même patine. Entre les arbres, la terre est creusée de sillons profonds et infranchissables, et vivante comme la mer.

Conscientes d'être tout l'une pour l'autre et aussi d'être désormais les seules gardiennes du passé familial, à présent que papa est mort, Jane et moi nous appuyons l'une sur l'autre en entamant la remontée. Le soleil sèche notre visage tandis que nous gravissons le chemin, contournant les maisons, traversant les terrains à l'abandon et le verger. L'effort de la montée efface toutes les pensées jusqu'à ce que nous parvenions chez papa. Alors, je réalise que je suis sale de la tête aux pieds. Les nuages de poussière se sont posés sur moi comme une nuée de papillons. J'en ai dans les chaussures, sur les jambes, et j'ai dans la bouche même un goût de terre.

— On devrait prendre une douche, dit Jane d'une voix rauque.

Je lui fais signe d'y aller la première et, pendant qu'elle est dans la salle de bains, je me penche sur la terrasse pour regarder l'endroit d'où nous venons. Il paraît différent, vu d'ici. Son immensité est bien ordonnée. Les arbres sont identiques et, séparés par le même intervalle, projettent de petites ombres bien nettes. La terre a l'air plate, les sillons uniformes.

Je retourne dans la maison. À l'étage, je passe devant la chambre de papa, celle de Jane, la mienne, jusqu'à atteindre la chambre bleu pastel au fond du couloir, dont Kirsty a supposé que ce devait être celle de mon frère. Je m'assieds sur un carton poussiéreux et tente de me souvenir de n'importe quoi concernant Nicky. Ses larmes, son visage assoupi, sa mort sur la plage de Big Brim. Mais rien ne vient. Chaque fois que mes pensées se tendent vers lui, je revois le petit corps blanc de Stevie.

Dehors, le jardin encastré est si calme qu'il ressemble à une photographie de lui-même. Si immobile qu'il paraît retenir son souffle.

Je m'assieds à côté de la stèle de papa, songeant au terrible fardeau qu'il portait, au poids si lourd de son secret.

— Salut Lucy.

Me retournant, je découvre les traits osseux de Michael Rougemont. Ses yeux gris me scrutent avec tristesse. Suivi par Kirsty, il descend les marches du jardin encastré et s'assied près de moi dans l'ombre mouchetée.

— Ça va? me demande-t-il, en étudiant mon visage taché de larmes, mes cheveux rougis par la poussière.

— On croirait que vous sortez d'un bain de boue, fait remarquer Kirsty.

— Je suis juste descendue dans la vallée.

— Oh, vous devez aimer vous balader par là-bas, réplique Rougemont. Vous y étiez, la veille du jour où votre père est mort. J'ai demandé aux experts d'analyser la terre sur vos chaussures, et ils ont dit que vous aviez marché dans la vallée, ainsi que dans ce jardin.

Je pousse un soupir.

— Je me suis garée dans la vallée, c'est tout.

— Pourquoi êtes-vous venue ici, ce jour-là? s'enquiert Kirsty.

Je regarde leurs deux visages. Celui de Rougemont, usé comme la vieille édition de Pouchkine de tante Zina. Celui de Kirsty soudainement éclairé lorsqu'une branche laisse filtrer un rayon de soleil révélant la couleur de ses yeux et leur conférant une intensité nouvelle.

— Je voulais voir papa. Mais les circonstances n'étaient pas bonnes pour de grandes retrouvailles. J'ai jeté un coup d'œil à l'intérieur, par la porte-fenêtre de la terrasse. Il était assis dans son fauteuil. Puis je suis redescendue dans la vallée. Ensuite, je suis retournée en ville. Il devait être treize heures trente lorsque je suis venue ici.

— Mmm, fait Rougemont. Merci pour la précision, Lucy.

J'examine son étrange physionomie. La bouche fendant le visage en deux, le nez large. Pour la première fois, je reconnais son intelligence. Lorsqu'il a enquêté sur la mort de Nicky, a-t-il soupçonné la vérité ?

— Je suis désolée de vous avoir menti, dis-je.

— Lorsque vous mentez, réplique Rougemont, c'est en général pour protéger quelqu'un d'autre, et non vous-même.

Kirsty hoche la tête :

— Vous devez cesser de vous sentir responsable des autres, Lucy. Ça pourrait être dangereux.

Je l'observe sans comprendre.

— Où étiez-vous lundi soir ? demande-t-elle. À la nuit tombée.

— Lundi ?

Assise dans la voiture, à espionner Ricky Marcello en train d'espionner Jane.

— Oh, j'ai fait un petit tour en voiture. Après, je suis rentrée chez mes tantes.

— Ah oui ? fait Rougemont.

— Je ne suis pas sortie de la voiture, pas avant d'être arrivée chez tante Zina.

Ça fait du bien, de dire la vérité, c'est comme allonger les jambes quand on nage dans la mer et se rendre compte qu'on a pied.

— Vous n'êtes pas sortie de la voiture, admet Kirsty, mais vous ne vous êtes pas beaucoup baladée.

422

— Mmm, acquiesce Rougemont. Vous avez passé toute la soirée garée devant chez votre sœur.

Je rougis. Lutte contre les larmes, des larmes de petite fille en colère, qui voudrait taper du pied et donner des coups de poing. Si je ne leur ai pas parlé de Ricky Marcello, c'est parce qu'il est le secret de papa. Et ils le savent depuis le début!

— Oh, ne prenez pas mal nos paroles, ajoute Rougemont. Nous trouvons très gentil de votre part de vous soucier tellement de la sécurité de votre sœur. Mais on a un conseil à vous donner. Acceptez-le, Lucy, s'il vous plaît.

— Le voici, dit Kirsty en enchaînant comme si Rougemont venait de lui envoyer la balle : Le boulot de la police, laissez-le-nous.

— D'accord? demande Rougemont avec un sourire macabre. Nous savons ce que nous faisons, et c'est important. Comme vous le soupçonnez sans doute déjà, il y a plus d'un homicide en cause. Nous espérons que cette affaire va nous aider à clore quelques autres affaires non résolues depuis un bout de temps.

Mon cœur bondit dans ma poitrine. Je voudrais l'interroger sur les autres homicides, mais ma gorge est nouée. Je voudrais pouvoir me lever, aller droit au robinet et ingurgiter des litres d'eau fraîche et pure.

— On se charge de l'enquête, poursuit Rougemont. Et vous, vous rentrez à New York.

Kirsty approuve ses paroles.

— Vous serez plus en sécurité là-bas, où vous ne vous soucierez que de votre bien-être.

Ils me fixent. Je suis couverte de poussière et au bord des larmes. Leur regard est bienveillant.

— Lucy, Lucy, insiste Rougemont. Il faut que vous arrêtiez de tout prendre sur vous. Vous l'avez toujours fait, même quand vous étiez petite fille, du temps où vous me regardiez avec de grands yeux en montrant mon nez du doigt. Vous ne redoutiez pas de me blesser, déjà, à l'époque.

Sous la poussière, je rougis à nouveau.

— Quelles que soient les questions que je vous posais, vous vous contentiez de pleurer. Je n'ai jamais rien pu tirer de vous. Votre sœur, c'était autre chose. Elle n'avait que sept ans, mais ça ne l'a pas empêchée de nous raconter les circonstances de la mort de votre frère, avec une de ces précisions... Votre mère était tellement sous le choc que ses propos étaient incohérents. Votre père avait cette expression de fatalité que j'ai trop bien reconnue, alors. Dieu sait que mon propre paysage intérieur était aussi sombre que le sien. Et puis il y avait vous, la petite Lucy. Quatre ans, passant son temps à gratter les piqûres d'orties sur ses jambes. Vous n'arrêtiez pas de pleurer votre frère. Vous pleuriez, vous pleuriez, vous n'arrêtiez pas de répéter que tout était votre faute. On aurait cru que vous preniez sur vous toute la responsabilité de la famille.

Je reste silencieuse.

— Vous ne vous souvenez pas ? questionne Kirsty. De rien ?

J'ai la tête lourde, comme entourée d'une croûte épaisse.

— J'ai essayé. J'ai vraiment essayé. Mais ça ne veut pas revenir.

Lorsque les inspecteurs sont partis et que Jane s'est portée volontaire pour rester avec les géologues, je retourne en ville. L'air paraît s'être rafraîchi. Peut-être la vague de chaleur va-t-elle enfin s'achever ? Sur le trajet, je fais un détour par le cimetière où est enterré Stevie. Je dépose sur la tombe quelques fleurs jaunes cueillies dans le jardin de papa. Lorsque je m'accroupis devant la minuscule stèle, il me vient l'envie absurde de serrer dans mes bras la froide petite dalle.

Un air me trotte dans la tête, avec une insistance aussi soudaine qu'inattendue. C'est une chanson qui a la simplicité d'une comptine, quelqu'un la fredonne. Je commence par en saisir quelques notes, puis des mesures entières et, enfin, une voix que je reconnais comme celle de ma mère me fredonne toute la chanson. Les mots sont incompréhensibles, mais je lève involontairement les mains pour mimer l'oiseau qui s'envole, dans un battement d'ailes, à la dernière mesure. La musique fait encore plusieurs petits tours dans ma tête puis s'en va. J'essaie de retrouver ses notes ou ses paroles, mais elle a disparu, aussi soudainement qu'elle est venue.

34

Lorsque j'arrive à l'appartement, tante Zina est allée rendre visite à tante Zoya; Sasha est seul dans la cuisine.

— Maman a laissé à manger pour au moins dix personnes, dit-il en fourrant une plâtrée de nourriture dans mon assiette. Et j'en ai déjà avalé la moitié.

— Je n'ai pas faim, Sasha.

— Depuis le temps, tu dois savoir que dans notre famille ce n'est pas un argument valable pour refuser de manger.

Comme je demeure silencieuse, il me regarde plus attentivement. Je me suis douchée chez papa mais je n'avais pas de vêtements de rechange, et la poussière du verger est restée collée aux miens.

— Il s'est passé quelque chose. Dis-moi quoi.

Je plonge le visage dans mes mains.

— Lucia?

Je lève les yeux vers lui. Ses traits russes, larges et ouverts, ses cheveux clairsemés, ses yeux bleus. C'est le visage d'un homme bon.

— Les policiers qui enquêtent sur la mort de papa prétendent qu'il n'y a pas qu'un homicide dans cette affaire.

Il me passe mon assiette et s'en remplit une autre. S'assied, saisit sa fourchette.

— Ça ne me surprend guère. Ils ont dit quelque chose, au sujet des autres morts?

— Juste qu'elles ont eu lieu il y a des années. Sasha, je crois qu'ils voulaient parler de Stevie. Et de Nicky.

Sasha écarquille les yeux.

— Ton frère? Et ton fils?

— Qu'ils aient mis Michael Rougemont sur l'affaire ne peut pas être une coïncidence. C'est lui qui, à l'époque, a enquêté sur la noyade de Nicky. Et Kirsty elle était là juste après la mort de Stevie.

— Lucia, aucune de ces deux morts ne peut être considéré comme un meurtre.

— À mon avis, ils ont découvert la vérité.

— Qui est?

— Que maman est responsable de la mort de Nicky. Et que je suis responsable de celle de Stevie.

Sasha repose sa fourchette et écarte son assiette.

— Lucia, qu'est-ce que c'est que ce délire?

— Le délire maternel.

— Lucia...

— La maternité ne ressemble pas à ce qu'on voit dans les publicités à la télé. C'est un affreux, un horrible mélange d'amour fou et de haine. L'amour que j'éprouvais pour mon fils était au-delà de tout ce que j'avais pu connaître ou apprendre à gérer. En retour, il était exigeant, égoïste et impitoyable. Les bébés ne tiennent jamais compte des besoins de leur mère, ils engloutissent tout ce qu'elle leur donne, pour sans cesse demander plus. On n'a aucun contrôle sur eux, sur sa propre vie, et il arrive qu'on les déteste à cause de ça.

— Et par conséquent on les tue? Nom de Dieu, Lucia!

— Il m'est arrivé de souhaiter la mort de Stevie. C'est bien assez.

— Ton Stevie est mort de manière tragique, mais pas suspecte. Il y a de nombreux cas, chaque année, de mort subite du nourrisson. Personne n'est responsable. Si je peux me permettre de te donner mon avis, tu ne surmonteras pas ton chagrin tant que tu ne seras pas capable d'en parler plus librement, voire de raconter sa mort à un parfait inconnu sur le banc d'un jardin public.

— Je ne veux pas parler de Stevie dans les jardins publics!

— Nous avons tous besoin de raconter des histoires. Les histoires donnent un cadre aux événements. Une fois que nous avons pu donner aux drames de l'existence une forme narrative, ils deviennent moins destructeurs. Le fait que Nicky soit mort peut générer des réactions émotives incontrôlables, mais le récit de sa noyade à Big Brim nous aide à les gérer.

Je me penche sur ses paroles.

— Comme l'histoire du bébé de grand-maman, dans le train?

— Exactement. Cette histoire a joué un rôle crucial dans le travail de deuil de la famille, même si elle n'est pas authentique.

Je le fixe, stupéfaite. Il saisit sa fourchette et engouffre une bouchée de nourriture.

— Si ça t'intéresse, je peux te raconter ce qui s'est vraiment passé.

Je hoche la tête pour l'engager à poursuivre. Il finit de mâcher sa bouchée et redresse son large corps.

— Tout d'abord, tu dois comprendre que l'un des avantages

d'émigrer, c'est qu'on nourrit l'espoir de devenir un reptile, un serpent par exemple. On compte changer de peau, laisser l'autre derrière. Je ne crois pas qu'on puisse jamais s'en séparer totalement, ça finit par remonter tôt ou tard à la surface, comme les débris d'une épave. Toujours est-il que beaucoup d'émigrants tentent de le faire. Mais tu le sais déjà peut-être. Peut-être qu'en t'exilant à New York tu as profité de ton anonymat pour t'inventer un nouveau passé?

— Non.

— Vraiment pas?

— Je l'ai effacé, un point c'est tout.

— Tu n'en as même jamais parlé?

Je secoue la tête.

— C'est une méthode... Mais quand notre famille, grand-papa, grand-maman et leurs filles sont arrivés ici, ils ont choisi, en fait... de réinterpréter leur histoire.

— Tu veux dire...

— Je veux dire que tout ce qu'ils t'ont raconté n'est pas vrai.

— Mais... l'appartement de Moscou, les jeux auxquels ils jouaient, cette histoire sur grand-papa qui avait oublié son chapeau. Ils n'ont pas inventé ça?

— Il est difficile de démêler le vrai du faux. L'épisode du meurtre dans la forêt dont ta mère a été témoin est probablement vrai, de façon bizarre : le vieux bonhomme appartenait sans aucun doute au NKVD et il était suffisamment impitoyable pour organiser l'exécution de son meilleur ami s'il pensait que c'était nécessaire.

— Je me souviens à peine de lui.

— Parce que tu ne vivais pas à portée de sa main. J'ai encore en mémoire le contact de sa paume quand il m'envoyait des coups dans les jambes. Bien sûr, il avait été à la fois coupable et victime de violences. Pour lui, frapper un petit enfant était chose naturelle. Enfin... Le chef-d'œuvre, le joyau, la perle de la famille en matière de mensonge, c'est cette fameuse histoire : l'évasion de Moscou.

— Sasha. Qu'est-ce que tu racontes ?

Ce retournement de la mythologie familiale me laisse quasiment sans voix.

— Ce voyage en train... c'est n'importe quoi. Ils ont dû finir par y croire eux-mêmes tant le récit fourmille de détails, dont j'espère que certains t'ont été épargnés. Tante Zoya n'oublie jamais de mentionner l'homme qui a sorti un sandwich de sa poche devant les yeux des enfants affamés. Il l'a mangé pendant que les autres regardaient, jusqu'à la dernière miette. C'était plusieurs jours avant qu'ils ne puissent manger quelque chose, et même alors, ils n'avaient eu droit qu'à quelques cuillerées de kacha. Je soupçonne tante Zoya d'être à l'origine de ce détail, elle a toujours détesté la kacha.

— Mais... Il y a eu un voyage en train. On nous a toujours parlé de ce voyage en train. Maman nous racontait cette histoire quand on portait encore des couches.

— Tu as dit le mot juste : une histoire.

— Et le bébé ? Le petit garçon qui n'a pas pu survivre à de telles conditions ? Et l'employé des chemins de fer qui a emporté le corps et n'a pas pu regarder grand-maman dans les yeux quand elle lui a demandé de lui assurer qu'il serait bien enterré ?

— Pas une parcelle de vérité là-dedans.

Je fixe Sasha, tandis qu'il continue à engouffrer la nourriture, puis demande :

— Comment tu sais ça ?

— Pas besoin de connaître grand-chose à l'Europe de 1941 pour comprendre à quel point leur voyage transeuropéen est peu vraisemblable. Papa m'a confirmé peu de temps avant sa mort qu'il s'agissait d'un mythe, et j'ai toutes les raisons de le croire.

— Oh, Sasha. Pourquoi seraient-ils allés inventer un mensonge aussi compliqué?

— Pour toutes les raisons que je t'ai expliquées. Ils avaient besoin de donner une structure au chaos de l'existence et, peut-être dans ce cas précis, de maquiller une réalité peu ragoûtante.

— Il y a vraiment eu un frère, au moins?

— Oh oui. Un bébé, un petit garçon est mort, sans aucun doute. Et si tu soupçonnes que l'histoire a été brodée à partir de sa mort, tu as raison.

J'enfouis mon visage dans mes mains.

— Alors, il est mort comment, en réalité, ce bébé?

— Je vais te le dire, si tu veux l'entendre. Mais si tu préfères, tu peux garder le voyage en train. Tu restes dans le train ou tu descends, Lucia? C'est le moment de te décider.

— Dis-moi.

— Eh bien, vu que tu parais fixée sur cette idée, tu seras contente d'apprendre qu'il y a effectivement eu un voyage en train. Mais seulement de Moscou à Riga. Grand-papa a été envoyé en Lituanie, à la tête d'une délégation de représentants du ministère de l'Industrie, et la famille s'y est rendue en train, mais ça n'a pris qu'une trentaine d'heures, avec des arrêts fréquents, et ça n'a pas été une si terrible épreuve. Les voyageurs étaient grand-papa, grand-maman et les trois filles. Pas de petit frère. Dans la Russie de Staline, même un membre estimé et éprouvé du NKVD ne pouvait être envoyé en mission sans une sorte de garantie contre la défection. Une personne de la famille devait être laissée sur place. Grand-papa a donc invité grand-maman à choisir laquelle. Elle a fait son choix en connaissance de cause. Elle avait compris qu'il avait l'intention de fuir depuis Riga et que, par conséquent, l'enfant demeurant à Moscou ainsi que les parents chargés de s'en occuper (son frère et sa belle-sœur, me semble-t-il) seraient déportés dans des camps de travail, où les attendait une mort presque certaine. Quelle terrible décision! On peut imaginer ses longues nuits d'insomnie, à devoir décider lesquels des enfants partiraient avec eux en Amérique et lequel serait voué à la mort. Elle a finalement choisi de laisser en gage son fils encore bébé, en échange de la liberté.

— Et qu'est-il advenu de lui?

— La famille du frère et le bébé ont tous disparu comme prévu. On ne sait pas ce qui leur est arrivé, mais il n'est pas difficile, hélas, de l'imaginer.

— Alors...

J'ai la gorge sèche. Les paroles résistent et il me faut lutter pour les expulser.

— ... en fait, grand-maman a tué son fils.

Sasha me regarde et cligne des yeux.

— Et la fuite, alors?

— Peu après leur arrivée à Riga, par un dimanche ensoleillé, on a dit aux filles qu'on les emmenait en pique-nique. Elles trouvaient les paniers un peu lourds, mais elles les ont tout de même portés jusqu'au bord du fleuve Daugava, où elles avaient l'intention de regarder les bateaux en mangeant. Cependant, une fois le fleuve atteint, on leur a ordonné de monter sur un bateau de pêche, rapidement et sans protester. Leur père avait payé le pêcheur pour qu'il les emmène en Suède. Cette manœuvre n'était pas sans risque, mais une fois franchie la Baltique, ils avaient su qu'ils étaient libres. Ils ont pris un paquebot de ligne pour l'Amérique, et je crois qu'il était confortable. Leur évasion n'a pas été un calvaire. En tout cas, pas pour eux.

Sasha sort une cigarette, qu'il allume, ce qu'il n'a en principe pas le droit de faire dans l'appartement, hormis dans sa chambre. Il prend le temps d'aspirer de longues bouffées.

— Une histoire, conclut-il, qu'ils ont peut-être bien fait de cacher. Mais note que même si notre vieille babouchka au cheveux blancs et au visage si bon a effectivement, pour reprendre ton expression, tué son fils, son chagrin n'en était pas moins grand. Et l'était peut-être même encore davantage.

Je reste silencieuse. Puis :

— Grand-maman aurait dû refuser de partir, non ?

— Mauvais choix. Si grand-papa était décidé à fuir avec ou sans sa famille, et je crois qu'il était suffisamment égoïste pour partir seul, toute la famille restée en Russie aurait alors été envoyée dans un camp.

— Mais quelle aurait été la bonne chose à faire ?

— La bonne chose ? Mon Dieu, Lucia, est-ce que tu peux imaginer une époque et un pays tellement chaotiques qu'il n'y a plus de bonne chose ?

Je me masse les tempes. Puis je lève les yeux et demande à Sasha :

— Qu'est-ce que tu aurais fait, toi ?

— Eh bien, sacrifié l'une des filles ! Ça m'étonne que grand-papa n'ait pas insisté dans ce sens-là, vu que la plupart des hommes désirent un enfant façonné à leur image. En Russie, tu le sais, les pères revendiquent doublement leurs droits : les fils prennent non seulement le nom du père, mais aussi son prénom. Grand-papa s'appelait Dimitri et je suis certain qu'il a toujours regretté que le prix de sa liberté ait été son petit Dimitrich.

Plus tard, alors que je me lève pour aller me coucher, Sasha m'entoure de ses bras courts et gainés de cuir.

— Oh, Lucia, supplie-t-il. Je t'en prie, arrête de te sentir responsable de la mort de ton fils et commence à raconter des histoires autour de cette mort. Peu importe qu'elles soient vraies ou fausses. Si tu les racontes assez longtemps, tu ne le sauras même plus et le traumatisme n'en sera que plus supportable.

Il fait frais, ça fait des jours qu'il n'a pas fait aussi frais. Je prends une couverture supplémentaire et m'endors rapidement. Tout en sombrant dans le sommeil, j'essaie de retrouver la mélodie qui m'est revenue à l'esprit pendant que j'étais sur la tombe de Stevie. Juste un court instant, il me semble entendre la voix de ma mère, claire, jeune, lointaine. Mais avant que j'aie pu l'atteindre, elle est déjà partie.

35

La vague de chaleur touche sans aucun doute à sa fin. Chez papa, l'air, plus frais, décuple notre énergie.

Aujourd'hui, Jane est à l'hôpital, les géologues sont revenus et Larry les aide, dans la grange. Je travaille dans le bureau. J'espère qu'avec un peu de concentration je vais parvenir à m'acquitter de mes corvées d'exécutrice et faire signer à Scott les dernières lettres cet après-midi.

Je ne m'interromps qu'une seule fois, lorsque Larry m'apporte du café et l'un des énormes biscuits à la cacahuète qu'il aime tant.

— Je n'ai pas pu résister, explique-t-il avec un air coupable. Je suis passé devant le magasin en venant ici, et il y avait une place de parking disponible juste à côté. N'importe qui aurait fait pareil... C'était inévitable.

— Larry, est-ce que tu as vraiment besoin de passer devant le magasin pour venir ici?

— Oh, mon Dieu, je crois entendre ma conscience! dit-il en ressortant de la pièce.

Sur l'imprimante de papa, je sors la dernière fournée de lettres destinées à Scott. Puis je ferme tous les dossiers, que je commence à empiler dans des cartons vides — sans doute prévus pour les cailloux — trouvés dans la grange.

Lorsque arrive le tour du dossier des royalties de la société pétrolière, je marque une pause avant de l'ouvrir. Les derniers détails de la vie financière de papa ont été réglés, toutes les anomalies justifiées. Sauf celle-ci.

Je me penche une dernière fois sur la longue histoire des royalties. Au début, papa touchait les versements. Et puis, quelques années plus tard, alors que les bénéfices de l'exploitation ont décollé en flèche, il a cessé de les encaisser. À partir de là, plus aucune trace des virements. Tout ce qu'on sait, c'est que papa les a transférés sur ce mystérieux fonds Marcello. J'essaie de calculer l'âge qu'avait Ricky Marcello quand sa famille a commencé à recevoir cet argent. Je devais avoir sept ans. Ce qui signifie que Ricky était encore un bébé, ou n'était même pas encore né.

Lorsque je sors sur la terrasse, la vue est plus nette, plus dégagée : toute brume a disparu et l'on distingue même le contour des collines les plus lointaines. Les lignes régulières de la vallée, ses angles droits et ses arbres plantés à intervalles égaux ordonnent mes pensées. À force de la regarder, la vallée semble se rapprocher, bondir vers moi tel un chien.

— Tu vas où? s'enquiert Larry quand je lui dis que je dois sortir tout de suite.

Larry et les géologues ont installé un système d'éclairage provisoire aussi éblouissant que le soleil d'août, et la grange est illuminée comme une salle de bal. La lumière révèle les recoins restés si longtemps dans l'ombre. Sous les lampes, les trois hommes sont en nage. Larry et le géologue barbu prennent des notes, perchés sur des cartons. L'autre géologue est assis sur le sol poussiéreux, entouré de cailloux, une loupe fixée au visage.

Je donne une réponse des plus vagues.

— Il y a un dossier que je n'ai pas réussi à clore, mais je vais arranger ça maintenant.

À la maison des Joseph, je trouve Ralph dans le jardin, comme à l'ordinaire. Les chiens remuent la queue et Ralph vient m'accueillir. Il porte la même salopette qu'hier, et pas de chemise en dessous. Son dos et ses épaules sont très bronzés. Son visage et son cou d'un blanc presque surnaturel, sous son grand chapeau.

— Mme Joseph est là?

— Bien sûr. Morton vient juste de partir.

— Je quitte bientôt la Californie. Je suis venue dire au revoir.

Il reste immobile, je me dirige donc vers la maison et sonne à la porte. Ralph me rejoint sur le seuil. Nous sommes plantés là tous les deux, comme un duo de témoins de Jehovah, en attendant que Mme Joseph ouvre.

— Salut Lucy, salut Ralph! s'exclame Mme Joseph comme si elle était à la fois contente et surprise de nous voir tous les deux.

Je respire l'odeur de la maison. C'est l'odeur d'une vieille maison en bois, aimée, choyée et pleine de fleurs.

Nous allons tous trois dans la cuisine, où Mme Joseph et Barbara Marcello passaient tant de temps. Robert et moi surprenions leurs voix alors que nous traversions la maison pour monter dans sa chambre ou nous rendre au hamac. Elles parlaient tranquillement, intensément et tout à coup, sans avertissement, s'élevaient les notes cristallines de leur rire.

Maintenant, Barbara Marcello nous sourit depuis le haut du

vaisselier. Ses longs cheveux s'échappent du foulard censé les contenir. Elle porte un bras à son front pour se protéger les yeux, qu'elle plisse devant l'objectif, éblouie par le soleil. La photo donne une impression de force et de beauté, mais les détails du visage se perdent dans l'ombre.

— Elle est morte quand ?

Je désigne la photo, tandis que Mme Joseph nous sert des boissons fraîches. Aujourd'hui, elle cuisine. Les plaques disposées sur le plan de travail sont à moitié couvertes de quelque chose qui ressemble à de la pâte à brownie. L'odeur du chocolat flotte dans l'air.

— Ça fait deux ans et demi, non, presque trois ans désormais, répond Mme Joseph en s'arrêtant, pour lui rendre hommage, devant la photo de son amie. Cancer des ovaires. Ils pensaient l'avoir découvert à temps, et puis non. Ça nous a paru un drame épouvantable à l'époque, mais elle n'a pas eu une mort horrible, comme toute personne au-dessus de cinquante ans en a forcément vues, et Dieu sait que ça a été mon cas. Barbara a pris les choses avec calme et s'est donné beaucoup de mal pour aider ses proches à accepter l'idée qu'elle allait les quitter. Sa fin a été paisible. Bien sûr, elle nous manque à tous. Il n'y a pas un jour où je ne la regrette pas.

Une mort discrète. Barbara Marcello était elle-même une femme discrète. Tout à coup, il me semble logique, vu l'énergie et le côté haut en couleur du personnage, que la mort de papa ait été marquée par les gyrophares et le ruban de la police tendu en travers de l'allée.

Mme Joseph retourne à sa pâtisserie.

— Je vais préparer le déjeuner dès que j'en aurai fini avec ça. Je suis en retard, parce que je ne voulais pas cuisiner pendant la vague de chaleur.

— Des brownies, explique Ralph.

— Dans un moment de faiblesse, j'ai promis aux organisateurs du grand bal champêtre de Pâques de leur faire cent cinquante brownies. Je les cuis par fournées, et je les mets au congélateur.

— C'est pour les orphelins russes, précise Ralph.

— Pas les brownies. L'argent qu'on récolte avec.

Ralph retire son chapeau. Au-dessous, ses cheveux sont tout à fait blancs. Je suis frappée par le contraste avec son visage enfantin.

Nous restons assis en silence, à siroter nos boissons tandis que Mme Joseph déverse la pâte à brownie d'un gros saladier vert dans les moules. Lorsque le saladier est vide, elle en racle les parois avec une spatule.

— Ricky n'est pas le vrai prénom de Ricky Marcello. Vous le connaissez?

Ralph hausse les épaules.

— Je l'ai toujours appelé Ricky, dit Mme Joseph.

— Sur la pancarte du garage Marcello, j'ai vu que son vrai prénom commençait par un « E ». Je crois que c'est « Éric ».

Tous deux paraissent très affairés. Mme Joseph avec ses brownies, Ralph avec sa boisson. Je demande :

— Qui est son père?

Mme Joseph pose le saladier. Ralph remet son chapeau, précipitamment, comme s'il y avait de l'orage dans l'air.

— Barbara n'était pas du genre à le crier sur les toits, lâche enfin Mme Joseph.

Elle ouvre le four; l'espace d'un moment, nous sentons son souffle chaud. Elle glisse les brownies à l'intérieur et le referme aussitôt. Puis elle retire son gant de cuisine et s'assied à table, en face de moi. Elle paraît détendue et attentive, mais son regard est soucieux.

— Ricky Marcello t'inquiète encore? Il n'y a vraiment pas de quoi, Lucy.

— Ricky est mon ami, m'assure Ralph.

— Je suis certaine qu'il ne te veut aucun mal, ajoute Mme Joseph.

— Je crois que c'est mon frère, dis-je.

À peine me suis-je entendue prononcer les mots que je sais, à leur manière de résonner dans la pièce, qu'ils sont vrais.

Mme Joseph ne m'a pas quittée du regard. Elle attend que je me remette à parler.

— Les hommes désirent des enfants à leur image. Ils veulent que leurs fils portent leur nom de famille, leur prénom, parfois même les deux.

— Ce n'est pas parce qu'ils ont le même prénom que tu dois en déduire qu'ils sont père et fils, avance prudemment Mme Joseph.

— Oh, il y a beaucoup d'autres preuves que je n'ai pas su ou pas voulu voir. Papa a cessé de toucher ses royalties et a commencé à les virer sur le fameux fonds Marcello à peu près à l'époque où Ricky est né. Il a appris à Ricky à réparer les choses et lui a donné la vieille dépanneuse. Il venait ici avec Barbara et, lorsqu'il était avec elle, c'était un autre homme, il était heureux, il riait à s'en décrocher la mâchoire, selon vous. C'est par Barbara qu'il vous a connus, non? Et quand il me laissait chez vous... il partait vraiment en expédition? Ou bien il allait passer du temps avec Barbara et Ricky?

Mme Joseph pousse un soupir.

— Tu es toute rouge, Lucy. Tu as l'air furieuse, blessée.

Je jette un regard noir à Barbara Marcello. Elle sourit, le visage à demi plongé dans l'ombre.

— Et moi qui croyais bien l'aimer... Elle était gentille avec moi, dis-je sur un ton amer. Après l'accident, avant que Jane

438

n'arrive, c'est dingue comme elle a été chouette. Je ne me doutais pas qu'elle avait volé mon père pour le donner à Ricky.

Je sens un mouvement, vois Ralph se tasser sous son chapeau. Il paraît si malheureux que, l'espace d'une seconde, j'ai mauvaise conscience.

— Tu n'es pas contente que ton père ait été heureux ? ose-t-il.

J'ai si mal que je voudrais pleurer, mais la colère m'en empêche.

— Pourquoi est-ce que nous n'avions droit qu'au papa triste et solitaire ? On pouvait pas l'avoir heureux, nous aussi ? Ça me donne l'impression de ne pas l'avoir connu du tout.

Mme Joseph compatit. Ses traits s'affaissent, elle paraît sur le point de fondre en larmes.

— On ne connaît jamais quelqu'un à fond.

— Je n'aurais pas pensé qu'il était un menteur, un fourbe. Je croyais qu'il s'efforçait de toujours bien agir. Je le respectais, il était un modèle pour moi.

Ralph et Mme Joseph ne disent mot. Au-dehors, le vent tout juste levé fait trembler les arbres. Des plantes et des arbustes cognent à la vitre comme s'ils voulaient entrer. L'un d'entre eux envoie dans la cuisine son parfum capiteux, qui semble se poser sur notre silence. Puis, sur un ton calme, Mme Joseph se met à parler :

— J'ignore ce qu'un homme est en droit d'attendre de sa femme. Qu'elle soit une compagne, une mère, un soutien, une maîtresse, un tiroir-caisse, une cuisinière, une fée du logis, une décoratrice, une amie... Quelle que soit la définition que tu choisis, ta mère — et Dieu sait que ce n'était pas sa faute — ne pouvait répondre à la demande. Ton père a rencontré Barbara peu après le début de la maladie de ta mère, et très peu de temps après ils ont eu Ricky. Leur relation s'est poursuivie jusqu'à la mort de Barbara. C'était une relation complice et heureuse. Ils étaient comme mari et femme et même si, le plus souvent, ils ne vivaient pas ensemble, ça jouait en leur faveur.

Au loin, dans la vallée, un chien aboie.

— Mais... c'était notre père! Le père de Jane, le mien. Comment pouvait-il avoir une autre famille en même temps?

— Il ne les voyait qu'une fois par semaine, parfois plus. Il partait en vacances avec eux quand tu étais en colonie ou bien ici, chez moi. Leur existence ne changeait rien à l'amour qu'il éprouvait pour vous. C'était un homme au grand cœur.

— Un hypocrite.

— Il avait besoin de soutien et de gentillesse. Il devait s'occuper de ta mère et élever seul ses deux filles.

— Mais il nous a trahies!

— Parce qu'il ne vous a rien dit?

— Il nous a caché toute une partie de sa vie.

— Je suppose qu'il ne voulait pas que ta mère l'apprenne, ça lui aurait fait trop de peine. Mais lorsque vous avez été assez grandes pour ne pas risquer de lui répéter, je trouve en effet qu'il aurait pu vous expliquer la situation. Je pensais que vous comprendriez et seriez contentes de le savoir heureux. Mais il a préféré ne pas le faire, j'ignore pourquoi.

— Il est venu séjourner chez moi, à New York...

— Juste après sa mort. Ça lui a fait du bien de prendre des vacances, Lucy.

— Mais elle venait tout juste de mourir et il ne m'en a rien dit. Il était accablé de chagrin et il n'en a rien montré, je ne me suis pas rendu compte...

Papa à New York. Un homme qui chancelle et sourit dans l'ascenseur.

— Il avait appris à dissimuler ses sentiments. Il tenait à tout prix — même après la mort de Barbara — à ce que ces deux aspects de son existence restent à jamais séparés. Et ça a été un peu dur pour Ricky puisqu'il connaissait votre existence, à toi et à Jane. Lui aussi a souffert, Lucy. Mais il a promis à ton père ne n'avoir aucun contact avec vous. Quelles que soient les circonstances. À mon avis, ça a renforcé l'impression de Ricky que vous étiez la première famille d'Éric et que Barbara et lui ne venaient qu'en seconde place.

Je me lève et me dirige vers la fenêtre, tournant le dos à Ralph et à Mme Joseph afin qu'ils ne me voient pas pleurer.

— Ricky était au courant? Quand je le croisais ici, du temps où il était gosse? Et Robert, il savait aussi?

— Personne ne savait à part moi. Et Ralph, bien sûr.

— Je sais tout, confirme Ralph sans aucune honte. J'écoute aux portes. Mais je ne répète pas ce que j'entends.

— Quand Ricky a-t-il découvert la vérité?

— Oh...

Mme Joseph réfléchit.

— ... Il devait avoir dans les dix-huit ans. Barbara voulait qu'il comprenne et pensait qu'il saurait garder le secret. Elle le lui a révélé, tout en exigeant qu'il n'ait aucun contact avec vous.

Il a respecté sa promesse. Je ne vois pas comment il aurait pu mettre plus de zèle à me repousser. Je me souviens de sa façon de me siffler à l'oreille, près de la dépanneuse.

— Il me déteste, dis-je, plaquant malgré moi une main sur mon oreille.

— Je ne pense pas. Il a mis longtemps à accepter la situation. Il a toujours été un garçon difficile et causait beaucoup de souci à Barbara lorsqu'il était adolescent. Mais maintenant il est marié à une charmante fille du nom de Martha et ils ont le plus adorable des bébés.

— Jordan, précise Ralph, soucieux de se rendre utile.

Il est davantage à son aise depuis que le climat de la pièce s'est un peu réchauffé, mais pas au point de retirer son chapeau.

— Martha a transformé la grange en galerie et ça marche très fort. Ricky, lui, a hérité les terrains de sa mère et un petit capital, et il peut toujours gagner de l'argent en réparant des choses, il est tellement doué de ses mains. Il fait de beaux tableaux, aussi. Je l'aime vraiment beaucoup, maintenant. Il a passé énormément de temps ici.

Ricky Marcello. Il m'a volé mon père, m'a volé les Joseph. Toutes ces années où j'étais condamnée à l'exil, il était là, à profiter de leurs rires et de leur affection.

Je ne me suis pas retournée, mais Mme Joseph n'en devine pas moins mes pensées.

— Ne sois pas amère, Lucy. Ton père a toujours été là pour vous quand vous aviez besoin de lui.

Papa, tu étais mon héros, et soudain je ne me souviens que de tes absences. Le père qui n'était pas là quand des gamins sonnaient à la porte et que maman était en pleine crise. Le père introuvable le soir où Mme Zacarro était venue demander si nous avions vu Lindy. Le père qui ne cessait de partir en expédition. Le père qui nous a trahies, non parce qu'il a menti, mais parce qu'il n'a pas dit la vérité.

Je sens un bras m'enlacer, tendre mais timide. C'est Ralph. Il s'est levé et a traversé la pièce sans faire un bruit.

— Tu vas lui pardonner, Lucy? demande-t-il.

— Peut-être.

Je sens le bras se retirer et, lorsque je me retourne, Ralph n'est plus là. Mme Joseph est assise seule à la table. Elle me fixe, les épaules bien droites, les yeux vifs.

— Tu n'as aucune raison d'être jalouse de Ricky, affirme-t-elle.

— Comment pourrais-je ne pas l'être? Quand ils étaient

tous les trois ensemble, ils étaient une vraie famille. Deux parents qui s'aiment et leur fils. C'est de ça que je suis jalouse.

— Toi aussi, tu as reçu beaucoup d'amour. Ta mère n'a peut-être pas toujours su comment te le faire comprendre ou même te le manifester, mais elle t'aime.

Si Jane a raison de soupçonner maman d'avoir tué son bébé, les conséquences de son acte me paraissent désormais encore plus terribles. En un seul instant d'épuisement et de détresse, elle a perdu son bébé, l'esprit et son mari.

— Pauvre maman, dis-je d'une voix douce. Pauvre pauvre maman. Ces derniers temps, j'ai cessé de lui en vouloir et je me suis mise à la comprendre.

Mme Joseph réagit à mes paroles par un sourire radieux.

— Vraiment, Lucy? Je suis fière pour toi d'y être parvenue.

Ralph a reparu dans l'encadrement de la fenêtre : tel un oiseau-mouche, il tourne autour de grosses fleurs qui étalent leur beauté en grande pompe.

— Tu vas aller la voir avant de repartir? interroge Mme Joseph.

— Ça ne s'est pas très bien passé, la dernière fois.

— Tu ne veux pas réessayer?

Tant de visites ont bien commencé pour s'achever en drame. Je reste prudente.

— Maman est complètement imprévisible.

— Si tes sentiments à son égard ont changé, dit Mme Joseph, tu devrais le lui apprendre. Peut-être que cela la fera changer elle aussi.

Une vague de tendresse m'envahit lorsque je songe à la toute petite silhouette laissant tomber une rose dans la fosse. C'est une victime, une victime des circonstances et de son propre tempérament passionné. Papa l'a quittée pour Barbara, il y a de ça des années, mais pas tout à fait. Il a continué à lui rendre visite, à subvenir à ses besoins, à la soutenir et — qui sait ? — peut-être même à l'aimer. À présent, elle n'a plus personne au monde, hormis Jane et moi.

— Tu vas y retourner ? demande Mme Joseph.

— Oui.

36

J'ai l'intention de me rendre à la clinique de Redbush à la fin de l'après-midi. Avant, je compte passer au bungalow, et encore avant, aller faire un tour à San Strana. J'ai chez papa un petit cadeau pour Ricky Marcello.

Le cadeau en question est posé sur le bureau.

Larry apparaît sur le seuil. Il transpire et paraît exténué.

Je fourre le dossier sous mon bras et saisis la chemise pleine des lettres que Scott doit signer.

— Il faut que je ressorte.

— Pourquoi ?

— Ce dossier m'a causé du souci. J'ai enfin trouvé de quoi il retourne. Ensuite, je dois donner des trucs à Scott. Et après, j'irai dire au revoir à maman.

— Bon, je t'ai fait un sandwich. Du véritable fromage français dans de la véritable baguette. Tu ne veux pas le manger avant de partir ?

Que le sandwich puisse ne pas être mangé semble le contrarier.

— O.K. Je te remercie.

Je le suis dans la cuisine. Il me fourre le sandwich sous le nez et nous sert deux verres d'eau.

— Il fait trop chaud pour travailler dans la grange maintenant qu'il y a les lampes, explique-t-il. Je ne sais pas comment ces gars peuvent supporter ça, c'est pire que la vague de chaleur. Ils ne s'arrêtent même pas pour déjeuner. Ils doivent être beaucoup plus jeunes que moi.

— Et ce type qui traînait devant chez vous, il continue ?

— Oui. J'aimerais bien que Kirsty s'active un peu plus à ce sujet.

Nous mangeons en silence. Chaque fois que je suis seule avec Larry, je ne sais vraiment pas quoi lui dire. Nous parlons de la vague de chaleur : non seulement elle est en train de s'achever, mais les météorologues annoncent de la pluie pour demain. Puis nous sombrons à nouveau dans le silence.

— Alors, où est-ce que tu vas avec ce dossier, Lucy ? demande-t-il enfin. En ville ?

— Dans la vallée de San Strana.

Il hoche la tête et prend une bouchée de son sandwich.

— Il y a des années que je n'y suis pas allé. La dernière fois, c'était avec Scott et toi. On vous avait retrouvés dans un restaurant au bord du fleuve.

Stevie était déjà né, alors. Le restaurant au décor en bois blanc était inchangé, le fleuve était inchangé, nous avions commandé des œufs pochés comme à l'ordinaire, mais avec un bébé rien n'était pareil. Les exigences et les plaintes incessantes de Stevie avaient transformé le déjeuner en épreuve.

— Tu vas voir qui à San Strana ?

J'avais l'intention de ne parler de Ricky Marcello à personne d'autre qu'à Jane, mais il faudra bien que Larry soit tôt ou tard mis au courant, de toute manière.

— Mon frère. Mon demi-frère, pour être précise.

Ça me plaît, de choquer Larry. Il a appris à toujours maîtriser ses réactions, mais le voilà qui se fige, le sandwich à la main, les yeux écarquillés. Je me délecte du pouvoir que j'ai momentanément sur lui. Alors que je lui raconte la double vie de papa, il interrompt mes paroles par des exclamations incrédules.

— Dire qu'on n'en a jamais rien su. On n'a même pas eu de soupçons... Tu connais le gars en question ? Tu l'as rencontré ?

Je n'ai pas l'intention de parler de mes récents contacts avec Ricky, qu'ils aient eu lieu ici, à San Strana, à Big Brim ou devant chez Larry. Pas avant d'en avoir saisi le sens.

— Je crois l'avoir entr'aperçu, au cimetière, pendant l'enterrement.

— C'est triste, dit Larry. C'est vraiment triste. Il aurait dû être aux premières loges lors de la cérémonie, et pas à rôder dans le cimetière en espérant pouvoir jeter un coup d'œil au cercueil.

Pour la première fois, il me vient à l'esprit que si Ricky passe ses soirées à traîner devant chez Jane, c'est peut-être qu'il partage la fameuse solitude des Schaffer. Soudain, il ne me fait plus l'effet d'un homme grand, sombre et menaçant, mais d'un individu isolé, cherchant des sœurs puis les fuyant.

Je me lève pour partir.

— Je ne sais pas comment Jane va réagir à la nouvelle, conclut Larry. J'ai envie de l'appeler tout de suite pour la mettre au courant.

Peut-être Larry a-t-il hâte d'exercer à son tour le pouvoir qu'il m'a donné tout à l'heure, le pouvoir de choquer.

Lorsque j'arrive à San Strana, le garage paraît à nouveau fermé, mais la galerie Marcello est ouverte. Je me gare comme une cliente ordinaire. Il y a un espace recouvert de gravier et prévu à cet effet juste à côté de la grange, entouré de fleurs aux couleurs vives. Au-delà, les énormes troncs écailleux d'arbres centenaires. Et dans l'un deux, les restes d'une cabane haut perchée.

La galerie a, comme les constructions modernes, de grandes fenêtres. Mais elle a gardé le bois rugueux, le haut plafond des granges traditionnelles. La lumière du soleil en éclaire l'intérieur. Dans un coin, une femme travaille, assise à un bureau. Elle ramène ses longs cheveux sur son épaule et sourit à mon entrée :

— Bonjour. Je vous laisse regarder... Si vous avez la moindre question, n'hésitez pas.

Je reconnais la femme qui a pris le bébé dans ses bras et l'a soulevé au-dessus de sa tête. Aussitôt, quelque chose remue à ses pieds et un gros bébé émerge, la bave aux lèvres, de dessous le bureau. Il brandit un jouet en bois aux couleurs vives. Probablement fabriqué par Gregory Hifeld.

— Oh, il ne va pas vous déranger, dit la femme en suivant mon regard.

Le bébé sourit. Il avance vers moi à quatre pattes. J'ai un mouvement de recul. Voilà trois ans que je n'ai pas tenu un bébé dans mes bras.

Les tableaux sont, pour la plupart, grands et colorés. Il y en a deux ou trois de Barbara Marcello. Ils contiennent cent nuances de vert. Lorsque la femme voit que je les examine, elle s'approche.

— Vous connaissez un peu l'œuvre de Barbara Marcello ?

— Non, mais ce sont de beaux tableaux.

— Barbara Marcello a vécu et travaillé ici toute sa vie. Sa famille possédait une ferme dans la vallée de San Strana. Son fils est propriétaire d'une assez grande partie de son œuvre, mais le reste des tableaux a été vendu, et leur cote ne cesse de monter. Je les rachète quand j'en ai les moyens. Je voudrais faire de cette galerie un musée voué à son œuvre, mais..., ajoute-t-elle avec une grimace, ils se vendent trop vite.

Une autre toile attire mon attention. Après l'avoir regardée un bon moment, je comprends que mon intérêt est avant tout de la reconnaissance : elle représente la vue depuis la maison de papa. La vallée, les vergers, l'intersection.

Je le désigne du doigt et la femme me dit :

— C'est une œuvre de son fils, Éric Marcello. Vous pouvez remarquer que le style est assez similaire.

— Il est là ?

Elle me regarde avec perplexité.

— Vous voulez rencontrer Ricky ?

— Je l'ai déjà rencontré plusieurs fois.

Le bébé s'approche d'elle et tente de se mettre debout en s'agrippant à sa longue jupe. Elle s'accroupit et le soulève dans ses bras.

— C'est quoi votre nom ?

Le petit se blottit ainsi que le font les bébés, en pressant sa tête duveteuse contre l'épaule de sa mère. Bien à l'abri, il me regarde attentivement.

— Lucy Schaffer.

Je vois le beau visage parfaitement symétrique de la femme se durcir, et c'est comme si elle venait de me claquer une porte au nez.

— Pourquoi êtes-vous venue ici ? soupire-t-elle.

— Il faut que je lui parle.

— Non.

— Je me pose des tas de questions. Il a les réponses.

— Vous n'avez pas besoin de réponses à vos questions. Rentrez à New York et retournez travailler dans votre banque.

— Je ne peux pas. C'est comme une rangée de soldats de plomb. Quand papa est mort, et peut-être même avant ça, le premier est tombé. Maintenant ils sont tous en train de tomber et personne ne peut empêcher ça.

La porte de la galerie s'ouvre avec un léger grincement et Ricky entre. Lorsqu'il m'aperçoit, il me jette un regard noir et reste sur le seuil.

— Je pensais avoir reconnu votre voiture. Vous voulez bien ficher le camp d'ici ?

Il est agressif, mais son ton est légèrement moins violent aujourd'hui, sans doute parce qu'il a remarqué le bébé, agrippé nerveusement à sa mère.

Je lui tends le dossier vert.

— Je quitte la Californie. Voilà quelque chose pour vous.

Il le prend avec précaution.

— Les royalties de papa. C'est ce que vous cherchiez, non ? La première fois, les gars qui ramenaient l'Oldsmobile vous ont interrompu. La deuxième fois, vous n'êtes pas parvenu à le trouver. Vous vous êtes dit que je devais l'avoir, mais quand vous avez tenté de vous faufiler dans le bureau pour la troisième fois, vous êtes tombé sur moi et vous avez pris la fuite. Vous voulez ce dossier, alors tenez.

Il baisse les yeux sur le dossier, pour aussitôt les relever. Son regard est fixé sur moi.

— Je sais que vous êtes mon frère, dis-je.

Un bref silence s'abat sur la pièce.

Ricky finit par consulter la femme du regard, mais elle a le visage tourné et garde une expression impassible. Le bébé tend les mains vers son père en gémissant. Ricky le prend tendrement dans ses bras. Satisfait, le bébé me gratifie d'un grand sourire.

— Écoutez, fait Ricky. Papa ne voulait pas que vous veniez ici. Il ne vous a jamais amenées ici. Il ne vous a jamais parlé de nous, parce qu'il n'avait pas envie que vous sachiez. Et il m'a fait jurer de ne jamais chercher à vous contacter. J'aimerais pouvoir tenir mes putains de promesses, mais Dieu sait qu'il ne m'a pas dit quoi faire au cas où vous viendriez fouiner ici.

— Vous avez agi au mieux pour tenir votre promesse. Maintenant, il faut me laisser entrer.

Il jette un nouveau coup d'œil à la femme, mais elle nous a tourné le dos et, secouant légèrement la tête, nous a laissés plantés là. Elle s'assied devant son bureau et s'efforce de paraître occupée.

Une voiture se gare dehors.

— Vaut mieux qu'on aille dans la maison, dit-il sur un ton brusque. Ce genre de scène n'est pas très bonne pour les affaires.

Lorsque la porte de la grange s'est refermée derrière nous, il s'exclame :

— Écoutez... Fichez le camp, bordel !

— C'est marrant... Je me serais jamais imaginé avoir un jour un frère qui me parlerait comme ça.

Il soupire et, tenant toujours le bébé dans ses bras, retourne dans la maison. Bien qu'il ne m'ait pas invitée à le suivre, il laisse la porte ouverte et je lui emboîte le pas.

Je reconnais tout de suite le désordre particulier qui règne dans la cuisine. Le chaos révélant la présence d'un bébé. Des tiroirs ouverts et leur contenu répandu sur le sol, des jouets, de la nourriture tout autour de la chaise haute, des biberons, des miettes.

— Allez, Jordan, dit Ricky en posant le bébé par terre, au milieu de ses jouets.

Jordan les ignore et se met à examiner une paire de chaussures. Je lui jette des coups d'œil jaloux. Le second petit-fils de papa. J'espère que papa ne l'a pas aimé plus que le premier.

Ricky s'affaire dans un coin, en silence. Lorsqu'il se retourne, je vois qu'il a préparé du café. Il en pousse un vers moi sur la table et me fait signe de m'asseoir.

— C'est bon, je n'y ai pas mis d'arsenic.

Il se rassied, presque souriant.

— La police m'a interrogé la semaine dernière.

— Comment vous ont-ils retrouvé?

— Il y avait mes empreintes partout, chez papa. Et pour obtenir la licence, afin de conduire la dépanneuse, on est obligé de donner ses empreintes. Après que cet agent a déclaré avoir vu papa dans la dépanneuse, ils n'ont pas mis longtemps à me retrouver.

— Ils sont au courant de tout, à votre sujet?

— Ouais. Ils savent que je suis passé là-bas dimanche, et vous aussi. Je leur ai tout raconté.

Je rougis.

— Alors..., reprend-il en étirant son long corps. Qui vous a parlé de moi? Zac? Ce n'est sûrement pas le genre d'Adam Holler.

— J'ai tiré mes propres conclusions. Vous avez eu raison de venir chercher ce dossier, c'était le seul lien existant entre nous. Il n'y avait pas la moindre référence à vous dans la maison, nulle part. Mais ce dossier établissait que papa avait arrêté de toucher ses royalties à peu près au moment de votre naissance. C'est en voulant retrouver leur trace que je vous ai retrouvé, vous.

Impassible, il tend la main vers le dossier. L'ouvre.

— Simms-Roeder, marmonne-t-il. Simms-Roeder m'a payé l'université et des tas d'autres trucs encore.

Jordan s'est traîné jusqu'à moi. Je sens ses petites mains posées sur mes pieds. Je ramène un peu mes jambes sous la chaise.

— Vous deviez nous détester, Jane et moi.

— Oui, concède-t-il sur un ton amical. Quand j'ai appris que vous étiez la première famille de papa et que les seuls moments consacrés à nous, c'est quand vous étiez à la chorale ou en colonie de vacances, oui, je vous ai détestées.

Il s'interrompt, puis reprend :

— Mais j'ai eu une mère géniale. Je lui ai causé beaucoup de souci et je le regrette très fort aujourd'hui. Elle était géniale alors que la vôtre était folle à lier. Je ne pense donc pas avoir tiré le plus mauvais billet dans la loterie de la vie.

Il est détendu. Sa voix est nonchalante. Ses longues jambes calées sur une chaise. Je suis irritée que l'histoire de ma famille soit pour lui un livre ouvert, sans qu'il en ait porté le poids. Mes yeux restent rivés sur mon café, comme s'il allait en surgir Dieu sait quoi. Lorsque Ricky se remet à parler, son ton s'est radouci.

— Ça n'a pas dû être facile, d'avoir ce genre de mère. Quand est-ce qu'elle est devenue folle ?

— Juste après la mort du bébé. J'avais quatre ans.

Jordan se traîne à ses pieds et Ricky se baisse et tend délicatement au bébé un trousseau de clés en plastique. Jordan les saisit et s'en fourre le plus grand nombre possible dans la bouche. Ricky lui caresse les cheveux. Quelque chose de tendre et d'affectueux dans son geste me touche. Il lève les yeux vers moi, attendant que je poursuive.

— J'étais dans un canyon, en Arizona. Jane, papa et moi étions entrés dans le canyon pour chercher des cailloux et, comme d'habitude, papa était loin devant. Je suis tombée, je me suis blessée au bras et Jane est allée chercher de l'aide. Pour finir, je suis parvenue à m'en sortir toute seule, et je les ai vus plantés là, papa, maman et Jane, sur l'asphalte si déliquescent qu'il semblait sur le point de se volatiliser. Maman poussait des hurlements. Des hurlements de folle.

452

J'essaie de me souvenir de ses paroles. Je ferme les yeux. Je me traîne en chancelant jusqu'à la gueule du canyon, mon bras en proie à une douleur lancinante, sous cette chaleur qui paraît enrayer tous les mécanismes de la marche et de la pensée. Et alors la voix s'élève, si puissante et si haut perchée qu'on la croirait arrachée à la férocité du soleil. Je cherche à retrouver ses paroles, à les intercepter. Je tends la main vers elles, mais elles me blessent et s'enfuient.

— Vous voulez dire... c'est tout ? demande Ricky. Il ne s'est rien passé d'autre ?

Je me projette à nouveau dans l'Arizona. L'asphalte grésille, la chaleur ricoche sur les rochers mais, cette fois encore, les paroles de ma mère m'échappent.

— Je ne me rappelle pas ce qu'elle disait. Mais je ne l'avais jamais entendue parler sur ce ton-là.

Ricky se redresse sur sa chaise.

— Donc... Vous êtes entrée dans ce canyon et elle allait bien. Vous en êtes ressortie et elle était devenue folle ?

— C'est ce qu'il m'a semblé.

— Il a dû se passer quelque chose.

— Son bébé était mort quelques semaines plus tôt. Je suppose que son désespoir a dû atteindre son point d'ébullition, là, en plein soleil...

Il secoue la tête.

— Non, quelque chose a dû se passer pendant que vous étiez dans ce canyon.

Il écarte une pile d'assiettes sales de manière à pouvoir poser ses coudes sur la table et appuyer son menton sur une main. Soudain, il sourit. Un sourire de travers, tout juste né sous ses doigts.

— Eh bien... au moins on a eu tous les deux un père formidable.

453

Je plonge mon regard dans celui de Ricky. Il a les yeux vert foncé, de la même couleur que moi.

— Pourquoi est-ce que vous lui hurliez dessus ? Le jour où je vous ai espionnés, depuis la terrasse ?

Il pousse un soupir.

— Il ne se passe pas un jour sans que je le regrette. Je ne voulais pas crier, mais je me suis laissé emporter. Je lui disais qu'il était temps pour lui de quitter cette affreuse grosse maison sur la colline et de venir s'installer avec nous. Il aurait pu disposer d'une aile à lui tout seul, et j'aurais su qu'il était en sécurité. Mais non. Il était trop têtu, bordel !

— En sécurité ? Vous le pensiez donc en danger ?

— Ouais, il a de drôles de filles, qui rôdent autour de chez lui...

Je brode une explication peu satisfaisante. Il écoute, puis demande :

— C'est la dernière fois que vous l'avez vu ?

Je hoche tristement la tête.

— Je l'ai vu pour la dernière fois quand ils ont ramené la dépanneuse, très tard dimanche soir, poursuit Ricky. Je sais que vous êtes au courant de tout ça. Ils ne voulaient pas nous déranger, mais je les ai entendus et je suis sorti voir comment s'était passée leur soirée. Ils étaient agités car ils avaient failli se faire choper par un agent de la police routière.

— Comment était papa ?

— Oh... très fatigué. Il avait conduit la dépanneuse, s'était fait contrôler par cet agent. Et il était un peu... triste.

— Triste ?

Ricky parle à présent d'une voix douce.

— Comme s'il savait ce qui l'attendait. Quand je lui ai dit bonne nuit, il s'est avancé vers moi, et...

Je le fixe. Sa voix a dérapé. Son visage se plisse. Il regarde

Jordan, hisse soudain le bébé sur ses genoux et le serre contre lui, comme pour faire écran à son chagrin. Le bébé se blottit, mais cela ne suffit pas à dissimuler les larmes de son père. Ricky est têtu. Il ne veut pas pleurer et tient à prononcer les mots. Lorsqu'ils émergent enfin, ils sont à peine intelligibles.

— Il m'a serré contre lui et m'a dit au revoir. Pas bonne nuit, au revoir. Comme si je ne devais plus jamais le revoir.

Ricky pleure maintenant à chaudes larmes et ça ne plaît pas au bébé. Il gigote pour se dégager. Je me lève et tends à contre-cœur les bras au petit Jordan. Il avance les mains vers moi et je le soulève. Un bébé dans mes bras, pressé contre moi, me regardant et tendant les doigts vers mon visage. Je ressens un plaisir immense, doublé d'une douleur intense. Je m'agenouille et passe mon autre bras autour de Ricky. C'est mon frère, après tout.

— Oh, non! s'exclame une voix.

Martha se tient figée sur le seuil.

— Non. Ça ne peut pas se passer ainsi.

Tous nos regards sont fixés sur elle et le petit Jordan tend les mains. Elle se dirige droit vers lui et me l'arrache vivement des bras. Je m'écarte de Ricky. Son visage est sombre, son menton mal rasé, ses pupilles si dilatées que ses yeux semblent noirs et sont entourés de cernes foncés, les empreintes laissées par le chagrin.

— C'est bon, dit-il à Martha. Elle savait déjà tout.

— Et alors? Enfin, Ricky, tu as donné ta parole à ton père. Aucun contact. Or ça y va, question contacts.

— Martha, c'est ma sœur. Papa est mort à présent et...

— Tu lui as promis, insiste-t-elle. Il ne t'aurait pas fait promettre s'il n'avait pas eu une bonne raison de le faire.

Ils se foudroient du regard.

Martha se tourne vers moi.

— Pourquoi ? demande-t-elle. Pourquoi faut-il que vous veniez traîner ici ?

— Si vous vous découvriez un frère, vous n'auriez pas envie de le connaître ?

— Vous n'en éprouviez pas le besoin avant, je ne vois pas pourquoi vous l'éprouvez maintenant.

Et pourtant, en dépit de cette hostilité, en dépit de tout, j'ai le sentiment d'avoir attendu Ricky toute ma vie. C'est comme si ce frère que j'aimais et qui m'a été arraché encore bébé me revenait en la personne de ce grand inconnu sombre et furieux.

— Tu as fait une grosse erreur, marmonne Martha tandis qu'elle retourne à la galerie, portant Jordan dans ses bras. Si ton père ne voulait pas que ses deux familles se rencontrent, c'est qu'il ne pouvait en résulter que du malheur et il le savait.

— Quel malheur pourrait-il en résulter ?

Ignorant ma question, elle franchit la porte, qu'elle claque violemment derrière elle. Je me tourne vers Ricky :

— Pourquoi papa ne voulait-il pas que nous nous rencontrions ? Pourquoi ? Il ne vous a jamais donné de raison ?

Il secoue la tête.

— Martha va finir par se faire à la situation. Il lui faut parfois un bout de temps pour s'habituer aux choses.

— Il faut que j'y aille, maintenant. Je dois voir Scott et ensuite passer à la clinique. Ils n'autorisent pas les visites après une certaine heure.

Lorsque nous ressortons, je suis frappée par la beauté de la maison. Une maison, une grange, l'autre maison de papa, son autre grange... Le côté clair et chaleureux de son existence.

Devant ma voiture, Ricky demande :

— Alors, on va se revoir ?

Je le regarde.

— Vous en avez envie ?

— Lucy, d'une certaine manière je suis soulagé. À mon avis, c'est une des bonnes choses qui peut résulter de la mort de papa.

Et à ma grande surprise, il passe soudain ses longs bras autour de moi et me serre contre lui. Cet étranger. Mon frère.

37

Le vent qui souffle depuis l'océan soulève les cheveux de Scott tandis qu'il observe la mer avec des jumelles, sur la véranda.

— Ce doit être un bateau d'observation des baleines, commente-t-il. La migration a dû commencer.

Le vent marin est si frais que Scott m'a prêté un énorme sweat-shirt. Ici, sur la côte, mars est de retour. La vague de chaleur nous a donné l'impression qu'on était en juin, mais ce n'était qu'un faux été, étrange et suffocant, et seul l'océan, qui a conservé tout du long sa teinte profonde et glacée, ne s'y est pas trompé.

À part le jour de l'enterrement, je n'ai pas beaucoup vu Scott ces derniers temps. Je soupçonne Brigitte d'être revenue de France et j'espère qu'elle ne va pas arriver pendant que je suis là.

Je pose le gros dossier devant lui.

— Jette un coup d'œil sur ça avec tes jumelles, dis-je.

Il essaie, comiquement, puis pose les jumelles et se saisit du dossier.

— Ça concerne l'exécution testamentaire ?

— Tout y est. Il n'y a plus rien à faire. Les coups de fil sont passés, les certificats de décès photocopiés et joints aux courriers lorsque c'est nécessaire. Tu n'as plus qu'à signer les lettres, les glisser dans les enveloppes et les fourrer dans une boîte. J'ai même mis les timbres.

— Oh, Luce...

Il feuillette les pages couvertes de chiffres nets, les lettres et les enveloppes.

— Luce, je ne sais pas comment te remercier...

Il se penche au-dessus de la table de bois écaillée et m'embrasse. Pas un très long baiser, mais quand même assez pour m'exprimer sa reconnaissance.

— Ton avion décolle quand ? s'informe-t-il.

— Demain, à trois heures.

— Je peux t'accompagner à l'aéroport ?

— Si tu veux, mais tu risques de toute façon de me revoir très bientôt. Je songe à revenir m'installer en Californie.

L'espace d'une fraction de seconde, je crois lire le choc sur son visage. Je me demande si les choses sont déjà trop avancées, avec Brigitte, ou s'il estime que la Californie est assez grande pour elle et moi. Puis il se ressaisit et sourit, et son sourire exprime une joie véritable. Il tend la main vers la mienne.

— C'est génial. Comment ça se fait ?

— Maintenant que papa est mort, maman va avoir besoin de moi, dis-je. Et puis ma famille est ici, Stevie y est enterré... il y a des tas de raisons pour que je revienne.

— Luce...

Le vent lui a donné des couleurs. Ou peut-être est-ce l'embarras. J'attends qu'il parle, puis je réalise que c'est lui qui m'attend. Il serre davantage ma main. Au-dehors, l'océan gronde. Défié par le climat, ce n'est plus un animal de zoo à demi assoupi, mais une bondissante et féroce créature. Les vagues se brisent violemment sur le rivage. Nous regardons silencieusement un couple de surfeurs — inexpérimentés ou tout simplement intimidés — s'efforcer en vain de chevaucher la mer magnifiquement déchaînée.

Lorsque je me lève pour partir, le vent manque de me renverser.

— Il faut que je passe à Redbush pour dire au revoir à maman.

Il lâche ma main. Nous descendons ensemble les marches.

— Lucy, dit-il. La police ne semble pas avoir trouvé les réponses à ses questions. Je ne suis pas sûr qu'on saura jamais ce qui est arrivé à Éric. Tu vas pouvoir supporter ça?

Ne pas savoir. Je me souviens à quel point, quand Sasha et moi étions arrivés chez papa le premier soir, j'avais savouré mes derniers moments d'ignorance. Je réponds :

— Quelquefois, il vaut mieux ne pas savoir. Et au cours de ces deux semaines, tant d'autres choses ont été résolues.

Il s'arrête soudain et, me prenant par les épaules, me fait pivoter pour m'avoir en face de lui. Il m'étudie.

— Tu as bonne mine, Lucy. Vraiment bonne mine. Tu as l'air si vivante.

Je lui souris.

— Je commence tout juste à me sentir bien, Scott.

Je l'embrasse et me retourne pour partir. Je descends bruyamment les marches. À peine ai-je atteint le sable que mes pas se font silencieux.

Remontant la côte, je roule vers Redbush. La première fois que j'ai rendu visite à ma mère à la clinique, il n'y avait pour ainsi dire pas de ville à Redbush. Je me souviens d'une petite communauté rurale. Elle s'est développée au point d'être méconnaissable. Les maisons spacieuses possèdent de grands jardins donnant sur la rue, aux pelouses bien entretenues. Un grand nombre d'entre elles ne sont déjà plus tout à fait récentes : certains des enfants qui y sont nés sont sans doute devenus parents à leur tour, et les maisons abritent déjà des enfances, des histoires, des souvenirs...

Je sais qu'avant les maisons il y a eu d'autres histoires, d'autres souvenirs. Je tente vainement de faire correspondre les arbres vigoureux avec ceux qui se dressaient près des petites fermes d'autrefois. Je suis des yeux les routes goudronnées en cherchant à y retrouver les pistes qui menaient aux maisons isolées, devant lesquelles étaient garées de vieilles camionnettes, à côté de vieux tracteurs, dans des jardins poussiéreux. Soudain, je suis frappée par la manière dont le passé a été balayé, remplacé comme s'il n'avait jamais existé. Les maisons, les gens, les collines et les chevaux ont disparu, mais je me souviens d'eux (un groupe de gamins ruisselants de sueur et buvant un liquide rose à l'ombre d'un arbre, sous l'œil attentif d'une grosse femme en tablier ; un homme furieux donnant des coups de pied dans un camion au pneu crevé ; une maison rouge et basse avec un cheval du même rouge caracolant dans un enclos adjacent, de temps en temps une selle balancée sur la clôture, parfois même un cavalier, sous lequel le cheval effectue une danse endiablée). Comment tout cela a-t-il pu disparaître ?

Tant que l'on se souvient du passé, il subsiste d'une manière ou d'une autre, même s'il n'est visiblement et indiscutablement plus là. Je me rappelle des gens au teint hâlé, de leurs maisons, de leurs vergers. Du cheval dont je guettais l'apparition chaque fois que nous passions en voiture devant l'enclos, de la manière dont il caracolait, sa robe flamboyant au soleil, ou dont il restait immobile, à manger du foin. Mes souvenirs de cette route sont aussi précis que s'ils étaient très récents, et il m'est par conséquent difficile, pour ne pas dire impossible de les associer aux maisons, aux piscines et aux pelouses qui les ont remplacés depuis des années, créant leurs propres souvenirs.

Lorsque j'arrive à la clinique, le gardien étudie attentivement ma carte d'identité puis, sans cesser de me fixer, passe un coup de téléphone. Enfin, il hoche la tête.

— C'est bon. Allez-y.

Le robuste et jovial infirmier de ma mère m'attend dans la serre.

— Je suis vraiment content que vous lui accordiez une seconde chance, dit-il. Je ne pensais pas que vous le feriez, après votre dernière visite.

Les couloirs sont silencieux jusqu'à ce que, passant devant une porte, j'entende des gens rire. Cinq ou six voix peut-être, s'esclaffant ensemble, dans une même joie spontanée.

— C'est le groupe Alzheimer qui s'en paye une tranche, m'explique l'infirmier.

— J'ignorais que c'était aussi drôle d'avoir la maladie d'Alzheimer.

— Oh, ça ne l'est pas, croyez-moi. Mais ce groupe a une merveilleuse animatrice. Elle dit : « Eh, c'est une deuxième enfance, essayons d'en profiter autant, non, plus encore que de la première. » Ses méthodes sont controversées, mais des gens viennent des quatre coins de l'État pour la voir travailler et ils en ressortent en général très impressionnés.

— Et les patients ?

— Ils l'adorent. Ils veulent passer leurs journées dans le groupe Alzheimer.

— Vous pensez que ça ferait du bien à ma mère ?

Nous passons devant une autre porte. Il s'arrête.

— Eh bien... évidemment, elle n'a pas la maladie d'Alzheimer. Et pour être sincère, je l'imagine mal en train de rire avec les autres. Elle est plutôt du genre mélancolique.

Mère devant la tombe de papa, versant des petites larmes

461

semblables à des perles. Entourée de gens, mais seule maintenant que papa n'est plus là.

— Je suis désolé que vous ayez vu son mauvais côté, la dernière fois. Elle est souvent comme ça avec votre sœur. Mais je
n'aurais pas pensé que ce serait le cas avec vous, alors qu'elle ne
vous a pas vue depuis si longtemps.

— Jane dit que maman la reconnaît à peine.

L'infirmier rejette la tête en arrière et éclate de rire.

— Oh, elle connaît Jane, ça, vous pouvez me croire!

Il s'arrête devant la porte de maman. Le battement de mon
cœur s'accélère. J'ai les mains moites. En entrant dans la pièce,
je cherche des yeux le minuscule corps de mère, entre les
doubles rideaux, les coussins et les somptueux fauteuils.

— Je vais vous la chercher. Son cours se termine à peine.

— Quel cours?

— De poterie. Il est fini depuis cinq minutes.

Un dossier couvert de feutre bleu, aux coins usés, est posé sur
le lit. Dès que l'infirmier a quitté la pièce, je jette un coup d'œil
au-dehors pour m'assurer qu'aucune blouse blanche ne
m'observe, puis ouvre le dossier. Il est plein de photographies.
Nicholas. Moi. Papa. Grand-maman. Les tantes. Encore moi.
Papa et moi. Un autre bébé, sans doute à nouveau Nicholas.
Moi, regardant Nicholas dans son berceau, avec des yeux émer-
veillés. La maison, paraissant curieusement nue sans ses habits
de feuillage, papa sur le seuil. Il y a aussi des cartes postales,
avec mon écriture au dos. Des cartes postales avec des formes
abstraites et bleues, un chien marron, des paysans russes en
bottes de feutre. Toutes les cartes que j'ai envoyées à maman
sont là, cornées à force d'avoir été regardées, même délicatement.

Je plonge la main au fond de la chemise et en tire un dernier
cliché. Une photo de classe, trois rangées d'enfants souriants.

« Cornington School, CE1 », peut-on lire sur l'ardoise que brandit l'institutrice. Je me souviens que la photo avait été prise à l'automne, juste après la rentrée, alors que nous venions tout juste d'apprendre le nom de la maîtresse. Tout d'abord, je vois Lindy, blonde et jolie, la tête penchée de côté. Juste à côté d'elle, me voilà. Je fixe l'objectif en souriant un peu, un de mes bras plaqués contre mon corps. Il est dans le plâtre. Je regarde de plus près. J'avais six ans, presque sept lorsque je suis entrée en CE1. Mais c'est plus tôt que je me suis cassé le bras dans ce canyon de l'Arizona puisque nous avions entrepris le voyage juste après la mort de mon frère. J'avais alors quatre ans, j'en suis certaine. Les yeux rivés sur le bras plâtré de la photographie, j'essaie de me convaincre qu'il s'agit d'une manche ou d'une feuille blanche, ou même d'une plaisanterie. Mais la manière dont je le tiens, comme pour le protéger, est sans équivoque.

Je distingue des voix dans le couloir. Je range aussitôt la photo et referme le dossier. Mon esprit tournoie telle une mouette. Mon frère est mort quand j'avais quatre ans. Je me suis cassé le bras dans un canyon non pas deux semaines mais deux ans plus tard. Nous ne sommes pas partis en Arizona juste après la mort de mon frère. C'est deux ans plus tard que j'ai émergé du canyon, les hurlements de ma mère semblant faire écho à mes élancements au bras.

Je songe à la voix de Ricky, à ses inflexions languissantes : « Quelque chose a dû se passer pendant que vous étiez dans ce canyon. »

La porte s'ouvre, laissant apparaître ma mère, au bras de l'infirmier. Aujourd'hui, elle porte ses lunettes. La monture, sévère, donne un aspect moins absent à son regard.

Je me dirige vers elle. Pour ne pas l'effrayer, je murmure doucement :

463

— Bonjour maman, c'est Lucy.

— Lucy.

Elle tend un bras et presse légèrement ma main. Puis, avec des gestes délicats, elle me serre dans ses bras. Je me soumets à cette manifestation de tendresse maternelle comme à un moment d'étrange douceur.

— Je vais y aller, dit l'infirmier. Il vaut mieux que je vous laisse toutes les deux.

Je l'entends fermer discrètement la porte derrière lui.

— Maman, je me suis rappelé une chanson que tu me chantais quand j'étais petite.

Elle attend. Paraît inquiète. J'espère que la comptine va me revenir. Je fouille cet étrange recoin de ma mémoire où se cache la musique. Quelques mesures inachevées se détachent. Je les fredonne. Un sourire illumine le visage de ma mère, ses yeux brillent. Puis, peu à peu, d'une voix incertaine au début, elle entonne l'air à son tour. Je ferme les yeux tandis que, serrant mes deux mains, elle chante d'une voix douce. Lorsque nous atteignons les dernières mesures, nous mimons avec les mains l'oiseau qui s'envole en échangeant un sourire ravi.

— Maman. Je veux te parler de mon bébé, te dire comment Stevie est mort. Ces derniers temps, j'ai commencé à en parler un peu mais c'est à toi que je veux raconter ça, parce que tu comprendras mieux que quiconque.

Nous nous dirigeons vers la fenêtre et nous installons sur les mêmes fauteuils que lors de ma dernière visite. Elle attend que je commence à parler, et toute son attention est concentrée sur ce que je vais dire. Un peu d'argile blanche est restée collée à ses cheveux. Elle en a aussi sous les ongles.

Je lui raconte comment Stevie passait son temps à pleurer.

— Je me consumais à chacun de ses hurlements. Son malheur était mon malheur. Son désespoir n'était autre que celui qui m'habitait. Je l'aimais tellement, c'est lui qui m'avait révélé ce que « aimer » veut dire, mais ses demandes, ses plaintes, ses pleurs faisaient de moi une autre femme et Dieu sait que cette autre femme a eu plus d'une fois envie de l'étouffer. Tout ce que je voulais, c'était qu'il arrête de pleurer. Quand il est mort, j'ai eu le sentiment que c'était inévitable. Je l'avais si souvent fait taire en pensée que tout devait être ma faute et je le savais.

Je sanglote à présent et ma mère tend les bras vers moi et serre mes doigts dans ses petites mains. Lorsque je lève les yeux, je vois qu'elle pleure aussi.

— C'était ma faute, souffle-t-elle.

Je la fixe. Scrute son visage, comme pour juger de son degré de discernement, de cohérence. Elle me rend mon regard. Ses larmes ne coulent plus en silence. Elles sont accompagnées par ce gémissement déchirant qui n'a cessé de me poursuivre en rêve :

— C'est ma faute, elle a recommencé! Elle a recommencé! Oh, mon Dieu, elle a recommencé!

— Qui a recommencé? Qui?

J'examine ma mère, ses yeux bleus, sa peau pâle, l'argile collée à ses cheveux. Elle serre fortement ma main sans me quitter des yeux, attendant que je trouve seule la réponse.

C'est deux ans et non deux semaines après la mort de Nicholas que nous sommes allés en Arizona. Jane et moi avons pénétré dans le canyon. Jane en est ressortie seule. Alors maman s'est mise à hurler. L'effroi lui a fait franchir le frêle garde-fou séparant le malheur de la psychose. C'est pourquoi, lorsque j'avais reparu, ils étaient tous figés à me regarder avec des yeux écarquillés. Mais pour maman, il était trop tard. Elle croyait que Jane avait recommencé.

— Jane, dis-je à voix basse, avant de répéter, d'une voix plus forte : Jane.

Le corps de maman se tord de désespoir.

— Jane..., dis-je. Jane a tué Nicky.

Les mots me viennent si facilement que je me demande comment ils ont pu rester coincés dans ma gorge, m'étouffer depuis l'âge de quatre ans.

38

Je m'assieds sur le banc, à côté du parking, celui où, les yeux rivés sur la vaste pelouse d'un vert presque artificiel, nous nous étions assis avec Sasha et les tantes. Les arroseurs automatiques donnent à la pelouse l'aspect d'un tableau régulier s'étendant jusqu'au mur de l'autre côté. Lorsque l'infirmier est entré et a vu maman pleurer sans pouvoir s'arrêter, il m'a dit qu'il était temps que je parte. Maman s'est agrippée à moi, puis a plaqué un petit baiser triste sur mon front. Je lui ai promis de revenir bientôt.

Le sweat-shirt de Scott est tellement grand que je peux relever mes genoux à l'intérieur et les entourer de mes bras. Mais la soudaine fraîcheur de l'air pénètre mes vêtements, et j'ai l'impression d'être nue. Portés par le vent, les nuages s'amoncellent. Au moment où ils cachent le soleil, je sens la température baisser d'un coup. Mais je m'en fiche. Je me fiche bien d'avoir froid. Je voudrais être frigorifiée jusqu'à en perdre connaissance. J'aimerais mieux que mon cerveau cesse de fonctionner, mais il s'obstine implacablement. Une vraie machine à fabriquer des pensées.

Le bébé mort était enveloppé dans une couverture, dans les bras de papa. Ma mère poussait des hurlements. Jane se tenait à leurs côtés, le visage livide. Pas l'ombre d'un remords. Ses doigts ne cessaient de s'agiter, comme dotés d'une vie à eux. Papa s'était dirigé vers la véranda. Il portait la petite masse sans vie, Nicky. Il descendait les marches pour l'enterrer. Dans le jardin encastré.

Rougemont m'avait affirmé, lorsque nous nous tenions juste à côté de la tombe, qu'il était facile de confondre la réalité avec ce qu'on nous en avait raconté après coup. Peut-être le chien Nickel n'a-t-il jamais existé? Ma mère et mon père ont décidé de ne jamais révéler à personne ce que Jane avait fait. Leur fille, si belle, si intelligente... Comment imaginer qu'elle ait pu tuer son frère? Et comment concevoir qu'elle puisse recommencer? Par inconscience et par amour, ils avaient, fatalement, protégé Jane.

Nicholas Schaffer, huit mois, a été entraîné vers le large par une vague monstrueuse hier, sur la plage de Big Brim. Le docteur Schaffer et sa femme sont actuellement interrogés par la police. L'inspecteur Rougemont s'est refusé à faire le moindre commentaire sur cette affaire.

C'était un secret. Peut-être Rougemont avait-il deviné la vérité, mais, en dehors de lui, personne ne connaissait les véritables circonstances de la mort de Nicky. À part Lindy Zacarro. Lorsque papa était sorti de la maison en portant le petit corps enveloppé dans une couverture, j'étais partie en courant. J'avais traversé le jardin comme une folle, passant devant la dépanneuse rutilante, m'engouffrant sous les arbres, trébuchant sur les orties et les buissons piquants jusqu'à atteindre enfin la cabane que nous avions bâtie sous les branches. Dedans, il y avait un tapis, quelques petits chevaux et Lindy.

Avec Lindy, il eût été difficile de maquiller les faits en inventant des histoires de chiens morts. Non, Lindy savait, et il me semble aujourd'hui que plus elle grandissait, plus l'envie de tout raconter la démangeait.

Je la revois, pelotonnée dans le coffre de la voiture, les cheveux blonds trempés de sueur, les ongles arrachés à force d'avoir griffé. Je me tortille pour échapper à cette pensée, mais voilà que ma mère émerge de la maison des Zacarro, marchant d'un pas plus décidé qu'à l'ordinaire et agitant ses doigts tels des oiseaux pris au piège. Sur son visage, une expression d'horreur.

Des visages rassemblés autour du berceau bleu, également frappés d'horreur. Le corps sans vie de Stevie. Les yeux de Jane dévorant son visage, ses doigts agités. Les yeux de papa, écarquillés, noyés de larmes, glissant lentement sur moi. Puis sur Jane, juste à côté de moi. Papa l'avait fixée droit dans les yeux. Il savait. Elle a recommencé. Elle a recommencé. Ses larmes, la manière dont il avait rugi : « La police! Qu'est-ce que la police vient faire là-dedans? »

Je pousse un gémissement.

La souffrance me coupe le souffle. L'envie de sentir le petit corps de Stevie se blottir contre moi me coupe le souffle. Mon corps ne suffit pas à contenir l'immensité de ma douleur. Mon hurlement semble déchirer telle une feuille l'étendue verte de la pelouse. J'entends quelqu'un répéter inlassablement le nom de Stevie, dans un gémissement puis dans un murmure. Cette personne, c'est moi. Je suis impuissante à la faire taire. Des larmes éternelles, une douleur infinie.

C'est ma faute. Elle a recommencé.

Je me lève d'un bond, comme si le banc était en flammes. Nul ne peut m'entendre hormis quelques personnes qui traversent le parking, et ce genre de comportement ne doit étonner personne ici, à Redbush. Un homme bien vêtu se dirige tout de même vers moi avec un air inquiet.

— Ça va? demande-t-il d'un ton mal assuré.

Je me précipite à ma voiture. Je démarre et avale la route, ignorant les limitations de vitesse, slalomant d'une file à l'autre, agaçant les chauffeurs de poids lourds et klaxonnant à tout va. Je fonce sur l'autoroute et traverse Lowis croyant apercevoir au passage d'improbables adolescents perchés sur leurs skate-boards. Dépassant des étals de fruits, des fermes, des chevaux tournant le dos au vent.

La galerie Marcello, la maison, les fleurs : tout paraît somnoler. Tout est calme, dans ce lieu protégé du vent. Les grands arbres ne tremblent pas. Je distingue, en haut de l'un d'eux, la forme sombre d'une cabane perchée. Papa construisait des cabanes dans les arbres, ici, avec Ricky. Lorsqu'il était ici, il pouvait rejeter la tête en arrière et rire, rire, rire... C'était son deuxième foyer, si différent de notre morne et étouffante maison à flanc de coteau. C'était sa demeure secrète, fraîche et verdoyante : une vraie demeure de contes de fées. Vouée à la destruction si elle était découverte.

Dans la grange, Martha est assise à son bureau. Je la vois lever les yeux de surprise en entendant le gravier crisser sous mes pneus. Je me gare juste devant, en travers de l'allée, et bondis hors du véhicule. Il y a une grosse mouche posée sur la porte de la grange. Elle est trop engourdie ou trop paresseuse pour bouger lorsque j'ouvre la porte toute grande.

Martha n'est pas contente de me voir. Elle se lève et pose les mains sur les hanches avec une lenteur délibérée, attendant visiblement une explication.

— Où est Ricky?

— Il est sorti.

— Où?

Elle commence à me faire un laïus, comme quoi papa ne souhaitait pas qu'on ait ce genre de rapports, mais je l'interromps.

— Il avait raison, Martha. Papa avait raison. Il faut prévenir Ricky.

Elle écarquille les yeux, mais son expression ne s'adoucit pas.

— Je crois qu'il est en danger. C'est ma faute. Je vous en prie, dites-moi où il est.

Elle scrute mon visage, puis pousse un soupir.

— Il a emmené Jordan à Tigertail Bay, lâche-t-elle enfin.

— À Tigertail?

— Pour voir les baleines. Une femme du nom de Joni quelque chose a appelé. Elle travaillait pour Éric.

— Joni? Joni Rimbaldi vous a appelés?

— Vous la connaissez?

— Elle a été la secrétaire de papa pendant des années.

— Ricky a reconnu son nom. Elle affirme qu'Éric lui a tout raconté sur nous. Apparemment, il lui a remis un genre de dossier avec le nom de Jordan écrit dessus.

Je revois Joni à l'enterrement de papa, redoutant que sa veste ne soit trop gaie, étonnée de sa propre audace. Joni Rimbaldi gardait-elle précieusement le secret de papa, tandis qu'elle me racontait tout cela?

— Elle a demandé à Ricky de passer chercher le dossier. Elle lui a proposé d'amener Jordan parce qu'elle habite du côté de Tigertail et qu'il y a des tas de baleines autour de la baie. Elle leur a donné rendez-vous sur un parking, afin qu'ils puissent les voir.

Mon cœur bondit dans ma poitrine.

— Papa vous a dit qu'il avait mis Joni au courant? Il vous l'a dit ou pas?

Le haut plafond de la grange me renvoie mes paroles en écho. Mais avant même qu'elles aient cessé de résonner à mes oreilles, je me rappelle ma conversation avec Joni : elle est dans le Maine, pas à Tigertail Bay. Il n'y a pas de baleines.

Je néglige sans doute de dire au revoir ou merci à Martha. Peut-être que je lui crie tout de même ces mots mécaniquement, en sortant, parce qu'on m'a élevée comme ça. Quelques secondes plus tard, je suis au volant de ma voiture, à remonter Cooper Road en marche arrière. Puis me revoilà sur la route, haletante et obstinée comme une coureuse de fond. Derrière moi, cette fois encore, des visages furieux, des gestes de colère, des coups de klaxon...

La route me semble interminable jusqu'à Tigertail. Tandis que je fonce sur la route en zigzag en direction de la côte, je ressens l'épuisement mêlé de soulagement du chasseur approchant de sa proie. Je distingue les rochers de la baie bien longtemps avant d'apercevoir l'océan. Puis le Pacifique apparaît soudain, comme si sa paupière venait de se lever, révélant le bleu glacé de son œil.

Je parcours les parkings qui longent la côte, cherchant des yeux la dépanneuse, la voiture bleue pansée de blanc, où n'importe quel autre véhicule dans lequel se trouveraient Ricky et Jordan. Il y en a peu, aujourd'hui, et la plupart sont garés de manière que leurs passagers puissent contempler la vue sans avoir à sortir et à affronter le vent. Je vois deux camionnettes, mais pas de dépanneuse. Sur l'une des aires, je remarque un vendeur de glaces solitaire. Je m'arrête juste devant lui et baisse la vitre :

— Vous n'avez pas vu une dépanneuse ?

Il hoche la tête.

— J'ai vu passer un vieux modèle, il y a un petit moment. Une demi-heure, peut-être.

— Elle allait dans quelle direction ?

Il ne se souvient pas, il change deux fois d'avis. Je le remercie et poursuis ma quête. Une fois que j'ai traversé la petite ville et qu'il n'y a plus que des parkings sauvages et déserts, je fais demi-tour et les passe à nouveau tous en revue. Pas de Ricky. Pas de Jordan. Pas de dépanneuse.

Découragée, je me gare face à la mer. Il n'y a pas de baleines, mais de cela j'étais déjà certaine. J'observe les flots agités se briser sur les rochers en répandant dans l'air une pluie fine qui se met soudain à scintiller quand le soleil émerge de derrière les nuages, sa couleur s'intensifiant dans l'ombre, tel un secret.

Aucune beauté dans le spectacle qui s'offre à moi. L'océan versatile n'est qu'une immense et vaine dépense d'énergie sans but. Et j'ai le sentiment que ma vie pourrait être définie dans les mêmes termes. À force de regarder l'océan lutter interminablement contre les rochers, je sens la fatigue m'envahir. Les yeux me piquent. Je sais exactement où je dois aller et ce que je dois faire. Mais toute énergie, toute volonté de vivre semble m'avoir abandonnée.

Alors que je m'éloigne, le fracas d'une énorme vague m'arrête. Jetant un coup d'œil par-dessus mon épaule, j'entrevois une silhouette qui, dans ce décor monumental, a la taille d'une allumette. Ce pourrait être Rougemont. La silhouette se glisse derrière un rocher. Je n'attends pas de la voir reparaître.

39

Lorsque j'atteins la maison de papa, le soleil s'enfonce lentement derrière la colline, comme papa s'enfonçait dans son fauteuil préféré à la fin d'une longue journée. Déjà, la nuit densifie l'air. Les grillons commencent à entonner leur litanie.

La grande porte de la grange s'ouvre avec un grincement. J'attends que mes yeux s'habituent à la pénombre puis donne une chiquenaude sur le vieil interrupteur de métal. Évitant les lampes des géologues, je choisis une pioche, une pelle et une barre à mine. Chargée de tous ces outils, j'emprunte les chemins sinueux qui mènent au jardin encastré.

Je m'accroupis au centre du jardin afin d'examiner les pierres qu'il me faut dégager. D'abord la stèle de papa, que je déplace peu à peu en la faisant tourner sur sa tranche. N'oubliez pas la mort. Viennent ensuite les grosses pierres qui sont au-dessous. Elles ont beau avoir été plantées dans la terre et non dans le béton, elles sont là depuis si longtemps que le sol desséché suit parfaitement le contour de chacune. Avec la pioche, je m'attaque aux interstices. Je suis bientôt ruisselante de sueur. J'enlève le sweat-shirt de Scott et creuse plus profondément jusqu'à ce que la pioche enfonce enfin sa dure pointe de métal sous la plus grosse des pierres. Peu à peu, j'extrais toutes ces pierres du lit où papa les a couchées il y a tant d'années. Elles offrent peu de résistance aux coups de pioche et laissent une parfaite petite empreinte, témoignant du temps qu'elles ont passé dans la terre. Lorsque je les soulève, elles apparaissent lisses et presque uniformément rondes. J'aime sentir leur poids. Les plus petites d'entre elles tiennent juste dans mes deux mains en creux. Je les empile sous un eucalyptus au pied duquel pourrissent de longues et fines lamelles d'écorce. Le bruit sourd des pierres s'entrechoquant me plaît.

Je commence à creuser la première couche de terre, sablonneuse et friable. L'effort physique me fait du bien. La régularité de mes coups de pelle, la bonne grâce avec laquelle la terre s'y soumet, la tension de mes bras lorsqu'ils soulèvent le poids, tout cela me rend insensible à la peur que je devrais éprouver à l'idée de ce que je vais découvrir.

Sous la couche de terre meuble, le sol est pierreux. Je me redresse et sens sur mon corps échauffé la fraîcheur du vent. Je lève la pioche au-dessus de ma tête, jusqu'à trouver l'équilibre parfait, jusqu'à avoir l'impression que l'outil est une extension de moi-même. En plongeant vers l'avant, je fais glisser ma paume sur le manche. La pointe de la pioche s'enfonce profondément dans la couche coriace constituée de terre et de petites pierres. Je l'extirpe, et la terre cailllouteuse est amollie.

Je continue jusqu'à ce que la pioche rencontre une pierre dure. Non seulement la pierre en question ne se casse pas, mais le son du métal venant frapper la roche a quelque chose d'impérieux et les étincelles qui jaillissent me font froid dans le dos. Je déblaye la terre amollie. De temps à autre, je fais une pause, m'appuyant sur le manche, mais le vent, qui fraîchit si vite maintenant que le soleil a disparu, me pousse aussitôt à reprendre ma tâche.

Je saute dans le trou pour dégager davantage de terre, ainsi que des morceaux de bois pourris. Je les ai presque tous retirés du sol lorsque je réalise que la présence du bois indique que je suis sur le point de trouver. Papa a dû protéger le corps d'une manière ou d'une autre, l'avoir mis dans une espèce de caisse. « Cercueil » devrait être le mot juste, mais la terminologie classique ne saurait s'appliquer à un tel enterrement.

Je distingue alors un bruit de moteur, et les phares d'une voiture progressent lentement sur le chemin de terre. Je me tapis, immobile et silencieuse, jusqu'à ce que la voiture soit passée. Les feux arrière éclairent la poussière soulevée par ses pneus, lui donnant une effrayante teinte rouge.

Je manie la pioche avec plus de délicatesse, me servant autant de mes mains que de la pelle pour racler le fond du trou. J'y vois relativement clair dans cette lumière nacrée, et j'identifie du bout des doigts et du regard ce qui me tombe sous la main. Mes ongles sont déjà noirs de terre. Au bout d'un moment, les morceaux de bois se font plus nombreux. La pelle heurte quelque chose de dur et émet un son différent.

Je scrute le trou sombre et m'accroupis afin d'examiner l'objet tacheté. On dirait de la vieille porcelaine souillée et je me mets à espérer vainement que ce soit une poupée ou un petit bol, mais je sais, à sa rondeur caractéristique, qu'il s'agit d'un crâne et cette certitude si fulgurante est plus instinctive que réfléchie.

Sans toucher ma découverte, je retire la terre qui se trouve tout autour, dont la consistance sous mes doigts révèle une fluidité inattendue. Je saisis la pelle. Creuse. Mes gestes rapides et irréguliers sont ponctués par mon souffle haletant et par les battements de mon cœur. Une sensation de nausée me soulève l'estomac et se diffuse dans tout mon corps. Je sue à grosses gouttes. Après avoir dégagé la moitié du squelette, je m'arrête pour le regarder dans la faible lumière du soir.

Les ossements ne sont pas ceux d'un chien, car il n'y a jamais eu de chien. Ce sont ceux d'un tout petit enfant. Il gît là, en parfait état de conservation. Je sais que le squelette humain est un mécanisme complexe mais, dans la mort, il n'apparaît pas ainsi. Il a la même simplicité, la même évidence que le lointain contour des arbres sur la ligne d'horizon.

Pendant un moment, je fais comme si ce n'était pas mon frère, mais un squelette très ancien. Le jardin encastré a été creusé sur l'emplacement d'un cimetière préhistorique. Il va falloir que je fasse part de ma trouvaille à l'université, qui nous enverra alors des équipes d'archéologues. Ils diviseront le jardin en petites parcelles et fouilleront la terre pendant tout l'été, le chaud et interminable été. Ils étiquetteront scrupuleusement leurs découvertes. Chaque os sera numéroté. L'enfant mort sera déshumanisé. Le temps et l'aspect scientifique des recherches permettront de si bien relativiser ses souffrances et celles de ses proches que je pourrai me tenir au-dessus du squelette et échanger mes impressions avec un archéologue sur un ton dépourvu de toute émotion.

Ce sont mes sanglots qui balayent l'image de l'archéologue. J'en ressens la violence mais ne les entends pas. Le manche de la pelle est baigné de mes larmes tandis que je dégage la terre restante afin de voir le squelette dans sa totalité. Puis je plonge un bras dans la fosse et époussette les ossements pour en retirer la terre incrustée avec le même soin que je rabattrais la couverture d'un bébé. Je me penche sur le squelette, si petit que même à présent je voudrais croire qu'il s'agit d'une carcasse d'agneau.

Une minuscule cage thoracique, des pieds menus, des mains légèrement repliées, les jointures des doigts collées par la terre. Un petit garçon, un petit bébé mort. Je détourne le visage devant la tête sans yeux, la bouche ouverte laissant paraître deux toutes petites dents.

Je me relève péniblement. De la terre macule mes habits, tel du sang. Elle me colle aux jambes, décolore mes chaussures. À un moment, la pelle a rebondi sur un caillou et m'a heurté le tibia. La blessure — que je commence tout juste à sentir — a laissé sur ma jambe un filet de sang séché. Je prends conscience du poids de mes membres épuisés. Je m'efforce de retrouver l'image rassurante des archéologues de l'université, avec leurs jeans et leurs blocs-notes. En vain. Car je sais trop bien que l'enfant qui a été couché dans sa tombe de mon vivant par mon propre père n'est autre que mon frère. C'est Nicky, mais ce pourrait tout aussi bien être mon Stevie, ou ce bébé russe mort lorsque sa famille s'est exilée après l'avoir abandonné.

Parfaitement immobile dans l'obscurité, j'écoute le bruissement des petits animaux et des insectes, le frémissement des feuilles et, enfin, le cri aigu des grillons. Mon cou me fait mal. Je renverse la tête en arrière jusqu'à ce que mon menton pointe vers le ciel. La nuit est claire. Un manteau d'étoiles se déploie à l'infini. Certaines sont plus grosses et plus brillantes que les autres, mais pas forcément plus proches. Les lois de la perspective sont réduites à néant par l'immensité de l'espace.

Je m'assieds au bord du jardin encastré et écoute s'approcher la voiture. Je l'entends tourner dans l'allée, se garer devant la grange. Rien ne m'étonne plus, rien ne m'effraie plus. J'attends calmement dans l'obscurité. Le claquement de la portière. De la porte d'entrée. De la porte grillagée. Silence. À nouveau la porte grillagée. Silence. Enfin, des bruits de pas.

Je suis un papillon empalé sur un morceau de papier par l'impitoyable faisceau de la lampe torche de Jane. Il est d'abord braqué sur moi, puis sur le tas de pierres, puis à l'intérieur du trou, et s'immobilise sur le minuscule squelette, semblable à celui d'un oiseau.

Sa voix est étrange. Froide.

— Luce. Oh, Luce.

Son ton en dit long. Tristesse. Déception.

— C'était inévitable, dis-je. Depuis la mort de papa. Tout ce qui est arrivé, c'est comme ces petits soldats de plomb avec lesquels on jouait... on les met en rang et quand on en pousse un, ils tombent tous.

— On n'a jamais eu de petits soldats.

— Alors ça devait être quelqu'un d'autre.

La lampe torche est à nouveau dirigée sur moi. Je grelotte. Je voudrais que Jane se montre.

— O.K., Luce. C'est le moment de partir.

Je me lève, m'avance vers Jane. Sale et grelottante, avec des taches de sang sur la jambe.

Nous nous frayons un chemin sur les sentiers étroits, jusqu'à l'allée. Une fois là, Jane, au lieu de tourner vers la maison, m'entraîne en direction du chemin de terre.

— Où est-ce qu'on va ? Jane ?

J'ai demandé ça sur le ton le plus naturel qui soit. La réponse ne m'intéresse guère.

— On va nager.

— C'est chouette.

— Chez Joe Zacarro.

— Je suis un peu sale pour me baigner dans sa piscine.

Mais Jane me rassure :

— Le chlore est fait pour ça, Luce.

Les efforts pour déterrer le bébé m'ont ôté toute force. Dans l'allée des Zacarro, je dois prendre appui sur Jane pour ne pas trébucher. Lorsque je chancelle un peu, ma jambe frôle le feuillage d'une plante, qui libère cette odeur écœurante : l'odeur de la mélancolie.

— Eh bien, dit Jane, ça sent fort.

Elle me fait franchir la grille du jardin. La piscine ressemble à un rectangle noir d'obsidienne polie.

Elle me fait asseoir au bord de l'eau et me montre quelque chose. Une petite boîte noire.

— Ça va, Luce ? demande-t-elle d'une voix douce.

— Oui. Merci, Jane.

— J'espère que ça ne va pas être trop douloureux. La notice n'était pas très claire à ce sujet.

— C'est mon tour, alors.

— Ça a déjà souvent été ton tour, mais tu t'en es tirée chaque fois.

— Oui, quand tu m'as poussée dans le canyon, je me suis simplement cassé un bras. Et dans la piscine, maman a plongé pour me secourir.

— Il y a eu d'autres fois encore. Mais, après la disparition de Nicky, maman veillait au grain. Elle ne te quittait plus d'une semelle.

478

Jane soupire et je sens sa tristesse.

— Les choses n'ont pas été faciles pour moi, Luce. À aucun moment. Tu le sais déjà : je suis une personne à part.

— Oh oui. Dans mon cœur, tu as toujours eu une place à part.

— Maman et papa le savaient. Ils comprenaient. Ils me traitaient comme un objet fragile, se donnaient beaucoup de peine pour m'encourager, m'offrir le cadre le plus adapté à mon épanouissement. Et puis tu es arrivée et tout a changé. Ils étaient complètement entichés de toi.

Le visage de Jane se tord en une grimace de dégoût. Je ne lui ai jamais vu une telle expression.

— Ensuite il y a eu Nicky. Là, c'était trop. Quand il a su se tenir assis et s'est mis à attraper tout ce qui traînait et à émettre des sons qui se transformeraient un jour en mots, je me suis dit qu'il était temps d'arrêter ça. Je n'ai jamais eu l'occasion de regretter. La seule chose que je regrette, c'est ce que j'ai découvert aujourd'hui. Pendant tout ce temps, il y en avait un autre. Papa m'avait trahie. Il faisait des escapades et vénérait un autre bébé en secret, et aujourd'hui le bébé a grandi et il a lui-même un bébé. Dommage que je n'aie pas pu m'en occuper aujourd'hui.

— Tu t'es fait passer pour Joni Rimbaldi, dis-je d'une voix neutre. Mais quand tu es arrivée à Tigertail Bay, tu as dû renoncer.

— Il y avait des policiers sur les parkings. Ils ne portaient pas d'uniforme, mais on les reconnaît. Ce sera pour une autre fois, ajoute-t-elle avec un haussement d'épaules.

Je grelotte.

— Tu as froid, Luce? s'enquiert-elle d'un ton soucieux en me dévisageant.

— Juste un peu.

— Je m'en occupe.

Elle se penche et ramasse la boîte.

— Lindy Zacarro savait, pour Nicky.

Jane sourit.

— Elle n'était pas bien maligne. Je veux dire... ça a été tellement facile de lui montrer cette super-cachette.

Je tremble à présent. Mes dents claquent.

— Jane... J'aurais voulu que tu ne fasses pas de mal à Stevie.

— Oh, mais je ne lui ai pas fait mal. Je l'ai juste aidé à partir. Il n'a pas souffert. Il s'est à peine débattu.

— Et papa, il s'est débattu?

— Non, il se doutait plus ou moins de ce qui allait arriver et, d'une certaine manière, il l'acceptait. Je l'avais prévenu qu'il passait trop de temps avec ces vieux bonshommes ridicules...

— Joe Zacarro et M. Holler?

— Il passait trop de temps à discuter avec eux. Je m'inquiétais de ce qu'il risquait de leur raconter. Quand les gens vieillissent et que la sénilité menace, ils contrôlent aussi peu leurs paroles que leur vessie. J'ai prévenu papa et il ne m'a pas écoutée, mais il n'a pas été surpris le jour où je lui ai annoncé qu'il était temps pour lui de partir. Il ne s'est pas débattu. Comme toi. Peut-être savait-il à quel point ce serait agréable. J'espère que ce sera agréable pour toi, Luce.

Elle me touche le cou avec la boîte et une douleur intense gagne brusquement tout mon corps, comme si j'avais été frappée par la foudre. Une douleur anéantissant les pensées, paralysant les gestes. Des étincelles surgissent devant mes yeux, du feu me coule des doigts, mon visage se craquelle sous l'effet de l'explosion intérieure. Je tombe à la renverse, mais Jane me rattrape avant que ma tête ne heurte les dalles.

— Surtout pas de bleus, souffle-t-elle en me couchant sur le bord de la piscine.

Je ne peux pas bouger. Ni parler. Je vois Jane à travers un réseau d'étincelles. Lorsque les feux d'artifice perdent en intensité, le visage de Jane a changé. C'est un tout autre visage. Plus mince, ses yeux brillent d'un éclat surnaturel, sa bouche est déformée.

— J'ai essayé de te rendre la vie plus agréable. Je me suis efforcée de veiller sur toi. Tu n'es pas une personne forte. Tu es ordinaire et je sais à quel point tu en as souffert. Je vais te libérer. Oui, te libérer de toutes ces choses qui t'inquiètent, qui te donnent des cauchemars et te collent des sueurs froides quand tu ouvres l'œil le matin, avant même d'avoir eu le temps de leur accorder une pensée. Ces contrats, à New York, dont tu veux croire qu'ils sont si importants. Tous ces mots blessants et désagréables. Les rejets. Les déceptions. Le fait de désirer à tout prix des choses que tu n'auras jamais. Ta folle de mère, qui passe son temps à grogner et à pousser des hurlements. Les reproches de Scott. Les rebuffades de Larry. Les Russes collants comme la glu. Et cette tristesse, Luce, toutes ces pertes, et Dieu sait qu'il y en a eu. Depuis l'enfance, notre vie n'a consisté qu'en ça, non ? En une série de coups, de souffrances, de pertes... Grâce à moi, tout cela a été épargné à Stevie. Je suis sûre qu'au fond de toi, Luce, tu m'en es reconnaissante. Tu as déjà enduré ça, et tu ne voulais pas avoir à souffrir de le voir passer par là à son tour. Toutes les choses auxquelles tu accordais tant d'importance, je vais t'en libérer à présent. Ça va te faire le plus grand bien.

Au-dessus de nous, je vois les étoiles. Leur durée de vie dépasse tout ce que je peux imaginer. En comparaison, la mienne est insignifiante, indigne d'être mesurée.

— Je serai vraiment triste quand tu ne seras plus là, comme j'ai été triste quand papa est parti, de même que Stevie et Nicky. Mais je tiens à ce que tu saches une chose, Luce : de vous tous, c'est toi que j'aime le plus.

481

Je voudrais la remercier, mais ma bouche refuse de s'ouvrir, et mon corps est déjà en train de fendre l'air. Elle l'a projeté avec une telle force que je sens mes bras et mes jambes se disperser comme ceux d'une poupée. J'entends un terrible plouf, des bulles d'air fusent en direction des étoiles et je m'enfonce dans l'eau froide. Je coule, touche le fond, avale de l'eau par le nez et par la bouche et me prépare à faire l'expérience de la mort.

Je revois Scott à Needle Bay, les mains enfoncées dans les poches de son jean, les épaules voûtées, fixant la mer d'un air mélancolique. La brusque apparition du premier sourire sans dents sur l'adorable visage de Stevie. Sasha, se versant un whisky, secoué par ses ridicules gloussements alors qu'il parle de ses collègues. Tante Zina, tournant le poignet à droite et à gauche tandis que la pâte à blini se répand sur la poêle brûlante. Papa, s'extirpant de sous le tracteur, le visage concentré et les mains pleines d'huile. Jane pleurant sur la terrasse, ses yeux faisant dans la nuit deux points brillants. Larry, mangeant un biscuit au beurre de cacahuète en désignant sa bedaine avec un air navré. Ricky attirant le petit Jordan contre lui au moment où il me parlait de papa. Ma mère, m'enveloppant tendrement de ses bras. Je ressens une terrible sensation de perte, si terrible que c'est déjà un deuil, puis l'eau est partout, au-dedans et au-dehors de moi, et je commence à sombrer dans l'inconscience. Certes, c'est triste de partir, mais mon corps se laisse à présent aller à un état de décontraction très agréable et quasi surnaturel : la vie ne m'est pas arrachée, je la donne volontiers, et avec joie. Jane a raison : la mort est douce.

40

Allongée sur un divan, emmitouflée dans une sorte de pei-
gnoir et recouverte d'une couverture rêche qui me picote les
jambes, je ne bouge pas. N'ouvre pas les yeux. J'écoute les voix.
On murmure près de moi, mais au-dehors des voix plus fortes
se font entendre, pour la plupart masculines, qui s'interpellent
de temps à autre. Quelque part, une femme semble parler une
autre langue, dans un grésillement de radio.

J'ouvre les yeux, pour laisser passer un rai de lumière. Les
couleurs changent constamment, comme dans une vitrine de
Noël. Rouge, bleu, blanc. Une fois, je ne sais plus quand, j'ai
vu la maison de papa ainsi illuminée : il y avait du rouge, du
bleu et puis du blanc et ce n'était pas joli du tout, c'était
effrayant et désagréable.

J'entrouvre davantage les yeux et vois Lindy Zacarro. Un instant, je me demande si je ne suis pas vraiment morte après tout.
Mais son visage est entouré d'un cadre, et elle monte un cheval
rouge, bleu, puis blanc. Je suis donc toujours chez Joe, et l'une
des grosses voix qui me parviennent du dehors est peut-être la
sienne.

— Lucy, annonce quelqu'un sur un ton neutre. Lucy, tu
ouvres les yeux.

Adam Holler. Je reconnais sa façon de parler, dépourvue de
toute passion. Il est invisible. Si je bougeais la tête, je le verrais
sans doute, mais je n'ai pas envie de bouger.

— Merci, monsieur Holler. J'aimerais lui parler, à présent,
si elle est consciente, dit quelqu'un d'autre.

Cette femme, jeune, parle d'une voix calme car elle a passé
des années à en bannir toute émotion, telle une joueuse de
poker. Je n'ai pas de joueurs de poker dans mes relations, mais

je n'en reconnais pas moins cette voix. Sans pouvoir mettre un prénom dessus.

— C'est Kirsty.

Elle vient se placer dans mon champ de vision, se penche sur moi et, de ses yeux marron, scrute mon regard.

Les lumières ne proviennent donc pas d'une guirlande de Noël, mais d'une voiture de police. Elle doit être garée sur la route, juste devant le salon de Joe.

— Les secouristes sont quasiment sûrs que vous n'avez pas besoin d'être hospitalisée. Ils attendent juste qu'un docteur vienne confirmer leur diagnostic.

Je la fixe sans la moindre curiosité.

— Vous savez ce qui s'est passé? demande-t-elle.

Je cligne des yeux.

— Vous comprenez ce qui vous est arrivé? insiste-t-elle, d'une voix un peu plus forte.

Elle a l'air fatigué. Ses cheveux sont tout ébouriffés.

Je n'ai pas tellement envie de parler, mais Jane m'a appris à être polie, et je fais donc un énorme effort. Ce n'est pas chose aisée. On a maltraité mes poumons et lacéré ma gorge. J'émets un étrange son étranglé.

— O.K., dit-elle, j'imagine que ça ne doit pas être facile.

Je réessaie. Je tente de la prévenir que Jane ne va pas tarder à arriver, mais mes paroles ressemblent au braiment d'un âne. Elle fronce les sourcils, perplexe. Je fais une dernière tentative; cette fois, les bruits bizarres qui sortent de ma gorge parviennent à former des mots. Elle lève les yeux et je devine qu'elle regarde quelqu'un. Adam Holler? Ou bien y a-t-il une troisième personne dans la pièce, qui garde le silence?

— J'imagine que vous ne vous rappelez plus pourquoi vous êtes ici? soupire-t-elle d'une voix triste.

— Bien sûr que si.

Elle attend, tandis que j'articule, dans un croassement :

— C'était mon tour de mourir. Jane m'aidait à le faire.

Elle jette un nouveau coup d'œil à la personne silencieuse.

— Nicky, Lindy Zacarro, mon Stevie, papa... il fallait bien que mon tour arrive.

— Vous saviez? lance une autre voix, nasillarde, reconnaissable entre mille. Tout du long, vous saviez, pour votre sœur, et vous avez gardé ça pour vous?

— Non, monsieur Rougemont.

Je voudrais qu'il s'approche, pour que je puisse le voir. Je n'ai jamais trop aimé le regarder, mais j'ai soudain envie de le voir. Devinant mon souhait, il vient se placer dans mon champ de vision et je ressens un brusque élan de tendresse pour cette ombre d'homme, avec son nez immense et sa large bouche un peu tordue.

— J'ai fini par comprendre, trop tard. Et alors je me suis rendu compte que j'avais toujours su.

— Je crois que je l'ai toujours su moi aussi, dit-il tristement. Mais il n'y avait pas moyen de faire quoi que ce soit. À part la tenir à l'œil et attendre qu'elle recommence.

— Où est Jane?

Je me fais tout à coup du souci pour elle.

— Ils l'ont emmenée, Lucy, répond Rougemont d'une voix lasse.

Je n'aime pas le ton sur lequel il dit cela. L'air définitif de ses paroles.

— Ils l'ont emmenée où, monsieur Rougemont? C'est une personne à part...

Ses yeux gris me scrutent, mais il reste silencieux. Une voix s'élève à la porte. Kirsty s'esquive et Rougemont se redresse avec effort. On chuchote, dans une autre partie de la pièce. J'entends des voitures faire marche arrière et tourner dans

485

l'allée. Les lumières colorées disparaissent brusquement. Des cris. La voix de la femme parlant dans la radio. D'autres voix. Fortes, féminines, excitées et très accentuées. Mes tantes russes s'adressant toutes les deux en même temps à un policier, en se chamaillant. Sasha et Scott les accompagnent et si leur ton paraît raisonnable, il est tout aussi insistant. Joe Zacarro hurle : « C'est ma maison, sacré nom d'un chien ! Et c'est ma piscine ! Je me suis vraiment montré coopératif, les gars, Adam et moi on vous a aidés à surveiller toute cette fichue rue, et je n'ai même pas le droit de rentrer chez moi et d'aller prendre une bière dans mon fichu frigo. Enfin... je vais juste passer la tête et lui faire un petit coucou, rien de plus. » Sa voix se noie dans le crescendo des tantes.

Je souris et ferme les yeux. C'est comme si l'on venait de m'ajouter une couverture.

Lorsque je rouvre les yeux, Adam Holler se tient près de moi. Il se penche autant que le lui permet son dos. Il ne porte pas ses lunettes noires. Fixe sur moi ses yeux délavés.

— Lucy, murmure-t-il.

Il y a dans sa voix quelque chose de pressant, l'expression d'une souffrance...

— Lucy... Tu peux me dire ce que ça fait ?

— Quoi ?

— Mourir ? Ça t'a fait quoi ?

— Je suis morte ?

— Bien sûr. Joe et le policier t'ont ranimée, tu ne te souviens pas ? Tu étais morte, Lucy. Les policiers sont tout de suite venus te repêcher, mais Jane s'est mise à courir et elle était si rapide et si forte qu'il leur a fallu un moment pour la rattraper, puis pour la maîtriser. Ça leur a donc pris plus longtemps que prévu de te sortir de l'eau. Tu as dû être morte pendant une minute. Ça fait quoi ? Tu peux me dire ?

Je soupire.

Sa peau livide rosit légèrement.

— Lucy, reprend-il, tu te souviens de Jim Bob?

Le prénom semble surgir de lui. Ce prénom qui occupe ses pensées depuis tant d'années sans qu'il ait peut-être jamais osé le prononcer.

— Bien sûr.

L'erreur fatale d'Adam Holler paraît désormais doublement terrible. Chez son voisin aussi, un enfant est mort de mort non naturelle. Or la mort de Jim Bob n'a pas été causée par Jane mais par quelqu'un qui l'aimait et qui, depuis, n'a pas cessé un seul jour de souffrir.

— Oh, monsieur Holler, vous voulez savoir ce qu'il a ressenti quand il est mort, c'est ça?

Je vois des petits points lumineux au coin de ses yeux, et il me faut un moment pour réaliser que ce sont des larmes.

— Vous pouvez avoir l'esprit en paix, dis-je avec un tel enthousiasme que je me redresse presque. Ne vous torturez plus. Jim Bob n'a pas souffert. Même pas un petit peu.

Je l'entends s'éloigner d'un pas traînant.

Puis, une voix que je ne reconnais pas me souffle à l'oreille :

— Bravo, Lucy. Tu as été terrible!

Je bouge avec difficulté pour voir à qui elle appartient.

— Salut sœurette! continue Ricky Marcello. Je me suis faufilé dans la maison par la cuisine.

— Tu es vraiment doué pour ça!

— Tradition de famille!

Il me fait un grand sourire.

— Qu'est-ce que tu fais là? Tu as aidé la police? Tu as travaillé avec eux?

Tigertail Bay. Le fracas d'une vague, Rougemont entrevu sur la falaise.

487

— Juste aujourd'hui. On était nombreux à être venus voir les baleines.

Son visage s'allonge.

— Peut-être trop, parce qu'elle a immédiatement reculé. Avant ça, je croyais être seul sur le coup. Je croyais être le seul à m'inquiéter pour toi.

La voiture bleue de Ricky, filant sur l'autoroute à la tombée de la nuit, stationnant devant chez Jane.

— Tu ne me connaissais même pas.

— Faux.

— Tu me détestais.

— Encore faux. Et puis...

Ricky me gratifie de son sourire asymétrique. À cet instant, il ressemble de façon troublante à papa.

— ... papa t'aimait. Je savais donc que je devais veiller sur toi.

— Tu veillais sur moi ?

— Écoute, tu es quand même ma fichue sœur !

La porte s'ouvre, ce qui a pour effet d'intensifier les voix du dehors.

— Je m'en vais, je m'en vais, dit Ricky. Je ne faisais que passer.

La porte est refermée, et quelqu'un s'exclame.

— Nom de Dieu, qui sont tous ces gens ? Des journalistes ?

— De la famille.

— Eh bien... ils sont décidés à entrer, en tout cas.

Il se présente. Dit qu'il est docteur et me demande le nom du président des États-Unis.

Je me surprends à éclater de rire. Un rire étrange. Limpide, cristallin. Je me demande quand j'ai ri pour la dernière fois. Avec Sasha, peut-être, ou Scott. Je nomme le président des États-Unis et dis au docteur :

— Ma pensée est cohérente. Sans doute plus cohérente que d'habitude.

Une fois de retour chez tante Zina, je dors beaucoup. Je suis stupéfaite par ma capacité à m'endormir dès que je me sens fatiguée, parfois juste après m'être éveillée ou même quand tante Zina est en train de me parler. Mon sommeil est sans nuages.

— Qu'est-ce qui m'arrive ?

J'arbore un ton ahuri chaque fois que je me réveille sur un des fauteuils de tante Zina et la vois près de moi, le nez dans son Pouchkine, la bouche remuant légèrement tandis qu'elle mémorise un poème.

— Tu récupères le sommeil perdu. Pas le sommeil de quelques jours ou de quelques semaines, mais le sommeil d'années entières, réplique-t-elle avec sagesse.

Je suis en mesure de conduire, mais la plupart du temps Scott me sert de chauffeur. Je sais que Brigitte est rentrée et je m'attends qu'il m'annonce, d'un jour à l'autre, qu'il a des choses à faire et ne pourra pas venir. Au lieu de ça, il passe tout le temps me voir et m'observe d'un air soucieux.

À deux reprises, nous rendons visite à Ricky, à San Strana. Assis sur la véranda, nous buvons des bières et tentons de rattraper toutes les années perdues. Il nous arrive de jouer avec le bébé. Scott apprécie Ricky et lui achète son tableau représentant la vallée vue depuis la maison de papa.

J'observe attentivement le tableau puis décide :

— C'est bon. Je suis prête à y retourner.

Nous grimpons les marches de la véranda, ouvrons la porte. Je reste un moment sur le seuil, à renifler l'odeur des lieux, l'odeur de papa. Puis j'entre.

À l'intérieur, il fait chaud. Bien que la vague de chaleur soit passée, la maison en garde la trace.

— Qu'est-ce que tu vas faire de ça? demande Scott en désignant le bric-à-brac entassé tout autour de nous.

Larry et Jane ont tout mis sens dessus dessous, mais rien n'a encore été déblayé.

— Je vais m'en charger. Je vais le vider. Ensuite, je vendrai la maison.

— Je croyais que ça t'avait choquée, que Larry et Jane le fassent aussitôt après la mort d'Éric. Et j'avais le sentiment très net que tu ne voulais pas y contribuer.

— J'ai changé d'avis. Maintenant, je veux m'en occuper moi-même. Je vais revenir m'installer en Californie et m'en charger.

Il me regarde fixement.

— Tu vas vraiment revenir? C'est ce que tu as décidé?

— J'ai fini de fuir, Scott.

Nous organisons une petite cérémonie pour Nicky. Ses restes sont enterrés à côté de Stevie. Joe Zacarro et Adam Holler ont demandé à venir et, se soutenant l'un l'autre, ils pleurent à chaudes larmes. Je comprends, devant la tombe de ce bébé à peine entrevu et mort depuis si longtemps, que ce sont leurs propres enfants qu'ils pleurent. Comme Scott et moi pleurons Stevie. Tout le monde a quelqu'un à pleurer. Seule maman pleure vraiment Nicky. Les yeux rivés sur le cercueil, nous nous tenons par le bras, soudés dans notre chagrin.

— Tu crois qu'elle comprend? me demande Sasha calmement tandis que nous quittons le cimetière d'un pas lent.

490

— Elle ne comprend que trop bien les choses, et les ressent profondément, dis-je.

Nous reconduisons maman à Redbush. Une fois que nous l'avons remise entre les mains de son infirmier, Sasha et moi, hésitants, errons un moment sur le parking. Malgré la pluie, les arroseurs automatiques sont en activité. Sans soleil, ils ne scintillent pas.

— Alors ? demande-t-il. Tu n'as pas changé d'avis ?

— Non, Sasha.

Jane est elle aussi internée à Redbush. Larry a pu négocier, contre le paiement de la caution, qu'elle soit enfermée dans la section sous haute surveillance.

— La revoir ne sera pas une fête, Larry nous a prévenus, dit Sasha.

Larry paraît vieux et fatigué depuis l'arrestation de Jane, et il vient d'annoncer qu'il prenait sa retraite.

J'insiste :

— Il faut que j'y aille, elle est toute seule.

— Scott a refusé de la voir et il a bien raison. Elle a tué son fils, elle ne mérite pas sa pitié.

— Personne ne pourra jamais lui pardonner ça. Mais tu sais, papa et maman n'auraient jamais dû maquiller le premier meurtre. En la protégeant, ils nous ont tous exposés.

— Leur erreur leur a coûté cher. À ton père, elle a coûté la vie, à ta mère la raison.

Je me dirige vers la section sous haute surveillance.

— Il faut que j'y aille. Jane a besoin de moi.

Sasha allume une cigarette et me suit.

— Lucia, faut-il vraiment que nous accordions la moindre importance à ses besoins ?

— Elle m'a aimée et s'est occupée de moi pendant des années. Pourquoi est-ce que je devrais l'oublier, à présent ?

491

— Elle t'a aimée et s'est occupée de toi! ricane-t-il. Elle faisait mine de te protéger pour mieux te garder sous sa coupe et, à part toi, tout le monde s'en rendait compte. Elle passait son temps à t'inventer des problèmes de santé qui lui permettaient de diriger ton existence, elle t'éloignait de tes amis, elle a essayé de te tuer à plusieurs reprises tout en ayant l'air de te sauver. Et elle a recréé ton passé en inventant une série de mensonges autour de ton enfance, dans le seul but de maquiller son propre rôle destructeur.

Il tire rageusement une bouffée de sa cigarette.

— Mais Sasha, nous créons tous, à nos propres fins, des fictions au sujet de notre passé. Tu me recommandais toi-même de le faire, il y a deux jours. Et toi aussi tu t'es inventé un passé russe, où tu portes des foulards rouges et où tu chantes des chants patriotiques autour d'un feu de camp!

— Nous nous racontons des histoires afin de structurer notre propre passé. Nous n'avons pas le droit de structurer celui des autres.

Il agite sa cigarette vers moi.

— Puisque tu es décidée à prendre la défense de Jane, allons lui rendre visite. Mais sans nous attendre à être remerciés.

En dépit de ce que tout le monde m'a dit, j'imagine pouvoir parler avec Jane des événements récents. Je crois même qu'elle va essayer de me fournir une explication quelconque. Je suis tout au moins convaincue qu'elle sera contente de me voir.

On m'explique que je ne pourrai lui parler qu'à travers une grille. Lorsqu'on ouvre le guichet, je regarde attentivement, tel un visiteur du zoo cherchant des yeux un reptile particulièrement expert en camouflage. Enfin, je la repère dans la pièce. Elle se tient assise, parfaitement immobile, le visage tourné, ses cheveux nous séparant comme un rideau.

Je l'appelle doucement. Aucune réponse.

— C'est Lucy. Jane, c'est Lucy.

Je sais qu'à ces mots elle va se retourner et sourire. En entendant mon nom, elle va s'avancer vers moi et me demander comment je vais. Le battement de mon cœur s'accélère. Elle ne lève pas les yeux. Ne répond pas.

Durant le trajet de retour, Sasha et moi n'échangeons pas une parole. Ce n'est qu'une fois dans la cuisine, alors que tante Zina s'affaire dans un fracas de casseroles entrechoquées, que je lui demande :

— Sasha, tu étais sérieux en disant que tout le monde savait que Jane essayait de me garder sous sa coupe ?

— Absolument. Tiens, prends l'exemple de tes visites ici, quand tu étais enfant...

Tante Zina s'interrompt dans sa tâche :

— Elle nous rendait rarement visite et quand elle le faisait, elle boudait jalousement.

— Pour grand-maman, maman et moi, il était clair qu'elle n'admettait pas que tu entretiennes des relations sur lesquelles elle ne pouvait exercer une influence directe, explique Sasha. Elle a dû souvent essayer de te dissuader de venir ici, non ? Et elle y est souvent parvenue.

Quand Mme Joseph est venue me voir, elle m'a raconté que Robert m'avait appelé à de nombreuses reprises, après l'accident. Elle-même avait écrit et téléphoné. Chaque fois, Jane avait intercepté les appels et dit aux Joseph que je ne voulais plus entendre parler d'eux.

— Si tu avais eu l'audace de répondre toi-même au téléphone, poursuit Mme Joseph, elle n'aurait jamais pu avoir une telle emprise sur la situation.

— Mais, inconsciemment, ajoute Sasha, tu savais de quoi elle était capable. Tu lui as échappé en partant vivre à New

York, dans l'univers docile des chiffres. Et quand tu es revenue ici, tu as choisi de séjourner chez nous. Je crois que tu savais tout.

Scott m'accompagne à l'aéroport.

— Je peux me permettre de te demander quand tu comptes revenir, au juste?

— Le temps de dire au revoir à Jim et de débarrasser mon appartement. Je serai là dans une semaine.

Il sourit, me soulève comme si je ne pesais pas davantage qu'un jouet et me fait tournoyer.

— Tout paraît plus léger désormais, dit-il.

Tandis que je m'éloigne, il me crie :

— Lucy, ne mets pas trois ans à revenir cette fois! Ou je viendrai te chercher. Avec ton frère.

Alors que l'avion s'approche de New York, je vois Manhattan scintiller sous les rayons du soleil. Le chauffeur de taxi m'apprend que le temps vient de changer. La vague de chaleur de l'Ouest a traversé le continent de part en part et, quelque peu affaiblie par le voyage, vient d'atteindre New York.

— C'est génial, c'est l'été! s'exclame-t-il.

Je rectifie :

— Non, c'est le printemps.

Mon sac sur l'épaule et un tas de courrier sous le bras, je glisse ma clé dans la serrure. Elle tourne moins facilement qu'à l'ordinaire, comme soudain tirée de sa torpeur. Mais la porte s'ouvre toute grande.

Tout est exactement comme je l'ai laissé. Quelques vêtements sont jetés sur le lit, que je pensais emporter puis que j'avais laissés quand Jim Finnigan s'était assis dans le salon et s'était mis à pleurer en me parlant de son père. Le téléphone est un peu de travers : je m'en étais servi ce soir-là pour appeler Sasha et pour écouter le message de papa. Et les cailloux de papa, tripotés par Jim, ne sont pas disposés comme à l'ordinaire.

Je m'assieds et me délecte du calme de mon appartement. Rien ne bouge. Une heure est remplacée par une autre, puis les quatre chiffres de mon réveil à affichage digital changent simultanément. Et tout redevient immobile. Je distingue les rumeurs de la rue, le bruit des avions au-dessus de ma tête, une musique lointaine provenant d'un appartement voisin. Mais ici, il n'y a pas de bruit, à moins que j'en fasse. Pas de mouvement, à moins que j'en crée.

Enfin, je m'étire et vais chercher le courrier que j'ai ramassé dans l'entrée. Je commence à le classer : une pile pour ce qui est à jeter ; une autre pour ce qui est à lire ; une troisième pour ce qui est à payer. Une lettre attire mon attention. L'adresse est manuscrite. L'écriture — petite, nette, intelligente — est familière. Ma main se met à trembler. Le souffle me manque. Les yeux me piquent.

Je m'assieds, fixe la lettre qui m'a été envoyée dans un autre temps et qui a attendu mon retour de ce long, si long voyage. Je la fixe, rassemblant mes forces pour affronter le choc de la nouvelle réalité qu'elle contient peut-être. Me préparant à de nouveaux bouleversements, alors qu'il y en a déjà eu tant. Et que je me croyais enfin arrivée au bout de ma quête.

Lentement, à contrecœur, je déchire l'enveloppe.

« Lucy chérie, j'ai essayé de t'appeler. À présent je t'écris car je sais bien que je n'en ai plus pour longtemps. Je n'ai pas envie de m'en aller, Lucy. Je n'ai pas envie de te quitter. Mais quand ça se produira, je t'en supplie, ne sois pas triste. Ne m'en veuille pas trop. Ne cherche pas à comprendre, à moins d'être prête à affronter tout ce que tu auras à découvrir. Ne reviens pas vivre en Californie. Il ne faut plus que tu aies des enfants ici, il faut que tu en aies dans un autre endroit du monde mais, pour l'amour de Dieu, tu dois en avoir, tu étais une bonne mère, ne laisse jamais personne prétendre le contraire. Ne juge pas ton père trop durement, il t'aime de tout son cœur. Et ne t'avise pas de m'oublier. Tant que tu te souviendras de moi, je serai là. Papa. »